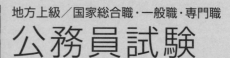

地方上級／国家総合職・一般職・専門職

公務員試験

# 新スーパー過去問ゼミ7

# 人文科学

日本史　世界史　地理　思想　文学・芸術

［増補版］



資格試験研究会編

実務教育出版

特集

# 国家公務員試験の新出題（時事・情報）を徹底解説！

令和 6 年度大卒程度国家公務員試験の基礎能力試験で出題された自然・人文・社会に関する時事および情報に関する出題から，学習効果の高い科目を選んで掲載した。時事は自然・人文・社会科学の知識が総合的に問われる問題であるため，『新スーパー過去問ゼミ 7 社会科学［増補版］』『同人文科学［増補版］』では一部に同一の問題を掲載している。

特集

# 国家公務員試験の新出題(時事・情報)を徹底解説！

## 変更点の確認

国家公務員試験の基礎能力試験（いわゆる教養試験）の出題分野が，令和6年度試験から変更された。

具体的には，これまで,「時事」「社会科学」「人文科学」「自然科学」という分野だったものが,「自然・人文・社会に関する時事，情報」となった。

**国家一般職・国家専門職の変更点**

| | 5年度 | 6年度 |
|---|---|---|
| 知能分野 | 27問 ▷文章理解：11問<br>▷判断推理：８問<br>▷数的推理：５問<br>▷資料解釈：３問 | 24問 ▷文章理解：10問<br>▷判断推理：７問<br>▷数的推理：４問<br>▷資料解釈：３問 |
| 知識分野 | 13問 ▷自然・人文・社会<br>〈時事を含む〉 | 6問 ▷自然・人文・社会に関する時事<br>▷情報 |
| 合　計 | 40問 | 30問 |
| 解答時間 | 140分 | 110分 |

これにより，知能分野のウエートが従来にも増して大きくなり，知識分野の存在感が薄れている。人事院からは事前に,「自然・人文・社会に関する時事，情報」は「時事問題を中心とし，普段から社会情勢等に関心を持っていれば対応できるような内容」だと告知されていたため，特別な準備がいるのか，いらないのか迷った受験生も多かっただろう。

さて，実際はどうだったのか。今後の受験対策として，やるべきことを知るためにも，この［増補版］の特集を活用してほしい。

## 出題内容を深掘り

令和6年度の国家総合職（春試験）の出題内訳は次ページに，国家一般職，国家専門職はp.⓰に掲載した。まずはざっと見てほしい。選択肢ごとに，自然科学，人文科学，社会科学に分類している。こうして見ると，1問の中に，いろいろな知識が盛り込まれていることがわかる。しかも，1つの選択肢の中にも，日本史や生物といった複数科目のキーワードが混在していることがあるため，非常に複雑に感じるだろう。

しかし，見方を変えれば，これらは,「時事」でありながら，従来の知識分野（つまり，自然科学，人文科学，社会科学）で正誤の判断ができるということを表している。

これまでの「時事」は時事対策を徹底しなくては解けないことが多かったが，今回の新出題では,「高校時代までに学習した知識分野の内容」を使って誤りの選択肢を消していく，という手法を活かすことができる。このことは，「地方上級」や「市役所」を併願する受験者にとっては朗報だろう。地方上級や市役所対策として学習したことが，国家公務員試験でも使えるからだ。

## 実際の出題に挑戦

次ページからは，令和６年度大卒程度国家公務員試験の基礎能力試験で出題された「自然・人文・社会に関する時事」「情報」に関する出題から，学習効果の高い科目を選んで掲載した。新出題の過去問を使って，受験対策に役立ててほしい。

## 教養試験【基礎能力試験】出題内訳表

### 令和６年度　国家総合職（基礎能力試験）一般知識分野

| No. | 出題内容 | 選択肢 | キーワード | 自然科学 | 人文科学 | 社会科学 |
|---|---|---|---|---|---|---|
| 25 | 近年の科学技術 | 1 | デュアルユース技術，ハーバー・ボッシュ法，R4経済安全保障推進法 | 化学 | | |
| | | 2 | 自動運転車，LiDAR，ドップラー効果 | 物理 | | |
| | | 3 | パーソナルデータ, R4改正個人情報保護法, Emonotet | 生物 | | 法律 |
| | | 4 | 量子暗号通信, 量子力学の応用, 光子による盗聴の検出 | 物理 | | |
| | | 5 | 衛星コンステレーション, 静止衛星, 米国「スターリンク」(R4) | 地学 | | |
| **26** | **国際情勢** | 1 | 2023年スーダン | | 地理 | |
| | | 2 | 2023年ロシアのウクライナ侵攻 | | 世界史 | |
| | | 3 | 2023年日韓通貨交換（スワップ）協定再開 | | | 経済 |
| | | 4 | 2023年米国ユネスコへの復帰 | | | 政治 |
| | | 5 | 2023年サッカー女子ワールドカップ（オーストラリア・ニュージーランド） | | 地理 | |
| **27** | **新日本銀行券** | 1 | 新一万円札（渋沢栄一，赤レンガ駅舎） | | 日本史 | |
| | | 2 | 新五千円札（津田梅子，藤） | 生物 | 日本史 | |
| | | 3 | 新千円札（北里柴三郎，富嶽三十六景） | | 日本史 | |
| | | 4 | 偽造防止策，3Dホログラム，ホログラフィー原理 | 物理 | | |
| | | 5 | 「高精細すき入れ」, キャッシュレス決済, 旧紙幣の使用期限 | | | 経済 |
| 28 | 生物などを巡る最近の動向 | 1 | R5ジャイアントパンダの中国返還 | | 日本史 | 政治 |
| | | 2 | オオサンショウウオ，「特定外来生物」 | 生物 | | |
| | | 3 | 世界人口の増加とタンパク質 | 生物 | | 社会 |
| | | 4 | WHO感染症拡大の警告（マラリア，豚熱） | | 地理 | |
| | | 5 | 医療品の供給不足，ウイルスの性質 | 生物 | | |
| 29 | 近年の法改正 | 1 | R3自然公園法 | 生物 | | |
| | | 2 | R5改正食品表示基準 | 生物 | | |
| | | 3 | R5改正活動火山対策特別措置法 | 地学 | | |
| | | 4 | R4法人等による寄附の不当な勧誘の防止等に関する法律，R4改正消費者契約法 | | | 法律 |
| | | 5 | R5インボイス導入 | | | 経済 |
| 30 | 情報 | 1 | 商品バーコード作成のフローチャートの空欄補充形式 | 情報 | | |

※出題内訳表の「出題内容」の欄が**太字**になっている問題は，本書p.❹〜⓯で詳しく解説している（p.⓰も同様）。

# 国際情勢

## 自然・人文・社会に関する時事

**国際情勢などに関する記述として最も妥当なのはどれか。**

【国家総合職・令和６年度】

**1**　2023年，国軍と準軍事組織の戦闘により情勢悪化が続くスーダンから近隣国へ退避し，帰国を希望する日本人とその家族がチャーター機で帰国した。アフリカ北東部に位置するスーダンは，1950年代に植民地支配から独立した。その後，アラブ系イスラム教徒が多数を占める北部とアフリカ系キリスト教徒などが多数を占める南部が対立し，内戦状態であったが，2011年に南部が**南スーダン共和国**として分離独立した。

**2**　2023年，ロシアの**ウクライナ侵攻**が続く中，ロシアが占拠するキーウ近郊にある水力発電所のダムが破壊され，決壊した。ロシアが2014年に侵攻したウクライナ領クリミアは，ロシアにとって戦略上重要な拠点であり，18世紀にムガル帝国からロシア帝国に併合された後，1850年代には，ロシアが英国やオランダなどと戦ったクリミア戦争の戦場となった。

**3**　日韓両政府は，2023年，日本の輸出管理厳格化措置に関するIMFへの提訴を韓国側が取り下げることを条件に，金融危機の際に通貨を融通する**通貨交換（スワップ）協定**を再開することで合意した。同協定は，1990年代後半に香港における通貨暴落を機に発生したアジア通貨危機を受けて運用が始まったが，日韓関係の悪化により2010年代に失効していた。

**4**　米国は，2023年，クリントン政権時代に脱退していた**ユネスコ（国際連合教育科学文化機関）**に復帰した。ユネスコは，ウィーンに本部を置く国連の専門機関で，経済的発展と国際間の理解に寄与するため，持続可能な，普遍的に受け入れられる観光を促進することを目的とし，アフターコロナを見据えた観光振興として，**ベネチアや京都**など世界的な観光地への観光客の誘致を提言した。

**5**　2023年，ニュージーランドとトンガが共催するサッカー女子ワールドカップが開催され，日本代表は１次リーグで３連勝し，決勝トーナメントへ進んだ。開催国のニュージーランドでは，先住民マサイの伝統的な文化や言語などを保存するための取組みが行われており，ラグビーワールドカップ2023などのラグビーの国際試合において，ニュージーランドの選手がマサイの民族舞踊であるハカを踊っている。

難易度　＊＊

時事ニュース性 ★★★
自然科学分野 ―
人文科学分野 ★★
社会科学分野 ★★

## 解説

**1 ◎ スーダンは現在も不安定な情勢にある。**

正しい。スーダンは，南スーダンの分離独立後も紛争が絶えず，西部のダルフール地方では同じイスラム教徒のアラブ系と非アラブ系が争っており，油田地帯である南スーダンとの国境付近でも武力衝突が続くなど，政情は不安定なままである。

**2 × クリミア半島はムガル帝国からロシア帝国に併合。**

2022年から続くロシアのウクライナ侵攻で破壊されたカホフカ水力発電所のダムは南部のヘルソン州にあるので，キーウの近郊ではない。**クリミア半島**は，第２次ロシア・トルコ戦争（露土戦争）の結果，オスマン帝国に勝利したロシアによって1792年に併合された。また，クリミア戦争（1853～1856年）でロシアと戦ったのは，オスマン帝国・英国・フランス・サルデーニャの連合軍であった。その後クリミアは，ソビエト連邦時代の1954年にロシアからウクライナに管轄が移され，ソ連解体とともにそのままウクライナ領となっていたが，2014年にロシアが一方的に併合して実効支配を続けている。

**3 × 1997年のアジア通貨危機の震源地はタイであった。**

日本の輸出管理厳格化措置に反発して，韓国側が提訴したのは**WTO（世界貿易機関）**である。アジア通貨危機は，1997年に起きたタイ通貨の暴落が，韓国，インドネシア等のアジア諸国に伝播し，その後世界に影響が及んだ。このような金融危機に備えて通貨を融通し合う目的で通貨交換（スワップ）協定が結ばれたが，日韓関係の悪化もあって日韓の協定は2015年に失効した。2023年の日韓通貨交換協定の再開は，日韓の関係修復の一環として行われたものであり，WTOへの提訴取り下げの条件となっていたわけではない。

**4 × 米国がユネスコから脱退したのはトランプ政権時代である。**

ユネスコ（国連教育科学文化機関）の本部があるのはフランスのパリ。観光についての国連専門機関としてはスペインのマドリードに本部がある**世界観光機関**（UN Tourism）がある。近年，イタリアのベネチアや京都など世界的な観光地では，観光客が集まりすぎて引き起こされる**オーバーツーリズム**（観光過剰・観光公害）が問題となっており，持続可能な観光（サステナブル・ツーリズム）への意識改革が求められている。

**5 × FIFA女子ワールドカップ2023はニュージーランドとオーストラリア共催。**

ニュージーランドの先住民は**マオリ**であり，マサイはアフリカのケニア南部からタンザニア北部一帯の先住民である。

**正答 1**

# 新日本銀行券

## 自然・人文・社会に関する時事

**新しい日本銀行券（新紙幣）は，偽造抵抗力強化等の観点から様式を新たにして令和６（2024）年７月に発行される。これに関する記述として最も妥当なのはどれか。**

【国家総合職・令和６年度】

**1**　新一万円券（１万円札）の表の肖像は**渋沢栄一**，裏は東京駅の「赤レンガ駅舎」の図柄が採用されることとなっている。渋沢栄一は，明治政府で税制改革に当たるとともに郵便事業を創始し，退官後は実業界で活躍する中で，富岡製糸場，八幡製鉄所，日本郵船会社などを設立した。また，「赤レンガ駅舎」は，ビザンツ様式の歴史的建造物で，21世紀に入り，五稜郭，旧鹿鳴館，旧八幡製鉄所（旧本事務所）とともに国宝に指定された。

**2**　新五千円券（５千円札）の表の肖像は**津田梅子**，裏はフジ（藤）の図柄が採用されることとなっている。津田梅子は，不平等条約改正のため，明治時代に欧米に派遣され領事裁判権の廃止を実現させた**岩倉使節団**に通訳として同行し，帰国後は女子英学塾の創立など近代的な女子高等教育に尽力した。また，フジは，裸子植物に属する日本固有種であり，飛鳥時代に編纂（さん）された**『古事記』**や平安時代に編集された**『万葉集』**にも登場し，わが国では古くから親しまれている。

**3**　新千円券（千円札）の表の肖像は**北里柴三郎**，裏は「**富嶽三十六景**」の図柄が採用されることとなっている。北里柴三郎は，明治時代，世界で初めて破傷風菌の純粋培養に成功して破傷風血清療法を確立し，伝染病研究所などを創立した。また，浮世絵版画の「富嶽三十六景」は，江戸時代後期の浮世絵師の**葛飾北斎**の代表作であり，これらの浮世絵は，海外に紹介され，ヨーロッパの印象派の画家たちに大きな影響を与えた。

**4**　新紙幣には，偽造防止とともに，外国人旅行者の利用に特別に配慮するユニバーサルデザインの観点から，新たに３Ｄホログラムを導入し，紙幣を傾けると，算用数字やアルファベットが拡大して浮き出るようになっている。ホログラムは**ホログラフィー**を利用した画像であり，ホログラフィーの原理は，物体に光を当て，そこから得られる光ともとの光との共鳴を利用して物体の立体像を再現するものである。

**5**　新紙幣を広く普及させるためには，ATMや自動販売機などが紙幣を正しく認識する必要があり，機器による新紙幣の読み取り専用の「高精細すき入れ」を導入することとなっている。一方，わが国は，**キャッシュレス決済**が推進されているが，民間最終消費支出に対するキャッシュレス決済の比率は令和４（2022）年で１割程度と低く，その推進のための一方策として，新紙幣以前の紙幣は３年間の猶予期間を経て使用不可となる。

**難易度　＊＊**

## 解説

**1 ×** **郵便事業の創始者は前島密である。**

**渋沢栄一**は富岡製糸場の設立にかかわったが，当時は大蔵省租税正であった。赤レンガ駅舎は日本近代建築の父とも呼ばれる**辰野金吾**による建築で，イギリスのクイーン・アン様式を日本化した辰野式が用いられた。なお，五稜郭は国宝ではなく特別史跡である。鹿鳴館は戦前に解体され現存しない。八幡製鉄所（旧本事務所）は2015年に「明治日本の産業革命遺産　製鉄・製鋼，造船，石炭産業」の構成資産として**世界文化遺産**に登録されているが，赤レンガ駅舎と同様，国宝ではない。

**2 ×** **津田梅子は岩倉使節団に随行した留学生。フジは被子植物。**

岩倉使節団の不平等条約改正交渉は失敗に終わっている。現在の津田塾大学の前身となる女子英学塾を創立し，女子教育の先駆者となった**津田梅子**は，通訳者としてではなく留学生として使節団に随行した。フジは裸子植物ではなく，胚珠が子房で包まれている**被子植物**である。『万葉集』にはフジを詠んだ和歌が多く収められているが，平安時代ではなく奈良時代に編集された現存する**日本最古の和歌集**である。

**3 ◎** **北里柴三郎は破傷風菌の純粋培養に成功し，血清療法を発見した。**

正しい。**北里柴三郎**はこのほか，ペストの病原菌の発見，伝染病研究所や慶應義塾大学医学部，日本医師会の創設に携わるなど，日本の医学の近代化を押し進めた。**葛飾北斎**をはじめとする浮世絵師の作品は印象派のモネやポスト印象派のゴッホなどヨーロッパの画家に影響を与え，19世紀後半にジャポニズムが流行した。

**4 ×** **新紙幣には，肖像が回転して見える３Dホログラムが印刷されている。**

新紙幣は偽造防止の観点から，高精細すき入れや，肖像が動いて見える３Dホログラムなどの高度な技術が導入された。さらに，算用数字を大きくしたり，指の触感で識別できるマークを入れたりするなどのユニバーサルデザインも取り入れられた。なお，ホログラフィーの原理とは，物体光と参照光を重ね合わせることで発生する干渉縞を感光材料に記録し，これに光を当てることで立体的な像を再現する技術である。

**5 ×** **わが国のキャッシュレス決済比率は堅調に上昇している。**

高精細すき入れは，偽造防止の目的で導入された。民間最終消費支出に対するキャッシュレス決済比率は令和４（2022）年時点で36.0％であり，10年前の２倍以上に上昇した。経済産業省は2025年までに**キャッシュレス決済比率**を４割程度にするという政府目標を掲げ推進に取り組んできたが，達成まで間近となっている。なお新紙幣が発行された後も以前の紙幣は使用することができる。

**正答 3**

# 各種会議やイベント

## 自然・人文・社会に関する時事

**各種の会議やイベントなどに関する記述として最も妥当なのはどれか。**

【国家一般職・令和６年度】

**1** 2023年，**G７サミット**が広島で，G20サミットが伊勢志摩で開催された。G７サミットでは，ウクライナのゼレンスキー大統領が来日し，国際情勢などが議論された。G20サミットでは，法の支配に基づく自由で開かれた国際秩序を堅持し，強化すると明記した首脳宣言が発表された。G７サミットの首脳が訪問した厳島神社（宮島）は，鎌倉時代，蒙古襲来（元寇）に対する戦勝祈願のため北条政子によって造営されたものである。

**2** クールジャパンとは，外国人が「クール（かっこいい）」ととらえるマンガ・アニメを発信源として，インバウンド需要の拡大をめざすものである。その一環として，2023年，コミックマーケット（「コミケ102・103」）を福岡で，ジャパン・エキスポ（第22回Japan Expo）を札幌で開催し，多くの外国人観光客が会場を訪れた。このように注目を集めている日本のマンガの原点は，その描写と風刺性から，明治時代に**雪舟**が描いた屏風絵の「**鳥獣人物戯画**」であるとされている。

**3** 沖縄にはかつて**中継貿易**を盛んに行っていた**琉球王国**があり，日本政府は，明治時代に沖縄県を設置した。その後，第二次世界大戦中に米軍が沖縄に上陸し，沖縄は，戦後のサンフランシスコ平和条約調印後も米国の施政権下に置かれたが，1972年に日本に復帰した。2022年，沖縄は復帰から50年を迎え，沖縄と東京の２会場を中継で結んで沖縄復帰50周年記念式典が開催された。

**4** 関東大震災は，ユーラシアプレートの内部で発生したプレート内地震により，関東平野北部を中心に甚大な被害をもたらした災害である。2023年は関東大震災から100年の節目で，「関東大震災100年」をテーマとするイベントが各地で開催された。関東大震災が起きた1923年には，明治天皇の暗殺を計画したとして，吉野作造，内村鑑三らが検挙される**大逆事件**が起きた。

**5** 日本国際博覧会（大阪・関西万博）は，カジノを含む統合型リゾート（IR）の開業時期に合わせて，2025年に大阪湾の埋立地で開催予定であり，「未来社会の実験場」として「空飛ぶクルマ」の商用飛行などが計画されている。日本初の「万博」である日本万国博覧会は，1960年代に，東京オリンピック開催直前に愛知で開催され，そのシンボルタワーは，**岡倉天心**制作の「太陽の塔」であった。

**難易度** ＊

## 解説

**5**を除いては，2022年から2023年の会議やイベントについての内容である。しかし，すべての選択肢で人文科学の知識があれば正誤の判断ができるようになっているため，時事性は比較的薄い。

**1 ×** **2023年のG20サミット開催地はニューデリー。**
伊勢志摩でG７サミットが開催されたのは2016年であり，2023年のG20サミットはインドのニューデリーである。このG20サミットでは，包括的な多国間主義を支持し，持続可能で公正な成長を促進するとした首脳宣言が発表されたため，「法の支配に基づく自由で開かれた国際秩序を堅持し，強化すると明記」の部分が間違いである。また，**厳島神社は６世紀に創建され**，現在の寝殿造の形に平清盛によって修造された。鎌倉時代に北条政子によって造営されたものではない。

**2 ×** **クールジャパンはマンガ，アニメだけをさすものではない。**
クールジャパンにはマンガ，アニメに加え，食，ファッション，伝統文化など幅広い分野が含まれる。さらに，2023年にコミックマーケットが開催されたのは東京であり，ジャパン・エキスポは札幌ではなくフランスのパリで開催された。さらに，「鳥獣人物戯画」は作者不明で，平安時代から鎌倉時代にかけて描かれたものである。なお，雪舟は室町時代に活躍した**水墨画家**であり，「秋冬山水図」など６点の作品が国宝に指定されている。

**3 ◎** **沖縄は明治時代に日本に統合され，第二次世界大戦後は米国の施政権下。**
正しい。その地理的条件から，14世紀から19世紀まで中国や東南アジア，日本との中継貿易で琉球王国は繁栄した。明治政府の**琉球処分**により日本に統合された後，1879年に沖縄県が設置された。その後の第二次世界大戦時には，戦場となり，多くの死傷者を出している。

**4 ×** **フィリピン海プレートと北米プレートの境界で関東大震災が発生した。**
関東大震災が発生したのは**フィリピン海プレート**と**北米プレート**の境界であり，**海溝型地震**である。このとき，主に関東地方南部が大きな被害を受けた。また，大逆事件が起きたのは1911年であり，**幸徳秋水**らが計画したものである。

**5 ×** **日本万国博覧会が開催されたのは大阪で，1970年のことである。**
「空飛ぶクルマ」の商用飛行は計画されていない。また，日本万国博覧会は1970年に大阪で開催され，シンボルタワーの「太陽の塔」は**岡本太郎**が制作したものである。

**正答 3**

# 原子力をめぐる動き

## 自然・人文・社会に関する時事

**原子力をめぐる動きなどに関する記述として最も妥当なのはどれか。**

【国家一般職・令和６年度】

**1**　2022年，中国において新たな方式の**核融合**の実験が行われ，高温・高圧下でウランとヘリウムを化学反応させることで，投入した分を上回るエネルギーを取り出すことに世界で初めて成功した。核融合を利用した核融合発電は，発電時に水素しか発生しないため，環境への負荷が低い。

**2**　2023年，北朝鮮は，原子力潜水艦の進水式を行った。北朝鮮は，朴正熙を大統領とする韓国に侵攻した朝鮮戦争以来，**北大西洋条約機構（NATO）**のすべての加盟国と国交を断絶したままであるが，ロシアやイラクなどから経済支援や技術協力を得て，新型の原子力潜水艦の開発を進めている。

**3**　2023年末現在，ウクライナ南部にある**チョルノービリ（チェルノブイリ）原子力発電所**はロシアに占拠されている。同発電所は，1970年代に炉心が融解して爆発したが，当時のフルシチョフ第一書記は**グラスノスチ**を理由に情報を住民に公開しなかったため，被害が拡大し，多くの住民が移住を余儀なくされた。

**4**　1945年，米国やソ連などの連合国と戦っていたわが国は，広島と長崎に原子爆弾を投下され，さらに，英国から宣戦されたため，**ポツダム宣言**を受諾した。その後，2023年，**バイデン大統領**は，現職の米国大統領として初めて長崎の原爆資料館を訪れ，原爆死没者慰霊碑への献花を行った。

**5**　**国際原子力機関（IAEA）**によるレビューを受けたうえで，2023年，福島第一原子力発電所に貯蔵されている**トリチウム**を含んだALPS処理水の海洋放出が開始された。陽子の数が同じで中性子の数が異なる原子のことを同位体（アイソトープ）といい，トリチウムは水素の同位体の一つである。

**難易度**　＊＊

## 解 説

テーマ名からは人文科学の要素はなさそうに感じるが，**2**（朝鮮戦争時の韓国大統領の名前），**3**（チョルノービリ原発の地理的位置），**4**（第二次世界大戦）といった知識で正誤判断ができる。

**1 ×** **核融合は，水素の同位体を融合し，ヘリウムと中性子を生成する反応。**
2022年，中国は核融合超伝導トカマク型実験装置（EAST）を用いて，高温・高圧下で持続的な核融合反応を長時間維持することに成功したが，現時点では投入した分を上回るエネルギーを取り出す実験は成功していない。**核融合**を利用した核融合発電は，水素や重水素，トリチウムなどの軽い原子核がプラズマ状態で融合し，ヘリウムなどのより重い原子核になる核融合反応を利用するもので，二酸化炭素が発生せず，環境への負荷は低いとされている。

**2 ×** **朝鮮戦争が勃発した当時の韓国の大統領は李承晩（イスンマン）。**
北朝鮮が2023年に原子力潜水艦の進水式を行ったことは正しい。北朝鮮が韓国に侵攻し，朝鮮戦争が勃発した当時の韓国の大統領は**李承晩**である。また，北朝鮮は北大西洋条約機構（NATO）加盟国のうち，ドイツ，ポーランド，イタリア，スペインなどと国交を樹立している。北朝鮮に対し経済的支援を行っているのは，イラクではなくロシアや中国である。

**3 ×** **チョルノービリ原子力発電所事故は1986年に発生。**
チョルノービリ（チェルノブイリ）原子力発電所はウクライナ北部に位置し，2022年にロシア軍に約１か月占拠されたが，2024年８月時点でウクライナ政府の管理下にある。ロシアが占拠しているのはウクライナ南部のザポリージャ原子力発電所。チョルノービリ原子力発電所の事故はソ連時代の1986年４月に発生したが，事故発生の情報が当時のゴルバチョフ大統領をはじめ国民にすぐには伝わらず，被害の拡大を招いたことを受け，**グラスノスチ**（ロシア語で「情報公開」の意味）を本格化させるきっかけとなった。

**4 ×** **ソ連が日本に宣戦布告し戦争状態になったのは広島への原子爆弾の投下後。**
ソ連は連合国側であったが，1941年に日ソ中立条約を結んでいたため，同条約を破棄し対日宣戦布告を行った1945年８月までは日本と戦争状態ではなかった。イギリスは，日本軍がシンガポールなどのイギリス領を攻撃したこと受け1941年に対日宣戦布告を行った。**バイデン大統領**は2023年に広島市で開催されたG７サミットに参加した。このとき現職の米国大統領として初めて長崎を訪問することが検討されていたが実現しなかった。

**5 ◎** **2023年に福島第一原子力発電所のALPS処理水の海洋放出が開始。**
正しい。**ALPS処理水**とは，原子炉内部に残る溶けて固まった燃料を冷却するときに発生する汚染水を浄化処理し，セシウムやストロンチウムのほか，**トリチウム**以外の62種類の放射性物質を規制基準を下回るまで取り除いた水。トリチウムは水素の放射性同位体の一つで，水分子の一部になって存在しているため，取り除くことができない。ALPS処理水の海洋放出に反発した中国は，日本産水産物の輸入全面停止を行っている。

**正答 5**

# 近年の宇宙開発

## 自然・人文・社会に関する時事

**近年の宇宙開発などに関する記述として最も妥当なのはどれか。**

【国家専門職・令和６年度】

**1**　米国が主導する国際的な月探査計画「**アルテミス計画**」では，月面着陸も予定されている。計画未参加のわが国は，日本人宇宙飛行士の月面着陸をめざして2030年までの参加を検討している。また，2022年，米航空宇宙局（NASA）は，同計画に使用する新型ロケットの打上げを米国西部のフロリダ州にある発射場で行った。この一帯は，プレーリーと呼ばれる高原で標高が高いため，打上げに必要なロケットの燃料を節約することができる。

**2**　中国は，独自の宇宙ステーションを完成させており，また，2022年の宇宙ロケットの打上げ回数は約10回で，打上げには主に内モンゴル自治区内にある発射場が使用された。この発射場は，**ツンドラ気候**に属するタクラマカン砂漠にあり晴天の日が多いため，悪天候により打上げが延期されることが少ない。

**3**　地球周回軌道上に存在する現在使用されていない人工物のことを**スペースデブリ**といい，2023年末時点で，大きさが１cm以上のスペースデブリが1,000個程度存在する。スペースデブリは，専用の衛星などを利用して地球に落とすことで定期的に取り除かれており，気温が約1,000℃の成層圏まで落下すると，高温により燃え尽きる。

**4**　2024年，わが国は，**H３ロケット**の試験機２号機を種子島の発射場から打ち上げることに成功した。地球は西から東に自転しており赤道に近づくほどロケットが強い遠心力を受けるため，東向きに打ち上げる場合，わが国の中では比較的低緯度に位置している同島は打上げに有利である。なお，同島は，戦国時代にポルトガル人から鉄砲が伝来した地であることで知られている。

**5**　2022年のロシアの宇宙ロケットの打上げ回数は，約20回で同年では世界最多であった。打上げには，主にカザフスタンにある発射場が使用された。カザフスタンは，南欧にある国で，かつては，ローマ帝国の絹と中国の陶磁器をやり取りする，**シルク・ロード（絹の道）**と呼ばれる交易路の一部が周辺地域を通っていた。

**難易度**　＊＊

時事ニュース性 ★★★
自然科学分野 ★★
人文科学分野 ★★★
社会科学分野 ―

## 解説

宇宙開発に関する問題ではあるが，天文などの地学系の知識がなくても，地理の知識で正誤の判断ができる選択肢が多くなっている。

**1 ×　アルテミス計画には日本を含め34か国が参加している。**
アルテミス計画は，米国を中心とする国際的な月探査計画で，日本も参加しており，月に存在するエネルギー資源の活用や火星探索の足がかりとなることが期待されている。米国の主要な宇宙ロケット発射場（ケネディ宇宙センター）は，南東部フロリダ州の大西洋に面した低地にある。**プレーリー**は，北米大陸中央部に広がる大草原で，土壌が肥沃（ひよく）なため小麦・トウモロコシ・綿花などの一大生産地となっている。

**2 ×　中国の主要な宇宙ロケット発射場はゴビ砂漠にあり，砂漠気候に属する。**
2022年の中国の宇宙ロケットの打上げ回数は64回である。中国の主要な宇宙ロケット発射場（酒泉衛星発射センター）は，北西部のゴビ砂漠内にあり，**砂漠気候**で晴天率が高いため，打上げには好条件となっている。**ツンドラ気候**は主に北極海周辺に分布するが，中国のチベット高原の一部にも見られる。

**3 ×　スペースデブリは10cm以上のものだけでも約3.5万個存在する。**
スペースデブリ（宇宙ゴミ）は秒速数十kmにもなる超高速で飛び交っているため，微小なものでも運用中の人工衛星等に衝突すると甚大な被害を与えるおそれがある。このためスペースデブリの除去方法については各国で研究開発が進んでいるものの，まだ実用段階には至っていない。なお，**成層圏**の温度は０～マイナス60℃であり，地球大気に突入した人工衛星や流れ星等が空力加熱によって燃えるのは，成層圏より上層の**熱圏**～中間圏付近である。

**4 ◎　宇宙ロケットの発射は赤道に近い低緯度地方ほど有利である。**
正しい。日本の主力宇宙ロケット（Ｈ３ロケット）は，国内では比較的低緯度にある鹿児島県の**種子島（たねがしま）宇宙センター**から発射されている。同様の理由から，小型の宇宙ロケットであるイプシロンロケットについても，鹿児島県大隅半島南端の内之浦宇宙空間観測所から打ち上げられている。

**5 ×　カザフスタンは中央アジアに位置している。**
2022年のロシアの宇宙ロケットの打上げ回数は21回で，米国（78回），中国に次いで世界第３位であった。ロシアの主要な宇宙ロケット発射場（バイコヌール宇宙基地）は，隣国カザフスタン南部の砂漠地帯にある。また，中央アジアを横断してユーラシア大陸東西を結ぶ**シルク・ロード**は，古代中国の特産品であった絹がローマ帝国など西方諸国にもたらされた交易路であったことから名付けられたものである。

**正答 4**

# 宗教とそれを取り巻く最近の動き

## 自然・人文・社会に関する時事

**宗教とそれを取り巻く最近の動きに関する記述として最も妥当なのはどれか。**

【国家専門職・令和６年度】

**1**　仏教は，中国・朝鮮・日本へ広がった**上座部仏教**と，タイやミャンマーなどへ広がった**大乗仏教**に大きく分かれる。チベット仏教は，上座部仏教の一派として独自の仏教を形成し，チベット人のほか，多くのウイグル人からも信仰されている。チベット仏教の最高指導者である**ダライ・ラマ14世**は，中国のチベット自治区に居住し，中国政府に対してチベットの分離独立を要求する運動を起こした。

**2**　キリスト教は，ユダヤ教を母胎として成立した宗教である。イエスの発言と行動は旧約聖書に記されており，後にペテロやパウロによって**新約聖書**として改められた。現在，キリスト教は，カトリック，プロテスタント，正教会に大きく分かれている。ロシア正教会のキリル総主教は，2023年，ロシアのウクライナ侵攻に反対する声明を発表し，和平を呼び掛けている。

**3**　イスラム教は，救世主**ムハンマド**が創始した宗教で，ユダヤ教やキリスト教の神を否定し，唯一絶対の神**アッラー**への信仰を説く一神教である。2023年，アフガニスタンでは，イスラム原理主義武装組織の**タリバン**が首都バグダッドを制圧し，暫定政権を樹立した。これを受けて，米国のバイデン政権は，予定していたアフガニスタンの駐留米軍の撤退を取り消し，同国北部での駐留の継続を決定した。

**4**　インドは，第二次世界大戦後，イスラム教徒が多数を占める**インド**と，ヒンドゥー教徒が多数を占める**パキスタン**に分かれて独立した経緯があり，現在，イスラム教はインド国民の約過半数に信仰されているが，シク（シーク）教，ヒンドゥー教，キリスト教など多くの宗教も信仰されている。そのため，インドの**モディ首相**の所属政党は，あらゆる宗教に寛容な姿勢を取っている。

**5**　わが国では，古代の人々は万物に精霊が宿るとする**アニミズム**の信仰を持っていた。現在は，伝統的な民族宗教である**神道**のほか，他国から伝来した仏教，キリスト教など多種多様の宗教文化が混在している。わが国の宗教に関する行政事務は，文部科学省の外局である**文化庁**が担っており，2023年，同庁は一部の課を除き京都に移転したが，移転予定であった宗教に関する行政事務を担当する課の職員は当面東京に残ることとなった。

**難易度　＊＊**

時事ニュース性 ★★
自然科学分野 ―
人文科学分野 ★★★
社会科学分野 ★★

## 解説

時事としては「最近」といえないものもあるが，正答肢以外はいずれも人文科学の知識で誤りを見つけられるようになっている。

**1 ×** **上座部仏教はタイやミャンマー，大乗仏教は中国・朝鮮・日本に広がった。**
**上座部仏教**と**大乗仏教**が伝えられた地域が逆である。チベット仏教は大乗仏教の一つに分類され，ブータン・ネパール・モンゴルでも信仰されている。**ウイグル人**が主に信仰しているのは**イスラム教**。チベット仏教の最高指導者**ダライ・ラマ14世**は1959年のチベット蜂起後にインドへ亡命し，ダラムラサにて亡命政府を樹立した。中国によるチベット弾圧を非難し，チベットの自治権を訴える活動を行っているものの，分離独立運動は行っていない。

**2 ×** **イエスの宗教活動は新約聖書に記されている。**
イエスの生涯は弟子のパウロらによって記録が残され，後に**新約聖書**としてまとめられた。現在のキリスト教は，**カトリック**，**プロテスタント**，**正教会**に分類されることは正しい。ロシア正教会のキリル総主教はウクライナ侵攻を支持する立場をとっている。

**3 ×** **イスラム教のアッラーは，ユダヤ教やキリスト教の神と同一。**
ムハンマドはイスラム教の創始者であるが，救世主（メシア）ではなく預言者である。救世主はキリスト教でイエス・キリストをさす言葉とされる。バクダッドはイラクの首都であり，アフガニスタンの首都は**カブール**。タリバンと米国は2020年に和平合意を結び，駐留米軍の撤退が決められていたが，タリバン側の攻撃激化により治安状況が悪化。バイデン政権時の2021年に米軍の撤退が早められると，タリバンがカブールを制圧し，タリバン暫定政権が発足した。

**4 ×** **インドはヒンドゥー教徒が，パキスタンはイスラム教徒が多数。**
1947年にイギリス領インド帝国が消滅し，ヒンドゥー教徒の国として**インド連邦**，イスラム教徒の国として**パキスタン**がそれぞれ分離独立を果たした。インドでは約80％がヒンドゥー教を信仰しており，イスラム教徒は約14％にすぎない。**モディ首相**の所属するインド人民党（BJP）はヒンドゥー教至上主義を掲げており，他の宗教に寛容とは言い難い。

**5 ◎** **文化庁は文化財の保存活用，地域文化振興，宗教に関する行政事務も所管。**
正しい。文化庁は，東京一極集中の是正や，日本全国の文化の力による地方創生，地域の多様な文化の掘り起こしや磨き上げによる文化芸術の振興を目的として京都に移転し，2023年３月から京都での業務を開始した。ただし，文化庁宗教課の職員は旧統一教会をめぐる問題対応のため，当面東京に残留することになった。

**正答 5**

## 令和６年度　国家一般職（基礎能力試験）一般知識分野

| No. | 出題内容 | 選択肢 | キーワード | 自然科学 | 人文科学 | 社会科学 |
|---|---|---|---|---|---|---|
| 25 | 気象や災害を巡る最近の動き | 1 | 気団・気圧，熱中症警戒アラート，クーリングシェルター | 地学 | | |
| | | 2 | 国連「地球沸騰化の時代が来た」，水没国のおそれ | 地学 | 地理 | |
| | | 3 | 気団・気圧，線状降水帯と気象庁の対応 | 地学 | | 法律 |
| | | 4 | 震度とマグニチュード，2023年トルコ地震，耐震基準 | 地学 | | |
| | | 5 | 山火事の原因と被害 | 生物 | 地理 | |
| 26 | 労働を巡る動向 | 1 | 改正労働基準法 | | | 法律 |
| | | 2 | 改正医療法 | | 日本史 | 法律 |
| | | 3 | 女性の就業率 | | 日本史 | 社会 |
| | | 4 | 改正障害者雇用促進法 | | | 法律 |
| | | 5 | 児童労働の排除 | | | 社会 |
| **27** | **各種会議やイベント** | 1 | 広島サミット，厳島神社 | | 日本史 | |
| | | 2 | クールジャパン，コミックマーケット，ジャパン・エキスポ | | 日本史 | |
| | | 3 | 沖縄の歴史，復帰50周年記念式典 | | 日本史 | |
| | | 4 | 関東大震災100年 | | 日本史，地理 | |
| | | 5 | 大阪・関西万博 | | 日本史 | |
| **28** | **原子力を巡る動き** | 1 | 中国の核融合実験 | 物理，化学 | | |
| | | 2 | 北朝鮮の原子力潜水艦進水式 | | 世界史 | 社会 |
| | | 3 | チョルノービリ原子力発電所 | | 世界史 | 社会 |
| | | 4 | 広島・長崎原爆投下 | | 日本史 | |
| | | 5 | 福島原子力発電所の処理水海洋放出 | 化学 | | |
| 29 | わが国の社会情勢 | 1 | マイナンバー制度 | | | 法律 |
| | | 2 | 最低賃金と諸外国の賃金格差 | | | 経済 |
| | | 3 | 飲食料品値上げ，バブル経済，ブレトン・ウッズ協定 | | | 経済 |
| | | 4 | 将棋の藤井聡太氏に総理大臣顕彰，将棋から生まれた言葉 | | 日本史 | 社会 |
| | | 5 | 車椅子テニスの国枝慎吾氏に国民栄誉賞，障害者スポーツ | | | 社会 |
| 30 | 情報 | 5 | 誤り検出 | 情報 | | |

## 令和６年度　国家専門職（基礎能力試験）一般知識分野

| No. | 出題内容 | 選択肢 | キーワード | 自然科学 | 人文科学 | 社会科学 |
|---|---|---|---|---|---|---|
| **25** | **近年の宇宙開発** | 1 | アメリカのアルテミス計画，わが国の参加，発射場の地誌 | | 地理 | |
| | | 2 | 中国の宇宙ステーション，ロケット発射場の地誌 | | 地理 | |
| | | 3 | スペースデブリの除去状況，成層圏の気温 | 地学 | | |
| | | 4 | わが国のH3ロケット，種子島の地誌 | | 地理，日本史 | |
| | | 5 | ロシアのロケット，カザフスタンの地誌，シルクロード | | 地理 | |
| 26 | わが国の経済や財政の最近の動向 | 1 | 2022年の名目GDP，世界順位，高度経済成長期 | | | 経済 |
| | | 2 | 2022年経済安全保障推進法，特許権の存続期間 | | | 経済 |
| | | 3 | 令和４年度一般会計予算 | | | 経済 |
| | | 4 | 2023年７月分の全国消費者物価指数 | | | 経済 |
| | | 5 | ふるさと納税制度，地方税制改革 | | | 経済 |
| **27** | **宗教とそれを取り巻く最近の動き** | 1 | 仏教，チベットの分離独立運動 | | 地理，世界史 | 政治 |
| | | 2 | キリスト教，ウクライナ侵攻への対応 | | 地理，世界史 | |
| | | 3 | イスラム教，アフガニスタン紛争 | | 地理，世界史 | |
| | | 4 | インドの宗教，モディ政権の対応 | | 地理，世界史 | 政治 |
| | | 5 | わが国の宗教，アニミズム，文化庁移転 | | 日本史 | |
| 28 | 資源・エネルギーを巡る最近の動き | 1 | 中国のレアメタル輸出規制，ガリウム，ヨウ素の性質 | 化学 | | |
| | | 2 | リチウムイオン電池の性質 | 化学 | | |
| | | 3 | 金の小売価格，外国為替市場への影響，金閣寺 | | 日本史 | 経済 |
| | | 4 | 2023年のガソリン価格，トリガー条項，留出温度 | 化学 | | 経済 |
| | | 5 | エネルギー基本計画，温室効果ガスの削減，ウクライナ関連 | | | 経済，社会 |
| 29 | 最近の社会情勢 | 1 | 難民の地位に関する条約，ウクライナからの難民支援 | | | 政治 |
| | | 2 | 2023年９月の訪日外国人客数，エコツーリズム | | | 社会 |
| | | 3 | 2023年９月のモロッコ大地震，同地誌 | | 地理，世界史 | 社会 |
| | | 4 | 2023年10月パレスチナ紛争，バルフォア宣言等 | | 世界史 | 社会 |
| | | 5 | わが国の外国人技能実習生制度，東南アジアの地誌 | | 地理，世界史 | 社会 |
| 30 | 情報 | 2 | 表計算 | 情報 | | |

# **新スーパー過去問ゼミ7**

## 刊行に当たって

公務員試験の過去問を使った定番問題集として，公務員受験生から圧倒的な信頼を寄せられている「スー過去」シリーズ。その「スー過去」が，令和３年度以降の問題を収録して最新の出題傾向に沿った内容に見直しを図るとともに，より効率よく学習を進められるよう細部までブラッシュアップして，このたび**「新スーパー過去問ゼミ７」**に生まれ変わりました。

本シリーズは，**大学卒業程度の公務員採用試験攻略にスポットを当てた過去問ベスト・セレクション**です。**「地方上級」「国家一般職［大卒］」**試験を中心に**「国家総合職」「国家専門職」「市役所上級」**試験などに幅広く対応できる内容になっています。

公務員試験は難関といわれていますが，良問の演習を繰り返すことで，合格への道筋はおのずと開けてくるはずです。本書を開いた今この瞬間から，目標突破へ向けての着実な準備を始めてください。

あなたがこれからの公務を担う一員となれるよう，私たちも応援し続けます。

資格試験研究会

---

**●国家公務員試験の新試験制度への対応について**

令和６年度（2024年度）の大卒程度試験から，出題数の削減などの制度変更がありました。基礎能力試験の知能分野においては大幅な変更はなく，知識分野においては「時事問題を中心とし，普段から社会情勢等に関心を持っていれば対応できるような内容」への変更と，「情報に関する問題の出題」が追加されています。

各科目の知識も正誤判断の重要な要素となりえますので，令和５年度（2023年度）以前の過去問演習でポイントを押さえておくことが必要だと考えています。

制度変更の詳細や試験内容等で新しいことが判明した場合には，実務教育出版のウェブサイト，実務教育出版第二編集部X（旧Twitter）等でお知らせしますので，随時ご確認ください。

---

# 本書の構成と過去問について

## 本書の構成

**①学習方法・問題リスト**：巻頭には，本書を使った効率的な科目の攻略のしかたをアドバイスする「**人文科学の学習方法**」と，本書に収録した全過去問を一覧できる「**掲載問題リスト**」を掲載している。過去問を選別して自分なりの学習計画を練ったり，学習の進捗状況を確認する際などに活用してほしい。

**②試験別出題傾向と対策**：各章冒頭にある出題箇所表では，平成21年度以降の国家総合職，国家一般職，国家専門職（国税専門官），地方上級（全国型・東京都・特別区），市役所（C日程）の出題状況が一目でわかるようになっている。具体的な出題傾向は，試験別に解説を付してある。

テーマ別出題頻度表示の見方

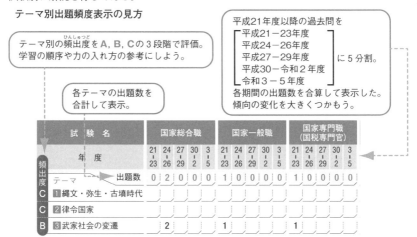

テーマ別の頻出度（ひんしゅつど）をA，B，Cの３段階で評価。
学習の順序や力の入れ方の参考にしよう。

各テーマの出題数を
合計して表示。

平成21年度以降の過去問を
平成21－23年度
平成24－26年度
平成27－29年度
平成30－令和２年度
令和３－５年度
に５分割。
各期間の出題数を合算して表示した。
傾向の変化を大きくつかもう。

| 頻出度 | 試験名 | 国家総合職 | | | | | 国家一般職 | | | | | 国家専門職（国税専門官） | | | | |
|---|---|---|---|---|---|---|---|---|---|---|---|---|---|---|---|---|
| | 年度 | 21-23 | 24-26 | 27-29 | 30-2 | 3-5 | 21-23 | 24-26 | 27-29 | 30-2 | 3-5 | 21-23 | 24-26 | 27-29 | 30-2 | 3-5 |
| | テーマ　出題数 | 0 | 2 | 0 | 0 | 0 | 1 | 0 | 0 | 0 | 0 | 1 | 0 | 0 | 0 | 0 |
| C | 1 縄文・弥生・古墳時代 | | | | | | | | | | | | | | | |
| C | 2 律令国家 | | | | | | | | | | | | | | | |
| B | 3 武家社会の変遷 | | 2 | | | | 1 | | | | | 1 | | | | |

※令和２年度試験の情報については，新型コロナウイルス感染拡大により試験が延期された影響で，掲載できなかったところがある。

**③必修問題**：各テーマのトップを飾るにふさわしい，合格のためには必ずマスターしたい良問をピックアップ。解説は，各選択肢の正誤ポイントをズバリと示す「**１行解説**」，解答のプロセスを示す「**STEP解説**」など，効率的に学習が進むように配慮した。また，正答を導くための指針となるよう，問題文中に以下のポイントを示している。

（アンダーライン部分）：正誤判断の決め手となる記述
（色が敷いてある部分）：覚えておきたいキーワード

「**FOCUS**」には，そのテーマで問われるポイントや注意点，補足説明などを掲載している。

必修問題のページ上部に掲載した「**頻出度**」は，各テーマをA，B，Cの３段階で評価し，さらに試験別の出題頻度を「★」の数で示している（★★★：最頻出，★★：頻出，★：過去15年間に出題実績あり，―：過去15年間に出題なし）。

**④POINT**：これだけは覚えておきたい最重要知識を，図表などを駆使してコンパクト

にまとめた。問題を解く前の知識整理に，試験直前の確認に活用してほしい。

⑤**実戦問題**：各テーマの内容をスムーズに理解できるよう，バランスよく問題を選び，詳しく解説している。問題ナンバー上部の「＊」は，その問題の「**難易度**」を表しており（＊＊＊が最難），また，学習効果の高い重要な問題には◆マークを付している。

◆ ＊＊ No.2　必修問題と◆マークのついた問題を解いていけば，スピーディーに本書をひととおりこなせるようになっている。

なお，収録問題数が多いテーマについては，「**実戦問題1**」「**実戦問題2**」のように問題をレベル別に分割し，解説を参照しやすくしている。

⑥**索引**：巻末には，POINT等に掲載している重要語句を集めた用語索引がついている。用語の意味や定義の確認，理解度のチェックなどに使ってほしい。

## 本書で取り扱う試験の名称表記について

本書に掲載した問題の末尾には，試験名の略称および出題年度を記載しています。

①**国家総合職**：国家公務員採用総合職試験，
国家公務員採用Ⅰ種試験（平成23年度まで）

②**国家一般職**：国家公務員採用一般職試験［大卒程度試験］，
国家公務員採用Ⅱ種試験（平成23年度まで）

③**国家専門職**：国家公務員採用専門職試験［大卒程度試験］，
国税専門官採用試験

④**地方上級**：地方公務員採用上級試験（都道府県・政令指定都市）

**（全国型）**：広く全国的に分布し，地方上級試験のベースとなっている出題型

**（東京都）**：東京都職員Ⅰ類Ｂ採用試験

**（特別区）**：特別区（東京23区）職員Ⅰ類採用試験

※地方上級試験については，実務教育出版が独自に分析し，「全国型」「関東型」「中部・北陸型」「法律・経済専門タイプ」「その他の出題タイプ」「独自の出題タイプ（東京都，特別区など）」の６つに大別しています。

⑤**市役所**：市役所職員採用上級試験（政令指定都市以外の市役所）

※市役所上級試験については，試験日程によって「Ａ日程」「Ｂ日程」「Ｃ日程」の３つに大別している。また，Ｂ・Ｃ日程には「Standard」「Logical「Light」という出題タイプがあるが，本書では大卒程度の試験で最も標準的な「Standard-Ⅰ」を原則として使用している。

## 本書に収録されている「過去問」について

①平成９年度以降の国家公務員試験の問題は，人事院により公表された問題を掲載している。地方上級の一部（東京都，特別区）も自治体により公表された問題を掲載している。それ以外の問題は，受験生から得た情報をもとに実務教育出版が独自に編集し，復元したものである。

②問題の論点を保ちつつ問い方を変えた，年度の経過により変化した実状に適合させた，などの理由で，問題を一部改題している場合がある。また，人事院などにより公表された問題も，用字用語の統一を行っている。

CONTENTS

公務員試験　新スーパー過去問ゼミ７

# 人文科学［増補版］

特集　国家公務員試験の新出題（時事・情報）を徹底解説！



## 日本史

## 世界史

# CONTENTS

## 地 理

## 思想



## 文学・芸術




カバー・本文デザイン／小谷野まさを　書名ロゴ／早瀬芳文

# 人文科学の学習方法

## 公務員試験の「日本史」について

### ①日本史の出題範囲と効果的な学習法

日本史の出題は，中学・高校で学んだ知識が問われ，歴史用語や人名，テーマ別通史から出題されている。まずは中学や高校で使用した教科書や参考書を再度使用して，歴史の流れや日本史上の有名な出来事や戦乱，重要人物などを通史的に復習したうえで，本書の日本史の問題に取り組んでいただきたい。その上で，本書の必修問題の上に示されている頻出度がAのテーマから重点的に学習していく。さらに，頻出度がB，Cのテーマも網羅した学習計画を立てていくことをお勧めしたい。学習時間が十分に取れる場合は，**時代ごとに順を追って，丁寧な学習を進めていくことが，遠回りのようであっても，過去問を確実に解ける力をつける近道となるだろう。**

### ②各時代の出題ポイント

縄文時代や弥生時代では生活パターンの違いが問われやすい。さらに，飛鳥時代から奈良時代は政治面，文化面，土地制度の変遷，対外交渉の歴史などまで出題されている。鎌倉幕府や室町幕府の特色は頻出で，各幕府の政治機構を丁寧に確認しておこう。武家政権も政治面，文化面が頻出テーマ。江戸時代は江戸幕府の政策が最頻出。その他，経済面・文化面が頻出事項となっており，学習するうえで重要な時代である。**明治以降の近代史・現代史からの出題も多い**。現代史は国際関係も把握しておく必要があり，外交面なども歴史を網羅しつつ，過去問で強化しておきたい。なお，**国家総合職と国家一般職は，政治史，文化史などのテーマ別通史が頻出となっている**。

## 公務員試験の「世界史」について

### ①世界史の出題範囲と効果的な学習法

世界史は日本史と同様に，中学・高校で学んだ世界史の知識が問われている。世界史の学習は範囲が非常に広いので，出題頻度の高い項目に着目しながら，学習を進めたい。**出題頻度の高い歴史は西洋の近現代史と東洋史分野の中国王朝史，第一次，第二次世界大戦前後の状況，20世紀の国際関係などである**。学習にあたっては，一度は全体像をつかむ学習をしておきたい。世界史は範囲が広いものの，**出題される時代や歴史上の人物は限定されている傾向があるので，本書の重要ポイントでまとめられている頻出事項の内容をチェックしつつ**，有名な事件や人物については歴史事項をまとめたものを覚えていくような学習がお勧め。時間的に難しい場合は，**直接過去問にあたって，過去問の誤りを正しく直し，それらの史実を覚えていくような学習で乗り切りたい**。

### ②各時代の出題ポイント

古代では，ギリシャのポリスやローマ帝国などの政治形態，ローマ帝国の滅亡と中世ヨーロッパの成立過程，さまざまな王国や帝国の成立過程などは重要。現代史では，西洋・東洋ともに国際関係が複雑になる時代であり，１国の動きだけでなく，**グローバルな視点に立って**出来事や事件の因果関係を学習しておくこと。東洋史分野では，**中国王朝史が頻出テーマ**。さらに，世界に影響力を与えているイスラーム教徒の歴史も外せない。

## 公務員試験の「地理」について

### ①地理の出題範囲

出題分野は，自然地理分野（人間と環境<地形・気候が中心と民族，都市，地図など>），人文地理分野（生活と環境<農水林業，鉱工業と貿易>，地誌（世界の諸地域・日本の地理）などすそ野は広い。出題数は試験別に違いはあるが，大体１から２問である。また，出題の傾向に特徴が見られるので，本書で確認したい。

### ②効果的な学習方法・対策

まず，高校で使用した教科書（地図帳）と本書の重要事項ポイント（最新の統計も掲載）を合わせながら基本事項をまとめておくことである。次に各分野の必修問題（11題）に挑戦する。必修問題は，総合的な視点から出題されているので，単に正解を求めるのではなく，誤っている箇所の理解も大切である。その後は，実戦問題（基本レベル・応用レベル）にトライしたい。実戦問題は，頻出度が高い過去問を掲載しているので，受験する試験別出題の傾向や形式も確認できるので反復して解いてほしい。基本的な問題がベースになっていることに気づくはずである。

## 公務員試験の「思想」について

### ・効果的な学習方法・対策

思想は奥の深い意義のある学問であり，本気で学ぼうとするとたいへんなことになるわけだが，心配ご無用。**試験に出る思想の範囲は限られていて，これまでにほぼ全部出題済みである**。と，いうことは，過去の問題を復習していけば，対策はバッチリ十分といえる。ただし，正答をそのまま暗記するのではなく，**だれのどんな言葉を，どのように並べ替えて誤りの選択肢を作っているのか，そういう裏ワザを見抜くために問題を活用するようにしよう**。もちろん，解説がきっかけとなって興味を覚えた思想家について，哲学書やその人の著作に手を広げて勉強を進められたら理想的である。高校生のための倫理資料集や大学の教養課程の哲学史や思想史の本などが手頃な参考書としてお薦めである。

〈 要 点 〉

- **経験主義と合理主義の対比は必修。**
- **サルトルと中江兆民は最頻出の思想家。**

## 公務員試験の「文学・芸術」について

### ・効果的な学習方法・対策

**文学・芸術では過去の出題例を参考にしても，効果は小さい**。日本文学，外国文学，美術，音楽，そのうちのどれが出題されるか予測できない。映画や楽譜などの珍問にぶつかることもある。対処法としては，クイズだと割りきって考え，自分の趣味の範囲内でつきあい，特別の準備はしない，というのもある。が，これではあまり役立たない。**歴史の勉強のついでに，文化史を集中的にチェックする**。展覧会やTV・新聞の文化特集で話題の作家や画家，音楽家の情報を集める。**中学・高校で使った美術や音楽の教科書をもう１度読んでみる**。そして腕だめしで問題もやってみる。こういった方法が正攻法である。

# 合格者に学ぶ「スー過去」活用術

公務員受験生の定番問題集となっている「スー過去」シリーズであるが，先輩たちは本シリーズをどのように使って，合格を勝ち得てきたのだろうか。弊社刊行の『公務員試験受験ジャーナル』に寄せられた「合格体験記」などから，傾向を探ってみた。

## 自分なりの「戦略」を持って学習に取り組もう！

テーマ１から順番に一つ一つじっくりと問題を解いて，わからないところを入念に調べ，納得してから次に進む……という一見まっとうな学習法は，すでに時代遅れになっている。

**合格者は，初期段階でおおまかな学習計画を立てて，戦略を練っている。**まずは各章冒頭にある「試験別出題傾向と対策」を見て，自分が受験する試験で各テーマがどの程度出題されているのかを把握し，「掲載問題リスト」を利用するなどして，**いつまでにどの程度まで学習を進めればよいか，学習全体の流れをイメージ**しておきたい。

## 完璧をめざさない！ザックリ進めながら復習を繰り返せ！

本番の試験では，６～７割の問題に正答できればボーダーラインを突破できる。裏を返せば**３～４割の問題は解けなくてもよい**わけで，完璧をめざす必要はまったくない。

受験生の間では，**「問題集を何周したか」**がしばしば話題に上る。問題集は，１回で理解しようとジックリ取り組むよりも，初めはザックリ理解できた程度で先に進んでいき，何回も繰り返し取り組むことで徐々に理解を深めていくやり方のほうが，学習効率は高いとされている。**合格者は「スー過去」を繰り返しやって，得点力を高めている。**

## すぐに解説を読んでも OK ！考え込むのは時間のムダ！

合格者の声を聞くと**「スー過去を参考書代わりに読み込んだ」**というものが多く見受けられる。科目の攻略スピードを上げようと思ったら「ウンウンと考え込む時間」は一番のムダだ。過去問演習は，解けた解けなかったと一喜一憂するのではなく，**問題文と解説を読みながら正誤のポイントとなる知識を把握して記憶することの繰り返し**なのである。

## 分量が多すぎる！という人は，自分なりに過去問をチョイス！

広い出題範囲の中から頻出のテーマ・過去問を選んで掲載している「スー過去」ではあるが，この分量をこなすのは無理だ！と敬遠している受験生もいる。しかし，**合格者もすべての問題に取り組んでいるわけではない。**必要な部分を自ら取捨選択することが，最短合格のカギといえる（次ページに問題の選択例を示したので参考にしてほしい）。

## 書き込んでバラして……「スー過去」を使い倒せ！

補足知識や注意点などは本書に直接書き込んでいこう。**書き込みを続けて情報を集約していくと本書が自分オリジナルの参考書になっていく**ので，インプットの効率が格段に上がる。それを繰り返し「何周も回して」いくうちに，反射的に解答できるようになるはずだ。

また，分厚い「スー過去」をカッターで切って，章ごとにバラして使っている合格者も多い。**自分が使いやすいようにカスタマイズ**して，「スー過去」をしゃぶり尽くそう！

# 学習する過去問の選び方

## ●具体的な「カスタマイズ」のやり方例

本書は全231問の過去問を収録している。分量が多すぎる！と思うかもしれないが，合格者の多くは，過去問を上手に取捨選択して，自分に合った分量と範囲を決めて学習を進めている。

以下，お勧めの例をご紹介しよう。

### ❶必修問題と◆のついた問題に優先的に取り組む！

当面取り組む過去問を，各テーマの「**必修問題**」と◆マークのついている「**実戦問題**」に絞ると，およそ全体の４割の分量となる。これにプラスして各テーマの「**POINT**」をチェックしていけば，この科目の典型問題と正誤判断の決め手となる知識の主だったところは押さえられる。

本試験まで時間がある人もそうでない人も，ここから取り組むのが定石である。まずはこれで１周（問題集をひととおり最後までやり切ること）してみてほしい。

❶を何周かしたら次のステップへ移ろう。

### ❷取り組む過去問の量を増やしていく

❶で基本は押さえられても，❶だけでは演習量が心もとないので，取り組む過去問の数を増やしていく必要がある。増やし方としてはいくつかあるが，このあたりが一般的であろう。

◎**基本レベルの過去問を追加**（難易度「＊」の問題を追加）
◎**受験する試験種の過去問を追加**
◎**頻出度Aのテーマの過去問を追加**

これをひととおり終えたら，前回やったところを復習しつつ，まだ手をつけていない過去問をさらに追加していくことでレベルアップを図っていく。

もちろん，あまり手を広げずに，ある程度のところで折り合いをつけて，その分復習に時間を割く戦略もある。

## ●掲載問題リストを活用しよう！

「**掲載問題リスト**」では，本書に掲載された過去問を一覧表示している。

受験する試験や難易度・出題年度等を基準に，学習する過去問を選別する際の目安としたり，チェックボックスを使って学習の進捗状況を確認したりできるようになっている。

効率よくスピーディーに学習を進めるためにも，積極的に利用してほしい。

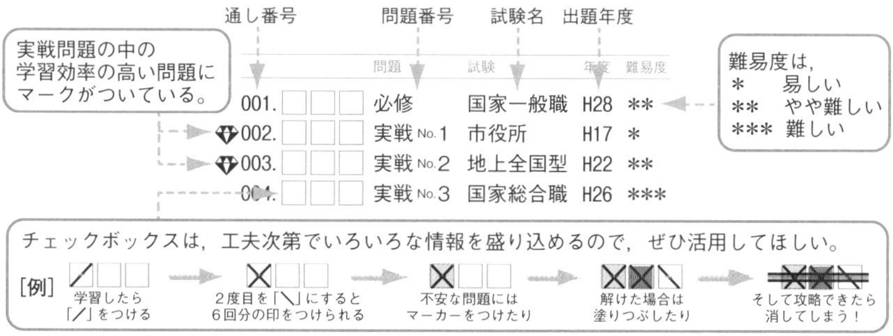

# 掲載問題リスト

本書に掲載した全231問を一覧表にした。□に正答できたかどうかをチェックするなどして，本書を上手に活用してほしい。

## 日本史

### 第1章 古代・中世

#### テーマ1 縄文・弥生・古墳時代

| | | | 問題 | 試験 | 年度 | 難易度 |
|---|---|---|---|---|---|---|
| | 001. | □□□ | 必修 | 国家一般職 | H20 | ** |
| ◆ | 002. | □□□ | 実戦 No. 1 | 国家総合職 | H8 | * |
| ◆ | 003. | □□□ | 実戦 No. 2 | 国税専門官 | H19 | ** |

#### テーマ2 律令国家

| | | | 問題 | 試験 | 年度 | 難易度 |
|---|---|---|---|---|---|---|
| | 004. | □□□ | 必修 | 地上東京都 | R元 | * |
| ◆ | 005. | □□□ | 実戦 No. 1 | 国家一般職 | H13 | * |
| ◆ | 006. | □□□ | 実戦 No. 2 | 国家一般職 | H18 | * |
| | 007. | □□□ | 実戦 No. 3 | 地上東京都 | H15 | ** |
| | 008. | □□□ | 実戦 No. 4 | 国家一般職 | H22 | ** |

#### テーマ3 武家社会の変遷

| | | | 問題 | 試験 | 年度 | 難易度 |
|---|---|---|---|---|---|---|
| | 009. | □□□ | 必修 | 地上特別区 | R4 | * |
| | 010. | □□□ | 実戦 No. 1 | 地上特別区 | H27 | * |
| | 011. | □□□ | 実戦 No. 2 | 地上全国型 | R3 | * |
| | 012. | □□□ | 実戦 No. 3 | 地上全国型 | H23 | * |
| | 013. | □□□ | 実戦 No. 4 | 地上全国型 | H22 | * |
| ◆ | 014. | □□□ | 実戦 No. 5 | 地上特別区 | H21 | * |

### 第2章 近世

#### テーマ4 戦国大名と織豊政権

| | | | 問題 | 試験 | 年度 | 難易度 |
|---|---|---|---|---|---|---|
| | 015. | □□□ | 必修 | 地上特別区 | H29 | * |
| ◆ | 016. | □□□ | 実戦 No. 1 | 国税専門官 | H5 | ** |
| ◆ | 017. | □□□ | 実戦 No. 2 | 国家一般職 | H13 | * |
| | 018. | □□□ | 実戦 No. 3 | 市役所 | H7 | * |
| | 019. | □□□ | 実戦 No. 4 | 国税専門官 | H6 | ** |

#### テーマ5 幕藩体制

| | | | 問題 | 試験 | 年度 | 難易度 |
|---|---|---|---|---|---|---|
| | 020. | □□□ | 必修 | 国家一般職 | R4 | ** |
| ◆ | 021. | □□□ | 実戦 No. 1 | 国家専門職 | H27 | * |
| ◆ | 022. | □□□ | 実戦 No. 2 | 市役所 | R3 | * |
| | 023. | □□□ | 実戦 No. 3 | 地上東京都 | H29 | ** |
| | 024. | □□□ | 実戦 No. 4 | 国家一般職 | H28 | * |

### 第3章 近代・現代

#### テーマ6 明治時代

| | | | 問題 | 試験 | 年度 | 難易度 |
|---|---|---|---|---|---|---|
| | 025. | □□□ | 必修 | 地上特別区 | R3 | ** |
| | 026. | □□□ | 実戦 No. 1 | 地上特別区 | H18 | ** |
| | 027. | □□□ | 実戦 No. 2 | 地上全国型 | H30 | * |
| ◆ | 028. | □□□ | 実戦 No. 3 | 地上東京都 | H22 | * |
| ◆ | 029. | □□□ | 実戦 No. 4 | 地上東京都 | H26 | ** |

#### テーマ7 大正時代～昭和初期

| | | | 問題 | 試験 | 年度 | 難易度 |
|---|---|---|---|---|---|---|
| | 030. | □□□ | 必修 | 国家一般職 | R元 | *** |
| ◆ | 031. | □□□ | 実戦 No. 1 | 地上特別区 | H14 | * |
| ◆ | 032. | □□□ | 実戦 No. 2 | 地上特別区 | H30 | ** |
| ◆ | 033. | □□□ | 実戦 No. 3 | 国家一般職 | H29 | * |
| ◆ | 034. | □□□ | 実戦 No. 4 | 国家一般職 | H19 | ** |

#### テーマ8 第二次世界大戦後の諸改革

| | | | 問題 | 試験 | 年度 | 難易度 |
|---|---|---|---|---|---|---|
| | 035. | □□□ | 必修 | 地上東京都 | R2 | ** |
| | 036. | □□□ | 実戦 No. 1 | 地上全国型 | H26 | * |
| | 037. | □□□ | 実戦 No. 2 | 地上関東型 | R4 | ** |
| ◆ | 038. | □□□ | 実戦 No. 3 | 地上全国型 | H29 | * |

### 第4章 テーマ別通史

#### テーマ9 文化史・仏教史・教育史・政治史

| | | | 問題 | 試験 | 年度 | 難易度 |
|---|---|---|---|---|---|---|
| | 039. | □□□ | 必修 | 地上全国型 | R4 | * |
| | 040. | □□□ | 実戦 No. 1 | 国家一般職 | H27 | ** |
| ◆ | 041. | □□□ | 実戦 No. 2 | 地上特別区 | H25 | * |
| ◆ | 042. | □□□ | 実戦 No. 3 | 国家総合職 | R2 | ** |
| | 043. | □□□ | 実戦 No. 4 | 地上東京都 | H30 | ** |
| ◆ | 044. | □□□ | 実戦 No. 5 | 地上特別区 | R元 | * |
| ◆ | 045. | □□□ | 実戦 No. 6 | 地上東京都 | R3 | ** |
| ◆ | 046. | □□□ | 実戦 No. 7 | 地上特別区 | R5 | * |

#### テーマ10 土地制度史

| | | | 問題 | 試験 | 年度 | 難易度 |
|---|---|---|---|---|---|---|
| | 047. | □□□ | 必修 | 地上特別区 | H19 | * |
| ◆ | 048. | □□□ | 実戦 No. 1 | 国家総合職 | H7 | ** |
| | 049. | □□□ | 実戦 No. 2 | 国家総合職 | H元 | *** |
| | 050. | □□□ | 実戦 No. 3 | 国税専門官 | H8 | *** |
| ◆ | 051. | □□□ | 実戦 No. 4 | 地上東京都 | H13 | * |

#### テーマ11 対外交渉史

| | | | 問題 | 試験 | 年度 | 難易度 |
|---|---|---|---|---|---|---|
| | 052. | □□□ | 必修 | 国家専門職 | R元 | ** |
| ◆ | 053. | □□□ | 実戦 No. 1 | 国家専門職 | R3 | * |
| ◆ | 054. | □□□ | 実戦 No. 2 | 地上特別区 | H22 | * |
| ◆ | 055. | □□□ | 実戦 No. 3 | 地上関東型 | H29 | * |
| ◆ | 056. | □□□ | 実戦 No. 4 | 市役所 | R2 | * |

# 世界史

## 第1章 西洋史（古代・中世）

### テーマ1 古代文明

| | | | 問題 | 試験 | 年度 | 難易度 |
|---|---|---|---|---|---|---|
| | 057. | □□□ | 必修 | 地上特別区 | R3 | * |
| ◆ | 058. | □□□ | 実戦No.1 | 国家一般職 | H6 | * |
| ◆ | 059. | □□□ | 実戦No.2 | 地上東京都 | H21 | * |
| | 060. | □□□ | 実戦No.3 | 地上特別区 | H25 | ** |

### テーマ2 ローマ帝国分裂後のヨーロッパ

| | | | 問題 | 試験 | 年度 | 難易度 |
|---|---|---|---|---|---|---|
| | 061. | □□□ | 必修 | 地上特別区 | H30 | * |
| ◆ | 062. | □□□ | 実戦No.1 | 国税専門官 | H19 | * |
| | 063. | □□□ | 実戦No.2 | 地上特別区 | H27 | * |
| ◆ | 064. | □□□ | 実戦No.3 | 国家総合職 | H23 | * |

## 第2章 西洋史（近代）

### テーマ3 ルネサンスと宗教改革

| | | | 問題 | 試験 | 年度 | 難易度 |
|---|---|---|---|---|---|---|
| | 065. | □□□ | 必修 | 地上関東型 | H30 | * |
| ◆ | 066. | □□□ | 実戦No.1 | 市役所 | H20 | * |
| | 067. | □□□ | 実戦No.2 | 市役所 | H29 | ** |
| ◆ | 068. | □□□ | 実戦No.3 | 地上特別区 | R4 | * |
| ◆ | 069. | □□□ | 実戦No.4 | 国税専門官 | H14 | * |

### テーマ4 近代国家の形成

| | | | 問題 | 試験 | 年度 | 難易度 |
|---|---|---|---|---|---|---|
| | 070. | □□□ | 必修 | 国家一般職 | H20 | ** |
| ◆ | 071. | □□□ | 実戦No.1 | 国家一般職 | H15 | * |
| ◆ | 072. | □□□ | 実戦No.2 | 地上特別区 | H24 | ** |
| | 073. | □□□ | 実戦No.3 | 国家一般職 | H28 | ** |
| | 074. | □□□ | 実戦No.4 | 国家一般職 | H12 | ** |
| | 075. | □□□ | 実戦No.5 | 国家総合職 | H12 | * |

### テーマ5 市民革命・産業革命

| | | | 問題 | 試験 | 年度 | 難易度 |
|---|---|---|---|---|---|---|
| | 076. | □□□ | 必修 | 地上全国型 | R3 | ** |
| | 077. | □□□ | 実戦No.1 | 地上東京都 | H29 | ** |
| | 078. | □□□ | 実戦No.2 | 地上特別区 | H26 | * |
| ◆ | 079. | □□□ | 実戦No.3 | 国家総合職 | R2 | ** |

## 第3章 西洋史（現代）

### テーマ6 列強の帝国主義政策

| | | | 問題 | 試験 | 年度 | 難易度 |
|---|---|---|---|---|---|---|
| | 080. | □□□ | 必修 | 国家一般職 | H13 | *** |
| ◆ | 081. | □□□ | 実戦No.1 | 地上全国型 | H9 | *** |
| | 082. | □□□ | 実戦No.2 | 地上全国型 | H5 | * |
| | 083. | □□□ | 実戦No.3 | 国家専門職 | H28 | *** |

### テーマ7 第一次世界大戦前後

| | | | 問題 | 試験 | 年度 | 難易度 |
|---|---|---|---|---|---|---|
| | 084. | □□□ | 必修 | 地上東京都 | R元 | ** |
| | 085. | □□□ | 実戦No.1 | 地上全国型 | H30 | *** |
| | 086. | □□□ | 実戦No.2 | 国家専門職 | H29 | *** |
| ◆ | 087. | □□□ | 実戦No.3 | 国家総合職 | H15 | * |
| | 088. | □□□ | 実戦No.4 | 地上東京都 | H25 | * |
| | 089. | □□□ | 実戦No.5 | 地上全国型 | H11 | ** |
| | 090. | □□□ | 実戦No.6 | 国税専門官 | H21 | * |
| ◆ | 091. | □□□ | 実戦No.7 | 地上特別区 | H29 | * |

### テーマ8 第二次世界大戦後の情勢

| | | | 問題 | 試験 | 年度 | 難易度 |
|---|---|---|---|---|---|---|
| | 092. | □□□ | 必修 | 国家専門職 | R2 | * |
| ◆ | 093. | □□□ | 実戦No.1 | 地上特別区 | R5 | * |
| | 094. | □□□ | 実戦No.2 | 国家一般職 | H30 | *** |
| ◆ | 095. | □□□ | 実戦No.3 | 市役所 | H30 | ** |
| | 096. | □□□ | 実戦No.4 | 地上東京都 | H27 | * |

## 第4章 イスラーム史・東洋史

### テーマ9 イスラーム世界の発展

| | | | 問題 | 試験 | 年度 | 難易度 |
|---|---|---|---|---|---|---|
| | 097. | □□□ | 必修 | 地上特別区 | R2 | ** |
| ◆ | 098. | □□□ | 実戦No.1 | 国家一般職 | H15 | ** |
| ◆ | 099. | □□□ | 実戦No.2 | 国税専門家 | H19 | * |
| ◆ | 100. | □□□ | 実戦No.3 | 国家一般職 | H13 | *** |

### テーマ10 朝鮮半島の王朝史

| | | | 問題 | 試験 | 年度 | 難易度 |
|---|---|---|---|---|---|---|
| | 101. | □□□ | 必修 | 国税専門官 | H13 | ** |
| | 102. | □□□ | 実戦No.1 | 国家総合職 | H23 | ** |
| | 103. | □□□ | 実戦No.2 | 国家総合職 | H7 | ** |
| ◆ | 104. | □□□ | 実戦No.3 | 国家一般職 | H10 | *** |

### テーマ11 中国王朝史

| | | | 問題 | 試験 | 年度 | 難易度 |
|---|---|---|---|---|---|---|
| | 105. | □□□ | 必修 | 国家一般職 | R3 | * |
| ◆ | 106. | □□□ | 実戦No.1 | 国税専門官 | H12 | ** |
| ◆ | 107. | □□□ | 実戦No.2 | 地上東京都 | R4 | * |
| ◆ | 108. | □□□ | 実戦No.3 | 地上全国型 | H23 | ** |
| ◆ | 109. | □□□ | 実戦No.4 | 国家総合職 | H19 | ** |

# 地理

## 第1章 人間と環境

### テーマ1 地形環境

| | | | 問題 | 試験 | 年度 | 難易度 |
|---|---|---|---|---|---|---|
| | 110. | □□□ | 必修 | 国家総合職 | H30 | ** |
| ◆ | 111. | □□□ | 実戦No.1 | 地上全国型 | H30 | ** |

| | | | | | |
|---|---|---|---|---|---|
| ◆ | 112. □□□ | 実戦No.2 | 国家総合職 | H26 | ** |
| | 113. □□□ | 実戦No.3 | 地方上級 | H25 | * |
| ◆ | 114. □□□ | 実戦No.4 | 地上特別区 | R3 | ** |
| | 115. □□□ | 実戦No.5 | 国家一般職 | H13 | ** |
| | 116. □□□ | 実戦No.6 | 地上特別区 | H29 | * |
| ◆ | 117. □□□ | 実戦No.7 | 国家一般職 | H19 | ** |

### テーマ2 気候・土壌

| | | 問題 | 試験 | 年度 | 難易度 |
|---|---|---|---|---|---|
| | 118. □□□ | 必修 | 国家専門職 | R2 | ** |
| ◆ | 119. □□□ | 実戦No.1 | 地上東京都 | H24 | ** |
| ◆ | 120. □□□ | 実戦No.2 | 国家専門職 | H28 | ** |
| ◆ | 121. □□□ | 実戦No.3 | 国税専門官 | H21 | ** |

### テーマ3 民族・人口・都市・交通・地図

| | | 問題 | 試験 | 年度 | 難易度 |
|---|---|---|---|---|---|
| | 122. □□□ | 必修 | 国家専門職 | R元 | ** |
| ◆ | 123. □□□ | 実戦No.1 | 地上関東型 | R元 | ** |
| | 124. □□□ | 実戦No.2 | 国家一般職 | H30 | ** |
| ◆ | 125. □□□ | 実戦No.3 | 国家一般職 | R5 | ** |
| ◆ | 126. □□□ | 実戦No.4 | 国税専門官 | H21 | ** |
| ◆ | 127. □□□ | 実戦No.5 | 地上特別区 | H30 | ** |
| | 128. □□□ | 実戦No.6 | 市役所 | H26 | * |
| | 129. □□□ | 実戦No.7 | 地方上級 | R4 | * |
| | 130. □□□ | 実戦No.8 | 地上全国型 | H15 | ** |
| | 131. □□□ | 実戦No.9 | 国税専門官 | H14 | ** |

## 第2章 生活と産業

### テーマ4 世界の農業

| | | 問題 | 試験 | 年度 | 難易度 |
|---|---|---|---|---|---|
| | 132. □□□ | 必修 | 国家総合職 | R元 | ** |
| ◆ | 133. □□□ | 実戦No.1 | 地上東京都 | R4 | ** |
| | 134. □□□ | 実戦No.2 | 地上全国型 | H7 | ** |
| ◆ | 135. □□□ | 実戦No.3 | 市役所 | H21 | ** |
| ◆ | 136. □□□ | 実戦No.4 | 国税専門官 | H23 | *** |
| | 137. □□□ | 実戦No.5 | 地上全国型 | H9 | ** |
| | 138. □□□ | 実戦No.6 | 地方上級 | H12 | ** |
| | 139. □□□ | 実戦No.7 | 地上東京都 | H26 | ** |

### テーマ5 世界の鉱工業

| | | 問題 | 試験 | 年度 | 難易度 |
|---|---|---|---|---|---|
| | 140. □□□ | 必修 | 国家一般職 | R3 | ** |
| | 141. □□□ | 実戦No.1 | 国税専門官 | H17 | ** |
| ◆ | 142. □□□ | 実戦No.2 | 国家一般職 | R元 | ** |
| ◆ | 143. □□□ | 実戦No.3 | 国家一般職 | R4 | *** |

### テーマ6 水産業・林業と貿易

| | | 問題 | 試験 | 年度 | 難易度 |
|---|---|---|---|---|---|
| | 144. □□□ | 必修 | 国家一般職 | H8 | ** |
| ◆ | 145. □□□ | 実戦No.1 | 地方上級 | H21 | * |
| | 146. □□□ | 実戦No.2 | 国家一般職 | H3 | ** |

## 第3章 世界の諸地域

### テーマ7 アジア・アフリカ

| | | 問題 | 試験 | 年度 | 難易度 |
|---|---|---|---|---|---|
| | 147. □□□ | 必修 | 地上全国型 | H30 | ** |
| ◆ | 148. □□□ | 実戦No.1 | 地方上級 | R4 | ** |
| | 149. □□□ | 実戦No.2 | 国家専門職 | H29 | ** |
| | 150. □□□ | 実戦No.3 | 国家総合職 | H21 | ** |
| | 151. □□□ | 実戦No.4 | 地上東京都 | H30 | ** |
| | 152. □□□ | 実戦No.5 | 国家総合職 | R4 | ** |
| | 153. □□□ | 実戦No.6 | 国家専門職 | H25 | ** |

### テーマ8 ヨーロッパ

| | | 問題 | 試験 | 年度 | 難易度 |
|---|---|---|---|---|---|
| | 154. □□□ | 必修 | 国家総合職 | H15 | ** |
| | 155. □□□ | 実戦No.1 | 地上全国型 | H26 | ** |
| ◆ | 156. □□□ | 実戦No.2 | 国家総合職 | H元 | *** |
| | 157. □□□ | 実戦No.3 | 国税専門官 | H14 | ** |
| ◆ | 158. □□□ | 実戦No.4 | 国家専門職 | H27 | ** |
| | 159. □□□ | 実戦No.5 | 市役所 | H17 | ** |
| | 160. □□□ | 実戦No.6 | 国家総合職 | H14 | *** |

### テーマ9 南北アメリカ・オセアニア

| | | 問題 | 試験 | 年度 | 難易度 |
|---|---|---|---|---|---|
| | 161. □□□ | 必修 | 国家専門職 | H30 | * |
| ◆ | 162. □□□ | 実戦No.1 | 市役所 | H21 | * |
| ◆ | 163. □□□ | 実戦No.2 | 地上東京都 | R2 | * |
| ◆ | 164. □□□ | 実戦No.3 | 地上全国型 | H24 | ** |
| | 165. □□□ | 実戦No.4 | 地上東京都 | H22 | * |
| | 166. □□□ | 実戦No.5 | 地上全国型 | R元 | ** |

## 第4章 日本の地理

### テーマ10 日本の自然・貿易

| | | 問題 | 試験 | 年度 | 難易度 |
|---|---|---|---|---|---|
| | 167. □□□ | 必修 | 国家一般職 | R2 | * |
| | 168. □□□ | 実戦No.1 | 地上全国型 | H26 | ** |
| ◆ | 169. □□□ | 実戦No.2 | 地上全国型 | R4 | * |
| | 170. □□□ | 実戦No.3 | 国家一般職 | H20 | ** |

### テーマ11 日本の都市・産業

| | | 問題 | 試験 | 年度 | 難易度 |
|---|---|---|---|---|---|
| | 171. □□□ | 必修 | 国税専門官 | H16 | ** |
| | 172. □□□ | 実戦No.1 | 市役所 | R2 | * |
| | 173. □□□ | 実戦No.2 | 国税専門官 | H11 | ** |
| | 174. □□□ | 実戦No.3 | 国税専門官 | H9 | ** |

# 思想

## テーマ1 西洋の古代・中世思想

| | 問題 | 試験 | 年度 | 難易度 |
|---|---|---|---|---|
| 175. | 必修 | 国家総合職 | R5 | *** |
| 176. | 実戦No.1 | 国家一般職 | H23 | ** |
| 177. | 実戦No.2 | 国家総合職 | H30 | ** |
| 178. | 実戦No.3 | 国家一般職 | R3 | ** |

## テーマ2 西洋近代思想

| | 問題 | 試験 | 年度 | 難易度 |
|---|---|---|---|---|
| 179. | 必修 | 国家総合職 | R3 | ** |
| 180. | 実戦No.1 | 国家一般職 | H20 | * |
| 181. | 実戦No.2 | 国家一般職 | H25 | ** |
| 182. | 実戦No.3 | 国家専門職 | R元 | * |
| 183. | 実戦No.4 | 国家一般職 | H21 | * |

## テーマ3 実存主義

| | 問題 | 試験 | 年度 | 難易度 |
|---|---|---|---|---|
| 184. | 必修 | 地上特別区 | R元 | ** |
| 185. | 実戦No.1 | 国家一般職 | H22 | ** |
| 186. | 実戦No.2 | 国税専門官 | H21 | * |

## テーマ4 西洋現代思想

| | 問題 | 試験 | 年度 | 難易度 |
|---|---|---|---|---|
| 187. | 必修 | 国家総合職 | H30 | *** |
| 188. | 実戦No.1 | 国家総合職 | H26 | ** |
| 189. | 実戦No.2 | 地上特別区 | H27 | ** |
| 190. | 実戦No.3 | 地上特別区 | H25 | ** |
| 191. | 実戦No.4 | 国家総合職 | R元 | ** |

## テーマ5 中国の思想家

| | 問題 | 試験 | 年度 | 難易度 |
|---|---|---|---|---|
| 192. | 必修 | 国家一般職 | R元 | ** |
| 193. | 実戦No.1 | 地上特別区 | R5 | ** |
| 194. | 実戦No.2 | 国税専門官 | H20 | * |
| 195. | 実戦No.3 | 国家一般職 | H27 | ** |
| 196. | 実戦No.4 | 地上特別区 | H24 | * |

## テーマ6 日本の思想家

| | 問題 | 試験 | 年度 | 難易度 |
|---|---|---|---|---|
| 197. | 必修 | 地上特別区 | R4 | * |
| 198. | 実戦No.1 | 国家専門職 | R3 | *** |
| 199. | 実戦No.2 | 地上特別区 | H21 | ** |
| 200. | 実戦No.3 | 国家一般職 | H28 | ** |
| 201. | 実戦No.4 | 地上特別区 | H28 | ** |
| 202. | 実戦No.5 | 国家専門職 | R2 | * |

# 文学・芸術

## テーマ1 日本古典文学

| | 問題 | 試験 | 年度 | 難易度 |
|---|---|---|---|---|
| 203. | 必修 | 国家一般職 | H19 | ** |
| 204. | 実戦No.1 | 国家一般職 | H21 | *** |
| 205. | 実戦No.2 | 国家一般職 | H14 | * |
| 206. | 実戦No.3 | 国税専門官 | H15 | ** |

## テーマ2 日本近現代文学

| | 問題 | 試験 | 年度 | 難易度 |
|---|---|---|---|---|
| 207. | 必修 | 地上東京都 | R元 | * |
| 208. | 実戦No.1 | 国税専門官 | H19 | *** |
| 209. | 実戦No.2 | 国家一般職 | H20 | ** |
| 210. | 実戦No.3 | 国税専門官 | H21 | *** |
| 211. | 実戦No.4 | 国税専門官 | H23 | *** |

## テーマ3 世界の文学

| | 問題 | 試験 | 年度 | 難易度 |
|---|---|---|---|---|
| 212. | 必修 | 国税専門官 | H20 | *** |
| 213. | 実戦No.1 | 地上全国型 | H20 | * |
| 214. | 実戦No.2 | 国家総合職 | H20 | *** |
| 215. | 実戦No.3 | 国家一般職 | H18 | ** |
| 216. | 実戦No.4 | 国税専門官 | H22 | ** |
| 217. | 実戦No.5 | 地上東京都 | H30 | *** |

## テーマ4 西洋美術

| | 問題 | 試験 | 年度 | 難易度 |
|---|---|---|---|---|
| 218. | 必修 | 国家一般職 | H17 | *** |
| 219. | 実戦No.1 | 地上東京都 | H29 | ** |
| 220. | 実戦No.2 | 地上東京都 | R4 | * |
| 221. | 実戦No.3 | 国税専門官 | H22 | *** |

## テーマ5 西洋音楽・映画

| | 問題 | 試験 | 年度 | 難易度 |
|---|---|---|---|---|
| 222. | 必修 | 国家総合職 | H16 | *** |
| 223. | 実戦No.1 | 国家総合職 | H21 | * |
| 224. | 実戦No.2 | 国家総合職 | H19 | ** |
| 225. | 実戦No.3 | 地上関東型 | H30 | ** |

## テーマ6 日本の美術・芸能

| | 問題 | 試験 | 年度 | 難易度 |
|---|---|---|---|---|
| 226. | 必修 | 地上特別区 | H24 | * |
| 227. | 実戦No.1 | 地上東京都 | R2 | ** |
| 228. | 実戦No.2 | 地上特別区 | H21 | * |
| 229. | 実戦No.3 | 市役所 | H22 | * |
| 230. | 実戦No.4 | 地上全国型 | H28 | *** |
| 231. | 実戦No.5 | 地上東京都 | H27 | * |

# 日本史

## 第１章　古代・中世

テーマ1　縄文・弥生・古墳時代
テーマ2　律令国家
テーマ3　武家社会の変遷

## 第２章　近　世

テーマ4　戦国大名と織豊政権
テーマ5　幕藩体制

## 第３章　近代・現代

テーマ6　明治時代
テーマ7　大正時代～昭和初期
テーマ8　第二次世界大戦後の諸改革

## 第４章　テーマ別通史

テーマ9　文化史・仏教史・教育史・政治史
テーマ10　土地制度史
テーマ11　対外交渉史

# 試験別出題傾向と対策

| 頻出度 | 試験名 | 国家総合職 | | | | | 国家一般職 | | | | | 国家専門職（国税専門官） | | | | |
|---|---|---|---|---|---|---|---|---|---|---|---|---|---|---|---|---|
| | 年度 | 21-23 | 24-26 | 27-29 | 30-2 | 3-5 | 21-23 | 24-26 | 27-29 | 30-2 | 3-5 | 21-23 | 24-26 | 27-29 | 30-2 | 3-5 |
| | テーマ　出題数 | 0 | 2 | 0 | 0 | 0 | 1 | 0 | 0 | 0 | 0 | 1 | 0 | 0 | 0 | 0 |
| C | 1 縄文・弥生・古墳時代 | | | | | | | | | | | | | | | |
| C | 2 律令国家 | | | | | | | | | | | | | | | |
| B | 3 武家社会の変遷 | | 2 | | | | 1 | | | | | 1 | | | | |

古代史を見ると，縄文時代から古墳時代の問題では，縄文・弥生時代の土器や生活様式などの区別ができるかどうか，さらに縄文・弥生時代の遺跡と古墳時代の古墳の違いがわかるかどうかなどが問われている。出題頻度としてはかなり低いが，まったく出題されていないわけではない。また，時代の転換期である大化改新は出題頻度が高いので，大化改新前と改新後の状況を明確に区別することが大切である。さらに，７世紀以降の天皇を中心とする律令国家体制の成立期から衰退期までの過程は，各時代の天皇の政策を押さえておくことがポイントである。続く武家社会の変遷（鎌倉時代・室町時代）は出題頻度が最も高いテーマで，執権政治の特色や蒙古襲来，建武の新政，室町幕府の統治政策について問われている。

### ●国家総合職

出題形式は単純正誤形式が大部分を占める。選択肢の文章も長く，判別しづらい記述が多い。最近では，武家と朝廷との関係について幅広い時代の出来事が問われた問題が出題されている。

### ●国家一般職

出題形式としては単純正誤形式が大部分を占め，選択肢は長文化している。しかし，文章が長いとはいえ，誤った記述を判別しやすい基本的な問題の場合が多い。古代・中世の文化・教育も重要である。

### ●国家専門職

出題形式は単純正誤形式で選択肢は長文化する傾向にある。近年，古代・中世からも出題されている。律令制度の変遷や平氏政権と源平の争乱，鎌倉・室町幕府の統治機構などは重要テーマである。

### ●地方上級

出題形式は単純正誤形式，下線部正誤形式，正答組合せ形式で出題されている。

**全国型**では，鎌倉・室町時代などの武家政権の特色や，飛鳥・平安・鎌倉・室

| | 地方上級（全国型） | | | | | 地方上級（東京都） | | | | | 地方上級（特別区） | | | | | 市役所（C日程） | | | | |
|---|---|---|---|---|---|---|---|---|---|---|---|---|---|---|---|---|---|---|---|---|
| | 21-23 | 24-26 | 27-29 | 30-2 | 3-4 | 21-23 | 24-26 | 27-29 | 30-2 | 3-5 | 21-23 | 24-26 | 27-29 | 30-2 | 3-5 | 21-23 | 24-25 | 27-29 | 30-2 | 3-4 |
| | 2 | 0 | 0 | 1 | 1 | 0 | 0 | 0 | 2 | 0 | 1 | 0 | 1 | 0 | 2 | 0 | 0 | 0 | 0 | 0 |
| テーマ1 | | | | | | | | | | | | | | | | | | | | |
| テーマ2 | | | | | | | | | 1 | | | | | | 1 | | | | | |
| テーマ3 | 2 | | | 1 | 1 | | | | 1 | | 1 | | 1 | | 1 | | | | | |

町の各時代の仏教の政治へのかかわりなどに関する出題頻度が非常に高い。正答組合せ問題も出題されているが，問われている点は歴史的な事実を正確に覚えているかどうかであり，基本問題である場合が多い。

**関東型**では，近年は全国型と共通問題であることが多く，全国型と同様に武家政権に関する出題が多い。

**中部・北陸型**では，一部が全国型・関東型と共通問題である場合が多い。天皇による親政と武家政権の違いを明確にすること。

### ●東京都・特別区

東京都では，問題形式は単純正誤形式がほとんどで，正確な知識を問う問題となっている。古代・中世からの出題では仏教関連が出題されている。今後の出題に備えて，飛鳥時代から室町時代まで政治史を中心に学習することが大事だが，過去には鎌倉時代の文化や室町文化などが問われているので，各時代の文化面も含めた内容をよく復習しておきたい。

特別区では，問題形式は単純正誤形式が中心で，古代・中世からの出題は数年おきに見られる。通史的な出題の場合は，古代から近世まで幅広い時代の特色が問われるので，政治史だけでなく，経済・文化・外交・戦乱まで古代・中世の重要事項は丁寧にまとめておきたい。

### ●市役所

市役所では，問題形式は単純正誤形式がほとんどである。古代・中世からは出題される割合が低く，特に古代の分野からは出題がほとんど見られない。今後出題される可能性もあるので，古代の基本事項や武家政権の流れには目を通しておこう。

# 縄文・弥生・古墳時代

## 必修問題

**日本の原始・古代に関する記述として最も妥当なのはどれか。**

【国家一般職・平成20年度】

**1** 日本列島には完新世の時代に北方からナウマン象やヘラジカ，南方からマンモスやオオツノジカが往来し，人類はこれらの動物を追いかけて大陸から渡ってきたとされる。このため，日本列島で数多く発見される原人や旧人の段階の化石人骨は，中国南部の化石人骨と類似している。

**2** 石器時代は，打製石器や磨製石器を使用した**旧石器時代**とナイフ形石器や尖頭器を使用した**新石器時代**に区分される。日本列島では，新石器時代の遺跡は全国各地で数多く発見されているものの，旧石器時代の遺跡はいまだ発見されていない。

**3** **縄文文化は水稲耕作の発達とともに進歩**し，稲などの収穫物を収納・保存するために**縄文土器**や高床倉庫が用いられるようになった。また，**抜歯や屈葬**などの呪術によって，自然災害を避け豊かな収穫を祈る風習も盛んになった。

**4** 縄文文化が南西諸島から北海道まで全国に及んだのに対し，弥生文化が普及したのは薩南諸島から東北地方までである。沖縄諸島などでは**貝塚文化**，北海道では**続縄文文化**と呼ばれる漁労・採集を中心とする独自の文化が続いた。

**5** 縄文人は竪穴住居を造って定住的な生活を営んだとされる。多くの集落は平野の低地に造られ，そのなかには**集落の周りに深い濠を巡らした環濠集落**も存在した。住居の規模や構造に大きな格差が見られ，集落内で貧富の差や身分の上下関係が形成されていたと考えられている。

難易度 ＊＊

## 必修問題の解説

日本の原始・古代に関する問題は，旧石器時代と新石器時代の違い（**2**），縄文土器・抜歯・屈葬・呪術などの縄文文化と，水稲耕作の発達・高床倉庫（**3**），平野の低地に造られた集落・環濠集落（**5**）などの弥生文化の違いを明確にしておくことが重要である。

**1 ×** マンモスやナウマン象の日本列島への渡来は更新世（氷河時代）。
完新世（更新世の後の時代で，約1万年前から現在の間）ではなく，**更新世（氷河時代，170万年前から1万年前）**の時代に北方からマンモスやヘラジカが往来し，南方からナウマン象やオオツノジカが往来した。日本列島で数多く発見されている更新世の化石人骨は，原人や旧人ではなく，**新人**である。幅広い顔と低い身長を特徴とするこの新人は中国南部で発見された柳江人と類似している。

**2 ×** ナイフ形石器・尖頭器は旧石器時代，磨製石器は新石器時代。
石器時代は，旧石器時代と新石器時代に分けられるが，**旧石器時代には大型動物の狩猟用のナイフ形石器や尖頭器などの打製石器**が使用され，**新石器時代には磨製石器**が使用された。また，旧石器時代の遺跡としては，1946年に発見された**岩宿遺跡**（群馬県）がある。

**3 ×** 水稲耕作の発達は弥生時代。
水稲耕作の発展とともに進歩し，稲などの収穫物を収納・保存するために**高床倉庫が作られた時代は弥生文化**である。この時代は弥生土器が用いられた。縄文人は霊魂の存在を信じていたので，呪術によって自然災害を避け豊かな収穫を祈る風習も盛んで，抜歯や屈葬が見られた。

**4 ◎** 沖縄諸島＝貝塚文化，北海道＝続縄文文化。
正しい。弥生文化は，北海道や沖縄諸島には至らず，これらの地域では独自の文化が展開され，沖縄諸島では貝などの採集に依存し，農耕が見られない**貝塚文化**が展開された。また，北海道では，紀元前後から８世紀頃に鉄器文化が栄え，縄文土器の流れをくむ土器が用いられた**続縄文文化**が展開された。

**5 ×** 縄文人は台地に定住，弥生人は環濠集落を形成。
縄文人が定住生活を営んだ集落は，飲み水の必要性から水辺に近い**台地**に造られた。平野の低地に集落が造られ，環濠集落も存在したのは弥生文化である。格差や貧富の差，上下関係が形成されたのは**弥生文化**である。

**正答 4**

# FOCUS

縄文・弥生時代の問題では，縄文時代の記述の中に弥生時代の出来事や特色を加えたものが多く，それだけに縄文と弥生の時代ごとの区別がしっかりできているかどうかが重要である。さらに，手の込んだ問題になると，縄文の問題に古墳時代の遺跡を混同して紛らわしくしたものも見られる。古墳時代も含めて，土器や遺跡などの特徴をよく押さえておくこと。

# POINT

## 重要ポイント 1 旧石器時代と新石器時代

岩宿遺跡（群馬県）の発見で，日本の旧石器時代が明らかになった。縄文時代は新石器時代に入るが，狩猟・漁労・採集生活が中心である。

| 旧石器時代 | 新石器時代 |
|---|---|
| 更新世（洪積世）<br>約200万年前～約１万年前<br>氷河時代 | 完新世（沖積世）<br>現在に至る１万年<br>温暖な気候 |
| 打製石器・骨角器（こっかくき）の使用 | 磨製石器と土器の使用 |
| 狩猟・漁労・採集生活 | 家畜の飼育・農耕 |

## 重要ポイント 2 縄文時代と弥生時代

| | 縄文時代（新石器時代） | 弥生時代（新石器時代） |
|---|---|---|
| 期　間 | １万年前～紀元前４世紀 | 紀元前３世紀～３世紀頃 |
| 土　器 | 縄文土器（厚手でもろい）<br>焼成温度500℃・黒褐色 | 弥生土器（薄手で硬い）<br>焼成温度1000℃・赤褐色 |
| 生　活 | 狩猟・漁労・採集生活 | 水稲耕作の開始 |
| 道　具 | 骨角器の使用 | 木製農具・鉄製工具<br>金属器の使用 |
| 住　居 | 竪穴（たてあな）住居<br>（水辺に近い台地） | 竪穴住居・平地式建物・高床倉庫<br>（水田に近い低地） |
| 遺　跡 | 大森貝塚（東京都）<br>三内丸山（さんないまるやま）遺跡（青森県） | 登呂遺跡（静岡県）<br>吉野ヶ里遺跡（佐賀県・環濠集落） |
| 埋　葬 | 屈葬（くっそう） | 伸展葬・甕棺墓（かめかんぼ）・支石墓 |
| 宗　教 | アニミズム（精霊崇拝）<br>土偶（どぐう） | 青銅製祭器<br>銅鐸（どうたく）（近畿地方で出土）<br>銅矛（どうほこ）（銅鉾）・銅戈（どうか）（九州地方で出土） |
| 社　会 | 貧富の差のない社会 | 貧富の差・階級の区別の発生 |

## 重要ポイント3 古墳時代

古墳時代は3世紀後半～7世紀にかけて古墳が造られた時期のことで，ヤマト（大和）政権下の時代と重なる。

●**前期**（3世紀後半～4世紀）

近畿地方中心に前方後円墳が見られる。古墳には埴輪（はにわ）が並べられた。この頃，土師器（はじき）（赤焼きで弥生土器系の土器）が使用された。

●**中期**（4世紀末～5世紀）

巨大古墳が多い。この頃，土師器と須恵器（すえき）（硬質で灰色。朝鮮半島から伝わった技術で作られた）が使用された。大仙陵（仁徳天皇陵）古墳。

●**後期**（6～7世紀）

古墳は群集墳と呼ばれる小古墳が多くなる（古墳を造るようになった有力農民の台頭の表れ）。

## 重要ポイント4 ヤマト（大和）政権

4世紀半ばに，大和平野南部に大王と有力豪族からなるヤマト（大和）政権が成立した。ヤマト（大和）政権は氏姓制度によって政治基盤が強化されていった。

●**氏姓制度**

支配血縁的な結びつきの豪族に氏が与えられていた。氏人（氏の構成員）は，氏上（首長）に率いられ，ヤマト（大和）政権内部の職務についた。氏には政治的・社会的地位を表す臣（おみ）・連（むらじ）・君（きみ）・直（あたえ）・造（みやつこ）・首（おびと）などの姓（かばね）をつけて，身分秩序を明確にした。

●**部民制度**

ヤマト（大和）政権では，人民は部民として支配されていた。伴造（とものみやつこ）（朝廷の政務や祭祀を担当）に率いられる人々が**品部**（しなべ）・**田部**（たべ），朝廷が私有する人民が**子代**（こしろ）・**名代**（なしろ），豪族が私有する人民が**部曲**（かきべ）と呼ばれた。また，朝廷の私有地は**屯倉**（みやけ），有力豪族の私有地は**田荘**（たどころ）と呼ばれていた。部民は生産物の貢納や労役が義務づけられ，朝廷や豪族の経済的基盤となっていた。

| 所有者 | 私有地 | 私有民 | 耕作者 |
|---|---|---|---|
| 朝　廷 | 屯倉 | 子代・名代 | 田部 |
| 有力豪族 | 田荘 | 部曲 | 部曲 |

## 重要ポイント5 中国文献での日本の記述

『**漢書**（かんじょ）』**地理志**：編者は班固。前漢の歴史書。紀元前1世紀に倭人小国分立。
『**後漢書**（ごかんじょ）』**東夷伝**（とういでん）：編者は范曄（はんよう）。後漢の歴史書。57年に奴国（なこく）王が印綬受領。
『**魏志**』**倭人伝**：編者は陳寿。三国時代の歴史書の一つ。邪馬台国卑弥呼。
『**宋書**（そうじょ）』**倭国伝**：編者は沈約。南朝（宋）の歴史書。倭の五王の遣使。

## 実戦問題

**No.1*** **縄文土器とこれを利用した縄文時代に関する次の記述のうち，妥当なのはどれか。** 【国家総合職・平成８年度】

**1**　１万年ほど前に日本列島は大陸と完全に切り離され，今日とほぼ同じ自然環境になった。当時は食料採集が生活の基盤であり，日干しで作られた縄文土器はもっぱら貴重な食料貯蔵のため用いられたと考えられている。

**2**　縄文時代には，貧富の差や階級の区別が生じた。それは，矢や斧も青銅で製作されるようになり狩猟の技術が向上したことや，縄文土器にそれらの食料を貯蔵できるようになったことを反映したものであると考えられている。

**3**　縄文土器は粘土をうわぐすりで覆い，1000℃以上の高温で焼き上げたもので，現在の陶器に近い製法で作られていた。このため，水が漏れず，煮炊きにも用いられたと考えられている。

**4**　縄文土器の中には，縄文を持たないものも多い。縄文土器の大切な用途は煮炊きであり，これにより生では食べられないものが食べられ，日持ちのしないものが長持ちするようになり，病気の減少に役立ったと考えられている。

**5**　縄文時代の遺跡が西日本にのみ分布し，また，縄文土器の特徴である深い鉢形が東南アジア地域の食料採取民の土器と共通していることから，縄文文化は南方系の文化の影響を受けていると考えられている。

＊＊
## No.2 日本の弥生時代に関する記述として最も妥当なのはどれか

【国税専門官・平成19年度】

**1** 薄手で赤褐色のものが多い縄文土器に代わって厚手で黒褐色のものが多い弥生土器が作られ，食物を入れるなどして使うようになった。また，機織(はたおり)の技術が導入されて植物の繊維で織った衣服を着るようになり，女性は，単衣(ひとえ)の布に穴をあけて頭を通したものである直衣(のうし)を着用していたと伝えられている。

**2** 灌漑・排水用の水路を備えた本格的な水田が造られ，低湿地を利用した湿田だけでなく乾田も造られるようになった。また，稲作等で収穫された物は，貝塚や貯蔵穴に収納された。さらに，水田の近くの低地に集落が多く営まれるようになって，周囲に深い壕をめぐらす高地性集落も造られた。

**3** 九州北部を中心に銅鐸，近畿地方を中心に銅矛・銅戈といった青銅器が使用され，墓に副葬されるようになった。また，葬法としては，土壙(どこう)や甕棺に加えて木棺や壺棺に遺体を納めるようになり，九州北部を中心に支石墓や箱式石棺墓が盛んに造られ，近畿地方を中心に木棺墓や土壙墓のまわりに溝をめぐらす前方後円墳が造られた。

**4** 農耕の発達に伴って一つの水系を単位とした地域を統率する国司が出現し，有力な集落が周辺の集落を統合して各地に政治的な集団である小国が造られるようになった。『漢書』地理志には，小国の一つである倭の奴国の国王の使者が後漢の光武帝に朝貢し，印綬を受けたことが記されている。

**5** 『魏志』倭人伝によれば，倭の各地で小国が自立や結合をはかるようになり，２世紀後半に大乱が起こったが，３世紀ごろに諸国が邪馬台国の卑弥呼を倭国の王に立てて，30あまりの小国を統合した国が成立し，また，卑弥呼が魏の皇帝に使者を送り，魏の皇帝から「親魏倭王」の称号を賜ったとされている。

## 実戦問題の解説

### No.1 の解説　縄文土器と縄文時代

→問題はP.24 **正答4**

**1 ×　縄文土器は日干しではなく焼成。縄文人は狩猟採集生活が中心。**

縄文土器は採集生活と関連し，採集された食料を入れるために用いられたと考えられるが，日干しで作られたのではなく，600～800℃の低温で焼かれて作られた。厚手でもろく，黒褐色のものが多い。

**2 ×　縄文時代は平等社会。弥生時代に貧富の差・階級の区別が発生。**

貧富の差や階級の区別が生じたのは**水稲耕作**が始まった弥生時代である。また，弥生時代には青銅器・鉄器などの金属器が中国や朝鮮から伝えられるようになった。

**3 ×　縄文土器は野焼きで低温で焼き上げられ，うわぐすりや窯は不使用。**

1000℃以上の高温で焼かれた土器は弥生土器である。赤褐色で，薄手で硬い土器で，その名称は1884年に第１号が発見された本郷弥生町（東京）にちなんでつけられた。

**4 ◎　縄文土器には縄目文様の他に，縄目のない貝殻文様などもある。**

正しい。縄文土器は表面に縄目文様があることからこの名前がつけられているが，すべての縄文土器に縄目があるとは限らない。貝殻が押しつけられてできた貝殻文様や線状や点状の文様も見られる。

**5 ×　縄文時代を代表する遺跡は三内丸山遺跡（青森県），大森貝塚（東京都）。**

縄文時代の遺跡は東日本にも見られ，北海道の美沢遺跡や青森県の**三内丸山遺跡**などがあり，西日本にのみ分布していたとはいえない。また，アジア諸地域と縄文文化については今後の研究が待たれる分野である。

## No.2 の解説　弥生時代

→問題はP.25　**正答5**

**1 ×** 弥生土器は1000℃で焼成。薄手で丈夫な赤褐色の土器。

**縄文土器は厚手で黒褐色**のものが多い。**薄手で赤褐色の土器は弥生土器**の特色である。機織は弥生時代の技術であるが，**直衣は平安時代中期以降**の天皇や貴族の日常用の衣服である。

**2 ×** 弥生時代に水稲耕作の技術が中国大陸，朝鮮半島を経由して伝来。

弥生時代には湿田だけでなく乾田も造られたが，稲作等で収穫された物は**高床倉庫**や貯蔵穴に収納された。また**深い濠をめぐらした集落は環濠集落**である。高地性集落は大阪湾沿岸から瀬戸内海沿岸の丘陵に造られた集落のことである。

**3 ×** 弥生時代から青銅器や鉄器などの金属器の使用開始。

弥生時代に作られた青銅器のうち，**銅鐸が近畿地方**を中心に，**銅矛**（どうほこ）（**銅鉾**）・**銅戈**（どうか）**は九州北部**を中心に使用されていた。**前方後円墳は３世紀後半**に西日本を中心に造られた古墳である。

**4 ×** 後漢を建国した光武帝に関する記述は『後漢書』東夷伝。

地方長官の国司は，701年に大宝律令が出され，律令制度が整備された時点で設けられた役職である。農耕の発達に伴って地域を統率するようになったのは**小国の王**たちである。『漢書』地理志（『漢書』は班固の著した前漢の歴史書で100巻）には，紀元前1世紀に倭人の国が100余国に分かれ，朝鮮半島の楽浪郡に使者を派遣していたという内容が記されている。57年に倭の奴国の国王の使者が**後漢の光武帝に朝貢し，印綬を受けた内容は『後漢書』東夷伝**（『後漢書』は范曄（はんよう）が著した後漢の歴史書で120巻）に記されている。

**5 ◎** 邪馬台国の卑弥呼に関する記述は『魏志』倭人伝。

正しい。**『魏志』倭人伝**は陳寿によって編集された『三国志』魏書30巻のうちの一つで，邪馬台国の女王**卑弥呼**が239年に魏の皇帝に使者を派遣した内容が記されている。

# 律令国家

## 必修問題

**奈良時代の文化に関する記述として，妥当なのはどれか。**

【地方上級（東京都）・令和元年度】

**1** 712年に完成した『**古事記**』は，天武天皇が太安万侶(おおのやすまろ)に『帝紀』と『旧辞』をよみならわせ，これを稗田阿礼(ひえだのあれ)に筆録させたものである。

**2** 751年に編集された『**懐風藻**(かいふうそう)』は，日本に現存する**最古の漢詩集**として知られている。

**3** 官吏の養成機関として中央に**国学**，地方に**大学**がおかれ，中央の貴族や地方の豪族である郡司の子弟を教育した。

**4** 仏像では，奈良の興福寺仏頭（旧山田寺本尊）や薬師寺金堂薬師三尊像に代表される，粘土で作った**塑像**や原型の上に麻布を漆で塗り固めた**乾漆像**が造られた。

**5** **正倉院**宝庫には，白河天皇が生前愛用した品々や，螺鈿紫檀五絃琵琶(らでんしたんのごげんびわ)などシルクロードを伝わってきた美術工芸品が数多く保存されている。

難易度 ＊

## 必修問題の解説

710年に平城京へ遷都し，天平文化が発展した時代が奈良時代である。この時代には『古事記』，『日本書紀』が編纂された（**1**）。また，唐の影響を受けた国際色豊かな文化が形成されると同時に，国家仏教が発展した時代でもあった。興福寺が藤原一族の氏寺として栄え，聖武天皇による詔によって東大寺大仏が造立された。正倉院には聖武天皇の遺愛の品々が納められていた（**5**）。

**1 ×** 稗田阿礼は語り部で，太安万侶が『古事記』を筆録。
飛鳥時代に国史編纂事業が行われ，天武天皇が稗田阿礼に『帝紀』と『旧辞』をよみならわせていたが，元明天皇の命令によって，稗田阿礼のよみ伝えた内容を**太安万侶が筆録**し，712年に完成したのが『古事記』である。

**2 ◎** 『懐風藻』は現存する最古の漢詩集。
『懐風藻』は64人の詩を集めた漢詩集であるが，漢詩の撰者は不明。

**3 ×** 中央に大学を設置，地方に国学を設置。
官吏の養成機関として**式部省に大学**が置かれた。貴族の子弟などが通い学生と呼ばれた。地方では，**国ごとに国学**が置かれ，郡司の子弟を官吏とするための教育が行われた。

**4 ×** 興福寺仏頭と薬師寺金堂薬師三尊像は白鳳文化。
興福寺仏頭と薬師寺金堂薬師三尊像は**飛鳥時代後半の白鳳文化**を代表する国宝で，奈良時代の天平文化ではない。塑像と乾漆像は天平文化の技法で正しい記述である。

**5 ×** 正倉院宝庫は聖武天皇の生前愛用した品々を保存。
正倉院（校倉造の高床式倉庫）は**聖武天皇と光明皇后**が生前愛用した品々を収蔵した宝庫であり，1998年にユネスコの世界遺産に登録された。白河天皇は平安時代の天皇である。

**正答 2**

## FOCUS

試験対策としては，文化史だけでなく，政治史も重要。律令制度の確立から崩壊までを押さえる必要がある。律令国家とはヤマト政権による氏姓制度が打ち破られた大化改新後から，奈良・平安時代に至る国家のことをさす。我が国最初の令といわれている近江令，次いで飛鳥浄御原令（あすかきよみはらりょう），大宝律令で律令が整ったが，９世紀以降，再建策がとられるものの，次第に衰え，10世紀初頭になると，律令制度による財政維持は困難となった。

## 重要ポイント 1 律令制度

律令制度は7世紀から12世紀までの律令格式を基礎とした政治支配体制のことである。

| | |
|---|---|
| 律令の形成 | 645年　**大化改新**　→改新の詔<br>公地公民制（土地の公有が原則）→豪族の大土地所有の防止<br>農民の生活保障<br>戸籍・計帳の作成（6年ごと）<br>班田収授法（6歳以上の男女に口分田を班給・口分田の売買禁止）<br>租・調・庸制度<br>労役（雑徭）・兵役（衛士・防人）<br>天智天皇：近江令・庚午年籍（戸籍）の作成<br>天武天皇：飛鳥浄御原令の制定 |
| 律令の完成 | 701年　**大宝律令の制定**（刑部親王・藤原不比等らが編集）→日本で初めて成立した律6巻と飛鳥浄御原令を整理した令11巻<br>中央：二官（太政官・神祇官）八省<br>太政官の下には八省（中務省・式部省・治部省・民部省・兵部省・刑部省・大蔵省・宮内省）が置かれた<br>地方：国・郡・里（国司・郡司・里長）<br>718年　養老律令の制定 |
| 律令の動揺 | 人口の増加と農民の逃亡・浮浪<br>723年　**三世一身法**　→新たに開墾した者は，3代にわたってその土地を私有できる<br>743年　**墾田永年私財法**（開墾田の永久私有を認める）→荘園の発生 |
| 律令の再建 | 令外官の設置<br>桓武天皇：勘解由使（国司の交代時の事務引継の監督）の設置<br>嵯峨天皇：検非違使（治安維持を担当），蔵人頭（機密文書や訴訟を担当）の設置，820年に弘仁格式を編纂 |

## 重要ポイント 2 飛鳥時代の戦乱・事件

527年　**磐井の乱**：筑紫国造の磐井が新羅と結んで起こした反乱
592年　**崇峻天皇暗殺**：蘇我馬子が崇峻天皇を東漢直駒に暗殺させた事件
663年　**白村江の戦い**：百済救援に向かった日本の水軍が唐・新羅軍に敗北

## 重要ポイント 3 平安時代の政治

### ●律令の再建

794年，桓武天皇が平安京に遷都し，平安時代が始まった。桓武天皇は律令の再建をめざし，**勘解由使**を設置し国司の監視に努めるとともに，**健児の制**を定めて，郡司の子弟を兵士（健児）として地方の治安維持に当たらせた。その後，嵯峨天皇の時代には令には規定のなかった令外官である**蔵人頭**・**検非違使**が設置され，弘仁格式が編纂された。

**●摂関政治の確立**

9世紀になると，藤原冬嗣が左大臣となり，天皇家と婚姻関係を結んで勢力を拡大していった。冬嗣の子の良房は857年に太政大臣になり，翌年摂政に就任した（正式には866年）。さらに，884年，光孝天皇は良房の養子である基経を優遇するために，基経を初めて関白とし，政治の実権をゆだねた。

**●親政開始～延喜・天暦の治**

基経の死後，宇多天皇は，摂政・関白を置かず，菅原道真を蔵人頭に任命して藤原氏の勢力を抑えようとした。続く醍醐天皇は，藤原時平を左大臣に，菅原道真を右大臣に任命して，天皇親政を行った。しかし，901年，藤原時平の謀略で道真が大宰府に左遷され，時平が実権を掌握した。

**●摂関政治の全盛**

11世紀の**藤原道長・頼通**父子の時代に摂関政治は全盛期をむかえる。

地方では国司らの圧迫を免れるため，開発領主らがその所有地を中央の権力者に名目上寄進し，自らはその荘官になるという寄進地系荘園が広まるようになった。

**●荘園整理令と院政の開始**

1068年に摂政・関白を外戚としない**後三条天皇**が即位した。天皇は1069年，**延久の荘園整理令**を出し，基準に合わない荘園の整理，公領の回復をめざした。

続く白河天皇も親政を行ったが，1086年，堀河天皇に譲位し，自らは**白河上皇**として**院政**を行うようになった。院政は白河・鳥羽・後白河上皇と３代，100年あまり続いたが，その後，次第に武士政権と対立するようになった。

## 重要ポイント4 武士の台頭

10世紀には班田収授法が実施されず，律令体制が大きく崩れた。この頃，地方の政治も乱れ始め，豪族や有力農民が武士となり，武士団を結成するようになった。

| | |
|---|---|
| **平将門の乱** | 935～40年，下総国に本拠地を持つ地方豪族の平将門が朝廷に反乱<br>平貞盛・藤原秀郷によって鎮圧される |
| **藤原純友の乱** | 939年，伊予国の国司・藤原純友が瀬戸内海で起こした反乱<br>小野好古・源経基によって鎮圧される |
| **平忠常の乱** | 1028年，上総で平忠常が反乱。源氏によって鎮圧される<br>これ以後，関東では平氏が衰退 |
| **前九年の役** | 1051～62年，陸奥の安倍頼時が国司に反乱　→源頼義・義家が鎮圧 |
| **後三年の役** | 1083～87年，奥羽の清原氏の相続争い　→源義家が鎮圧 |
| **保元の乱** | 1156年，崇徳上皇と後白河天皇の争いに，平清盛・源義朝が天皇側について戦った　→後白河天皇の勝利 |
| **平治の乱** | 1159年，平清盛，源義朝の争い　→清盛が勝利し平氏政権が成立 |

## 実戦問題

◆ **No.1** * **わが国の律令制に関する記述として妥当なのはどれか。**

【国家一般職・平成13年度】

**1** 大宝律令による中央行政機構としては，祭祀をつかさどる神祇官と一般政務をつかさどる太政官の二官が置かれており，太政官は太政大臣や大納言などの公卿によって構成されていた。そして，太政官のもとに大蔵省や兵部省など八省が置かれ，それぞれの政務を分担していた。

**2** 豪族が土地と人民を領有し官職を世襲する氏姓制度を改め強力な中央集権体制を樹立するため，大化の改新によって八色の姓が制定された。同時に，上位の貴族の位階が世襲される蔭位の制が廃止され，実力本位の試験による官吏任用制度が採用された。

**3** 国家統治の基本法である律令は，儒教や仏教に基づいた官僚国家を実現するために官人に対する心構えを示した律と，刑法・民法である令からなる。しかし，次第に律より令が尊重されたため，最初の法令である大宝律令に存在した律は，後に制定された飛鳥浄御原令や近江令では省略されている。

**4** 大宝律令による地方行政機構では，全国は畿内・七道に分けられ，その下に国・県が設けられて国造，県主が中央から赴任した。また，外交・国防上の要地である筑紫には鎮西探題が置かれて防人が配置され，奥羽には陸奥将軍府が置かれ，蝦夷の反乱に備えて屯田兵が配置された。

**5** 人民の成人男子のみが検地帳に登録されて口分田を与えられたうえ，租・調・庸が課された。口分田は三代に限り私有が許されていたため売買が進み，田畑永代売買禁止令が出されたにもかかわらず貴族や寺院に集中していった。

◆ **No.2** * **A～Eは平安時代の出来事に関する記述であるが，これらのうち，下線部について古いものから順に並べたものとして妥当なのはどれか。**

【国家一般職・平成18年度】

A：平将門は，常陸・上野・下野の国府を襲い，関東一円を占領して親皇と称し，一時は関東の大半を征服したが，<u>一族の平貞盛と下野の豪族藤原秀郷の軍によって討伐された</u>。

B：藤原良房は，応天門の火災を当時勢力をのばしていた大納言伴善男の仕業として失脚させ，権力を確立して<u>最初の人臣摂政となった</u>。

C：鳥羽院政下において，天皇家では兄の崇徳上皇が皇位継承をめぐり弟の後白河天皇と対立し，摂関家では兄の関白藤原忠通と弟の左大臣頼長の対立が生じていたが，鳥羽法皇が没した後，後白河天皇方が平清盛や源義朝らと結び，<u>崇徳上皇方を破った</u>。

D：桓武天皇により派遣された征夷大将軍の坂上田村麻呂は，<u>胆沢城を築き</u>，やがて鎮守府を多賀城からこの地に移した。

E：他氏の排斥に成功した藤原氏は，次に一族内部で摂政・関白の地位をめぐり激しい争いを繰り返したが，道長・頼通の頃に全盛期を迎え，道長は3天皇の外戚として勢力をふるった。

**1** B→D→C→A→E　**2** B→D→E→A→C　**3** D→A→B→E→C

**4** D→B→A→C→E　**5** D→B→A→E→C

＊＊
**No.3 飛鳥時代に関する記述として，妥当なのはどれか。**

【地方上級（東京都）・平成15年度】

**1** 6世紀前半に，筑紫国造磐井が，百済と結んで九州で反乱を起こし，ヤマト政権の朝鮮半島への派兵を阻止したため，朝鮮半島におけるヤマト政権の拠点であった加羅が百済に併合された。

**2** ヤマト政権は，地方豪族の反乱をおさえ，各地に屯倉(みやけ)を設置し，地方への支配を強め，渡来人の知識を利用して政治・財政機関を整備した。

**3** 大連の物部氏が失政や権力争いから，大伴氏によって失脚させられた後，大伴氏と蘇我氏が対立抗争を繰り返し，蘇我馬子は大伴氏を滅ぼして，自ら擁立した崇峻天皇を暗殺するに至った。

**4** 推古天皇の摂政となった聖徳太子は，法隆寺，薬師寺など官立の大寺院を建立し氏寺と区別して，国家で治める制度をつくった。

**5** 飛鳥文化は，日本で最初の仏教文化であり，彫刻では，鞍作鳥の作品と言われる法隆寺金堂の釈迦三尊像や唐の影響を受けた興福寺仏頭が，絵画では，高句麗・唐の影響を受けた高松塚古墳壁画がある。

## ＊＊ No.4 奈良時代に関する記述として最も妥当なのはどれか。

【国家一般職・平成22年度】

**1** 朝廷は，中国を統一した唐に対しては遣唐使を派遣し対等の関係を築こうとしたが，中国東北部に勃興した渤海に対しては従属国として扱おうとし，同国との間で緊張が生じた。このため，朝廷は，朝鮮半島を統一した新羅との友好関係を深めて，渤海に対抗した。

**2** 孝謙天皇の時代，仏教を信仰する天皇が僧侶の道鏡を寵愛し，仏教勢力が政界で勢力を伸ばした。これに危機感をつのらせた太政大臣の藤原仲麻呂は，武力で道鏡を政界から追放し，これ以後，政界で藤原氏が権力を握ることとなった。

**3** 朝廷は，蝦夷と交わる東北地方において支配地域を広げる政策を進め，日本海側に秋田城，太平洋側に多賀城を築いて蝦夷対策の拠点とした。

**4** 家父長制的な家族制度は普及しておらず，女性は結婚しても別姓のままで，自分の財産を持っていた。このため，律令制では，租・調・庸と呼ばれる税の負担は男女均等に課せられ，公民としての地位も同じであった。

**5** 仏教による鎮護国家思想に基づき，朝廷は民衆への仏教の布教を奨励し，各地にその拠点となる国分寺が建立された。また，用水施設や救済施設を造る社会事業を行って民衆の支持を得ていた空也の進言により，大仏造立の大事業が進められた。

# 実戦問題の解説

## No.1 の解説　我が国の律令制　→問題はP.32　正答1

**1 ◎ 祭祀＝神祇官，一般政務＝太政官。**
正しい。中央の組織としては**神祇官**（じんぎかん）・**太政官**（だいじょうかん）の二官が設置され，太政官の下に八省（中務省・式部省・治部省・民部省・兵部省・刑部省・大蔵省・宮内省）が置かれた。

**2 × 八色の姓は天武天皇が制定，蔭位の制が整備された。**
氏姓制度は朝廷が豪族に氏と姓を与えたものである。**八色の姓**（やくさのかばね）は大化の改新（645年）ではなく，684年の**天武天皇時代に定められた身分制度**のことである。律令下では，実力本位ではなく，上位の貴族の位階が世襲される**蔭位**（おんい）**の制**が整えられた。

**3 × 律は「心構え」ではなく，「刑法」。**
**律は官人の心構えを示したものではなく，刑法**に当たる。また，日本最古の法令は大宝律令以前の668年に制定された近江令である。

**4 × 「国・県」ではなく，「国・郡・里」，鎮西探題は鎌倉時代に設置。**
畿内・七道の下には，**国・郡・里**が設けられ，国司が中央から赴任し，郡司，里長には在地の豪族が任命された。**国造**（くにのみやつこ），**県主**（あがたぬし）**はヤマト政権下の地方行政機構**である。また，筑紫には鎮西探題（ちんぜいたんだい）（鎌倉時代の1293年に設置された九州の統治機関）ではなく，大宰府が置かれた。

**5 × 「検地帳」ではなく，「計帳」に登録。田畑永代売買禁止令は江戸時代。**
班田収授法（はんでんしゅうじゅのほう）によって口分田（くぶんでん）は**6歳以上の男女**に与えられたが，口分田の売買は禁止されていた。検地帳は近世以降に行われた検地の結果を村ごとにまとめるために作成された土地台帳のことである。**田畑永代売買禁止令**（でんぱたえいたい）**は1643年に江戸幕府が出した**，田畑の売買を禁止した法令である。

## No.2 の解説　平安時代の出来事　→問題はP.32　正答5

A　**平将門は関東一円を占領後，940年に藤原秀郷によって討伐される。**
下線部は**940年**のことである。下総国を本拠地としていた桓武平氏の流れをくむ平将門は，935年に源護と平真樹の争いの中で源氏を討ったが，平国香とも対立し殺害した。その後939年に東国に出兵して反乱を起こし（**平将門の乱**）は，940年に平国香の子の平貞盛，藤原秀郷らによって討伐された。

B　**藤原良房は天皇の外祖父となり，858年に臣下では初めて摂政となる。**
下線部は**858年**（正式には866年）のことである。藤原良房は842年の承和の変で，伴健岑，橘逸勢を抑え，**866年の応天門の変**では伴氏・紀氏を没落させ，9歳で即位した清和天皇の摂政となった。

C　**崇徳上皇は1156年の保元の乱で敗北。**
下線部は**1156年**のことである。皇位継承をめぐり，崇徳上皇と後白河天皇が対立し戦った**保元の乱**では，平清盛，源義朝が後白河天皇側に加わり，勝利を収めた。

D　**坂上田村麻呂が802年に胆沢城（岩手県奥州市）を設置。**

下線部は**802年**のことである。坂上田村麻呂は797年に桓武天皇によって**蝦夷討征**のため征夷大将軍に任命され，802年には胆沢地方に胆沢城を築き，ここに多賀城にあった鎮守府を移した。

E　**後一条天皇・後朱雀天皇・後冷泉天皇は３代続いて藤原道長の外孫。**

下線部は**1016〜1068年**のことである。藤原道長は４人の娘を天皇家に嫁がせ，後一条天皇（1016〜1036年），後朱雀天皇（1036〜1045年），後冷泉天皇（1045〜1068年）の外祖父として権勢をふるった。

よって，古い順に並べると，**D→B→A→E→C**の**5**が正しい。

## No.3 の解説　飛鳥時代

→問題はP.33　**正答2**

**1 ×　筑紫国造磐井が新羅と結んで九州で反乱。**

磐井の乱は筑紫国造の磐井が527年に九州北部で起こした反乱のことで，ヤマト政権が朝鮮半島における拠点となっていた朝鮮半島南東部の加羅（任那，伽耶ともいう）を支援し，新羅を討伐するために兵を派遣しようとしていたが，これを**磐井が新羅と結んで阻止**したものである。この反乱は物部麁鹿火によって鎮圧された。

なお，加羅の６世紀の情勢を振り返ると，512年には加羅の西部の任那四県が百済に併合されたが，562年には新羅に滅ぼされ，その支配下に入った。

**2 ◎　磐井の乱鎮圧後，九州北部に屯倉を設置。**

正しい。磐井の乱を鎮圧した後，ヤマト政権は九州北部に**屯倉**（直轄地）を設けると，各地の豪族を支配し，屯倉を設置していった。

**3 ×　大連の物部氏と大臣の蘇我氏が対立。**

512年に軍事を担当した大連の大伴金村が，百済からの賄賂をもらい，加羅の西部の任那四県を割譲させたことを物部尾輿に弾劾され失脚した後，大連の物部氏と大臣の蘇我氏が対立抗争を繰り返し，蘇我馬子は**587年に物部守屋を滅ぼし**，自ら擁立した崇峻天皇を592年に暗殺した。

**4 ×　聖徳太子は法隆寺を建立したが，薬師寺は天武天皇が建立。**

**薬師寺**は**天武天皇**が創建した官立の大寺院である。

**5 ×　興福寺仏頭と高松塚古墳壁画は白鳳文化。**

前半は正しい記述であるが，唐の文化の影響を受けた興福寺仏頭と高句麗・唐の影響を受けた高松塚古墳壁画は白鳳文化のものである。

## No.4 の解説　奈良時代

→問題はP.34　正答3

**1 ×　日本は新羅を従属国として扱おうとし対立，渤海とは友好的に交流。**

日本から遣唐使が派遣されたが，対等の関係ではなく**朝貢形式**となっていた。新羅と日本の間では緊張感が生じていた。朝廷は唐・新羅と対立していた渤海との友好関係を深めて，新羅に対抗した。

**2 ×　道鏡を政界から追放したのは和気清麻呂。**

孝謙天皇（在位749～758年）・淳仁天皇（在位758～764年）時代に重用され，太政大臣になったのは藤原仲麻呂である。僧侶の道鏡が政界で勢力を伸ばしたのは，孝謙天皇が孝謙太上天皇となり，さらに重祚して称徳天皇（在位764～770年）となってからである。道鏡は太政大臣禅師，法王となって権限を拡大させたが，最終的に**和気清麻呂**らによって皇位継承を阻止された。

**3 ◎　蝦夷対策の拠点が日本海側の秋田城，太平洋側の多賀城。**

正しい。蝦夷対策として日本海側に**秋田城**，太平洋側に**多賀城**を置いた。

**4 ×　税の負担では男女で違いあり。**

奈良時代は家父長制が普及せず，女性は結婚後も別性で，自らの財産も持っていたが，律令制度の下，班田収授法で６歳以上の男女に口分田が班給されても，班給される口分田の**面積に男女の違い**があり，租・調・庸の制度でも，調・庸は男子にのみに課せられていた。

**5 ×　行基が社会事業に取り組み，空也が浄土教を布教。**

社会事業に尽力した僧侶は**行基**である。布教活動のため政府から弾圧されたこともあったが，大仏造立の大事業には協力し，大僧正の地位に就いた。空也は平安時代の僧侶で，浄土教を説いた。

# 武家社会の変遷

## 必修問題

**室町幕府に関する記述として，妥当なのはどれか。**

【地方上級（特別区）・令和４年度】

**1** 足利尊氏は，建武の新政を行っていた後醍醐天皇を廃して持明院統の光明天皇を立て，17か条からなる幕府の施政方針である**建武式目**を定めて幕府再興の方針を明らかにし，自らは征西将軍となって室町幕府を開いた。

**2** 室町幕府の守護は，荘園の年貢の半分を兵粮（ひょうろう）として徴収することができる守護段銭の賦課が認められるなど，任国全域を自分の所領のようにみなし，領主化した守護は国人と呼ばれた。

**3** 室町幕府では，裁判や行政など広範な権限を足利尊氏が握り，守護の人事などの軍事面は弟の足利直義が担当していたが，やがて政治方針をめぐって対立し，観応の擾乱が起こった。

**4** 室町幕府の地方組織として関東に置かれた鎌倉府には，長官である管領として足利尊氏の子の足利義詮が派遣され，その職は，義詮の子孫によって世襲された。

**5** 足利義満は，京都の室町に**花の御所**と呼ばれる邸宅を建設して政治を行い，山名氏清など強大な守護を倒して権力の集中を図り，1392年には南北朝合一を果たした。

難易度 ＊

## 必修問題の解説

足利尊氏は征夷大将軍に任命され室町幕府を開いた。対立する後醍醐天皇は吉野に逃れ，南北朝の動乱が始まった（**1**）。また，尊氏は観応の擾乱で弟の足利直義を破った（**3**）。尊氏の孫の足利義満が1392年に南朝と交渉し南北朝を合体させた（**5**）。

**1 ×** **足利尊氏は光明天皇によって征夷大将軍に任命された。**
1336年に足利尊氏は持明院統の光明天皇を擁立させ，17条からなる政治方針を明らかにした**建武式目**を定めた。1338年に尊氏は光明天皇によって征夷大将軍に任命された。征西将軍（西国平定のための臨時将軍）となったのは懐良(かねよし)親王（後醍醐天皇の子）で，1361年に大宰府を占領したが，後に大宰府を追われた。

**2 ×** **守護段銭は守護が田畑の段別に課税した臨時税のこと。**
守護が荘園の年貢の半分を兵粮として徴収できる権限は**半済**である。これによって，守護は権限を拡大させ，荘園や公領を侵略し，領主化して**守護大名**となった。国人とは土着化し，領主化した地方武士のことで，守護の家臣となった者や国人一揆を主導する武士となった者を指す。

**3 ×** **軍事面の実権は兄の足利尊氏が握り，裁判や行政面は弟の足利直義が担当。**
室町時代初期には，尊氏と直義による二元的な政治体制が行われていた。征夷大将軍として全国の武士と主従関係を結んだ尊氏に対し，裁判や行政面は弟の直義が担当していたが，尊氏の執事・高師直(こうのもろなお)と直義が対立し，相続問題も絡んで武力対決に至った（**観応の擾乱**）。

**4 ×** **管領は将軍の補佐役。鎌倉府長官は鎌倉公方。**
地方組織として関東に置かれた鎌倉府の長官は**鎌倉公方**と呼ばれ，関東10か国のほか，後に陸奥・出羽を支配した。２代将軍の足利義詮(よしあきら)の二男の足利基氏が鎌倉公方として赴任し，その職は子孫に世襲された。関東管領の上杉氏がその補佐役となった。

**5 ◎** **花の御所は３代将軍足利義満の邸宅。1392年に南北朝の合一を実現。**
足利義満は1378年に京都の室町に将軍の邸宅を建て，そこで政治を行った。1391年には守護大名の山名氏清を倒した。さらに，1392年には義満が南朝の後亀山天皇を説得し，後亀山天皇を京都へ帰還させ，南朝の持っていた三種の神器を北朝の後小松天皇に譲渡させて，**南北朝の合一**を実現させた。

**正答 5**

## FOCUS

室町幕府は頻出テーマとなっている。各将軍の政策だけでなく文化面の出題も多くなっているので，政治と文化の両面で把握しておこう。

## POINT

### 重要ポイント1 鎌倉幕府の成立

1180年　中央に侍所（御家人の統制）の設置
1184年　中央に公文所（政務一般を扱う。1191年に政所に改称）・問注所（訴訟・裁判を扱う）を設置
1185年　諸国に守護を，公領・荘園に地頭を設置
・守護　→各国に東国の有力御家人から１人が任命された
大犯三カ条（守護の三大権限）
1．京都大番役（京都警備）の催促
2．謀反人の逮捕
3．殺害人の逮捕
・地頭　→御家人の中から任命。年貢の徴収・納入，土地管理，治安維持が任務
1192年　源頼朝が征夷大将軍に任命される

### 重要ポイント2 執権政治

1203年になると，北条時政（頼朝の妻，政子の父）が２代将軍頼家を幽閉し，弟の実朝を将軍に立て，自らは執権となって幕府の実権を握った。1219年に実朝は頼家の子，公暁に殺され，北条氏の執権政治が世襲されるようになった。

| 執　権 | 主な出来事・政策 |
|---|---|
| 初代　北条時政 | 頼朝の妻政子の父。源実朝を３代将軍とし，幕府の実権を握る |
| 2代　北条義時 | 1221年 承久の乱で後鳥羽上皇を破る<br>六波羅探題の設置（朝廷の監視） |
| 3代　北条泰時 | 1225年 連署の設置・評定衆の設置（政務・司法の評議）<br>1232年 御成敗式目（貞永式目）の制定 |
| 5代　北条時頼 | 1249年 引付衆の設置（評定衆の補佐）<br>1252年 藤原将軍を廃し，皇族将軍を迎える |
| 8代　北条時宗 | 蒙古襲来（元寇）フビライ　→ 1274年文永の役，1281年弘安の役 |
| 9代　北条貞時 | 1293年 鎮西探題の設置（西国警備）<br>1285年 霜月騒動　→有力御家人の安達泰盛の滅亡　→得宗専制政治が確立　→守護・地頭を北条氏一門が独占 |

### 重要ポイント3 室町幕府の政治

幕府の中央では斯波・細川・畠山の**三管領**が政務を統括し，赤松・一色・山名・京極の諸氏から任命される**四職**が侍所の長官となった。

| 将軍 | 主な出来事・政策 |
|---|---|
| 初代　足利尊氏 | 1336年　建武式目（17条の施政方針）の制定<br>1336～92年　南北朝の動乱<br>1350～52年　観応(かんのう)の擾乱(じょうらん)　→弟の直義(ただよし)の敗北<br>九州探題・奥州探題の設置 |
| 3代　足利義満 | 1391年　明徳の乱　→山名氏清を討伐<br>1392年　南北朝の合体<br>1404年　勘合貿易（日明貿易）の開始 |
| 6代　足利義教(よしのり) | 1438年　永享の乱　→足利持氏（鎌倉公方）を討伐<br>1441年　嘉吉の変（乱）　→義教が謀殺される |
| 8代　足利義政 | 1467～77年　応仁の乱　→将軍の後継問題<br>細川勝元と山名持豊（宗全）の戦い |
| 15代　足利義昭 | 1573年　織田信長に追放される　→室町幕府の滅亡 |

## 重要ポイント4　鎌倉と室町の社会

| | 鎌倉時代 | 室町時代 |
|---|---|---|
| 農業 | 畿内・西日本で二毛作が普及<br>肥料の発達 | 二毛作が一般化<br>収穫の安定 |
| 定期市 | 元寇後→三斎市（月３回） | 応仁の乱後→六斎市（月６回） |
| 輸入銭 | 宋銭の輸入 | 明銭の流通 |
| 座 | 座の発達 | 座の増加 |
| 商品取引 | 問丸(といまる)（商品の中継ぎ・委託販売・運送） | 問屋（商品販売）<br>馬借・車借（運送） |
| 金融業 | 借上(かしあげ) | 土倉(どそう) |

## 重要ポイント5　室町時代の一揆

15世紀に入ると，高利貸に苦しめられた農民や武士が徳政（債権・債務の破棄）を要求して土一揆を起こすようになった。

- **正長の徳政一揆**（土一揆）：1428年，近江の馬借の蜂起が契機となって畿内一帯に波及した。
- **山城の国一揆**：1485年，在地の有力武士である国人らが畠山氏の軍を国外退去させた。
- **加賀の一向一揆**：1488年，浄土真宗本願寺派の農民・国人らが守護富樫政親を倒す。国人・坊主・農民の寄合が１世紀にわたって加賀を支配した。

## 実戦問題

**No.1**＊ **室町幕府に関する記述として，妥当なのはどれか。**

【地方上級（特別区）・平成27年度】

**1** 足利尊氏は，大覚寺統の光明天皇を立てて征夷大将軍に任ぜられ，弟の足利直義と政務を分担して政治を行ったが，執事の高師直を中心とする新興勢力と対立し，観応の擾乱がおこった。

**2** 足利義満は，将軍を補佐する中心的な職である管領を設け，侍所や政所などの中央機関を統括し，管領には足利氏一門の一色，山名，京極の３氏が交代で任命された。

**3** 足利義持は，徳政令を出して守護に荘園や公領の年貢の半分を兵粮米として徴収する権限を与えると，守護はさらに，年貢の納入を請け負う守護請の制度を利用して荘園を侵略し，やがて守護大名とよばれて任国を支配した。

**4** 足利義教は，将軍権力の強化をねらって専制政治をおこない，幕府に反抗的な鎌倉公方足利持氏を滅ぼしたが，有力守護の赤松満祐に暗殺され，これ以降将軍の権威は揺らいだ。

**5** 足利義政の弟の義尚を推す日野富子と，義政の子の義視のあいだに家督争いがおこり，幕府の実権を握ろうと争っていた細川勝元と山名持豊がこの家督争いに介入し，応仁の乱が始まった。

**No.2** * **鎌倉時代に関する次のア～オの記述のうち，妥当なものの組合せはどれか。**

【地方上級（全国型）・令和３年度】

ア：鎌倉時代初期は，執権が幕府の権力を握っていたが，のちに執権から将軍に実権が移った。

イ：諸国では，守護が荘園を維持管理し，地頭が広域の警察権を掌握した。

ウ：武士の社会は，本家の長である惣領が庶子（家督の相続人である嫡子以外の子）を率いる，血縁関係を土台とする惣領制の社会であり，戦いの際は，惣領が庶子を率いて戦いに参加した。

エ：鎌倉幕府は宋銭の輸入を停止し，金貨や銀貨の鋳造を開始した。

オ：浄土宗，浄土真宗，日蓮宗，臨済宗などの新しい宗教が生まれ，臨済宗は幕府の保護を受けた。

**1** ア，ウ
**2** ア，エ
**3** イ，エ
**4** イ，オ
**5** ウ，オ

**No.3** * **鎌倉時代に関する次の記述のうち，妥当なものはどれか。**

【地方上級（全国型）・平成23年度】

**1** 頼朝の死後，貴族出身で頼朝側近だった大江広元や三善康信が頼家を立てて幕府政治を独裁したため，北条時政は，頼家を伊豆修禅寺に幽閉し，有力御家人の合議による政治を推進した。

**2** 承久の乱後，朝廷は院政や摂政・関白を廃止したりして幕府と協調する姿勢を示したので，幕府は没収した天皇領を朝廷に返した。

**3** 地頭と荘園領主との対立が激しくなり，荘園領主が地頭の非法を幕府に訴えたため，幕府は当事者間での和与を進めた結果，地頭の荘園侵略は抑制された。

**4** 定期市や遠隔地間の取引きが盛んになると，貨幣が現物の米に代わって多く用いられるようになり，中国から輸入された宋銭が使われた。

**5** 鎌倉時代には，加持祈禱によって災いを避けようとする天台・真言の宗教が盛んになったため，ひたすら念仏や題目を唱える厳しい修行を要求する鎌倉新仏教の勢力は衰退した。

## No.4 室町時代について述べた次の記述のうち，正しいものはどれか。

【地方上級（全国型）・平成22年度】

**1** 能・狂言・茶の湯・生け花などが愛好されたが，それは公家や一部の上層武士だけで,庶民にまでは広まらなかった。

**2** 惣と呼ばれる農民の自治的な村が各地に広がり，年貢の減免などを求めて一揆を結んで実力行使を行った。

**3** 各地で金山や銀山が開発され，幕府は金座や銀座を設けて金貨や銀貨を鋳造した。

**4** 将軍を補佐する職として管領が置かれ，細川氏が代々任命され，幕政を独占した。

**5** 畿内やその周辺では麦を裏作とする二毛作が始まり，刈敷や草木灰が肥料として使われるようになった。

## No.5 鎌倉幕府に関する記述として，妥当なのはどれか。

【地方上級（特別区）・平成21年度】

**1** 北条泰時は，新たに公文所を設置し，合議制により政治を行うとともに，武家の最初の体系的法典である建武式目を制定し，源頼朝以来の先例や道理に基づいて，御家人間の紛争を公平に裁く基準を明らかにした。

**2** 後鳥羽上皇は，新たに北面の武士を置き，軍事力を強化するとともに，幕府と対決する動きを強め，北条高時追討の兵を挙げたが，源頼朝以来の恩顧に応えた東国の武士達は結束して戦ったため，幕府の圧倒的な勝利に終わった。

**3** 北条時頼は，有力御家人の三浦泰村一族を滅ぼし，北条氏の地位を一層確実なものとする一方，評定衆のもとに引付衆を設置し，御家人達の所領に関する訴訟を専門に担当させ，敏速で公正な裁判の確立に努めた。

**4** 幕府は，承久の乱に際して十分な恩賞を与えられなかったことから御家人達の信頼を失ったが，永仁の徳政令を発布することで，貨幣経済の発展に巻き込まれて窮乏する御家人の救済と社会の混乱の抑制に成功した。

**5** 幕府は，２度目の元の襲来に備えて九州地方の御家人による九州探題を整備し，博多湾沿岸に石築地を築いて，防備に就かせるとともに，公家や武士の多数の所領を没収して，新たに新補地頭と呼ばれる地頭を任命した。

## 実戦問題の解説

### No.1 の解説　室町幕府　→問題はP.42　正答4

**1 ×** **光明天皇は持明院統。**

1336年に足利尊氏は大覚寺統（第90代亀山天皇の子孫）ではなく，**持明院統**（第89代後深草天皇の子孫）の**光明天皇**を立てて，征夷大将軍に任ぜられた。尊氏は弟の直義と政務を分担して政治を行ったがやがて対立し，観応の擾乱（1350～1352年）が起こった。原因の１つには尊氏の執事の高師直と直義の対立があった。

**2 ×** **一色・山名・京極の３氏に赤松氏を加えた４氏が所司。**

**管領**には，足利一門の細川・畠山・斯波の３氏が交代で任命された。一色・山名・京極・赤松の４氏の守護大名は，侍所の長官（所司）に任命された。

**3 ×** **４代将軍足利義持は合議政治と日明貿易中止を実行。**

**徳政令**は1297年に鎌倉幕府の９代執権**北条貞時**によって出された御家人の救済を目的とするものが最初。守護に荘園や公領の年貢の半分を兵粮米として徴収する権限を認めたのは，**半済令**である。

**4 ◎** **６代将軍足利義教（よしのり）は専制政治を強行。**

正しい。1441年に**足利義教**は守護大名の赤松満祐に暗殺された（嘉吉の変・嘉吉の乱）。

**5 ×** **８代将軍足利義政の弟は足利義視（よしみ）。**

1467年に始まった応仁の乱は，足利義政の弟の義視と，義政の子の義尚の継嗣争いが一因となっている。

### No.2 の解説　鎌倉時代　→問題はP.43　正答5

**ア ×** **初期は将軍が実権を掌握。のちに執権へ実権が移動。**

1192年に源頼朝が征夷大将軍に任命され，鎌倉幕府が開かれたが，源氏の将軍は３代で絶え，北条氏が**執権政治**を行った。

**イ ×** **守護は広域の警察権を掌握。地頭は荘園を管理。**

**守護**と**地頭**は1185年に設置が認められた。守護は原則として各国に１人ずつ有力御家人が任命され，治安維持や警察権を行使した。地頭は御家人の中から任命され，荘園や公領を管理し，年貢の徴収と治安維持などを任務とした。

**ウ ○** **鎌倉時代の武士は惣領を中心とする惣領制がとられた。**

妥当である。**惣領**（一族の本家の首長）は戦時には指揮官として一門の庶子らを率いて団結して戦った。

**エ ×** **鎌倉時代は中国から輸入した宋銭が貨幣として流通した。**

鎌倉時代には商業取引が活発になり，貨幣が流通するようになった。鎌倉幕府は金貨・銀貨の鋳造は行わず，宋から輸入された**宋銭**が通貨として利用された。

**オ○ 鎌倉時代に新仏教が広まり，中でも臨済宗は幕府の保護を受けた。**
妥当である。専修念仏を説いた**法然**が**浄土宗**を開き，悪人正機を説いた**親鸞**が**浄土真宗**を広めた。そのほか**日蓮**が**日蓮宗**を開き，**栄西**によって**臨済宗**が，**道元**によって**曹洞宗**が広められた。禅宗の臨済宗は幕府に保護され発展した。
よって，**ウ**と**オ**が正しく，正答は**5**である。

## No.3 の解説　鎌倉時代

→問題はP.43　**正答4**

**1 ×** 源頼朝の死後，頼朝の側近の大江広元，三善康信らと，北条時政を含む13人の有力御家人によって合議制で政治が行われていた。1203年に執権となった北条時政は頼朝の長男頼家の後見人となった比企能員（ひきよしかず）を討ち，頼家を伊豆修禅寺に幽閉した。

**2 ×** 1221年の承久の乱後にも院政や摂政・関白の制度は維持された。また，乱後，後鳥羽上皇に味方した貴族や武士の所領は幕府によって没収された。

**3 ×** 承久の乱後，地頭が新たな土地の支配権を拡大させる動きが目覚ましくなった。これに対して，**下地中分**を荘園領主が認めるようになったが，地頭の荘園侵略は拡大していった。

**4 ◎** 正しい。鎌倉時代には月３回開かれる**三斎市**や遠隔地の取引には**為替**が用いられた。また，日宋貿易によって**宋銭**が輸入され，市中で用いられた。

**5 ×** 最澄の開いた天台宗，空海の開いた真言宗は平安時代の仏教であり，鎌倉時代には浄土宗，浄土真宗，時宗，臨済宗，曹洞宗，日蓮宗などの新しい宗派が広まった。

## No.4 の解説　室町時代

→問題はP.44　**正答2**

**1 × 室町時代には庶民文芸が流行。**
北山文化が栄えた３代将軍足利義満の頃には能が観阿弥・世阿弥父子によって大成されたが，娯楽的な能も演じられ，さらに**能の合間に演じられた喜劇**の狂言は庶民にまで広まっていた。なお，東山文化では，茶の湯や生け花の基礎が出来上がり，愛好された。

**2 ◎ 惣の農民は連帯意識によって実力行使を行った。**
正しい。鎌倉時代後期には，惣（惣村）と呼ばれる農民の自治組織で，一揆の母体となった村が現れた。惣はいくつかの集落が集まって結束し，団結して年貢の減免を求めて一揆を起こしたり，荘園領主への**強訴**や，耕作を放棄して逃げる**逃散**などを行った。

**3 × 金座・銀座は江戸時代につくられた。**
金山・銀山が開発されたのは16世紀のことだが，16世紀後半に豊臣秀吉が天正大判を鋳造するため，佐渡銀山，石見大森銀山，但馬生野銀山を直轄地とした。金座や銀座を設けて金貨や銀貨を鋳造したのは江戸幕府である。室町時代には明銭が輸入され，これが流通していた。

**4 ×** **管領は三管領が交代で任命された。**
将軍を補佐する**管領**は，**細川氏**，**斯波氏**，**畠山氏**の３氏が交代で任命されたため，一つの一族が幕政を独占することはできなかった。

**5 ×** **室町時代には農業が発展し，三毛作が行われた。**
二毛作が始まったのは鎌倉時代の元寇前後のことで，畿内や西日本で普及した。室町時代には畿内で三毛作が行われ，肥料の刈敷（刈り取った草木を地中に埋めて腐敗させたもの），草木灰（草木を焼いて灰になったもの），下肥が使用された。

## No.5 の解説　鎌倉幕府

→問題はP.44　**正答3**

**1 ×** **公文所を設置したのは源頼朝，建武式目を発表したのは足利尊氏。**
３代執権北条泰時は連署と評定衆の役職を新設して合議制で政治を行った執権である。公文所は1184年に源頼朝が設置した政務処理機関である。なお，公文所は1190年に頼朝によって名称を政所に改められた。武家の最初の体系的法典は**1232年に制定された御成敗式目（貞永式目）**である。建武式目は1336年に中原是円（ぜえん）・真恵（しんえ）兄弟らが足利尊氏の諮問に答えた17カ条の答申であり，室町幕府の基本方針を表したものである。

**2 ×** **北面の武士を置いたのは白河上皇（院政1086～1129年）。**
軍事力強化のため院の護衛担当の北面の武士を新設したのは，平安時代の白河上皇である。後鳥羽上皇は軍事力を強化するために**西面の武士**を置いた。また，２代執権北条義時追討の兵を挙げ，承久の乱（1221年）を起こしたが，上皇方が幕府に敗北した。北条高時は14代執権で，新田義貞に鎌倉幕府を攻略され，自刃した執権である。

**3 ◎** **５代執権北条時頼は３代執権北条泰時の政策を継承し，引付衆を設置。**
正しい。５代執権北条時頼は1247年，宝治合戦で有力御家人の三浦泰村と鎌倉で戦い，三浦一族を滅ぼした。その一方で，**1249年には訴訟機関の引付衆を設置**した。

**4 ×** **永仁の徳政令（1297年）は御家人の救済策。しかし効果は一時的。**
９代執権北条貞時は**元寇**に際して十分な恩賞を与えられなかった御家人を救済するため，**1297年に永仁の徳政令を発布**したが，徳政令は一時的な効果しかもたらさず，中小の御家人は没落の一途をたどった。

**5 ×** **蒙古襲来の後におかれたのは九州探題ではなく鎮西探題。**
九州探題は足利尊氏が九州の一色範氏に九州統治を任せたことを起源とする九州支配の拠点である。鎌倉幕府が元の襲来に備えて石築地（いしついじ）を築いて，警戒態勢を強化するために設置した機関は**鎮西探題**である。新補地頭が置かれたのは承久の乱後のことで，後鳥羽上皇に味方した貴族や武士の所領を幕府が没収し，そこに新たに置かれた地頭のことである。

# 試験別出題傾向と対策

| | 試験名 | 国家総合職 | | | | | 国家一般職 | | | | | 国家専門職（国税専門官） | | | | |
|---|---|---|---|---|---|---|---|---|---|---|---|---|---|---|---|---|
| 頻出度 | 年度 | 21-23 | 24-26 | 27-29 | 30-2 | 3-5 | 21-23 | 24-26 | 27-29 | 30-2 | 3-5 | 21-23 | 24-26 | 27-29 | 30-2 | 3-5 |
| | テーマ ＼ 出題数 | 2 | 0 | 1 | 0 | 0 | 1 | 0 | 1 | 0 | 1 | 0 | 0 | 1 | 0 | 1 |
| C | 4 戦国大名と織豊政権 | 1 | | | | | | | | | | | | | | |
| A | 5 幕藩体制 | 1 | | 1 | | | 1 | | 1 | | 1 | | | 1 | | 1 |

戦国大名と織豊政権は，一部の試験を除き，出題頻度としては低い傾向にあるが，今後ともまったく出題されないとは言いきれないので，大まかな流れは把握しておきたい。下剋上の風潮の中で登場してきた戦国大名と室町時代の守護大名との性質が異なる点や，天下統一をめざした織田信長と豊臣秀吉の共通点と相違点は問われやすいテーマである。

江戸時代は日本史の中でも最頻出で，繰り返し出題されているテーマである。幕藩体制の確立期と安定期，三大改革，欧米諸国との対外交渉，経済状況を含む幕末の状況などは，これまでもテーマ別で何度も出題されている。江戸時代のみを単独で問うパターンのほかに，大きなテーマで，たとえば，各時代の政策などを通史的に問う問題では高い割合で江戸時代が含まれてくる。今後も江戸時代からの出題は続くと考えられるので，江戸時代を得意分野にできるかどうかが攻略の鍵である。

### ●国家総合職

出題形式は単純正誤形式となっており，全般に選択肢の文章は長く，正確な知識を求める問題となっている。武家政権に関する出題は少なくはない。江戸幕府の出した法令や江戸末期の日米の関係など，応用を加えた問題が多い。桃山文化・元禄文化・化政文化や対外交渉史にも気をつけたい。

### ●国家一般職

出題形式は単純正誤形式となっており，選択肢の文章は長めである。近世では，江戸時代の出題頻度が高い。中世から近世初頭の日本の対外交渉，江戸幕府初期の統治政策，江戸の文化・教育・産業を網羅した大局的な学習が大切である。必ず過去問に目を通しておきたい。

### ●国家専門職

出題形式は単純正誤形式で，選択肢は長文化している。近世では，江戸時代の三大改革や統治機構，対外関係・文化史など，歴史的に重要な事項が問われる傾向にある。基本事項を押さえた学習がなにより重要である。

| | 地方上級（全国型） | | | | | 地方上級（東京都） | | | | | 地方上級（特別区） | | | | | 市役所（C日程） | | | | |
|---|---|---|---|---|---|---|---|---|---|---|---|---|---|---|---|---|---|---|---|---|
| | 21-23 | 24-26 | 27-29 | 30-2 | 3-4 | 21-23 | 24-26 | 27-29 | 30-2 | 3-5 | 21-23 | 24-26 | 27-29 | 30-2 | 3-5 | 21-23 | 24-25 | 27-29 | 30-2 | 3-4 |
| | 2 | 1 | 1 | 1 | 0 | 0 | 1 | 1 | 0 | 0 | 1 | 0 | 1 | 0 | 0 | 1 | 0 | 0 | 0 | 2 |
| テーマ4 | | | | | | | | | | | | | 1 | | | | | | | 1 |
| テーマ5 | 2 | 1 | 1 | 1 | | | 1 | 1 | | | 1 | | | | | 1 | | | | 1 |

● 地方上級

**全国型**では，江戸時代が最頻出テーマとなっている。一例を挙げると，江戸時代の学問，文化・文政・天保期など時代を限定して産業の状況を問う問題，江戸時代以降のわが国と欧米諸国との通商問題など，政治・経済・文化と幅広い分野を的確に理解していなければ対処できない。第４章のテーマ別通史の対策と併せて学習しておきたい。

**関東型**では，近年は全問が全国型と共通問題であることが多い。全国型と同様に江戸時代をいかに覚えるかが鍵である。

**中部・北陸型**では，一部で全国型・関東型と共通の問題が見られる場合が多い。共通問題以外の独自の出題としては，享保の改革，江戸幕府の封建制度について出題されており，江戸時代からの出題頻度は高い。

● 東京都・特別区

東京都では，単純正誤問題が中心で，一つの時代を問う問題と通史的な全体像を問う問題に分かれる傾向が見られる。近世の歴史では，一つの時代を問う問題の場合，江戸幕府初期の統治政策，江戸時代の享保の改革に焦点を当てた問題や，幕末の条約，化政文化など，政治史だけでなく文化史からの出題も多い。通史的な問題の場合は土地制度や外交史などが出題されている。

特別区では，近年，歴史上の話題になっている場所や人物について出題されており，通史的な問題も出題されている。沖縄の歴史や平清盛関連などの出題が見られた。文化史・争乱史・貿易史などについても出題されてきた。頻出テーマを中心に基本を押さえた学習が必要である。

● 市役所

市役所では近世は数年に１回の割合で出題されている。いずれも単純正誤問題で，江戸時代の幕府政策を適切にとらえているかどうかなどが問われている。基礎事項を丁寧に学習しておくこと。

# 戦国大名と織豊政権

## 必修問題

**織豊政権に関する記述として，妥当なのはどれか。**

【地方上級（特別区）・平成29年度】

**1** 織田信長は，1560年に姉川の戦いで駿河の今川義元を破り，1567年には美濃の斎藤竜興を倒して，居城を清洲城から稲葉山城に移し，天下布武の印判を使用して，武力による天下統一への意思を示した。

**2** 織田信長は，1570年に浅井長政と朝倉義景の連合軍を**桶狭間の戦い**で破り，翌年，宗教的権威であった比叡山延暦寺を焼き打ちにし，1573年には**足利義昭**を京都から追放して室町幕府を滅ぼした。

**3** 織田信長は，1575年に長篠の戦いで鉄砲を活用して武田勝頼の騎馬隊を打ち破り，1580年には石山本願寺を屈服させたが，1582年に京都の本能寺で家臣の明智光秀の反乱にあい，統一事業半ばにして倒れた。

**4** 羽柴秀吉は，1582年に明智光秀を**山崎の戦い**で破り，翌年には織田信長の重臣であった柴田勝家を**賤ヶ岳の戦い**で破って，信長の後継者としての地位を固め，石山本願寺の跡地に安土城を築いた。

**5** 羽柴秀吉は，1584年に小牧・長久手の戦いで徳川家康と戦い和睦し，1585年には伊達政宗をはじめとする東北諸大名を屈服させ，全国統一を完成させると，1586年に太政大臣に就任して後陽成天皇から豊臣の姓を授けられた。

難易度 ＊

## 必修問題の解説

応仁の乱後，それぞれの地域で戦国大名が登場し始めた。戦国大名の織田信長は1560年の桶狭間の戦いで今川義元を破り（**1**），1573年には15代将軍足利義昭を京都から追放した。さらに，1570年に姉川の戦いで浅井氏・朝倉氏を破り（**1**，**2**），1575年には長篠の戦いで武田勝頼を破った（**3**）。



**1 ×** 姉川の戦いは1570年の戦い。
織田信長が今川義元を破った戦いは**桶狭間の戦い**である。信長は1555年から清州城を居城としていたが，1567年に美濃の稲葉山城を攻略し，斎藤竜興(たつおき)を倒すと，竜興の稲葉山城を岐阜城と改め，「天下布武」の印判を使用し始めた。1576年には岐阜城から安土城へ移動した。

**2 ×** 浅井長政・朝倉義景の連合軍を破った戦いは姉川の戦い。
織田信長は桶狭間の戦いで今川義元を破った。後半部分については妥当である。

**3 ◎** 長篠の戦い（長篠合戦）では鉄砲を使用。
信長は長篠の戦いで**足軽鉄砲隊**を活用し，武田信玄の子の勝頼による騎馬隊を破った。後半部分は本能寺の変に関する記述である。

**4 ×** 石山本願寺の跡地に築かれたのは大坂城。
山崎天王山で起こった山崎の戦い（1582年）と近江で起こった賤ヶ岳の戦いについては妥当である。1583年に石山本願寺の跡地には**大坂城**が築かれた。安土城は1576年に信長が近江に築いた城である。

**5 ×** 1590年に小田原の北条氏を滅ぼし，奥州を平定し，全国統一。
秀吉は小牧・長久手の戦いでは，織田信長の二男の信雄(のぶかつ)・徳川家康と戦い，和睦した。1585年には東北ではなく，四国を平定している。1586年に太政大臣に就任した後の**1590年**に，小田原の北条氏政を滅亡させ，伊達政宗をはじめとする東北諸大名を屈服させ，全国統一を完成させた。

**正答 3**

## FOCUS

応仁の乱以降に現れた戦国大名のうち，織田信長は，桶狭間の戦い・長篠合戦で連勝し，全国統一まであと一歩と迫ったが，家臣の明智光秀に倒された。代わって統一を達成したのが豊臣秀吉である。試験では，信長と秀吉の政策の違いを理解しているかが問われる傾向にあるので，明確に覚えておくこと。

# POINT

## 重要ポイント 1 戦国大名

応仁の乱後，下剋上の風潮の中，地方の実力のある者が独自に領国（分国）を支配する体制が築かれた。家臣を城下町に集住させ，農民の自治組織である**郷村**を支配下に置き，**分国法**を定めて統制を加えた。

**●主な戦国家法・家訓**

| | | |
|---|---|---|
| 伊達稙宗（だてたねむね） | 奥州 | 『塵芥集（じんかい）』（1536年） |
| 武田信玄 | 甲斐～信濃 | 『甲州法度之次第（こうしゅうはっとのしだい）』（1547年） |
| 今川氏親 | 駿河 | 『今川仮名目録』（1526年） |
| 北条早雲 | 小田原 | 『早雲寺殿廿一（二十一）箇条』（年代不明） |

## 重要ポイント 2 戦国時代の都市の発展

**城下町**———北条氏の小田原，今川氏の府中（現在の静岡市），上杉氏の春日山（現在の上越市），大内氏の山口，大友氏の豊後府内（ぶんごふない）（現在の大分市），島津氏の鹿児島

**門前町**———伊勢神宮の宇治・山田（現在の伊勢市）
信濃善光寺の長野，延暦寺の坂本

**寺内町**———浄土真宗の寺院・道場
京都の山科，摂津の石山（現在の大阪市），加賀の金沢

**港町**————堺，博多，薩摩の坊津（ぼうのつ）（日明貿易で繁栄）
尾道，兵庫（瀬戸内海水運），淀（西日本の陸揚港）
坂本，大津（琵琶湖の水運），小浜・敦賀（日本海の水運）
桑名・大湊（おおみなと）・品川（太平洋沿岸の水運）

**宿場町**———城下町や港町，市場町の中心部などに宿駅（宿泊施設）を設定

**自治都市**——商工業者が自治組織を作って市政を運営
堺（36人の会合衆が市政運営），博多（12人の年行司が市政運営）
他に摂津の平野，伊勢の桑名・大湊
富裕な商工業者が町衆として文化を育成。堺では，**千利休**が武野紹鷗に師事し，織田信長・豊臣秀吉に仕え，侘茶を茶道として大成

## 重要ポイント 3 キリスト教の伝来

1549年，イエズス会の**フランシスコ=ザビエル**が鹿児島に来航し，九州・中国地方に布教した。宣教師は大名や家臣を信者とし，自らの力で庶民に布教しようと努め，大名たちも鉄砲や火薬，その他の貿易品を求めて宣教師を保護し，キリスト教は南蛮貿易と密接に結びついていた。

キリシタン大名の**大友義鎮（おおともよししげ）（宗麟（そうりん））・有馬晴信・大村純忠**の3大名は，1582年，

イタリア人宣教師**ヴァリニャーニ**の勧めで，少年使節（天正遣欧使節）をローマ教皇のもとに派遣した（４名の少年は1590年に帰国）。

## 重要ポイント４　南蛮貿易と南蛮文化

南蛮人とは，16世紀後半に九州に来航したポルトガル人とスペイン人をさし，渡来したキリスト教の宣教師は南蛮寺（教会堂），コレジオ（宣教師養成校），セミナリオ（神学校）を設置し，日本へのキリスト教布教活動を行っただけでなく，日本との貿易（南蛮貿易）も行った。日本へは**鉄砲・火薬・中国の生糸**がもたらされた。さらに，カステラ・カルタ・コンペイトウなども日本へもたらされ，これらのポルトガル語が日本語として現在用いられている。一方，日本からは銀が輸出された。

イエズス会宣教師は天文学・医学などの学問を伝えただけでなく，オルガンなどの楽器を持参し，日本で演奏会が行われた。また宣教師の**ヴァリニャーニ**は活版印刷術を伝え，日本へ印刷機がもたらされた。これによってローマ字によるキリスト教文学，日本語辞書がイエズス会によって出版されたが，これらの出版物はキリシタン版・天草版と呼ばれている。この頃には油絵や銅版画の技法も伝えられ，その影響を受けた日本人によって南蛮人との交易風景を描いた南蛮屏風が描かれた。このように南蛮貿易とともに南蛮文化が発展した。

**豊臣秀吉**は1587年に**バテレン（宣教師）追放令**を出す一方で，1588年には倭寇の取り締まりを強化する**海賊取締令**を出した。しかし，京都・堺・長崎・博多の豪商の東南アジアとの南方貿易は奨励したので，キリスト教対策は徹底したものとならなかった。

## 重要ポイント５　織豊政権

| 人　物 | 主な出来事 | 主な政策 |
|---|---|---|
| 織田信長 | 1560年　桶狭間の戦い<br>1573年　15代将軍・足利義昭を追放<br>1575年　長篠合戦<br>1576年　安土城を築く<br>1582年　本能寺の変 | ・指出（さしだし）検地：土地台帳を差し出させて土地を調査<br>・楽市・楽座（令）<br>・関所の撤廃<br>・キリスト教の保護<br>・仏教弾圧 |
| 豊臣秀吉 | 1582年　山崎の戦い<br>1586年　太政大臣に就任<br>1587年　バテレン追放令<br>1588年　刀狩・兵農分離<br>1590年　全国統一<br>1592～96年　文禄の役<br>1597～98年　慶長の役 | ・太閤検地：各地に家臣を派遣して実施。面積の単位を統一，検地帳を作成<br>→荘園制の崩壊<br>・一地一作人の支配が確立<br>・朱印船貿易開始<br>・キリスト教の弾圧　→宣教師の国外追放<br>・倭寇の海賊行為禁止 |

## 実戦問題

◆ **No.1**（＊＊） **戦国大名の領国支配に関する次の記述のうち，妥当なのはどれか。**

【国税専門官・平成５年度】

**1** 戦国大名の多くは守護として鎌倉時代以来ずっと領地の経営を行ってきた者たちなので，経済的な統制権は強いが，政治面では下剋上の世相を受けて強い統制を行えなかった。

**2** 戦国大名の領地は依然として荘園を基礎とするものが多く，年貢を大名と幕府で半々にする半済令が適用されたが，次第に守られなくなっていた。

**3** 戦国大名の家臣団の多くは自分の土地での農耕を兼ねる必要があったため，領地のあちこちに分散しており，城下町の成長はまだ見られなかった。

**4** 戦国大名は検地を実施して財政基盤を安定させるとともに，刀狩も行って農民の武装解除を進め，領国内の治安維持を図った。

**5** 戦国大名の中には施政方針や刑事・民事の法令をまとめて分国法を作り上げる者もおり，『塵芥集』や『甲州法度之次第』などが誕生した。

◆ **No.2**（＊） **室町時代から安土桃山時代に関する記述として妥当なのはどれか。**

【国家一般職・平成13年度】

**1** 室町幕府の将軍足利義満が没した後，将軍権力が弱体化し，有力守護大名の細川と山名の両氏が協力して幕府を倒すために立ち上がったことから応仁の乱が始まった。この乱は各地に広がり長期化したが，その原因は武士社会の相続法が単独相続から分割相続へ変化し，守護大名の相続争いをも巻き込んだためである。

**2** 応仁の乱以降各地に誕生した武田氏などの戦国大名は，地侍を家臣化したり，新しく家臣となった地侍を有力家臣に預けて組織化し，鉄砲・長槍などの新しい武器を使った集団戦を可能とした。また，家臣の収入を銭に換算した貫高で把握し，その地位・収入を保障する代わりに軍役を負担させるという貫高制を実施した。

**3** 戦国大名は貞永式目（御成敗式目）などを制定して家臣相互の紛争に介入せず，軍事力・経済力を維持することを図った。さらに，戦国大名は勢力争いを行い，たとえば，中部地方では，甲斐・信濃の武田信玄が越後の上杉氏を，関東地方では北条早雲が今川氏を滅ぼし，支配地域を拡大した。

**4** 戦国大名の一人である織田信長は正長の徳政一揆などを平定して頭角を現し，桶狭間の合戦で武田氏を破り，京都入りした後は室町幕府を滅ぼした。その後，天皇から日本全国の支配権をゆだねられたと称して惣無事令を出し，争っていた大名たちに停戦を命じ，領国の確定の裁定を任せることを強制した。

**5** 豊臣秀吉は信長の事業を引き継ぎ天下統一を果たした。秀吉は五奉行，五大老を置き政務を分掌させ，文禄・慶長の２度にわたる朝鮮侵略には五奉行を派遣した。秀吉没後，反豊臣勢力の徳川家康は，朝鮮侵略の失敗で経済的に疲弊した石田三成ら五奉行，五大老の連合軍を関ヶ原で破り，豊臣家を滅ぼした。

**No.3**＊ **次の文章はわが国のある時代の状況を述べたものである。この時期の出来事として妥当なのは次のうちどれか。** 【市役所・平成７年度】

交通の便利な平野部に城下町が形成され，武士や商工業者が集住して，城下町を中心とする経済圏が成立した。商業の発展に力が注がれ，関所の撤廃や座の廃止が行われて自由な商取引きが保障された。農村では前代から手工業が発達し特産品が生産されており，各地を結ぶ遠隔地商業と海陸運送業が活発になって，港町，宿場町，また門前町，寺内町が建設され，大きな都市に発展していくものも多かった。これらの都市の中には町人が自治組織をつくり市政を運営する場合もあった。

**1** 多くの戦国大名は分国法を制定し検地を行って，領国支配を強化した。
**2** 幕府は商工業者の株仲間を積極的に公認し，商人の資本によって財政再建を図ろうとした。
**3** 建武の新政が崩壊し，朝廷は南朝と北朝に分裂して動乱期が始まった。
**4** ２度にわたって元軍が襲来し，幕府は御家人を動員してこれを迎え討った。
**5** 管領を中心に中央統治機構が整えられ，３代将軍の下で幕府の体制が確立した。

＊＊
**No.4** **織田信長，豊臣秀吉，徳川家康に関する次の記述のうち，妥当なのはどれか。**

【国税専門官・平成６年度】

**1** 桶狭間の戦いで，今川義元を破った織田信長は，京都に上り，足利義昭を攻めて室町幕府を滅ぼし，自ら征夷大将軍の地位に就いた。

**2** 織田信長は全国統一を進める過程で当初キリスト教を保護したものの，後に弾圧に転じ，キリスト教の布教を禁止すると同時に，宣教師の国外退去を命じた。

**3** 明の征服を企てた豊臣秀吉は，徳川家康らを先陣として朝鮮に出兵したが，不利な戦局に追い込まれるにつれ，明との講和による撤退を決意した。この講和の成立により秀吉による朝鮮出兵は終了した。

**4** 国内におけるキリスト教の発展を恐れた徳川家康は，江戸幕府の成立直後からキリスト教禁教を強化すると同時に，外国貿易も制限するようになり，奉書船に限って貿易を認めた。

**5** 豊臣秀吉は織田信長の商業政策を受け継ぎ，経済発展を促すために全国的に関所の禁止や楽市・楽座を推し進める一方，貨幣の全国統一をめざして天正大判・小判を鋳造した。

## 実戦問題の解説

### No.1 の解説　戦国大名の領国支配
→問題はP.54　正答5

**1 ×　戦国大名の多くは下剋上の時代に実力で成り上がった武士。**

鎌倉時代の守護は幕府の軍事・警察権を代行する地方機関で，有力御家人が任命され，室町時代には大名化して**守護大名**となっていったが，戦国大名は実力で成り上がって支配者となった者たちが多かった。守護の中には任地には赴かず，守護代を派遣する場合もあった。戦国大名になったのは守護代など現地に根を下ろした者たちである。

**2 ×　半済令は室町幕府が守護に新たな権限を認めたもの。**

**半済令**（はんぜいれい）は室町時代に荘園の年貢の半分を軍費として取得し，地方の武士に分与することを認めたもの。足利尊氏が1352年に施行したことから始まる。戦国時代になると荘園はほとんど崩壊している。

**3 ×　戦国大名は家臣の主な者や商工業者を集めて城下町を形成。**

戦国時代には戦乱で兵農分離が進み，大名は郷村制で農民を支配し，**家臣団を城下町に集住**させる大名領国制を完成した。これによって，城下町が発展した。

**4 ×　刀狩は秀吉の政策。目的は，百姓一揆の防止と百姓の農業への専業化。**

戦国大名による検地は徹底されていなかった。また，刀狩は1588年に秀吉が刀狩令を出して，農民から武器を取り上げたもの。

**5 ◎　分国法には喧嘩両成敗などを取り入れるものも見られる。**

正しい。『塵芥集』は伊達家，『甲州法度之次第』は『信玄家法』ともいわれる武田信玄が定めた**分国法**（領国支配の基本法）である。

### No.2 の解説　室町時代から安土桃山時代
→問題はP.54　正答2

**1 ×　応仁の乱で対立したのは細川氏と山名氏。**

６代将軍義教が暗殺された嘉吉の乱（1441年）以降，将軍権力は弱体化したが，1467年に起こった応仁の乱は，畠山氏と斯波氏の家督相続争いと，８代将軍義政の子の義尚（西軍，1468年以降東軍へ）と弟の義視（東軍，1468年以降西軍へ）の家督相続継争い，さらには有力守護大名の**細川勝元（東軍）と山名宗全（西軍）の争い**が結びついて起こったものである。また，この時代には分割相続から**嫡子単独相続**に移行した。

**2 ◎　集団戦法と貫高制は戦国大名。**

正しい。応仁の乱以降，戦国大名は家臣団を組織化し，足軽鉄砲隊による集団戦が可能となった。また，戦国大名は**貫高制**を採用した。

**3 ×　戦国大名は分国法，貞永式目は鎌倉時代の武家法。**

戦国大名は**分国法**を制定した。**貞永式目（御成敗式目）は1232年に北条泰時が制定した武家法**のこと。また，戦国大名は喧嘩両成敗法（けんかりょうせいばい）を制定し，家臣相互の紛争に介入した。さらに，甲斐・信濃の武田信玄は越後の上杉謙信と戦っているが，**滅ぼしてはいない**。北条早雲は**駿河の今川氏を頼って頭角を現し**，三浦氏を滅ぼすことによって，相模全域を支配するなど支配地域を拡大した。

**4 ×** **桶狭間の戦いは織田信長と今川義元の戦い。**

織田信長は**正長の徳政一揆（1428年）を平定していない**。また，**桶狭間の合戦（1560年）で今川義元を破った後**，1573年に15代将軍足利義昭を京都から追放し，室町幕府を滅ぼした。武田勝頼を破った戦いは長篠合戦（1575年）である。**惣無事令**（そうぶじれい）（1585年）を制定したのは**豊臣秀吉**である。

**5 ×** **朝鮮出兵には小西行長，加藤清正らを派遣。**

文禄・慶長の２度にわたる朝鮮侵略（朝鮮出兵）では，五奉行ではなく，**小西行長，加藤清正**らを派遣した。また，徳川家康自身が五大老の１人である。家康が豊臣氏を滅ぼしたのは関ヶ原の戦い（1600年）ではなく，**大坂夏の陣**（1615年）である。

## No.3 の解説　近世の都市の発展

→問題はP.55　**正答 1**

**1 ◎** **分国法は戦国大名が定めた家法。**

正しい。問題文は**戦国時代**の状況について述べたものである。実力主義で台頭してきた戦国大名は城下町を築き，**分国法**を定めて，家臣団を統制した。また，関所を撤廃し，商工業を発達させた。

**2 ×** **株仲間は江戸時代の同業者組合を指し，戦国時代よりも後に成立。**

株仲間は江戸幕府公認の商工業者の同業者組合のことで，株仲間を公認したのは享保の改革の徳川吉宗，賄賂政治を行った老中の田沼意次である。

**3 ×** **建武の新政・南北朝の動乱は戦国時代よりも前の出来事。**

建武の新政は鎌倉幕府滅亡後の後醍醐天皇によって行われた天皇による親政のこと。南北朝の分裂は，室町時代の1336年に足利尊氏が北朝に光明天皇を立て，後醍醐天皇が吉野に逃れてから，1392年に３代将軍の義満が南北朝の合一をするまでの間のことである。

**4 ×** **元寇（蒙古襲来）は戦国時代よりも前の出来事。**

元寇は鎌倉時代のこと。1274年の文永の役と，1281年の弘安の役で，鎌倉幕府がフビライ率いるモンゴル軍に勝利した。

**5 ×** **室町幕府の機構が整ったのは戦国時代よりも前のこと。**

管領は室町時代の将軍の補佐役のこと。**三管領**として細川氏，斯波氏，畠山氏がいる。

## No.4 の解説 織田信長・豊臣秀吉・徳川家康

→問題はP.56 正答5

**1 ×** 織田信長は征夷大将軍に任命されていない。

信長は1560年の桶狭間の戦いで今川義元を破り，1573年には足利義昭を京都から追放し室町幕府を滅亡させたが，征夷大将軍の地位には就いていない。

**2 ×** 宣教師の国外退去は豊臣秀吉の政策。

信長は延暦寺などの寺院勢力を打破するためにキリスト教を積極的に保護した。**バテレン（宣教師）追放令**を出して宣教師を国外に追放したのは秀吉で，1587年のことである。

**3 ×** 豊臣秀吉は肥前（名護屋）で指揮し，小西行長と加藤清正が先陣。

1592年の文禄の役では**小西行長，加藤清正**らを先陣とする15万の大軍が朝鮮へ渡って戦ったが，和平交渉は決裂している。1597年の慶長の役で再び秀吉は朝鮮出兵をしたが，翌年秀吉が病死したため日本は撤兵している。

**4 ×** 老中発行の奉書（渡航許可状）を所持した貿易は徳川家光の時代。

家康は当初キリスト教を放任していた。禁教令を出したのは２代将軍秀忠のときである。また，家康は豊臣秀吉が始めた朱印状の発行に基づく**朱印船貿易**を継続し，外国貿易を制限してはいない。奉書を必要とする**奉書船貿易**が始まるのは，家康の死後の1631年からである。

**5 ◎** 豊臣秀吉は織田信長の商業政策を継承，天正大判・小判を鋳造。

正しい。信長が1568年に関所を廃止したことで，関銭の徴収が廃止された。秀吉も1586年に全国の関所を廃止した。また，秀吉は佐渡相川金山（新潟県），石見（いわみ）大森銀山（島根県），但馬生野（たじまいくの）銀山（兵庫県）の鉱山を直轄にし，**天正大判・小判**を鋳造させた。

# 幕藩体制

## 必修問題

**江戸時代の産業に関する記述として最も妥当なのはどれか。**

【国家一般職・令和４年度】

**1** 店舗を持たずに行商を行う問屋が商業の中心を占めるようになった。問屋仲間の連合組織として江戸や京都に惣が結成され，江戸・京都間の船による荷物輸送を効率化し，さらに流通する商品の独占が図られた。

**2** 幕府は，貨幣鋳造権を独占し，**金座・銀座・銭座**で，それぞれ金貨・銀貨・銭貨の三貨を鋳造した。三貨の交換比率は幕府によって定められ，変動することはなかった。主に東日本では銀貨が，西日本では金貨が用いられたため，両替商が重要な役割を果たした。

**3** 幕府や諸藩は，年貢米の収入を増やすために村の耕地の拡大に努め，海岸地域や湖沼を干拓し，灌漑用水を整備するなどして新田開発を進めた。農具では，より深く耕せる備中鍬や脱穀用の千歯扱（せんばこき）などが発明され，作業の効率化をもたらした。

**4** 網を使用する上方漁法が全国に広まり，各地に漁場が開かれた。網元は多くの漁民を組織し，西廻り航路を運航する菱垣廻船によって海産物を運送した。日本海沿岸では，潮の干満を利用して砂浜に海水を導入する揚浜式塩田による製塩が盛んになった。

**5** 幕府の直轄地である伊予の別子，下野の足尾，出羽の尾去沢の銅山などにおける銅の採掘量は17世紀半ばから減少し，代わって豪商が所有する佐渡・生野の金山，石見・伊豆の銀山などで金銀の採掘が盛んになった。

難易度 ＊＊

## 必修問題の解説

**1 ×** 惣（惣村）は鎌倉時代後期に発生した荘園・公領内での自治的な村のこと。
江戸時代の問屋は全国の商品流通を支配し，生産地の仲買から商品を受託し，都市の商人に卸売りした。問屋の同業者団体は**仲間・組合**と呼ばれた。江戸の十組問屋や大坂の二十四組問屋は，江戸と大坂の海上輸送の不正や海難事故の共同保障，流通の独占を目的として結成された問屋仲間である。

**2 ×** 三貨の交換比率は相場で変動し，東日本では金貨，西日本では銀貨が流通。
金座は江戸と京都に置かれ，銀座は当初は伏見と駿府に置かれたが，後に京都と江戸に移された。銭座は全国10か所に置かれ銭貨を大量に鋳造した。東日本では金貨が，西日本では銀貨が商取引や決済で用いられ，両替商が重要な役割を果たした。17世紀中頃までに，金・銀・銭が全国に普及した。

**3 ◎** 江戸時代は新田開発が進められ，備中鍬・千歯扱が発明された。
17世紀後半からさまざまな農具が発明され，農業技術が発展したことで，農業生産力が高まった。田の深耕用の鍬で，刃部分が３～４本に分かれた**備中鍬**は江戸中期には全国に普及した。**千歯扱**は脱穀用の農具で，農作業の効率化がもたらされた。

**4 ×** 菱垣廻船・樽廻船は大坂・江戸を結ぶ南海路を航行した。
江戸時代には網を使用する上方漁法が全国的に広まった。西廻り航路は東北地方日本海沿岸を南下し瀬戸内海から大坂へ向かうルートである。江戸時代の製塩法は，潮の干満を利用して，砂浜に海水を導入して製塩する入浜（式）塩田で，塩分の濃度を高める塩田が，日本海沿岸ではなく瀬戸内海沿岸部で発展した。潮汲みした海水を砂地にまいて乾燥させる製塩法の揚浜式塩田は中世の塩田である。

**5 ×** 金銀採掘の生産量は減少し，17世紀後半から銅の採掘が重視された。
下野（しもつけ）（栃木県）の足尾銅山は幕府直轄地だが，伊予（愛媛県）の別子銅山は泉屋，出羽（秋田県）の尾去沢（おさりざわ）銅山は南部藩の経営。幕府の直轄地の佐渡で金が採掘され，生野・石見では銀が採掘された。その最盛期は16～17世紀末まで。17世紀後半には金銀の産出量が減少し，それに代わって銅の生産量が増え，銅銭の原料や長崎貿易の輸出品となった。

**正答 3**

## FOCUS

江戸幕府は各将軍ごとに政策面の特色や，定めた法令を押えておきたい。さらに，政治史だけでなく，経済史も重要である。徳川家康が金座（江戸・京都），銀座（はじめに伏見・駿府，後に江戸と京都に移設）を設置し，慶長金銀が鋳造された。寛永期には銭座（江戸，近江坂本）が設けられ，金貨・銀貨・銭貨の3貨が普及した。綱吉時代になると，慶長金銀は悪貨の元禄小判に改鋳され，その後，新井白石時代に良貨の正徳金銀が鋳造された。

## POINT

### 重要ポイント 1 江戸幕府の機構――3代将軍家光の時代までに整備

将軍の下には**大老**（臨時職），**老中**が置かれ，幕政を統括した。若年寄は老中を補佐し，大目付や目付は大名や旗本を監察，寺社・町・勘定の三奉行が一般政務に当たった。ほかに**京都所司代**（朝廷の監察），大坂城代（西国大名の監視）などがある。

### 重要ポイント 2 幕政の改革

**●正徳の治**

５代将軍綱吉の時代になると，側用人の柳沢吉保による独断政治，明暦の大火後の江戸市街の復興，自らのぜいたくな生活などにより，幕府は財政難に陥るようになった。次の家宣・家継の時代には，この２人の将軍を補佐した朱子学者の**新井白石**が**正徳の政治**と呼ばれる改革を行った（**正徳小判**の鋳造，**海船互市新例**など）。

**●江戸の三大改革**

享保の改革（1716～45年）→**8代将軍徳川吉宗**

1 倹約令――財政支出を抑制し，生活の緊縮を命じる
2 上げ米――大名に米を献上させ，代わりに参勤交代の期間を半減する
3 足高の制――旗本の就く役職に基準の石高を決め，在職中だけ不足分を支給
4 公事方御定書――裁判の基準を定める
5 相対済し令――旗本・御家人と札差との間の金銭問題は当事者間で解決
6 目安箱――投書箱の設置
7 定免法――過去の収穫高をもとに年貢率を定める　←検見法：収穫に応じた年貢高
8 殖産興業政策――新田開発，甘藷栽培の奨励，実学の奨励など

老中・田沼意次の政治（1757～86年）――9代将軍家重・10代将軍家治を補佐

商品の流通過程に財源を求め，株仲間を公認し運上・冥加などの営業税を徴収するなど商業資本の積極的利用を図る政策がとられた　→賄賂の横行

寛政の改革（1787～93年）→**老中松平定信**（11代将軍家斉）

1 囲米――倉（社倉・義倉）に米穀を貯蔵
2 七分積金――町費の節約分の70%を米や銭で積み立てる（貧民の救済）
3 棄捐令――1789年発令。旗本・御家人の６年以前の借金を帳消し
4 寛政異学の禁――朱子学を正学に。昌平坂学問所の設立
5 人足寄場――石川島に無宿人を強制収容（職業訓練）
6 旧里帰農令――正業を持たない者に資金を与え農村に帰ることを奨励

天保の改革（1841～43年）→**老中水野忠邦**（12代将軍家慶）

1 倹約令――ぜいたく品や華美な衣服の禁止
2 株仲間の解散――自由競争の奨励
3 人返しの法――出稼ぎの禁止。強制的に江戸から郷里に　→農村の再建に尽力
4 上知令――江戸・大坂周辺の農村50万石を直轄領に　→実施できず水野失脚

## 重要ポイント 3 開国と幕末の動乱

1792年 ロシア使節ラクスマンが根室に来航
1825年 異国船打払令 →外国船撃退
1837年 モリソン号事件 →浦賀・山川で日本の漂流民を乗せたアメリカ商船を撃退
1842年 異国船打払令が緩和される →天保の薪水給与令
1853年 ペリーが浦賀（横須賀）に来航 →開国要求
1854年 日米和親条約締結 →下田・箱館の開港
1858年 日米修好通商条約締結 →安政の五カ国条約（米・蘭・露・英・仏）
→箱館・神奈川・新潟・兵庫・長崎の開港
1858～59年 安政の大獄 →大老・井伊直弼が日米修好通商条約に反対する尊王攘夷派（尊王派：天皇崇拝，攘夷派：排外）を弾圧
1860年 桜田門外の変 →水戸藩の浪士らが井伊直弼を暗殺
1863年 八月十八日の政変 →会津・薩摩両藩（公武合体派）の主導で，長州藩（尊王攘夷派）を京都から追放。尊王攘夷派の公卿7名が長州藩に逃れた
1864年 禁門の変（蛤御門（はまぐりごもん）の変） →池田屋事件（新選組が尊攘派を殺傷）を契機に，長州藩急進派と薩摩・会津両藩が皇居内外で交戦。長州藩が敗走
1866年 薩長連合（同盟）→土佐藩出身の坂本竜馬の斡旋で，開国進取の薩摩藩の西郷隆盛と長州藩の木戸孝允が相互援助を確約
1867年 大政奉還 →12月，王政復古の大号令

## 重要ポイント 4 江戸時代の商業・金融

### ●商業の発展

江戸時代の商業活動は三都（江戸・大坂・京都）を中心に行われた。特に，「天下の台所」といわれた大坂は大名が**蔵物**（くらもの）（年貢として徴収した米，領内の産物）を保管する蔵屋敷を建て，蔵元や掛屋に売却や代金の保管に当たらせた。

→**蔵元**（くらもと）：蔵物の出納・売却，**掛屋**（かけや）：蔵元の売却代金の保管，**札差**（ふださし）：蔵米の受取り・売却および金融業

### ●流通の発展と近代工業のめばえ

**株仲間**：幕府に公認された仲間（仲間：同業者の組合）。
**十組問屋**（とくみどいや）：大坂から廻送された積荷を買う江戸の問屋。
**二十四組問屋**（にじゅうしくみどいや）：江戸から廻送された積荷を買う大坂の問屋。
**問屋制家内工業**：問屋商人が原料・器具を家内生産者に前貸し，生産物を買い取るシステム。18世紀～19世紀に発達。
**マニュファクチュア（工場制手工業）**：問屋商人が家内工場を設け，労働者を集め，分業と協業による加工生産を行った。問屋制家内工業が発展したもの。

## 実戦問題

### ＊No.1 江戸幕府が行った政策に関する記述として最も妥当なのはどれか。

【国家専門職・平成27年度】

**1** 新井白石は，正徳の治において，大名から石高１万石について100石を臨時に幕府に献上させる上げ米を実施し，その代わりに参勤交代の江戸在住期間を半減させる政策を行おうとしたが，大名らに反対されて実施できなかった。

**2** 徳川吉宗は，享保の改革において，繰り返し大火に見舞われた江戸の消火制度を強化するために，町方独自の町火消を組織させるなど，積極的に江戸の都市政策を行った。また，改革の末期には，それまでの幕府法令を集大成した武家諸法度を初めて制定した。

**3** 田沼意次は，印旛沼・手賀沼の大規模な干拓工事を始めるなど，新田開発を積極的に試みた。また，最上徳内らを蝦夷地に派遣して，その開発やロシア人の交易の可能性を調査させた。その後，徳川家治が死去すると老中を罷免され，失脚した。

**4** 松平定信は，寛政の改革において，困窮する旗本・御家人を救済するために，米の売却などを扱う札差に貸金を放棄させる相対済し令を出した。また，蘭学を正学とし，湯島聖堂の学問所で蘭学以外の講義や研究を禁じた。

**5** 水野忠邦は，天保の改革において，幕府財政の行き詰まりを打開するために，年貢増徴だけに頼らず，民間の商業資本を積極的に利用しようとした。そして，都市や農村の商人・職人の仲間を株仲間として広く公認し，運上や冥加など営業税の増収を目指した。

### ＊No.2 江戸幕府の統治政策に関する次の記述のうち，妥当なのはどれか。

【市役所・令和３年度】

**1** 大名は江戸常住とし，大名の妻には江戸と領国とを一年おきに行き来させた。

**2** 大名は，親藩・譜代・外様の３つに区分され，外様大名は江戸近郊に領地を与えられた。

**3** 朝廷に対しては禁中並公家諸法度を発布して厳しく統制し，朝廷や公家を監視するための役職を設置した。

**4** 農民に対しては自由に農業を行わせ，田畑の売買を認めた。

**5** 市場の独占を懸念し，株仲間の結成は江戸時代を通じて認められなかった。

**No.3** ＊＊ **江戸時代初期の幕府の統治に関する記述として，妥当なのはどれか。**

【地方上級（東京都）・平成29年度】

**1**　３代将軍徳川家光の頃には，将軍と諸大名との主従関係が揺らぎ始め，強力な領主権を持つ将軍と大名とが土地と人民を統治する惣領制が弱体化した。

**2**　キリシタン大名の有馬晴信と小西行長は，幕府がキリスト教徒を弾圧したことに反発し，1637年に島原の乱を起こしたが，翌年鎮圧され，有馬と小西の藩は領地を没収された。

**3**　島原の乱の鎮圧後，幕府はポルトガル船の来航を禁止し，平戸のオランダ商館を長崎の出島に移し，外国貿易の相手をオランダや中国などに制限した。

**4**　徳川家光は，寛永の御成敗式目を発布し，大名に国元と江戸とを３年交代で往復する参勤交代を義務付け，大名の妻子は江戸に住むことを強制された。

**5**　幕府の職制は，徳川家康が将軍となると直ちに整備され，五大老と呼ばれる重臣が政務を統轄し，勘定奉行等の五奉行が幕府の財政や裁判等の実務を執り行い，これらの役職には，原則として有力な外様大名が就いた。

**No.4** * **江戸幕府が行った政策に関する記述A～Eを古いものから年代順に並べ替えたとき，２番目と４番目に来るものの組合せとして最も妥当なのはどれか。**

【国家一般職・平成28年度】

A：旧里帰農令を出して都市に流入した農村出身者の帰村を奨励するとともに，村からの出稼ぎを制限して農村人口の確保に努めた。また，飢饉対策として各地に社倉や義倉を設置し，囲米を行った。

B：一国一城令を出して，大名の居城を一つに限り，それ以外の領内の城を破壊させた。さらに武家諸法度を制定し，大名の心構えを示すとともに，城の新築や無断修理を禁じ，大名間の婚姻には許可が必要であるとした。

C：都市や農村の商人・手工業者の仲間組織を株仲間として広く公認し，引換えに運上・冥加金などを納めさせた。また，銅座・人参座などの座を設けて専売制を実施した。金貨の単位で表された計数銀貨である南鐐二朱銀を大量に鋳造し，金銀相場の安定に努めた。

D：町人の出資による新田開発を奨励し，年貢を増徴するため，その年の作柄から年貢率を定める検見法を改めて，一定の税率で徴収する定免法を採用した。また，財政難の下で人材を登用するため足高の制を定めた。

E：武道のみならず忠孝の道徳と礼儀を守るよう大名らに求めた。また，武家に対して忌引を定めた服忌令を，民衆に対して犬や鳥獣の保護を命じた生類憐みの令を出した。江戸湯島に聖堂を建て，儒学を奨励した。

| | ２番目 | ４番目 |
|---|---|---|
| **1** | B | A |
| **2** | B | C |
| **3** | D | A |
| **4** | D | E |
| **5** | E | C |

## 実戦問題の解説

### No.1 の解説　江戸幕府の政治

→問題はP.64　正答3

**1 ×　上げ米は享保の改革（8代将軍徳川吉宗）での政策。**
大名から石高1万石について100石を幕府に献上させ，その代わりに参勤交代の江戸在住期間を半減させる**上げ米**は，8代将軍徳川吉宗の**享保の改革**で実施された。大名らに反対されて実施できなかったのは，老中の水野忠邦の**天保の改革**の一つであった**上知令**で，大名らに反対され，水野が失脚した。

**2 ×　徳川吉宗時代に集大成された幕府法令集は御触書寛保集成（おふれがきかんぽうしゅうせい）。**
享保の改革で将軍徳川吉宗は，いろは47組の町火消を組織させた。**武家諸法度**を初めて制定したのは吉宗ではなく，2代将軍**徳川秀忠**である。

**3 ◎　10代将軍徳川家治に仕えた田沼意次は『赤蝦夷風説考』で蝦夷地を調査。**
正しい。**田沼意次**は，1772年に10代将軍徳川家治の側用人から老中となり，公共事業に取り組み，印旛沼・手賀沼の大規模な**干拓工事**を行った。

**4 ×　相対済し令（1719年）は享保の改革での政策。**
老中の松平定信が行った**寛政の改革**で，困窮する旗本・御家人を救済するために札差に貸金を放棄させたのは，**棄捐令**である。**相対済し令**は吉宗の行った**享保の改革**の中の政策で，旗本と札差の金銭問題を当事者同士で解決させたもの。さらに，松平定信が出した寛政異学の禁では，朱子学が正学とされ，湯島聖堂の学問所では，朱子学以外の講義や研究が禁じられた。

**5 ×　株仲間の解散（1841年）は天保の改革（老中・水野忠邦）での政策。**
天保の改革を行った老中の水野忠邦は，株仲間が物価上昇の原因であるとして，**株仲間を解散**させた。株仲間を広く公認し，営業税の運上金・冥加金を徴収したのは田沼意次である。

### No.2 の解説　江戸幕府の統治政策

→問題はP.64　正答3

**1 ×　参勤交代では，大名が国元と江戸を1年おきに往復した。**
3代将軍の徳川家光が1635年に**武家諸法度（寛永令）**を発布し**参勤交代**を定めた。大名が国元と江戸を1年交代で行き来し，大名の妻子は江戸の大名屋敷で住むことを強制された。大名にとって参勤交代は負担の重い義務だったが，江戸時代の交通の発展に寄与した面もあった。

**2 ×　外様大名は江戸から離れた遠隔地に置かれた。**
尾張・紀伊・水戸の3藩を中心とした徳川氏一門からなる大名を**親藩**，関ヶ原の戦い以前から徳川氏の家臣であった大名を**譜代**といい，江戸近郊や重要な場所に配置された。関ヶ原の戦い以後に徳川氏に従った大名を**外様**といい，東北・九州・中国・四国など遠隔地に配置された。

**3 ◎　禁中並公家諸法度で天皇・公家を統制。**
徳川家康が1615年に金地院崇伝（臨済宗僧侶）に起草させ発布した**禁中並公家諸法度**は17条からなり，天皇や公家を統制した。朝廷や公家，西国大名を監視するための地方組織として**京都所司代**を置いた。

**4 ×** **田畑永代売買の禁止令や分地制限令によって農民を厳しく統制した。**
江戸幕府は年貢の徴収を確実にするため，農民が田畑を売ることや，富農へ土地が集中することを防ぐ**田畑永代売買の禁止令**を1643年に出した。1673年には分割相続による田畑の細分化を防ぐため分地制限令を出し，商品作物を自由に栽培することも禁じた。

**5 ×** **株仲間は享保の改革で公認，田沼意次の時代には大幅に認可。**
**株仲間**は商人・職人の同業組合のことで，販売権の独占などの特権が認められた。享保の改革で公認され，田沼意次の時代には積極的に認められたものの，19世紀半ばの天保の改革では株仲間の解散が命じられた。

## No.3 の解説　江戸時代初期の幕府の統治

→問題はP.65　**正答3**

**1 ×** **３代将軍徳川家光の頃には幕藩体制が確立。**
徳川家光が1635年に**参勤交代**を制度化したこともあり，この頃までに，徳川将軍と諸大名との間に主従関係が確立し，将軍と大名が土地と人民を支配する幕藩体制が成立した。惣領制は鎌倉時代の制度で，一族の本家の首長（惣領）を中心とする一族の結合体制のことである。

**2 ×** **島原の乱を主導したのは天草四郎時貞。**
キリシタン大名の有馬晴信と小西行長は島原の乱が起こった時以前の人物。島原半島と天草島は有馬晴信と小西行長のかつての領地であったことから，キリスト教徒が多い土地柄であった。乱の鎮圧後，幕府は**絵踏**を実施し，**寺請制度**によって宗門改めをし，キリスト教徒を監視した。

**3 ◎** **ポルトガル船来航禁止は1639年。**
島原の乱鎮圧後，幕府は1639年にポルトガル船の来航を禁じ，1641年には平戸のオランダ商館を長崎の出島に移動させ，長崎奉行による監視を強化した。この鎖国によって，オランダと中国以外との交渉が閉ざされることとなった。

**4 ×** **御成敗式目は鎌倉時代に発布（1232年）。**
徳川家光が寛永12年（1635年）に発布した法令は**武家諸法度**である。この時参勤交代が義務付けられ，大名は国元と江戸とを３年ではなく１年交代で往復することになった。さらに大名の妻子は江戸在住を強制された。御成敗式目は鎌倉幕府の３代執権北条泰時が制定した51か条からなる武家法である。

**5 ×** **五大老・五奉行は豊臣秀吉が定めた役職。**
江戸幕府では**老中**が政務を統轄し，勘定奉行・町奉行・寺社奉行の三奉行が幕府の財政や裁判等の実務を執り行った。寺社奉行は譜代大名から任命され，町奉行・勘定奉行は旗本から任命された。

## No.4 の解説　江戸幕府の政策

→問題はP.66　正答5

A：5番目。寛政の改革（旧里帰農令）は11代将軍徳川家斉の時代。
寛政の改革（1787～1793年）に関する記述である。11代将軍徳川家斉の老中として，松平定信が寛政の改革を行った。農村出身者の帰村を奨励する**旧里帰農令**，飢饉対策として各地に社倉や義倉を設置した**囲米**を行った。

B：1番目。一国一城令と武家諸法度は2代将軍徳川秀忠の時代。
2代将軍徳川秀忠の名で発布された法令に関する記述である。1615年に各大名の居城を一つに限るとした一国一城令が，さらに，大名にもろもろの規則を加える武家諸法度（元和令）が出された。

C：4番目。株仲間の公認は10代将軍徳川家治の時代。
老中の田沼意次の政策に関する記述である。10代将軍徳川家治の側用人から老中となり，株仲間の公認，営業税の運上金・冥加金の徴収，座の設置と専売制を実施した。

D：3番目。享保の改革（定免法）は8代将軍徳川吉宗の時代。
享保の改革（1716～1745年）に関する記述である。8代将軍徳川吉宗は新田開発や**定免法**を採り入れたり，旗本の人材登用として**足高の制**を定めたりするなど，財政と幕政の安定に努めた。

E：2番目。文治政治（道徳と礼儀）と生類憐みの令は5代将軍徳川綱吉の時代。
5代将軍徳川綱吉の政策に関する記述である。1683年の武家諸法度（天和令）で忠孝の道徳と礼儀を重視することを旨とし，1684年には服忌令（喪に服す期間を設定），1685年に生類憐みの令を出した。湯島聖堂を建立し，**文治主義**による政治を進めた。

古い年代順に並べると，B－E－D－C－Aとなり，2番目はE，4番目はCで，**5**が正しい。

# 試験別出題傾向と対策

| 頻出度 | 試験名 | 国家総合職 | | | | | 国家一般職 | | | | | 国家専門職（国税専門官） | | | | |
|---|---|---|---|---|---|---|---|---|---|---|---|---|---|---|---|---|
| | 年度 | 21-23 | 24-26 | 27-29 | 30-2 | 3-5 | 21-23 | 24-26 | 27-29 | 30-2 | 3-5 | 21-23 | 24-26 | 27-29 | 30-2 | 3-5 |
| | テーマ ＼ 出題数 | 4 | 0 | 0 | 1 | 2 | 2 | 0 | 1 | 1 | 1 | 2 | 0 | 0 | 1 | 0 |
| B | 6 明治時代 | 3 | | | 1 | 1 | 2 | | | | 1 | 1 | | | 1 | |
| B | 7 大正時代～昭和初期 | 1 | | | | 1 | | | 1 | 1 | | 1 | | | | |
| B | 8 第二次世界大戦後の諸改革 | | | | | | | | | | | | | | | |

近・現代史の出題頻度は依然として高い。なかでも明治時代は新政府の一連の政策や，自由民権運動，地租改正，日清・日露戦争，第一次・第二次産業革命，条約改正といったテーマが頻繁に出題されている。大正時代から昭和初期にかけては，各内閣の政策や護憲運動，大正デモクラシー，第一次世界大戦前後の状況などが出題されている。

最近では，このような20世紀前半の動きだけでなく，20世紀後半の動きを問う問題も見られるようになり，第二次世界大戦中，太平洋戦争下での内外の状況，戦後の諸改革や55年体制成立後の日本の政治・内閣についての出題も増えている。

### ●国家総合職

出題形式は単純正誤形式となっている。かつては明治期から昭和前期までの政治史，我が国とアメリカ合衆国との関係の変遷や第二次世界大戦前のわが国とアジアの関係など対外交渉史からの出題が多く，近年は幕末から明治にかけての対外関係史の出題が続いている。文化史を混在させた出題も見られる。

### ●国家一般職

出題形式は単純正誤形式で，選択肢の文章は長文化している。近代・現代からの出題は明治・大正時代について問うパターンと，20世紀前半の政治について問うパターンが見られる。いずれも教科書レベルの基本的な知識を問う問題である。

### ●国家専門職

出題形式は単純正誤形式で，選択肢は長文化する傾向にある。近代・現代では，明治政府の初期の財政と地租改正について，明治初年から大日本帝国憲法発布に至る時期について，明治から大正にかけての内乱・戦争など明治時代に関する出題が多い。また，第二次世界大戦後のわが国の状況も頻出テーマである。

### ●地方上級

**全国型**では，近代・現代については出題頻度が高く，問題も多岐にわたるもの

| | 地方上級（全国型） | | | | | 地方上級（東京都） | | | | | 地方上級（特別区） | | | | | 市役所（C日程） | | | | |
|---|---|---|---|---|---|---|---|---|---|---|---|---|---|---|---|---|---|---|---|---|
| | 21-23 | 24-26 | 27-29 | 30-2 | 3-4 | 21-23 | 24-26 | 27-29 | 30-2 | 3-5 | 21-23 | 24-26 | 27-29 | 30-2 | 3-5 | 21-23 | 24-25 | 27-29 | 30-2 | 3-4 |
| | 2 | 5 | 5 | 4 | 2 | 1 | 1 | 2 | 0 | 1 | 0 | 0 | 1 | 1 | 1 | 2 | 3 | 3 | 2 | 3 |
| テーマ6 | 2 | 2 | 1 | 1 | 2 | 1 | 1 | | | 1 | | | | | 1 | 1 | 1 | 1 | | |
| テーマ7 | | 1 | 1 | 1 | | | | 2 | | | | | 1 | 1 | | 1 | | | | 1 |
| テーマ8 | | 2 | 3 | 2 | | | | | | | | | | | | | 2 | 2 | 2 | 2 |

が多い。明治新政府の一連の政策，大正時代の文化，太平洋戦争以降のわが国の状況，地租改正・農地改革などの土地制度，第二次世界大戦以降の対外関係などは今後も重要なテーマである。

**関東型**では，近年は全問が全国型と共通問題となっていることが多い。全国型と同様に近・現代史を中心にした学習が必要であろう。

**中部・北陸型**では，一部で全国型・関東型と共通問題が見られる場合が多い。共通問題以外の独自の出題としては，自由民権運動など明治時代からのオーソドックスな出題に見られるように，基本的な問題が多い。

### ●東京都・特別区

東京都では，単純正誤問題で，近代からは明治政府の初期の政策や日清戦争・日露戦争など政治史中心の出題傾向が見られる。近代・現代の歴史は古代・中世・近世に比べ出題される割合が高い時代であり，日本史上の重要な出来事と文化面も合わせて覚えておくことが不可欠である。

特別区は単純正誤問題が中心で，近年は明治時代，大正時代，昭和時代と時代を限定して出題されるのではなく，いくつかの時代をまたぐ通史的な出題が増えている。文化史や争乱や貿易を含む対外交渉史などの視点で重要事項を覚えておきたい。

### ●市役所

市役所では単純正誤問題が多く，下線部正誤形式の問題なども見られる。市役所では，日本史の出題数は例年２問となっている。近代・現代の歴史が出題される割合は高く，特に，第二次世界大戦後の歴史は頻出テーマとなっている。GHQの占領下で戦後改革が行われた時期から平成初期までを時代ごとにまとめておくことが必要である。

# 明治時代

## 必修問題

**日清戦争または日露戦争に関する記述として，妥当なのはどれか。**

【地方上級（特別区）・令和３年度】

**1** 1894年に，朝鮮で壬午事変が起こり，その鎮圧のため朝鮮政府の要請により清が出兵すると，日本も清に対抗して出兵し，８月に宣戦が布告され日清戦争が始まった。

**2** 日清戦争では，日本が黄海海戦で清の北洋艦隊を破るなど，圧倒的勝利を収め，1895年４月には，日本全権伊藤博文および陸奥宗光と清の全権袁世凱が下関条約に調印した。

**3** 下関条約の調印直後，ロシア，ドイツ，アメリカは遼東半島の清への返還を日本に要求し，日本政府はこの要求を受け入れ，賠償金3,000万両と引き換えに遼東半島を清に返還した。

**4** ロシアが甲申事変をきっかけに満州を占領したことにより，韓国での権益を脅かされた日本は，1902年にイギリスと**日英同盟**を結び，1904年に宣戦を布告し日露戦争が始まった。

**5** 日露戦争では，日本が1905年１月に旅順を占領し，３月の奉天会戦および５月の日本海海戦で勝利し，９月には，日本全権小村寿太郎とロシア全権ウィッテがアメリカの**ポーツマスで講和条約に調印**した。

難易度　＊＊

## 必修問題の解説

日清戦争（1894～95年）の講和条約である下関条約の全権は，日本側が伊藤博文と陸奥宗光で，清側が李鴻章。清は朝鮮の独立を認め賠償金を支払った（**2**，**3**）。日露戦争（1904～05年）の講和条約のポーツマス条約の全権は，日本側が小村寿太郎，ロシア側がウィッテ。ロシアは日本による韓国指導権を承認し，旅順・大連の租借権と長春以南の東清鉄道の権益を日本に譲渡したが，賠償金は支払わなかった（**5**）。

**1 ×** **日本と清が同時期に朝鮮に出兵したのは甲午農民戦争。**
日清戦争のきっかけは，1894年に朝鮮南部で起きた**甲午農民戦争（東学の乱）**である。壬午事変（壬午軍乱）は1882年に朝鮮の漢城（現在のソウル）で起こったクーデタで，親日策をとる閔妃（ミンビ）（明成皇后）に対し，国王高宗の父の大院君（親清派）を支持する軍隊が起こしたクーデタのことである。

**2 ×** **下関条約締結時の清の全権は李鴻章。**
1894年の黄海海戦で日本は清の北洋艦隊を撃破し，1895年２月には北洋艦隊基地の威海衛を占領し，勝利を収めた。同年４月に締結した講和条約の下関条約では，日本全権が伊藤博文と陸奥宗光，清の全権は李鴻章の間で結ばれた。袁世凱は北洋軍閥の軍人で，中華民国の初代大総統となった人物。

**3 ×** **三国干渉はロシア，ドイツ，フランスが行った。**
下関条約によって日本が清から割譲した遼東半島を清に返還するようロシアがドイツ，フランスを誘って日本に勧告したことを三国干渉といい，日本はこれを受け入れた。

**4 ×** **ロシアが満州を占領したきっかけは1900年の北清事変。**
清では，「扶清滅洋」をスローガンとした義和団が外国人排斥運動を起こし，さらに義和団を支持した清政府が北京の各国公使館を包囲し，列国に宣戦布告した。この事変は８か国連合軍によって鎮圧され，北京議定書が調印された。これを**北清事変（義和団事件）**という。事変が収まった後もロシアは大軍を満州に留め，事実上占領した。甲申事変は，1884年に朝鮮の独立党（朝鮮の近代化を進める親日策を推進）が日本公使館と結んで起こしたクーデタで，事大党（朝鮮の保守派で親清策推進）の追放をめざしたが失敗に終わった。

**5 ◎** **日露戦争は，日本が勝利し，ポーツマス講和条約を締結。**
日本は1905年１月に旅順要塞を占領し，その後，奉天会戦に勝利し，日本海海戦でロシアのバルチック艦隊を破った。同年に９月にアメリカ大統領セオドア＝ローズヴェルトの仲介で，**ポーツマス講和条約**に調印した。

**正答 5**

## FOCUS

日清戦争と日露戦争は頻出テーマとなっている。戦争前後の時代背景や因果関係が重要なので，対比しながら覚えておこう。

# POINT

## 重要ポイント 1 明治新政府の政策

**●戊辰戦争**

1868年1月 鳥羽・伏見の戦い →旧幕府側が新政府側に敗れる
　　　9月 奥羽越列藩同盟が新政府に鎮圧される（会津若松城落城）
1869年5月 箱館・五稜郭の戦い →旧幕臣の榎本武揚が降伏

**●明治政府**（1868～90年）

1868年3月 五箇条の御誓文の公布 →明治新政府の基本方針
　　　4月 政体書の制定 →太政官への権力集中，三権分立，官吏公選制
　　　7月 江戸を東京と改名。翌年首都とする。
1869年1月 版籍奉還 →木戸孝允・大久保利通の画策で薩長土肥4藩の領地と領民を天皇に返還
1871年7月 廃藩置県 →府知事・県令が中央より任命される（政治的統一の完成）
1873年7月 地租改正条例の公布 →課税の基準が収穫高から地価に変更（物納から金納へ。税率は地価の3％。土地所有者が納税者）
1874年 民撰議院設立の建白書を板垣退助らが提出
1875年 江華島事件 →日本の軍艦を朝鮮が砲撃
1876年 日朝修好条規締結 →朝鮮を開国させる
1885年 内閣制度の発足 →太政官制を廃止。初代内閣総理大臣は伊藤博文
1889年 大日本帝国憲法公布 →ドイツ憲法を模範に伊藤博文らが起草
1890年 第1回帝国議会が開かれる →二院制（貴族院と衆議院）

## 重要ポイント 2 日清戦争と日露戦争

| | 日清戦争（1894～95年） | 日露戦争（1904～05年） |
|---|---|---|
| 原　因 | 東学の乱（甲午農民戦争）で日清両国が出兵 →日本の勝利 | 日本は北清事変後のロシアの満州占領に反対<br>両国が宣戦布告→ 日本の勝利 |
| 条　約 | **下関条約**<br>・朝鮮の独立<br>・2億両（テール）の賠償金の支払い<br>・遼東半島，台湾，澎湖諸島を日本に譲渡<br>・沙市，重慶，蘇州，杭州の開港 | **ポーツマス条約**<br>・韓国における日本の指導・監督権<br>・清国内の旅順・大連の租借<br>・長春以南の鉄道の譲渡<br>→南満州鉄道株式会社の設立<br>・北緯50度以南の樺太の譲渡<br>・沿海州・カムチャッカの漁業権 |
| 結　果 | 1895年に三国干渉（ロシア・フランス・ドイツ）で遼東半島を返還 | 賠償金が得られず，1905年に日比谷焼打ち事件が発生 |
| 産　業 | 第一次産業革命（軽工業中心）<br>・渋沢栄一が大阪紡績会社を設立<br>・金本位制の確立（1897年） | 第二次産業革命（重工業中心）<br>・八幡製鉄所の操業開始（1901年）<br>・鉄道国有法の公布（1906年） |

## 重要ポイント 3 条約改正交渉

1858年に大老井伊直弼が調印した**日米修好通商条約**は，外国人の領事裁判権を認めた不平等条約であり，同様の条約をオランダ・ロシア・イギリス・フランスと結んだ（**安政の五カ国条約**）。明治に入ると，岩倉具視，寺島宗則が条約改正交渉を進めたが，日本はまだ国会や憲法を持たない時期であったため，諸外国は条約改正を認めなかった。

| 担当者 | 年代 | 内容・経過・結果 |
|---|---|---|
| 岩倉具視 | 1872年 | 条約改正の予備交渉 →失敗 |
| 寺島宗則 | 1878年 | 関税自主権回復 →イギリス・ドイツの反対で不成立 |
| 井上 馨（かおる） | 1882～87年 | 関税自主権の一部回復 →欧化政策（鹿鳴館） →外国人判事任用 →外相辞任 |
| 大隈重信 | 1888～89年 | 外国人判事を大審院に限る →政府内外に反対論が起こる →改正交渉中止 |
| 青木周蔵 | 1891年 | 法権の回復・関税自主権の一部回復についてイギリスが同意 →大津事件（ロシア皇太子傷害事件）で引責辞職 →交渉挫折 |
| 陸奥宗光 | 1894年 | 日英通商航海条約により領事裁判権の撤廃が実現 →関税自主権の一部回復 |
| 小村寿太郎 | 1911年 | 関税自主権の完全回復 →列強と対等の地位を得る |

## 重要ポイント 4 近代産業の発展（第一次産業革命）

1880年代前半の**松方財政**（増税による歳入増加・緊縮財政）で一時**デフレ**と不況に陥った日本経済は，1880年代後半には貿易が輸出超過となり，活況を呈した。

**紡績業**——1882年大阪紡績会社（**渋沢栄一**ら設立）の成功 →1897年に**綿糸輸出が輸入を超過**，1909年に清を抜いて世界最大の生糸輸出国へ

**重工業**——官営事業払い下げ →富岡製糸場は三井へ，佐渡金山・石見銀山は三菱へ払い下げ →**官営八幡製鉄所**設立（鉄鋼の国産化）

**海運業**——1885年郵便汽船三菱会社と共同運輸会社が合併して日本郵船会社が設立 →1886年造船奨励法・航海奨励法 →**遠洋航路**開拓へ

**鉄道業**——1881年創設の日本鉄道会社の成功 →1906年の**鉄道国有法**で民営鉄道17社が国有化

**金融政策**——1882年**日本銀行**設立 →1885年銀本位制 →1897年貨幣法（**金本位制**採用・円・銭・厘の貨幣単位）

## 実戦問題

＊＊
**No.1 わが国の産業革命と近代産業の発達に関する記述として，妥当なのはどれか。** 【地方上級（特別区）・平成18年度】

**1** 紡績業では，渋沢栄一により創立された大阪紡績会社が成功すると，多くの民間の紡績会社が設立され，手紡（てつむぎ）やガラ紡による綿糸の生産が急増した。

**2** 重工業では，鉄鋼の国産化を目的として，日清戦争の賠償金などをもとに建設された官営の八幡製鉄所が，清国の大冶（だいや）鉄山の鉄鉱石を使用して，鉄鋼の生産を開始した。

**3** 海運業では，三菱会社と日本郵船会社との合併により設立された共同運輸会社が，ボンベイ航路や欧米航路などの遠洋定期航路を開設した。

**4** 鉄道業は，軍事・経済上の必要から，鉄道国有法により国有化されていたが，その後，民営の日本鉄道会社が創設され成功すると，多くの民間資本の鉄道会社が設立された。

**5** 金融の安定と貿易の発展を図るため，明治政府は，日露戦争の賠償金を準備金として金本位制を確立するとともに，政府の助成・監督のもとで特定の分野に資金を供給する特殊銀行を設立した。

＊
**No.2 明治時代の近代産業の発展に関する次の記述のうち，妥当なもののみをすべて挙げているのはどれか。** 【地方上級（全国型）・平成30年度】

ア：繊維工業では，生糸の生産拡大のために官営模範工場として富岡製糸場が開設され，ヨーロッパの進んだ技術や機械設備の導入と熟練した女工の養成が図られた。

イ：通信・運輸事業の整備が図られ，官営の郵便制度が発足した。鉄道事業はまず官営で着手され，民営鉄道も盛んになったが，明治後期になると，政府が主要幹線の民営鉄道を国有化した。

ウ：日清戦争が終わると，軍備拡張と製鋼業振興の必要から八幡製鉄所が設立された。原料の鉄鉱石の一部は国産で賄うことができたが，鉄鋼生産に必要な石炭は日本でほとんど産出されないため，その多くを輸入に頼らなければならなかった。

エ：軽工業も重工業も発達し，工業製品の輸出が増大したものの，明治の末になっても，輸出品のほとんどは，米・茶などの農産品が占めた。

**1** ア，イ
**2** ア，ウ
**3** ア，エ
**4** イ，ウ
**5** イ，エ

**No.3** * **日清戦争から日露戦争にかけての出来事に関する記述として，妥当なのはどれか。** 【地方上級（東京都）・平成22年度】

**1** 日清戦争は，朝鮮で江華島事件が起こったことから，日本が朝鮮政府の要請を受けて朝鮮へ出兵し，清国もこれに対抗するため出兵して朝鮮王宮を占拠し，日本国艦隊を攻撃して始まった。

**2** 清国は，下関条約で朝鮮の独立と遼東半島および台湾・澎湖（ほうこ）諸島を日本に譲ることを認めたが，ロシア，フランスおよびドイツが，遼東半島と台湾を清国に返還するよう要求したことから日本は台湾の返還を受け入れた。

**3** 日本は，北清事変の鎮圧後もロシアが満州を占領し撤退しなかったことから日英同盟を結び，日本とイギリスは，清国におけるイギリスの権益と清国および韓国における日本の権益とを相互に承認した。

**4** 日露戦争は，日本が旅順のロシア軍を攻撃して始まり，日本は，多大な損害を出しながらも旅順や奉天で勝利したが，日本海海戦でバルチック艦隊に敗れて戦争継続が困難となった。

**5** 日本とロシアとの間でポーツマス条約が結ばれ，この条約でロシアは，韓国における優越権を日本に認め，旅順・大連の租借権と長春以南の鉄道の利権および賠償金の支払いを約束した。

**No.4** ＊＊ **明治政府の初期の政策に関する記述として，妥当なのはどれか。**

【地方上級（東京都）・平成26年度】

**1** 政府は，殖産興業を進めるため，先に設置した内務省に軍需工場や鉱山の経営，鉄道・通信・造船業などの育成にあたらせ，続いて設置した工部省に軽工業の振興，内国勧業博覧会の開催を行わせた。

**2** 政府は，新貨条例を定めて円・銭・厘を単位とする新硬貨を発行するとともに，国立銀行条例を定めて全国に官営の国立銀行を設立し，そのうちの第一国立銀行を日本初の中央銀行に指定して唯一の紙幣発行銀行とした。

**3** 政府は，西欧にならった近代的な軍隊の創設をめざして徴兵令を公布したが，平民は徴兵の対象には含まれず，武士の身分を失い生活に困窮していた士族のうち，満20歳以上の男子のみが徴兵の対象とされた。

**4** 政府は，土地の売買を認め，土地所有者に地券を発行するとともに，課税の基準を収穫高から地価に改め，地価の一定割合を地租として土地所有者に金納させることにより，安定的な財源の確保を図った。

**5** 政府は，民間による鉄道の敷設を奨励したため，日本鉄道会社により新橋・横浜間に日本で初めての鉄道が敷設されたほか，東海道線をはじめとする幹線鉄道の多くが民営鉄道として敷設された。

## 実戦問題の解説

### No.1 の解説　わが国の産業革命と近代産業の発達

→問題はP.76　正答2

**1 ×** 大阪紡績会社が開業し，機械制生産が急増した。

大阪紡績会社は渋沢栄一らが設立した民間の大規模な紡績会社で，1883年に操業を開始した。**機械紡績が中心**となり，機械制生産が急増した結果，手紡，水車による紡績機のガラ紡など従来の綿糸生産は衰退していった。

**2 ◎** 鉄鋼の国産化をめざし，官営八幡製鉄所が設立。

正しい。日清戦争後，1897年に福岡県八幡村に設立された**官営の製鉄所が八幡製鉄所**（操業は1901年）である。**国産の鉄鋼**を生産した。

**3 ×** 三菱会社と共同運輸会社が合併し，日本郵船会社が設立。

共同運輸会社は1882年に品川弥二郎，渋沢栄一らによって設立され，開業した半官半民の海運会社で，1883年には北海道運輸，越中風帆船，東京風帆船と合併した。三菱会社との競争激化から，政府に合併を勧められ，1885年には三菱会社と共同運輸会社との合併により，**日本郵船会社が設立**され，1893年にはボンベイ航路，1896年には欧米航路などの遠洋航路が開設された。

**4 ×** 日露戦争直後には全国鉄道網を統一するため鉄道国有法が成立。

鉄道業は，日本最初の民営鉄道の日本鉄道会社が1881年に創設され成功すると，民営鉄道がつぎつぎと建設されたが，軍事・経済上の必要から，1906年に**鉄道国有法**が公布されると，民営鉄道が買収されて国有化された。

**5 ×** 日清戦争後に金本位制が採用され，特殊銀行が設立された。

明治政府は日露戦争（1904～05年）では賠償金をロシアから得ることはできなかった。日本で金本位制が確立したのは**1897年**のことで，日清戦争（1894～95年）に勝利し，**清から得た巨額の賠償金の一部を準備金として確立**された。これによって資本主義が本格化し，特殊銀行が設立された。

### No.2 の解説　明治時代の近代産業の発展

→問題はP.76　正答1

ア　富岡製糸場は官営模範工場。

**妥当である。**群馬県の富岡製糸場は**1872年**に操業を開始した。第二次世界大戦中も戦火を免れ保存状態が良いこともあり，2014年に世界文化遺産に登録された。

イ　官営の郵便制度の発足。

**妥当である。前島密**の建議で1871年に東京と大阪の間で官営の郵便事業が開始された。1906年に鉄道国有法が可決され，鉄道が国有化された。

ウ　八幡製鉄所で利用した石炭は国産。

日清戦争後，八幡製鉄所が設立された。中国のターイエ鉄山の鉄鉱石と九州の**筑豊炭田の石炭**を利用して製鉄業を発展させた。

エ　明治時代末期の輸出品は生糸。

工業製品の輸出が増大したが，江戸時代の幕末から明治時代末期まで輸出品の中心は**生糸**であった。
　よって正答は**1**である。

## No.3 の解説　日清戦争～日露戦争

→問題はP.77　**正答3**

**1 ×　江華島事件は日本の挑発行為に対し朝鮮が砲撃を行った事件。**
日清戦争のきっかけは，1894年に朝鮮半島で起こった甲午農民戦争（東学党の乱）への日清同時出兵である。江華島事件は日本が朝鮮を開国させ，日朝修好条規を結ぶきっかけとなった事件で，1875年のことである。

**2 ×　遼東半島の日本への割譲はロシア・フランス・ドイツの三国干渉を招いた。**
1895年に締結された下関条約に対し，**ロシア・フランス・ドイツが三国干渉**を行い，日本に**遼東半島**を清に返還することを要求した。台湾については三国干渉は行われていない。

**3 ◎　北清事変＝1900～1901年，日英同盟＝1902年。**
正しい。北清事変（1900～1901年）の鎮圧後もロシアは中国東北地方の満州に兵を留めたため，**伊藤博文らを中心とする日露協商論**と桂太郎らを中心とする日英同盟論が起こったが，**桂太郎内閣は1902年に日英同盟**を結んだ。

**4 ×　日本海海戦で日本はバルチック艦隊に勝利した。**
1905年１月に日本は旅順要塞に立てこもるロシア軍を攻略し，陥落させた。旅順陥落後の同年３月，日本軍は南満州の奉天（現在の瀋陽）付近でロシア軍と激戦となったが，ロシア軍が後退し，５月の**日本海海戦**で東郷平八郎率いる日本の連合艦隊がロシアのバルチック艦隊を壊滅させた。

**5 ×　ポーツマス条約には，ロシアが日本に賠償金を支払う規定はない。**
1905年９月には，アメリカ大統領**セオドア=ローズベルト**の斡旋によって，日本全権の小村寿太郎外相とロシア全権ヴィッテによって，日露講和条約であるポーツマス条約が結ばれた。しかし日本は**ロシアから賠償金を得られず**，この内容に不満を持つ暴徒が日比谷焼打ち事件を起こした。

## No.4 の解説 明治政府の初期の政策

→問題はP.78 正答4

**1 ×** **1870年に設置された工部省が鉄道敷設・軍需工場・鉱山経営を担当。**
1870年に設置された殖産興業を進めるための官庁が工部省で，軍需工場や鉱山の経営，鉄道・通信・造船業の部門の育成にあたった（廃止は1885年)。工部大学校では技術者が養成された。内務省（初代内務卿は大久保利通）も殖産興業を進めるための官庁であるが，工部省の設置のあとの1873年に置かれ，地方行政や警察業務を担当し，官営模範工場を造るなど軽工業の振興に取り組み，**内国勧業博覧会も内務省**（のちに農商務省）が主催した。

**2 ×** **1873年から全国に設立されたのは民間の国立銀行。**
新貨条例は1871年に制定され，新硬貨が発行された。国立銀行条例は1872年に制定され，1873年には第一国立銀行が設立された。全国に設立された国立銀行はアメリカのナショナル・バンクをモデルとしているので官営ではなく，**民間銀行**である。この当時，第一国立銀行は兌換銀行券を発行できる経営状態にはなっておらず，1882年に中央銀行として日本銀行が設立され，唯一の紙幣発行銀行となった。

**3 ×** **徴兵の対象は満20歳以上の男子。**
1873年に公布された徴兵令では，士族だけでなく，平民も対象となり，**満20歳以上の男子**が３年間兵役義務を負った。徴兵は戸主と長男，官吏，学生，代人料を支払ったものは免除された。

**4 ◎** **1873年に地租改正条例が公布され物納から金納へ。**
正しい。1873年の地租改正条例では，地価の**3％を金納**することとされた。

**5 ×** **新橋・横浜間の鉄道は工部省が敷設。日本鉄道会社は1881年設立の日本初の私鉄。**
新橋・横浜間の日本初の鉄道敷設（1872年）は工部省が行っている。**日本鉄道会社は日本初の民営の鉄道会社**で1881年に設立されている。東海道線（新橋・神戸間）の全線開通は1889年のことで，官営による。

# 大正時代～昭和初期

## 必修問題

**第一次世界大戦から第二次世界大戦にかけてのわが国の経済等に関する記述として最も妥当なのはどれか。**

【国家一般職・令和元年度】

**1** 通貨制度については，第一次世界大戦以来，金本位制を停止していた中で，為替相場の安定を目的として，世界恐慌の最中に旧平価で金本位制に復帰した。しかし，深刻な不況に陥り，金が大量に海外に流出したため，政府は金輸出を再び禁止し，**管理通貨制度**に移行した。

**2** 化学工業は，第一次世界大戦中にフランスからの輸入が途絶えたために興隆した。その後，円高水準で金本位制に復帰したために輸入超過となり，生産が壊滅的な打撃を受けたため，管理通貨制度への移行後の円安でも輸出は回復しなかった。

**3** 農業では，第一次世界大戦中の米価高騰により米の生産量と農家の所得が増加したが，昭和恐慌で各種農産物の価格が暴落し，農業恐慌となった。多数の困窮した農民が都市労働者として都市に移住して農業生産量が激減したため，政府は植民地での米の増産に取り組むこととなった。

**4** 都市では，**大戦景気**を背景とした工業化と都市化の発展に伴い，俸給生活者が急増し，新中間層が形成された。昭和恐慌により失業者が増大すると，政府は満蒙開拓青少年義勇軍として失業者を満州に移住させることで都市の人口過剰を解消しようとした。

**5** 経済界では，大戦景気を背景に急速に拡大した鈴木商店などの新興企業を中心に新興財閥が形成された。新興財閥は，繊維工業や重化学工業といった製造業を中心とし，台湾，朝鮮，満州を拠点に，政党と結び付いて本土での経済基盤を拡大した。

難易度 ＊＊＊

## 必修問題の解説

日本では，1897年に１円＝0.75ｇとする金本位制度が確立し，日本銀行が日本銀行兌換紙幣を発行した。しかし，世界恐慌と昭和恐慌によって景気が悪化すると，金と紙幣の兌換が停止され，管理通貨制度に移行した（**1**）。第一次世界大戦中の大戦景気（1915～18年）（**3**，**4**，**5**）と景気悪化の過程を把握しておきたい。

**1 ◎ 金輸出再禁止の断行と管理通貨制度への移行。**
1931年に成立した犬養毅内閣の蔵相高橋是清は，世界恐慌と昭和恐慌の影響で輸出が振るわなくなると，浜口雄幸内閣で行われた金解禁政策を転換し**金輸出再禁止**を行った。円の金兌換を停止し，金本位制から管理通貨制度に移行した。

**2 × 管理通貨制度の下で輸出が回復。**
化学工業はフランスではなく**ドイツ**からの輸入が途絶えたことが原因で興隆した。また，管理通貨制度へ移行後円安となり，特に**綿織物**を中心に輸出が伸びた。

**3 × 大戦景気で工業は発展したが昭和恐慌で農業が停滞した。**
第一次世界大戦中の大戦景気で工業は飛躍的に発展したが，**昭和恐慌**が原因で農業は停滞した。米価は1920年代から低迷していた。昭和恐慌によって都市の出稼ぎ労働者が帰村したので，農民が労働者として都市に移住したわけではない。

**4 × 日中戦争で労働力の国内需要が増大。**
満蒙開拓青少年義勇軍は1937年から始まったもので，失業者を集めたものではない。日中戦争中は労働者が国内で不足していたので，満州への成人移民が送り出せなくなり，青少年を送り出す政策をとった。都市の人口過剰を解消しようとしたものではない。

**5 × 新興財閥は自動車工業や化学工業の分野で成長。**
経済界では，日産や日窒などの**新興財閥**が現れ，自動車工業や化学工業を中心に形成された。新興財閥は大戦景気（1915～1918年）ではなく，満州事変以降（1931～1933年）に現れ軍と結びつき，満州や朝鮮へ進出していった。

**正答 1**

# FOCUS

大正時代は尾崎行雄・犬養毅による第一次護憲運動の経過および第一次世界大戦後に始まる第二次護憲運動の展開など，大正デモクラシーの動きをとらえることに主眼を置きたい。さらに，近年の現代史重視の傾向から1930年代の軍部の台頭，日中戦争・太平洋戦争に至る過程は，政府の政策と事件を関連づけながら学習しておく必要があるだろう。

# POINT

## 重要ポイント 1 第一次護憲運動に至る過程

明治以来，内閣は藩閥や軍人中心で構成されてきたが，次第に政党内閣制を支持する気運が高まり，第一次護憲運動によって桂内閣は退陣に追い込まれた。

●第１次桂太郎内閣（1901～06年）
1902年　日英同盟の締結
1904年　日露戦争　→1905年　ポーツマス条約　→日比谷焼打ち事件
●第１次西園寺公望内閣（1906～08年）
1906年　鉄道国有法の公布
●第２次桂太郎内閣（1908～11年）
1910年　韓国併合
1911年　関税自主権の回復
●第２次西園寺公望内閣（1911～12年）
1912年　陸軍２個師団増設要求を拒否　→陸軍の抵抗で総辞職
●第３次桂太郎内閣（1912～13年）
1913年　第一次護憲運動が起こる（犬養毅〈立憲国民党〉・尾崎行雄〈立憲政友会〉が中心）――「閥族打破・憲政擁護」　→総辞職（大正政変）

## 重要ポイント 2 大正時代の内閣

| 首　相 | 年　代 | 出　来　事 |
|---|---|---|
| 山本権兵衛（第１次） | 1913～14年 | 1913年　軍部大臣現役武官制を改正し，海軍軍拡を図る<br>1914年　ジーメンス事件（海軍首脳の収賄発覚）→総辞職 |
| 大隈重信（第２次） | 1914～16年 | 1914年　第一次世界大戦参戦<br>1915年　二十一カ条の要求　→山東省ドイツ権益の譲渡 |
| 寺内正毅 | 1916～18年 | 1918年　シベリア出兵　→米騒動で総辞職 |
| 原　敬 | 1918～21年 | 1918年　立憲政友会総裁の原敬が平民宰相として本格的政党内閣を組閣 |
| 高橋是清 | 1921～22年 | 1922年　ワシントン海軍軍縮条約調印 |
| 加藤友三郎 | 1922～23年 | 1922年　シベリア撤兵 |
| 山本権兵衛（第２次） | 1923年 | 1923年　関東大震災 |
| 清浦奎吾 | 1924年 | 1924年　第二次護憲運動（貴族院中心の超然内閣を打倒） |
| 加藤高明（第１次） | 1924～25年 | 1924年　憲政会（加藤高明）・立憲政友会（高橋是清）・革新倶楽部（犬養毅）の護憲３党の連立内閣を組閣<br>1925年　普通選挙法の成立　→満25歳以上の男子に選挙権<br>治安維持法の成立　→社会主義者の取締り |

## 重要ポイント3 戦後恐慌・金融恐慌・昭和恐慌

| | |
|---|---|
| 戦後恐慌 | 第一次世界大戦の終結に伴うヨーロッパ復興で，日本製品のアジア独占が不可能に　→輸入超過　→生産過剰　→1923年　関東大震災 |
| 金融恐慌 | 震災手形の処理　→銀行の不良経営　→1927年　若槻礼次郎内閣総辞職（台湾銀行救済に失敗）　→田中義一内閣がモラトリアム（支払猶予令）を発し，日本銀行からの巨額の救済融資で鎮める |
| 昭和恐慌 | 1929年　ニューヨーク・ウォール街の株価暴落（世界恐慌の始まり），浜口雄幸内閣が金解禁を断行　→財政緊縮　→輸出減少　→倒産・失業者の増加　→農村の荒廃　→労働争議・小作争議の増加 |

## 重要ポイント4 軍部の台頭

| 時　期 | 対外進出・外交 | 国内の出来事 |
|---|---|---|
| 1931年 | 柳条湖事件（関東軍が奉天郊外の満州鉄道を爆破）→満州事変 | 犬養毅内閣が金輸出再禁止<br>→管理通貨制度開始 |
| 1932年 | 満州国が建国（宣統帝溥儀が執政）<br>リットン調査団が派遣される | 五・一五事件で犬養首相が軍部の青年将校により暗殺　→政党内閣崩壊 |
| 1933年 | 国際連盟脱退 | 滝川事件　→自由主義思想の弾圧 |
| 1936年 | 日独防共協定の成立 | 皇道派青年将校による二・二六事件 |
| 1937年 | 盧溝橋（ろこうきょう）事件（北京郊外で日中が軍事衝突）→日中戦争へ発展<br>日独伊防共協定成立 | 広田弘毅内閣の成立<br>→軍部大臣現役武官制の復活 |
| 1938年 | 張鼓峰（ちょうこほう）事件（ソ満国境で日ソが軍事衝突）→日本軍敗北 | 第1次近衛文麿内閣（1937～39年）<br>→国家総動員法 |
| 1939年 | ノモンハン事件（満州西北部で日本軍とソ連・モンゴル軍が衝突）<br>→日本軍の敗北 | 国民徴用令 |
| 1940年 | 日独伊三国同盟の締結 | 第2次近衛内閣　→大政翼賛会結成 |
| 1941年 | 日ソ中立条約の締結<br>真珠湾攻撃　→太平洋戦争の勃発 | 小学校を国民学校に改称 |
| 1942年 | ミッドウェー海戦　→日本敗北 | 翼賛選挙の実施　→翼賛政治会結成 |
| 1945年 | ポツダム宣言受諾　→終戦 | 東京空襲・アメリカ軍の沖縄上陸<br>広島・長崎に原爆投下 |

## 実戦問題

**No.1** ＊ **わが国の第二次世界大戦前の内閣に関する記述として，妥当なのはどれか。**

【地方上級（特別区）・平成14年度】

**1** 清浦奎吾内閣は，憲政会，革新倶楽部および政友会の３党と提携して，貴族院の改革をめざして第二次護憲運動を起こしたが，虎の門事件で総辞職した。

**2** 加藤高明内閣は，普通選挙法を制定して満25歳以上のすべての男子に衆議院議員の選挙権を持たせるとともに，治安維持法を制定して国体の変革や私有財産制度の否認を目的とする結社の組織者と参加者とを処罰することとした。

**3** 若槻礼次郎内閣の井上準之助外相は，欧米列強とは協調外交を基本とし，日ソ基本条約で対ソ国交を実現し，また，中国に対する内政不干渉を方針とした。

**4** 田中義一内閣は，最初の普通選挙による衆議院総選挙により成立し，これ以後，衆議院の多数党の総裁を首相とする政党内閣制が憲政の常道として慣行となった。

**5** 犬養毅内閣の高橋是清蔵相は，わが国の経済を再建するために，緊縮財政政策をとって物価を引き下げ，企業整理・経営の合理化によって国際競争力を強め，輸出を増進させる方針をとった。

**No.2** ＊＊ **護憲運動に関する記述として，妥当なのはどれか。**

【地方上級（特別区）・平成30年度】

**1** 立憲政友会の犬養毅や立憲国民党の尾崎行雄らの政党政治家，新聞記者，実業家たちは，「閥族打破・憲政擁護」を掲げて，第三次桂太郎内閣の倒閣運動を起こし，桂内閣は総辞職に追い込まれた。

**2** 憲政会総裁の加藤高明は，立憲政友会，革新倶楽部と連立内閣を組織し，国体の変革や私有財産制度の否認を目的とする運動を処罰し，共産主義思想の波及を防ぐことを目的とした治安警察法を制定した。

**3** 枢密院議長の清浦奎吾は，貴族院の支持を得て超然内閣を組織したが，これに反発した憲政会，立憲政友会，革新倶楽部の３政党は，内閣反対，政党内閣実現をめざして護憲三派を結成した。

**4** 立憲政友会総裁の原敬は，華族でも藩閥でもない衆議院に議席をもつ首相であったため「平民宰相」とよばれ，男性の普通選挙の実現を要求する運動が高まると，普通選挙法を制定し，25歳以上の男性に選挙権を与えた。

**5** 海軍大将の山本権兵衛は，立憲同志会を与党として組閣し，文官任用令や軍部大臣現役武官制の改正を行ったが，外国製の軍艦購入をめぐる海軍高官の汚職事件で世論の批判を受け，山本内閣は総辞職した。

**No.3** ＊ **わが国の20世紀前半の動きに関する記述として最も妥当なのはどれか。**

【国家一般職・平成29年度】

**1** 1914年に始まった第一次世界大戦はヨーロッパが主戦場となったため，わが国は参戦せず，辛亥革命で混乱している中国に干渉し，同大戦中に清朝最後の皇帝溥儀を初代皇帝とする満州国を中国から分離・独立させた。

**2** 1917年，ロシア革命によりアレクサンドル２世が亡命すると，ロマノフ王朝は崩壊し，世界で最初の社会主義国家が誕生した。その影響が国内に波及することを恐れたわが国は，米国と石井・ランシング協定を結び，米国に代わってシベリアに出兵した。

**3** 1918年，立憲政友会総裁の原敬は，陸・海軍大臣と外務大臣を除くすべての大臣を立憲政友会党員で占める本格的な政党内閣を組織した。同内閣は，産業の振興，軍備拡張，高等教育機関の拡充などの積極政策を行った。

**4** 1920年に設立された国際連盟において，わが国は米国と共に常任理事国となった。1933年，国際連盟はリットン報告書に基づいて満州における中国の主権を認め，日本の国際連盟からの除名を勧告したため，わが国は国際連盟を脱退した。

**5** 1930年，浜口雄幸内閣は金の輸出禁止を解除したが，ニューヨーク株式市場の大暴落から始まった世界恐慌のため，わが国では猛烈なインフレが生じ，労働争議が激化した。そのため，同内閣は治安維持法を成立させ，労働争議の沈静化を図った。

**No.4** ＊＊ **わが国の近代に関する記述として最も妥当なのはどれか。**

【国家一般職・平成19年度】

**1** 原敬内閣は1919年，第一次世界大戦後のパリでの講和会議に西園寺公望を全権として派遣し，中国政府に対して多額の賠償金の支払いを要求した。しかし，中国政府が拒否したため，講和条約調印の日に東京で開かれた国民大会は暴動化し，いわゆる日比谷焼打ち事件に発展した。

**2** アメリカ合衆国は1921年，海軍の軍備縮小および極東問題を審議するため，ジュネーヴ会議を招集した。会議では，日本，アメリカ合衆国，英国，中国によって四か国条約が締結され，中国の領土と主権の尊重，中国における各国の経済上の機会均等などが約束された。

**3** 関東軍は，1928年，反日的な満州軍閥の張作霖を爆殺した。当時，盧溝橋事件と呼ばれた，この事件の真相は国民には知らされなかった。田中義一内閣は，この事件を処理するため，中国関係の外交官・軍人などを集めて東方会議を開き，事件の不拡大方針を決定した。

**4** 斎藤実内閣は，1932年に日満議定書を取り交わして満州国を承認したが，1933年の国際連盟の総会において，満州における中国の主権を認める勧告案が採択されると，国際連盟脱退を通告し，独自で満州の経営に乗り出した。

**5** 近衛文麿内閣は，1937年の柳条湖事件に始まる日中戦争について，当初は不拡大方針に基づき中国政府との和平交渉を試みたが，半年も経ないうちに交渉に行き詰まったため，「国民政府を対手(あいて)とせず」として1938年に中国政府に対し，正式に宣戦布告を行った。

# 実戦問題の解説

## No.1 の解説　わが国の第二次世界大戦前の内閣　→問題はP.86　正答2

**1 ×　貴族院を基礎とする清浦奎吾内閣の打倒をめざし，護憲三派が結成。**
虎の門事件は1923年に虎の門で起きた摂政宮裕仁（せっしょうのみやひろひと）親王（後の昭和天皇）の暗殺未遂事件。この事件で第２次山本権兵衛内閣は総辞職した。そのあとを受けて1924年に貴族院を中心とする清浦奎吾（けいご）内閣が成立し，憲政会・立憲政友会・革新倶楽部（クラブ）が第二次護憲運動を展開して反発した。

**2 ◎　普通選挙法の公布＝1925年，第１回普通選挙＝1928年。**
正しい。1925年に**普通選挙法**，**治安維持法**が制定された。

**3 ×　中国に対しては不干渉主義，米英とは協調外交をとったのは幣原外交。**
協調外交は加藤高明内閣の幣原喜重郎外相によって進められ，1925年に**日ソ基本条約**によって，ソ連との国交を樹立した。1931年に成立した第２次若槻礼次郎内閣では，中国に対する不拡大方針をとったが，関東軍はこれを無視して占領地を拡大した。

**4 ×　憲政の常道は第一次加藤高明内閣から犬養毅内閣崩壊まで。**
政友会内閣の田中義一内閣が成立したのは1927年で，第１回普通選挙が実施されたのは1928年のことである。

**5 ×　井上準之助蔵相が緊縮財政，物価引下げ，産業の合理化を実施。**
1931年に犬養毅内閣の蔵相に就任した高橋是清は，金輸出を再禁止し，財政支出を赤字公債でまかなうという積極財政政策を推し進めた。金解禁を断行し，緊縮財政政策をとったのは，1929年に浜口雄幸内閣の蔵相に就任した**井上準之助**である。

## No.2 の解説　護憲運動　→問題はP.86　正答3

**1 ×　立憲政友会は尾崎行雄，立憲国民党は犬養毅。**
第一次護憲運動は，**「閥族打破・憲政擁護」**を掲げて展開された，第三次桂内閣に対する倒閣運動である。犬養毅が立憲国民党で，尾崎行雄が立憲政友会である。

**2 ×　治安警察法は1900年（山県内閣），治安維持法は1925年（加藤内閣）。**
憲政会・立憲政友会・革新倶楽部の護憲三派が，普通選挙等を求める第二次護憲運動を起こした。総選挙で第一党となった**憲政会総裁の加藤高明**が護憲三派の連立内閣を組織し，1925年に社会主義運動を取り締まるための治安維持法を制定した。治安警察法は1900年に第二次山県内閣が労働運動・社会運動を取り締まるために公布した。

**3 ◎　貴族院出身の清浦圭吾に対し第二次護憲運動が展開。**
清浦圭吾内閣は**超然内閣**を組織したが，憲政会・立憲政友会・革新倶楽部の護憲三派が第二次護憲運動を展開した。

**4 ×　普通選挙法は1925年加藤内閣の時に制定。**

「平民宰相」と呼ばれた**原敬内閣**は初の本格的政党内閣であったが，普通選挙運動には否定的で，普通選挙法実現には至らず，選挙資格を直接国税10円から３円に引き下げる選挙法改正を行った。

**5** × **山本権兵衛内閣の与党は立憲政友会。**

第一次山本権兵衛内閣は，大正政変の後に海軍大将の山本権兵衛が立憲政友会と連携して組閣した内閣である。文官任用や軍部大臣現役武官制を改正し，1914年には海軍の汚職事件（ジーメンス事件）で総辞職した。立憲同志会は桂太郎が結成し，1916年に憲政会と改称した。

## No.3 の解説　わが国の20世紀前半の動き

→問題はP.87　**正答３**

**1** × **日本は第一次世界大戦に参戦。**

1902年に**日英同盟**を結んだことから，イギリスが第一次世界大戦（1914～18年）に参戦すると，日本は日英同盟を理由に三国協商（英・仏・露）側に味方して参戦した。日本が満州に進出した満州事変（1931年）では，1932年に満州国を中国から分離・独立させたが，大戦中ではなく，大戦後のことである。日本が満州国を建国した際，溥儀は初代皇帝ではなく執政の肩書であった。溥儀が皇帝に即位したのは1934年である。

**2** × **ロシア革命時代の皇帝はニコライ２世。**

1917年のロシア二月革命（三月革命）時のロマノフ王朝最後の皇帝は**ニコライ２世**で，ロシア十月革命（十一月革命）後に暗殺された。**アレクサンドル２世**はクリミア戦争（1853～56年）の敗北後，1861年に農奴解放令を出して，ロシアの近代化を進めた皇帝である。石井・ランシング協定（1917年）は中国に関して，アメリカが日本の中国における特殊権益を認め，同時に両国が中国の領土保全・門戸開放・商工業上の機会均等を認め合った協定のことで，シベリア出兵（1918～22年）とつながらない内容である。

**3** ◎ **立憲政友会総裁の原敬は本格的な政党内閣を組織。**

1918年に首相となった原敬は，華族でもなく薩長藩閥でもないことから，**平民宰相**と呼ばれた。

**4** × **アメリカは国際連盟に不参加。**

1920年に設立された国際連盟で日本が常任理事国になったが，米国は孤立主義の方針から国際連盟に参加していないので，常任理事国になってはいない。1933年２月に開かれた国際連盟の臨時総会で，リットン報告書に基づいて日本に求めた内容は，日本の国際連盟からの除名ではなかった。

**5** × **治安維持法の成立は1925年（加藤内閣）。**

立憲民政党の浜口雄幸内閣は1930年に金の輸出禁止の解除を断行したが，ニューヨークで始まった**世界恐慌**の影響を受け，解禁による不況が拡大し，デフレに見舞われ，昭和恐慌に陥った。治安維持法は1925年の加藤高明内閣で成立した。

## No.4 の解説　大正～昭和初期

→問題はP.88 **正答4**

**1 ×　日比谷焼打ち事件は日露戦争のポーツマス条約の結果。**

第一次世界大戦の戦後処理のために開かれたパリ講和会議（1919年１月～６月）で，原敬内閣は西園寺公望を全権大使として派遣したが，６月に調印されたヴェルサイユ条約で，**日本は赤道以北の旧ドイツ領南洋諸島の委任統治権と山東半島の旧ドイツ権益の継承**を承認された。この結果，山東半島をめぐって中国の民衆による反日運動の五・四運動（1919年）が起こった。**日比谷焼打ち事件（1905年）は，日露戦争の講和条約であるポーツマス条約で日本がロシアから賠償金を得られなかったことから**東京の日比谷で条約破棄を求める民衆が暴徒化した事件である。

**2 ×　1921年の軍縮会議はワシントン会議。**

アメリカ合衆国が招集した国際会議は**ワシントン会議**である。この会議では太平洋諸島の平和をめざして**日本，アメリカ合衆国，英国，フランスの間で四カ国条約**が締結された。中国の領土と主権の尊重，中国における各国の経済上の門戸開放，機会均等などが約束されたのは九か国条約である。

**3 ×　張作霖は親日的な満州軍閥指導者。**

関東軍が親日的な満州軍閥の指導者であった張作霖を奉天郊外で爆殺した事件は**張作霖爆殺事件**（1928年）であり，この事件の真相は国民に知らされなかったので**満州某重大事件**と呼ばれた。田中義一内閣はこの事件がもとで1929年に総辞職した。**東方会議**は**1927年**に田中内閣が中国に対する積極政策を展開するために開いた会議である。盧溝橋事件は1937年の日中戦争のきっかけになった事件である。

**4 ◎　斎藤実内閣が国際連盟脱退を通告。**

正しい。海軍大将出身の斉藤実が内閣を組織すると満州国を承認したが，国際連盟のリットン調査団によって満州国を撤回する勧告案が採択された。政府は**1933年に国際連盟からの脱退**を通告した。

**5 ×　1937年の日中戦争のきっかけは盧溝橋事件。**

近衛文麿内閣成立直後の**1937年に起こった事件は盧溝橋事件**である。近衛内閣は当初の不拡大方針を変更し拡大路線をとったため日中全面戦争に発展した。1938年には「国民政府を対手とせず」と声明し，**「東亜新秩序」建設**が日本のスローガンとなった。柳条湖事件は1931年に起こった。

# 第二次世界大戦後の諸改革

## 必修問題

**第二次世界大戦直後の日本の状況に関する記述として，妥当なのはどれか。**

【地方上級（東京都）・令和２年度】

**1** ワシントンの連合国軍最高司令官総司令部（GHQ）の決定に従い，マッカーサーは東京に極東委員会（FEC）を置いた。

**2** 経済の分野では，財閥解体とともに独占禁止法が制定され，**農地改革**により小作地が全農地の大半を占めるようになった。

**3** 現在の日本国憲法は，**幣原（しではら）喜重郎内閣**の草案を基礎にしてつくられ，1946年５月３日に施行された。

**4** 新憲法の精神に基づいて作成された地方自治法では，都道府県知事が国会の任命制となり，これまで以上に国の関与が強められた。

**5** 教育の機会均等をうたった**教育基本法**が制定され，中学校までを義務教育とする，六・三制が採用された。

難易度 ＊＊

## 必修問題の解説

1945年にポツダム宣言が結ばれると，連合国が日本を占領・管理するための最高決定機関である極東委員会が1945年に設置された。東京には連合国軍最高司令官総司令部（GHQ）が設置され，アメリカ陸軍元帥のマッカーサーが連合国軍最高司令官に就任し，日本の占領政策を進めた。1946年には連合国軍最高司令官に対する諮問機関である対日理事会も東京に設置された。

**1 ×** GHQは東京に設置。極東委員会はワシントンに設置。

1945年9月にワシントンに極東委員会（FEC）が置かれた。これは連合国による対日占領政策決定の最高機関で，GHQもアメリカ政府を通じてその決定に従うとされていた。1952年に解散。東京に置かれたGHQが日本政府に指令・勧告を行い，政府が政治を行う間接統治方式がとられた。

**2 ×** 全農地の約47%を占めていた小作地が農地改革によって約1割に減少。

自作農の創設をめざすGHQの指令で1945年から1950年まで行われた第一次，第二次農地改革によって，小作地が全農地の約1割に減少し，農家の大半が自作農となった。GHQによる民主化政策の一つとして経済の民主化も進められ，1945～46年にGHQの指令で**財閥解体**が行われたことや，1947年には**独占禁止法**が制定されたことは正しい内容である。

**3 ×** 日本国憲法は1946年11月3日に公布，1947年5月3日に施行。

1945年10月に幣原喜重郎内閣はGHQから憲法改正の指示を受け，政府内に憲法問題調査委員会を設けて取り組んだが，試案の保守性に驚いたGHQによって**象徴天皇制**と**戦争の放棄**を含む改正草案（マッカーサー草案）が作られた。改正案が衆議院と貴族院で修正可決され，日本国憲法として1946年11月3日に公布，1947年5月3日に施行された。

**4 ×** 地方自治法で都道府県知事は任命制から公選制に変わった。

1947年に成立した地方自治法では都道府県知事と市長村長が，従来の任命制から住民の直接選挙による公選となった。地方行政と警察を統括してきた内務省が廃止され，地方分権主義を取り入れ，民主的・効率的な地方行政の実現が進められることとなった。

**5 ◎** 教育基本法によって教育の機会均等と義務教育9年制が採用。

1947年に制定された**教育基本法**で，教育の機会均等，中学までの9年間を義務教育とする9年制（6年から9年へ延長），男女共学が規定された。

**正答 5**



## FOCUS

戦後史は近年頻出テーマとなっている。GHQの占領下の改革や国際社会復帰後の高度経済成長期，バブル経済と崩壊の過程までを把握しておくことが必須。

# POINT

## 重要ポイント 1 第二次世界大戦後の日本の改革

1945年10月，**幣原**(しではら)**喜重郎内閣**が成立すると，連合国軍最高司令官総司令部（GHQ）の最高司令官**マッカーサー**は，婦人の解放・労働組合の助長・教育の自由主義化・圧政的諸制度の撤廃・経済の民主化の**五大改革**を要求した。

また，憲法について幣原内閣は改正案を作成したが，GHQはこれを不満とし，自ら改正案を作成，この案に手を加えたものが1946年11月に日本国憲法として公布された（吉田内閣時代。施行は翌47年５月）。

| | |
|---|---|
| 婦人参政権の実現 | 1945年12月に選挙法改正。満20歳以上の男女に選挙権，満25歳以上の男女に被選挙権が与えられた（参議院の被選挙権は満30歳） |
| 労働組合の助長 | 労働三法の制定<br>・1945年　労働組合法（労働者の団結権・団体交渉権の保障）<br>・1946年　労働関係調整法（労働争議の調整・ストライキの制限）<br>・1947年　労働基準法（労働条件の最低基準を規定） |
| 教育の民主化 | 1947年　教育基本法の制定——教育の機会均等・義務教育９年制・男女共学<br>1947年　学校教育法の制定——６・３・３・４の単線型学校系列を規定 |
| 圧政的諸制度の撤廃 | 1945年　治安維持法，特別高等警察の廃止<br>→言論・出版の自由の回復 |
| 経済の民主化 | 1945年　財閥解体<br>1946年　第一次農地改革，1947～50年　第二次農地改革<br>1947年　独占禁止法の制定 |

## 重要ポイント 2 日本の戦後の経済復興

| | |
|---|---|
| 経済安定九原則 | 1948年，アメリカ・GHQは第２次吉田内閣に予算の均衡・徴税の強化・輸入促進・物価の安定など経済安定九原則の実行を要求 |
| ドッジ・ライン | 1949年，GHQの財政顧問ドッジの指導のもとに緊縮財政・均衡予算案が具体化　→１ドル＝360円に設定 |
| シャウプ勧告 | 1949年，コロンビア大学の経済学者シャウプが来日。地方財政確立を目的とする税制改革が行われる |
| 特需景気 | 1950年に朝鮮戦争が勃発すると，輸送・修理・軍需品などの需要が生じ，1951年には戦前の経済水準にまで回復した |

## 重要ポイント 3 冷戦下の日本

| | |
|---|---|
| 第２～５次<br>吉田　茂　内閣<br>（1948～54年） | 1951年　サンフランシスコ平和条約<br>→戦争終結，領土の範囲，賠償規定。日本は主権を回復<br>日米安全保障条約の締結　→米軍駐留<br>1952年　破壊活動防止法の制定<br>1954年　日米相互防衛援助協定（MSA協定）を締結<br>→保安隊・海上警察隊を改組して自衛隊を組織 |
| 鳩山一郎　内閣<br>（1954～56年） | 1956年　日ソ共同宣言に調印<br>→戦争状態終結宣言，国交正常化，日本の国際連合加盟支持。平和条約調印後の歯舞・色丹２島の返還を約束<br>1956年　非常任理事国として国連に加盟 |
| 岸　信介（のぶすけ）　内閣<br>（1957～60年） | 1960年　日米相互協力及び安全保障条約に調印<br>→米軍の日本防衛義務を明確化・在日米軍の軍事行動の事前協議制・10年の条約期限など　→安保闘争激化 |
| 池田勇人（はやと）　内閣<br>（1960～64年） | 1960年　国民所得倍増計画<br>→高度経済成長政策をとる（予定より早く達成）<br>1964年　東京オリンピック開催 |
| 佐藤栄作　内閣<br>（1964～72年） | 1965年　朴正煕政権との間で日韓基本条約を締結<br>1968年　小笠原諸島返還<br>1969年　日米共同声明の発表<br>→1972年の沖縄返還，安保体制堅持，韓国平和の必要性<br>1971年　ニクソン=ショック　→１ドル＝360円から308円に<br>1972年　沖縄返還 |

## 重要ポイント 4 現代の日本

**田中角栄内閣**（1972～74年）では1972年に**日中共同声明**が発表され，日中国交正常化が達成されたが，1973年には第１次オイルショック（石油危機）が契機となって，インフレが進行した。1974年にはロッキード事件などの金脈問題で首相が退陣し，**三木武夫内閣**（1974～76年）が「偽りのない政治」をスローガンに内閣を組織した。

**福田赳夫（たけお）内閣**（1976～78年）では1978年に**日中平和友好条約**が締結された。**大平正芳（まさよし）内閣**（1978～80年）では1979年に第２次オイルショックが生じ，翌年には首相が急死。**鈴木善幸（ぜんこう）内閣**（1980～82年）では1982年に参議院議員の全国区選挙が比例代表制に改正された。**中曽根康弘内閣**（1982～87年）では行政改革・教育改革が行われ，**国鉄が民営化**された。**竹下登内閣**（1987～89年）では1989年に消費税が導入された。**宮沢喜一内閣**（1991～93年）では1992年**国際平和協力法（PKO協力法）**が成立，**細川護熙（もりひろ）内閣**（1993～94年）では非自民８党派の連立政権が成立し，**55年体制が崩壊**した。

## 実戦問題

*
**No.1** **高度経済成長期に関する次の記述のうち，妥当なものはどれか。**

【地方上級（全国型）・平成26年度】

**1** 高度経済成長の国内要因の一つには，国民の貯蓄率が高く，その豊富な資金が銀行などの金融機関を通じて企業に貸し出され，巨額な設備投資が行われたことが挙げられる。

**2** 高度経済成長の国際要因としては，外国為替市場が固定相場制から変動相場制に移行し，円安が進行したことが挙げられる。

**3** 好景気で労働力が流動化し，終身雇用・年功序列といった昭和初期からの日本型経営として定着してきた雇用慣行が，大企業を中心に崩壊した。

**4** 土地や株の価格が持続的に上昇し，資産家・企業経営者の所得は増えたが，雇用労働者の賃金は上がらず，経済格差が拡大した。

**5** 三種の神器と呼ばれる電球，ラジオ，扇風機が一般家庭に普及するなど国民の生活様式が大きく変わった。

**
**No.2** **55年体制下の日本に関する次の記述のうち，妥当なものはどれか。**

【地方上級（関東型）・令和４年度】

**1** 単独政権を続けた自民党は与党として護憲を掲げ，一方，野党第一党の社会党は憲法改正をめざした。

**2** 1960年代にはラジオが著しく普及し，70年代になるとラジオから白黒テレビの普及に代わり，80年代に入ると白黒テレビの普及率は90％を超えた。

**3** 生産過剰となった米の生産量を抑制するための減反政策は，1970年代に廃止となった。

**4** 日本経済は，1955年頃から60年代を通じて年平均10％を超える経済成長を遂げ，70年代の石油危機以降は低成長時代に移行した。1980年代後半にはバブル経済に沸いたが，1991年にバブル経済は崩壊し，それ以後は景気の低迷が続いた。

**5** 沖縄の返還は冷戦の影響で遅れ，1990年代に入ってようやく沖縄返還協定が結ばれ，沖縄県の復活が実現した。

**No.3*** **第二次世界大戦後の日本の政治に関する次の記述のうち，妥当なものはどれか。**

【地方上級（全国型）・平成29年度】

**1** 1950年に第二次世界大戦後初の国会議員選挙が行われた。

**2** 1955年から，55年体制といわれる自由民主党による長期単独政権の時代が始まり，55年体制が崩壊するまでの約40年間近く，自民党と主要野党の社会党の議席数はほぼ2：1のままで推移した。

**3** 中曽根内閣は財政赤字を抑えるために行政改革と民営化をめざし，1985年に電電公社の民営化を実施したが，国鉄の民営化については白紙撤回した。

**4** 1993年の総選挙の結果，自民党から分かれた政党が連立して細川内閣が成立した。ここに自民党の長期単独政権が終わりを告げ，55年体制が崩壊した。

**5** 小泉内閣は戦後の内閣の中で一番高い支持率でスタートしたが，郵政民営化を問う総選挙で大敗した。

## 実戦問題の解説

### No.1 の解説　高度経済成長期　→問題はP.96　正答 1

**1 ◎ 国民の高い貯蓄率と大企業による設備投資が経済成長の国内要因。**

高度経済成長は1955年ごろから1973年の石油危機までの期間で，実質経済成長率が10％を超えた時代である。貿易黒字が続き，1964年には**東京オリンピック**が，1970年には**日本万国博覧会**（大阪）が開催された。

**2 × 高度経済成長期は固定相場制。**

高度経済成長期の外国為替市場は固定相場制である。**ドッジ・ライン**で１ドル＝360円の単一為替レートが設定された。固定相場制から変動為替相場制への移行は1973年のことである。

**3 × 高度経済成長期に日本型経営の終身雇用が確立。**

高度経済成長期の雇用慣行は，企業が従業員を定年まで雇用する終身雇用制度と，勤続年数が重視される年功序列型賃金の日本型経営が定着していたので，従来の日本型経営が大企業を中心に崩壊したとはいえない。

**4 × 土地や株の価格の持続的な上昇はバブル期。**

土地や株価が持続的に上昇したのはバブル期である。バブル経済崩壊後，雇用労働者の賃金は上がらず，経済格差が拡大した。高度経済成長期には池田勇人内閣が**所得倍増計画**（**1960年**）を策定し，1967年には国民所得が２倍となった。

**5 × 白黒テレビ・電気洗濯機・電気冷蔵庫が「三種の神器」。**

高度経済成長期の「三種の神器」と呼ばれ，一般家庭に広く普及したものは，白黒テレビ・電気洗濯機・電気冷蔵庫である。その後，1960年代後半からは，自動車（カー）・カラーテレビ・クーラーが「新三種の神器（３Ｃ）」と呼ばれるようになった。

### No.2 の解説　55年体制　→問題はP.96　正答 4

1955年10月には，分裂していた社会党が憲法改正阻止と結束強化をめざし，再統一を実現した。同年11月には自由党と日本民主党が合同して自由民主党が誕生し，第一政党となった。この結果，自由民主党が３分の２の議席を保持し長期単独政権をとり，野党の社会党が３分の１を占める55年体制が成立した。1993年に非自民８党派の連立内閣（細川護熙内閣）が誕生して38年ぶりの政権交代が実現し，55年体制は崩壊した。

**1 × 自民党は憲法改正をめざし，社会党は護憲を掲げた。**

1955年11月に日本民主党と自由党が合流して自由民主党が結成され，議席の３分の２弱を維持しながら憲法改正をめざした。全体の３分の１の議席で野党第一党であり続けた社会党は護憲を掲げた。

**2 × 1970年代に普及したのはカラーテレビ。**

ラジオ放送が1925年に始まり1955～73年の高度経済成長のうち，特に1955～

65年の第一次高度成長期には，白黒テレビ，電気洗濯機，電気冷蔵庫が「三種の神器」と呼ばれ普及した。白黒テレビの普及率は1960年代には90％を超えてた。「３Ｃ」または「新三種の神器」と呼ばれたのはカラーテレビ，カー（自動車），クーラーであり，1970年代に普及した。カラーテレビは1970年代後半には普及率が90％を超えた。

**3 ×** **減反政策は1970年に始まり2018年度に廃止された。**

生産過剰となった米の生産量を調整する**減反政策**は，農家に補助金を支給することで米の作付面積の削減をめざし，1970年から2017年まで続けられたが，2018年度に廃止された。

**4 ◎** **高度経済成長は1955～73年。バブル景気は1980年代後半。**

日本経済は1955～57年にかけて神武景気，1958～61年には岩戸景気，1965～70年にはいざなぎ景気と呼ばれる好景気が続いた。1973年に第４次中東戦争が起こると第一次石油危機が発生し，高度成長は終わった。1980年代後半にはバブル景気に突入したが，1991年に崩壊し，その後経済低迷の時代が続く。

**5 ×** **1971年に佐藤栄作内閣が沖縄返還協定に調印した。**

翌年1972年に沖縄が日本に復帰し沖縄県が復活した。この背景には，アメリカが1965年にベトナム戦争に介入したことによる沖縄の米軍基地の重要性の高まりや，沖縄の住民による祖国復帰の運動が起こったことなどが挙げられる。



## No.3 の解説　第二次世界大戦後の日本の政治

→問題はP.97 **正答２**

**1 ×** **戦後初の総選挙は1946年に実施。**

1945年12月に衆議院議員選挙法が改正されたことによって，女性に参政権が認められ，男女平等の普通選挙が実現した。1946年４月に戦後初の総選挙が実施され，39名の女性議員が誕生した。

**2 ◎** **1955年から55年体制が始まった。**

1955年11月に日本民主党と自由党が合体し**自由民主党**を結成した。その後，自由民主党一党によって1993年まで保守優位の政治体制（**55年体制**）が続いた。

**3 ×** **中曽根康弘内閣の時に民営化が進んだ。**

中曽根康弘内閣では，1985年に電電公社が**民営化**されNTTとなり，専売公社が民営化されてJTとなった。1987年に国鉄が民営化されJRとなった。

**4 ×** **1993年に非自民８党派の連立内閣である細川護熙内閣が成立。**

細川内閣は日本政党・新生党・社会党・公明党・新党さきがけなど共産党を除く非自民の８党派の連立内閣を組織した。これで**55年体制は崩壊**した。

**5 ×** **小泉純一郎内閣の時に郵政民営化。**

2005年の総選挙で小泉純一郎の自民党の圧勝し，**郵政民営化法**が成立した。これにより2003年に発足した日本郵政公社は解散し，日本郵政株式会社が誕生した。

# 試験別出題傾向と対策

| 試験名 | 国家総合職 | | | | | 国家一般職 | | | | | 国家専門職（国税専門官） | | | | |
|---|---|---|---|---|---|---|---|---|---|---|---|---|---|---|---|
| 年度 | 21-23 | 24-26 | 27-29 | 30-2 | 3-5 | 21-23 | 24-26 | 27-29 | 30-2 | 3-5 | 21-23 | 24-26 | 27-29 | 30-2 | 3-5 |
| 頻出度 テーマ 出題数 | 1 | 1 | 2 | 3 | 1 | 1 | 3 | 1 | 1 | 1 | 1 | 3 | 2 | 1 | 1 |
| A 9 文化史・仏教史・教育史・政治史 | | 1 | 1 | 2 | 1 | 1 | 2 | 1 | 1 | 1 | 1 | 3 | 2 | | |
| C 10 土地制度史 | 1 | | | | | | | | | | | | | | |
| B 11 対外交渉史 | | | 1 | 1 | | | 1 | | | | | | | 1 | 1 |

テーマ別通史の出題では各時代の文化の特色を問う文化史の問題と，各時代の仏教と政策のかかわりを問う問題が見られる。また，通史の問題で取り上げるテーマが交通史，通貨史，戦乱史など広がりを見せている点も特徴である。

土地制度史は律令体制から荘園制への移行期や荘園制の発展，荘園制の崩壊，明治時代の地租改正，戦後の農地改革などのテーマが出題されており，難易度の高い問題も見られるが，近年は出題頻度が低くなっている。

対外交渉史は日本とアジア，欧米諸国との交流や貿易などが問われ，各時代ごとの交渉を通史的に問うパターンの出題がほとんどである。全体的な流れをつかむとともに，日本のどの時代に，中国・朝鮮の王朝が何と呼ばれる王朝であったかをしっかり照らし合わせて覚えることが重要である。

### ●国家総合職

出題形式は単純正誤形式がほとんどである。文化史，土地制度史などからまんべんなく出題されているが，最近では特に中国などと日本の対外関係からの出題が比較的多い。問題文自体が長文化しているが，難易度的には高い問題ではない。高校の教科書や歴史概論など新書判の歴史シリーズをよく読んでおきたい。今後も対外交渉史・文化史・法制史・教育史に注意したい。

### ●国家一般職

出題形式は単純正誤形式で，選択肢の文章は長文化する傾向にある。過去問を振り返ると，政治史と経済史（産業を含む）からの出題が多い。テーマ別通史としては，教育史・文化史・軍事制度史が出題されている。政治史と対外交渉史を合わせたような出題も考えられるので，総合的な学習が必要である。

### ●国家専門職

出題形式は単純正誤形式で，近年，選択肢の文章は長文化している。飛鳥時代から戦後まで出題されている。対外関係や戦後の各内閣の経済政策，行政・税制面なども押えておきたい。また，文化史の問題は出題パターンが決まっているので，過去問演習で確実に得点に結びつけたい分野である。

| | 地方上級（全国型） | | | | | 地方上級（東京都） | | | | | 地方上級（特別区） | | | | | 市役所（C日程） | | | | |
|---|---|---|---|---|---|---|---|---|---|---|---|---|---|---|---|---|---|---|---|---|
| | 21-23 | 24-26 | 27-29 | 30-2 | 3-4 | 21-23 | 24-26 | 27-29 | 30-2 | 3-5 | 21-23 | 24-26 | 27-29 | 30-2 | 3-5 | 21-23 | 24-25 | 27-29 | 30-2 | 3-4 |
| | 0 | 0 | 1 | 0 | 1 | 2 | 1 | 0 | 0 | 2 | 2 | 3 | 0 | 1 | 0 | 3 | 1 | 1 | 0 | 1 |
| テーマ9 | | | | | 1 | 2 | 1 | | | 2 | 1 | 3 | | 1 | | 2 | 1 | 1 | | |
| テーマ10 | | | | | | | | | | | | | | | | | | | | |
| テーマ11 | | | 1 | | | | | | | | 1 | | | | | 1 | | | | 1 |

## ●地方上級

**全国型**では，各時代の仏教の政治へのかかわりなどを中心とする仏教史，土地制度史，各時代の文化史などが重要テーマであるが，万全の対策を立てておくためにも，古代から第二次世界大戦以降の政治史・経済史・文化史まで時間をかけて学習しておきたい。

**関東型**では，近年は全問が全国型と共通問題となっていることが多い。各時代の文化の特色など出題されるパターンが決まっているので，過去問を見ておくとよい。

**中部・北陸型**では，一部全国型・関東型と共通問題の場合が多い。共通問題以外の独自の出題としては，土地制度史のテーマで荘園について問う問題が過去に見られた。

## ●東京都・特別区

東京都では，数年に一度の割合で文化史の出題が見られる。一つの時代の文化を問う場合もあるが，古い時代から順に文化面の特色を問う問題も見られ，政治面だけでなく文化面の知識も非常に重要である。

特別区では，鎌倉時代から明治時代・大正時代まで出題分野が多岐にわたっている。通史的な出題が多いことから，限られた一つの時代だけでなく，歴史の全体像を把握するようにしよう。

## ●市役所

市役所では，単純正誤問題が中心で，テーマ別通史からの出題される割合は非常に高い。特に，政治史・文化史からの出題が続いている。古代から現代までの重要事項を時代順に把握しておくことが大切である。

# 文化史・仏教史・教育史・政治史

## 必修問題

**各時代の宗教に関する次の記述のうち，妥当なもののみをすべて挙げているのはどれか。** 【地方上級（全国型）・令和４年度】

ア：奈良時代には，仏教が国家から保護・統制され，国分寺・国分尼寺・東大寺などが建てられた。

イ：平安時代半ばには，来世での極楽往生を願う浄土教が庶民の間で広く流行した。しかし，**天台宗・真言宗**など既存の宗教に帰依する貴族層には受け入れられなかった。

ウ：鎌倉時代には新しい仏教が誕生した。そのうち，**法華宗**は幕府の保護を受けて発展したが，臨済宗は幕府の弾圧を受けた。

エ：江戸時代には，**島原・天草一揆**以降幕府がキリスト教の取締りを強め，寺請制度が実施され，絵踏が強化された。

オ：明治時代には当初から神仏習合が進められ，寺院の境内に守護神が祭られたり，神社の境内に寺院が建てられたりした。

**1** ア，ウ
**2** ア，エ
**3** イ，エ
**4** イ，オ
**5** ウ，オ

難易度 ＊

## 必修問題の解説

奈良時代には鎮護国家思想によって，仏教が国家の保護によって発展した。仏教理論の研究が奈良で進められ南都六宗の学派が誕生し，神と仏を同一とする神仏習合思想が広まった（ア）。平安時代には国風文化を代表する平等院鳳凰堂が建立され（イ），鎌倉時代には新仏教がおこった（ウ）。江戸時代には鎖国政策がとられ，スペイン船・ポルトガル船の来航が禁じられた（エ）。1868年に誕生した明治新政府では神仏習合が禁じられ，廃仏毀釈が一時起こった（オ）。

**ア○** 奈良時代には鎮護国家思想のもとに国家が仏教を重要視。
妥当である。国ごとに国分寺・国分尼寺が建てられ，中心的な寺院として東大寺が建立された。

**イ×** 浄土教は平安時代の貴族にも広まった。
念仏を唱え阿弥陀仏に帰依することで極楽浄土への往生を願う浄土教は，庶民だけでなく貴族にも広まった。藤原道長によって法成寺が建立され，道長の子の頼通によって**平等院鳳凰堂**が造られた。

**ウ×** 法華宗（日蓮宗）は幕府から排斥され，臨済宗は幕府に保護された。
鎌倉新仏教として，浄土宗（法然），浄土真宗（親鸞），時宗（一遍），臨済宗（栄西），曹洞宗（道元），法華宗（日蓮）が成立したが，日蓮は他宗を激しく批判したため，幕府によって伊豆・佐渡へ流罪にされた。

**エ○** 江戸時代はキリスト教が禁止され，宗門改役が置かれ，寺請制度を実施。
妥当である。江戸幕府は1637年に**島原・天草一揆（島原の乱）**が起こると，これを鎮圧しキリスト教を禁じた。**寺請制度**を実施して誰もが檀那寺（だんなでら）（檀家となる寺）を持つようにし，**絵踏**（えぶみ）でキリスト教徒を弾圧した。

**オ×** 明治時代には神仏分離令が出され，廃仏毀釈が行われた。
神仏習合は奈良時代から広まったが，明治時代になると**神仏分離令**が出され，神道が国家によって保護された。一方で寺院や仏像などが**廃仏毀釈**のために破壊された。

よって，**ア**と**エ**が正しく正答は**2**である。

**正答 2**

## FOCUS

日本文化史は通史として出題されている。各時代の文化の特色と世界遺産も合わせて覚えておくと効率的。

# POINT

## 重要ポイント 1　飛鳥文化

| 飛鳥文化――聖徳太子や蘇我氏の仏教奨励により，飛鳥地方におこった最初の仏教文化 | |
|---|---|
| 建　築 | 飛鳥寺，四天王寺，法隆寺（斑鳩寺） |
| 彫　刻 | 法隆寺金堂釈迦三尊像・百済観音像，中宮寺・広隆寺の半跏思惟像 |
| 経　典 | 三経義疏（法華経・維摩経・勝鬘経の注釈書） |

## 重要ポイント 2　白鳳文化～天平文化

| 白鳳文化――遣唐使によりもたらされた大陸文化の影響を受けた貴族社会の仏教文化 | |
|---|---|
| 美　術 | 薬師寺東塔，法隆寺金堂壁画，興福寺仏頭，薬師寺金堂薬師三尊像 |

| 天平文化――律令繁栄期を反映して，平城京を中心に円熟味のある国際性を帯びた文化 | |
|---|---|
| 編　纂 | 『古事記』，『日本書紀』，『風土記』，『懐風藻』（最古の漢詩集），『万葉集』 |
| 美　術 | 東大寺法華堂・不空羂索観音像，唐招提寺金堂，薬師寺吉祥天像 |

## 重要ポイント 3　平安時代の文化

| 弘仁・貞観文化――律令再興期を反映した唐風文化 | |
|---|---|
| 寺　院 | 室生寺金堂・五重塔 |
| 仏　教 | 最澄の天台宗（延暦寺），空海の真言宗（金剛峰寺，教王護国寺） |
| 美　術 | 観心寺如意輪観音像，神護寺薬師如来像・両界曼荼羅，園城寺不動明王像 |

| 国風文化――貴族を中心とする文化で唐風文化を完全に消化した独自の文化<br>摂関家を中心とする宮廷生活を背景に，華麗な貴族文化が発展 | |
|---|---|
| 国文学 | 『源氏物語』，『枕草子』，『土佐日記』，『蜻蛉日記』，『古今和歌集』 |
| 美　術 | 平等院鳳凰堂阿弥陀如来像（定朝による寄木造），高野山聖衆来迎図 |
| 建　築 | 寝殿造（貴族の邸宅様式），平等院鳳凰堂 |

| 院政期の文化――国風文化が一層発展。浄土教は地方にも普及 | |
|---|---|
| 文　芸 | 『栄花（華）物語』，『大鏡』，『将門記』，『陸奥話記』，『今昔物語集』 |
| 絵　画 | 源氏物語絵巻，伴大納言絵巻，鳥獣戯画 |

## 重要ポイント 4 鎌倉時代～安土桃山時代の文化

| 鎌倉文化――武家社会の進展につれ，写実的で力強い武家風の文化が発展 | |
|---|---|
| 文　学 | 『平家物語』，『方丈記』，『徒然草』，『愚管抄』，『新古今和歌集』 |
| 仏　教 | 他力本願：民衆の間に普及<br>浄土宗――法然：知恩院・『選択本願念仏集』<br>浄土真宗（一向宗）――親鸞：本願寺・『教行信証』<br>時宗――一遍：清浄光寺・『一遍上人語録』<br>自力本願：武士の間に普及<br>臨済宗――栄西：建仁寺・『興禅護国論』<br>曹洞宗――道元：永平寺・『正法眼蔵』<br>日蓮宗（法華宗）――日蓮：久遠寺・『立正安国論』 |

| 室町文化――禅宗の影響を強く受けた武家文化と伝統的な公家文化との融合<br>将軍義満時代の北山文化と義政時代の東山文化が頂点 | |
|---|---|
| 北山文化 | 金閣（伝統的な寝殿造と禅宗様の合体），水墨画（明兆・如拙・周文），五山文学（絶海中津・義堂周信），能楽（観阿弥・世阿弥） |
| 東山文化 | 銀閣・東求堂同仁斎（書院造），水墨画（雪舟），大和絵（土佐派・狩野派），茶道（村田珠光・武野紹鷗の侘び茶），花道（池坊専慶），宗祇（連歌） |

| 桃山文化――新興大名と豪商の気風を反映した，現実的で豪壮・華麗な文化 |
|---|
| 城郭建築（安土城・大坂城・桃山城など→書院造，狩野永徳・山楽らの障壁画），茶道（千利休），阿国歌舞伎 |

## 重要ポイント 5 江戸時代の文化

| 元禄文化――商品経済の発展を背景に，上方の豪商中心に栄える | |
|---|---|
| 文　学 | 井原西鶴の浮世草子→『好色一代男』，『世間胸算用』・近松門左衛門の浄瑠璃脚本→『曾根崎心中』，『冥途の飛脚』・松尾芭蕉の俳諧→『奥の細道』 |
| 美　術 | 装飾画→俵屋宗達・尾形光琳，浮世絵→菱川師宣『見返り美人図』 |
| 学　問 | 陽明学（中江藤樹）→幕府の保護を受けた朱子学を批判<br>古学派（山鹿素行・伊藤仁斎・荻生徂徠）→孔子・孟子の古説を研究<br>その他：徳川光圀『大日本史』，宮崎安貞『農業全書』，貝原益軒『大和本草』 |

| 化政文化――幕藩体制動揺期を背景に，江戸の町人文化の気風を表現した文化 | |
|---|---|
| 文　学 | 洒落本：山東京伝→寛政の改革で処罰<br>滑稽本：式亭三馬『浮世風呂』，十返舎一九『東海道中膝栗毛』<br>読本：上田秋成『雨月物語』，滝沢馬琴『南総里見八犬伝』<br>俳諧：与謝蕪村，小林一茶 |
| 浮世絵 | 喜多川歌麿（美人画），葛飾北斎・歌川（安藤）広重（錦絵の風景画） |

## 実戦問題

**No.1** ＊＊ **わが国における教育の歴史に関する記述として最も妥当なのはどれか。**

【国家一般職・平成27年度】

**1** 平安時代には，貴族の子弟を対象とした大学が盛んに設立され，そこでは儒教に代えて仏教・道教を中心とする教育が施された。また，藤原氏が設けた綜芸種智院，北条氏が設けた勧学院など，大学の寄宿舎に当たる大学別曹も設けられた。

**2** 鎌倉時代には，足利氏が一族の学校として鎌倉に足利学校・金沢文庫を設立した。足利学校では，朝廷の儀式・先例である有職故実や古典の研究が行われ，朝廷の歴史を記した『吾妻鏡』が編まれた。

**3** 江戸時代には，貨幣経済の浸透に伴い，一般庶民も読み・書き・算盤などの知識が必要になったことから，幕府はそのような実用教育を中心とした寺子屋を全国に設けた。寺子屋は下級武士によって経営されたが，特に貧農層については月謝の負担が大きく，江戸時代末期には衰退していった。

**4** 明治時代には，政府は，富国強兵と殖産興業の実現に向けて，教育機関や教育内容の整備を進めた。文部大臣森有礼の下で帝国大学令・師範学校令などの学校令が初めて公布され，学校体系の基本が確立された。

**5** 第二次世界大戦後には，米国教育使節団の勧告により，修身・日本歴史・地理の授業が一時停止されるとともに，複線型・男女別学の学校体系に改められた。昭和22（1947）年には，教育基本法が制定され，義務教育期間が12年から９年に短縮された。

**No.2** ＊ **わが国の文化に関する記述として，妥当なのはどれか。**

【地方上級（特別区）・平成25年度】

**1** 化政文化は，京都や大坂などの上方の町人を担い手として開花した文化で，人形浄瑠璃や歌舞伎では，近松門左衛門の「仮名手本忠臣蔵」や鶴屋南北の「東海道四谷怪談」などの作品が生まれて人気を博した。

**2** 国風文化は，唐の文化を日本の風土や日本人の感性に融合させた文化で，田楽と猿楽などをもととした能が大成し，なかでも観世座の観阿弥・世阿弥父子は，朝廷の保護を受け，芸術性の高い猿楽能を完成させた。

**3** 元禄文化は，江戸を中心として開花した町人文化で，人形浄瑠璃では，竹本義太夫が竹田出雲の作品を語って人気を博し，歌舞伎では，坂田藤十郎らの名優があらわれ，民衆演劇として発展した。

**4** 桃山文化は，新興の大名や豪商の気風を反映した豪壮で華麗な文化で，城郭には天守閣や，書院造の居館などが建てられ，また，民衆の間では，出雲の阿国の歌舞伎踊りが人気をよび，のちの歌舞伎のはじまりとなった。

**5** 弘仁・貞観文化は，唐の文化の影響による洗練された貴族の文化で，貴族の間に流行した浄瑠璃は，琉球の三線を改良した三味線を伴奏楽器にして人形操りをとり入れ，人形浄瑠璃へと発展した。

**No.3** ＊＊ **平安時代から室町時代にかけてのわが国の文化に関する記述として最も妥当なのはどれか。** 【国家総合職・令和2年度】

**1** 平安遷都から9世紀末頃まで，平安京において貴族を中心とした文化が発展した。宮廷では漢文学が発展し，また，天皇の国家統治の正当性を示すために，『日本書紀』などの国史の編纂が盛んに行われた。学問も重んじられ，有力な貴族は寄宿舎に当たる大学別曹を設け，一族の子弟が学ぶ便宜を図った。また，行基が創設した勧学院は，庶民に対しても教育の門戸を開いた。

**2** 遣唐使が停止された後，国風文化と呼ばれる日本独特の優雅で洗練された貴族文化が生まれた。かな文字が普及し，日常生活のみならず公式の場においても広く用いられるようになった。平安時代後期には，現世の不安から逃れようとする浄土教が流行し，一遍が全国に布教して民衆に教えを広めた。また，加持祈禱によって災いを避け，幸福追求のための修行を山中で行う修験道の信仰も全国に広まった。

**3** 鎌倉時代には，武士や庶民を中心とした素朴で質実な新しい文化が生まれた。鎌倉幕府の第3代将軍源実朝の命により『新古今和歌集』が藤原定家らによって編纂されたほか，幕府の歴史を編年体で記した『大鏡』などの歴史書も著された。また，禅宗様（唐様）の建築様式で建てられた東大寺南大門や，日本の和様に大陸伝来の新様式を取り入れた折衷様の建築様式で建てられた円覚寺舎利殿などがこの時代の代表的建築である。

**4** 室町幕府の第3代将軍足利義満は，京都の北山に山荘をつくり，金閣を建てた。この時期の文化は，禅の精神に基づく簡素さと，伝統文化の幽玄・侘びを精神的な基調とし，金閣に代表される書院造風の建築様式は，近代の和風住宅の原型となった。日本の伝統文化を代表する茶道（茶の湯）や花道（生け花）の基礎もこの時代につくられた。

**5** 応仁の乱により京都が荒廃すると，京都の公家たちが地方の大名を頼って地方に逃れ，地方の大名も積極的にこれを迎えた。日明貿易で栄えていた大内氏の城下町である山口では，多くの文化人が集まり，和歌などの古典の講義が行われ，仏典などの書籍の出版も行われた。こうした活動の結果，中央の文化が地方に普及することとなった。

## ＊＊ No.4 室町時代の文化に関する記述として，妥当なのはどれか。

【地方上級（東京都）・平成30年度】

**1** 南北朝の動乱期には，『平家物語』などの軍記物が作られ，また，「二条河原落書」に見られるような和歌が盛んとなり，後鳥羽上皇は『新古今和歌集』を編集した。

**2** 足利義政が建てた鹿苑寺金閣は，北山文化を代表する一向宗の建物であり，足利義満が建てた慈照寺銀閣は，東山文化の中で生まれた寝殿造の建物である。

**3** 足利義満は五山の制を整え，一向宗の寺院と僧侶を統制し保護したため，浄土宗文化が盛んとなり，義満に仕えた五山の僧の雪舟は，障壁画に幽玄の境地を開いた。

**4** 北山文化の時期には，安土城や大坂城など，武家の居城の内部に，簡素な中に幽玄を重んじた枯山水の庭園が造られた。

**5** 応仁の乱が起こると，多くの公家や文化人が戦乱を避けて地方に移住したことから，朱子学をはじめとする中央の文化が地方に普及した。

## ＊ No.5 鎌倉時代の仏教に関する宗派，開祖，主要著書および中心寺院の組合わせとして，妥当なのはどれか。

【地方上級（特別区）・令和元年度】

| | 宗派 | 開祖 | 主要著書 | 中心寺院 |
|---|---|---|---|---|
| **1** | 浄土真宗 | 法然 | 選択本願念仏集 | 本願寺（京都） |
| **2** | 臨済宗 | 栄西 | 興禅護国論 | 建仁寺（京都） |
| **3** | 浄土宗 | 親鸞 | 教行信証 | 知恩院（京都） |
| **4** | 曹洞宗 | 道元 | 立正安国論 | 久遠寺（山梨） |
| **5** | 時宗 | 一遍 | 正法眼蔵 | 永平寺（福井） |

**＊＊ No.6 明治時代の教育・文化に関する記述として，妥当なのはどれか。**

【地方上級（東京都）・令和３年度】

**1** 政府は，1872（明治５）年に教育令を公布し，同年，小学校令によって6年間の義務教育が定められた。

**2** 文学の分野において，坪内逍遙（しょうよう）が「小説神髄」で自然主義をとなえ，夏目漱石ら「文学界」の人々を中心に，ロマン主義の作品が次々と発表された。

**3** 芸術の分野において，岡倉天心やフェノロサが日本の伝統的美術の復興のために努力し，1887（明治20）年には，官立の東京美術学校が設立された。

**4** 1890（明治23）年，教育に関する勅語が発布され，教育の基本として，国家主義的な教育方針を排除し，民主主義教育の導入が行われた。

**5** 絵画の分野において，洋画ではフランスに留学した横山大観らが印象派の画風を日本に伝え，日本画では黒田清輝らの作品が西洋の美術に影響を与えた。

**＊ No.7 国風文化に関する記述として，妥当なのはどれか。**

【地方上級（特別区）・令和５年度】

**1** 末法思想を背景に浄土教が流行し，源信が「往生要集」を著し，極楽往生の方法を説いた。

**2** 和歌が盛んになり，紀貫之らが最初の勅撰（せん）和歌集である万葉集を編集し，その後も勅撰和歌集が次々に編集された。

**3** 貴族の住宅として，檜皮葺（ひわだぶき），白木造の日本風で，棚，付書院を設けた書院造が発達した。

**4** 仏師定朝が乾漆像の手法を完成させ，平等院鳳凰堂の本尊である薬師如来像などを作った。

**5** 仮名文字が発達し，万葉仮名の草書体をもとに片仮名が生まれ，使用されるようになった。

## 実戦問題の解説

### No.1 の解説　わが国の教育の歴史

→問題はP.106　正答4

**1 × 綜芸種智院は空海が，勧学院は藤原氏が設立。**

大学（大学寮）は7世紀後半の天智天皇の時代に設置された式部省に属する貴族の子弟の教育機関であり，官吏登用機関でもあった。経学・算，後に紀伝道（漢文・歴史）・明経道（儒教の経典）・明法道（律令格式）・算道（算術）の四道を学ぶ機関であり，仏教・道教を中心とする教育ではない。**綜芸種智院**は藤原氏ではなく，空海が創った教育機関である。**勧学院**は北条氏ではなく，藤原氏が設けた。

**2 × 足利学校は足利に，金沢文庫は横浜に設立。『吾妻鏡』は鎌倉時代の歴史書。**

足利学校は鎌倉ではなく，下野国足利（栃木県足利市）に創られた儒学・易学の学校である。室町中期ごろに関東管領の上杉憲実によって再興された。金沢文庫も鎌倉ではなく，武蔵国金沢郷（神奈川県横浜市）の称名寺境内に創られた書籍を収めた私設図書館である。『吾妻鏡』は鎌倉幕府の歴史を記した書物である。

**3 × 寺子屋は私的な教育施設で，後の民衆文化の発展に寄与。**

寺子屋は江戸時代に創られた私設の教育機関で，幕府が全国に設けたものではない。寺子屋は都市から農村まで全国各地につくられた。主として読み・書き・算盤が教えられた。また，寺子屋は下級武士の他に，医師や町人などが運営していたものもあった。

**4 ◎ 1886年に学校令が公布された。**

正しい。富国強兵と殖産興業に取り組み，近代化を進める明治新政府によって，帝国大学令，教員養成機関に関する師範学校令が公布された（1886年）。

**5 × 教育基本法で義務教育が6年から9年に延長。**

戦後，GHQの間接統治下に置かれた日本では，GHQの指示で，1945年10月に修身・日本歴史・地理の授業が一時停止され，1947年に社会科が新科目として始まった。**米国教育使節団**の勧告で，教育基本法が昭和22（1947）年に制定され，男女共学が基本とされ，義務教育が6年から9年に延ばされた。

## No.2 の解説　わが国の文化

→問題はP.106 **正答4**

**1 ×** **京都・大坂の上方で栄えた町人文化は元禄文化。**
化政文化は**江戸の町人**を中心に開花した文化である。京都・大坂などの上方の町人を担い手として開花した文化は元禄文化である。元禄文化を代表する近松門左衛門は人形浄瑠璃や歌舞伎の脚本家で，『曽根崎心中』，『国姓爺合戦』が代表作である。化政文化に書かれた『仮名手本忠臣蔵』は竹田出雲の作品である。『東海道四谷怪談』の著者の鶴屋南北も化政文化を代表する人物である。

**2 ×** **能の大成者の観阿弥・世阿弥父子が活躍したのは北山文化。**
**国風文化**は平安時代の文化であり，能が大成した時代は室町時代の３代将軍足利義満のころで，**北山文化**の時代である。観阿弥・世阿弥父子が将軍義満の保護のもと大成させた。

**3 ×** **江戸を中心に栄えた文化は化政文化。**
元禄文化は**京都・大坂**を中心として開花した文化である。義太夫節（ぎだゆうぶし）を創始した竹本義太夫が近松門左衛門の作品の語りで人気を博した。坂田藤十郎も上方中心に和事（恋愛劇）で有名な元禄文化を代表する歌舞伎役者である。

**4 ◎** **桃山文化は織田信長・豊臣秀吉が政治の中心を担った時代の文化。**
正しい。桃山文化は安土・桃山時代を代表する豪華で壮大な文化であり，平城や平山城が築かれた時代である。

**5 ×** **浄瑠璃の起源は15世紀ごろで，人形浄瑠璃が成立したのは江戸時代。**
**弘仁・貞観文化**は平安時代初期の唐風文化で平安仏教が確立した時代の文化である。浄瑠璃は室町時代に始まり，その後人形浄瑠璃へと発展した。

## No.3 の解説　平安～室町時代の我が国の文化

→問題はP.107　**正答5**

**1 ×　『日本書紀』は奈良時代に編纂。勧学院は藤原氏の大学別曹。**

平安遷都から９世紀末ごろまでは**弘仁・貞観文化**が栄え，貴族を中心に漢文学が発展したが，『日本書紀』などの国史の編纂が行われたのは奈良時代の**天平文化**である。行基は奈良時代の僧で大仏造営や社会事業に携わった人物。勧学院は821年に藤原冬嗣によって設置された藤原氏の大学別曹で，対象は庶民ではなく貴族の子弟である。この当時の庶民の教育機関は空海の創設した綜芸種智院である。

**2 ×　浄土教＝空也・源信が布教。加持祈禱・修験道＝弘仁・貞観文化。**

10世紀以降に発達した浄土教は念仏行脚した空也と『往生要集』を著した**源信**（恵心僧都）によって広まった。加持祈禱や修験道は国風文化ではなく，弘仁・貞観文化の時代の天台宗・真言宗における加護の祈り方，山岳信仰のことである。

**3 ×　『新古今和歌集』＝後鳥羽上皇。東大寺南大門＝大仏様。円覚寺舎利殿＝禅宗様。**

『新古今和歌集』は源実朝ではなく，後鳥羽上皇の命令で編纂された勅撰和歌集。幕府の歴史を編年体で記した記録は**『吾妻鏡』**であり，『大鏡』は平安時代の紀伝体で書かれた歴史物語である。東大寺南大門は大仏様の建築様式であり，円覚寺舎利殿は禅宗様の建築様式である。

**4 ×　書院造＝銀閣。茶道・花道＝東山文化。**

幽玄・侘びを精神的な基調としたのは，第８代将軍足利義政の時代の銀閣に代表される**東山文化**である。銀閣の東求堂同仁斎が和風建築の原型となった書院造の建築様式となっている。茶道（茶の湯）・花道（生け花）の基礎も**東山文化**の時代に形成された。

**5 ◎　応仁の乱後，京都の文化が地方へ波及。**

応仁の乱（1467～77年）が終わると，戦場となった京都は荒廃し，京都の公家たちが地方の戦国大名のもとへ逃れた。このことによって，京都の文化が地方へ広まることとなった。

## No.4 の解説　室町時代の文化

→問題はP.108 正答5

**1 ×** 『平家物語』は鎌倉文化を代表する軍記物語。

『平家物語』は鎌倉時代に琵琶法師によって語り継がれた作品である。「二条河原落書」は1334～1335年頃に京都二条河原に貼り出された落書で，建武の新政を風刺・批判したもので，室町時代の前の時代のものである。また，『新古今和歌集』は**後鳥羽上皇**の命により藤原定家・家隆らが編纂した鎌倉時代の和歌集である。

**2 ×** 金閣は足利義満（北山文化）。銀閣は足利義政が建てた（東山文化）。

鹿苑寺金閣は足利義政ではなく３代将軍**足利義満**が建てた北山文化を代表する建築物。慈照寺銀閣は足利義満ではなく，８代将軍**足利義政**が建てた東山文化を代表する建築物。いずれも世界文化遺産に登録されている。

**3 ×** 京都五山の制により臨済宗の禅寺の格付けが行われた。

室町時代は浄土宗よりも臨済宗が発展し，足利義満は五山の制を整えた臨済寺院の格付けを行った。**雪舟**は東山文化を代表する水墨画家で五山の相国寺の禅僧でもあった。日本の水墨山水画を完成させた。

**4 ×** 安土城・大坂城は桃山文化の建造物。

安土城は織田信長が築いた最初の近世的城郭といわれ，大坂城は豊臣秀吉が築いた城郭で，桃山文化を特徴づける城郭建築である。**枯山水**は龍安寺や大徳寺大仙院の寺院の庭園に代表される造園であり，東山文化の中で発達した。

**5 ◎** 応仁の乱で京都が戦場となり，地方への文化伝播。

1467～1477年の応仁の乱で京都が戦場となったため，戦乱を避けて地方へ移住した公家や僧侶が京都の文化を地方へ広めた。

## No.5 の解説　鎌倉時代の仏教

→問題はP.108 正答2

**1 ×** 浄土真宗の開祖は親鸞。

念仏を重視する浄土真宗の開祖は**親鸞**である。主要著書は『教行信証』で，中心寺院は京都の本願寺で正しい。

**2 ◎** 臨済宗の開祖は栄西。

坐禅を重視する禅宗の臨済宗の開祖は**栄西**である。主要著書は『興禅護国論』で，中心寺院は京都祇園の建仁寺である。

**3 ×** 浄土宗の開祖は法然。

念仏を重視する浄土宗の開祖は**法然**である。主要著書は『選択本願念仏集』で，中心寺院は京都の知恩院で正しい。

**4 ×** 曹洞宗の開祖は道元。

坐禅を重視する禅宗の曹洞宗の開祖は**道元**である。主要著書は『正法眼蔵』で，中心寺院は福井の永平寺である。『立正安国論』は日蓮宗の開祖の日蓮の主要著書で，日蓮宗の中心寺院が山梨の久遠寺である。

**5 ×** **時宗の開祖は一遍。**

踊念仏を重視する時宗の開祖は**一遍**である。主要著書は『一遍上人語録』で，中心寺院は神奈川の清浄光寺である。

## No.6 の解説　明治時代の教育・文化

→問題はP.109　**正答３**

**1 ×** **1872年に公布されたのは学制。1879年に教育令，1886年に学校令を制定。**

政府は1872年にフランスの学校制度を手本とした**学制**を制定し，近代的な学校制度の導入を進めた。この制度は日本の実情に合わなかったため，1879年に廃止され，**教育令**が出された。教育令はアメリカの教育制度をモデルとしている。1886年に初代文部大臣の森有礼（もりありのり）が学校令（小学校令を含む）を制定し，学校体系が整えられた。1890年に**小学校令**が改正され，小学校での義務教育が３～４年とされ，1907年に６年に延長された。

**2 ×** **「小説神髄」は写実主義。「文学界」の中心人物は北村透谷。**

1885年に坪内逍遥は評論「小説神髄」を著し，写実主義での描写を提唱した。文芸雑誌「文学界」の中心人物でロマン主義の作品を発表したのは北村透谷。自然主義文学の台頭するなか，夏目漱石は反自然主義文学の立場に立ち，知識人として創作活動に携わり，余裕派・高踏派と呼ばれている。

**3 ◎** **岡倉天心とフェノロサらが東京美術学校を設立。**

1881年に文部省勤務の岡倉天心がフェノロサ（1878年にモースの紹介で来日したアメリカの哲学者・東洋美術史家）と日本美術を調査し，1887年には東京美術学校（現在の東京芸術大学）を設立した。岡倉天心は1898年には日本美術院を設立した。

**4 ×** **教育に関する勅語（教育勅語）では，忠君愛国が基本理念。**

教育に関する勅語が1890年に発布され，忠君愛国に基づく道徳教育が進められた。これは天皇が国民に語りかける形式で発表された。

**5 ×** **フランスに留学したのは洋画家の黒田清輝（くろだせいき）。**

横山大観は日本画家で洋画技術をとり入れて近代的日本画を開拓した。代表作は「生々流転」。黒田清輝は洋画家で1884年にフランスに留学して印象派の技法を学び，1893年に帰国した後，1896年には洋画団体の白馬会を創設するなど近代洋画野分野で活動した。

## No.7 の解説　国風文化

→問題はP.109　正答 1

**1 ◎ 浄土教を説いた源信が985年に『往生要集』を著した。**

平安時代半ば以降，天災や戦乱が続いていた。そのため，阿弥陀仏を信仰することで，来世において極楽浄土で往生することができることを説く浄土教が流行した。比叡山の恵心院に住んでいた天台宗僧の源信（恵心僧都）は，985年に極楽浄土で往生するための教えを『往生要集』としてまとめた。

**2 × 日本で最初の勅撰和歌集は『古今和歌集』。**

勅撰和歌集は天皇や上皇，法皇の命令によって歌人が編集した和歌集のこと。醍醐天皇の命令で，紀貫之・紀友則・凡河内躬恒・壬生忠岑らによってまとめられた最初の勅撰和歌集は『古今和歌集』（905年成立）である。『万葉集』は奈良時代にまとめられた和歌集で，大伴家持が編者とされているが未詳。防人歌など加えられているが，勅撰和歌集ではない。

**3 × 棚，付書院を設けた書院造は室町時代の東山文化の特色。**

貴族の邸宅は檜皮葺，白木造の日本風の**寝殿造**となっていた。内部は襖と屏風で仕切られ，庭園などがあった。棚や付書院を設けた書院造は室町幕府の第８代将軍足利義政が建てた銀閣で用いられた建築様式で，現代の日本の和室の原型とされる。

**4 × 仏師定朝は寄木造の手法を完成。平等院鳳凰堂の本尊は阿弥陀如来像。**

定朝は平安時代の仏師で，一木から一体の仏像を彫るのではなく，仏像の体の部分を分けて彫り，最終的にそれらを寄せ集めて作る寄木造の手法を完成させて，平等院鳳凰堂の阿弥陀如来像を完成させた。乾漆像は，麻布や和紙を漆で張り重ねて作られた像。代表的なものに「鑑真和上像」などがある。

**5 × 片仮名は漢字の一部を表音文字としたもの。**

国風文化では仮名文字が発展し，平仮名，片仮名が使用されるようになった。万葉仮名の草書体を簡素化させた文字が**平仮名**。漢字の一部の「へん」や「つくり」を表音化した文字が片仮名である。

# 土地制度史

## 必修問題

**わが国の土地政策または土地制度に関する記述として，妥当なのはどれか。**

【地方上級（特別区）・平成19年度】

**1** 班田収授法は，律令制度において，農民の最低生活を保障し，租・調・庸等の税を確保するため，戸籍に基づき6歳以上の男子に限って口分田を与え，その永久私有を認めたものである。

**2** 寄進地系荘園は，開発領主らが，**租税の免除の特権**を得たり，**検田使の立入りを拒否**するために，その私有地を国司に寄進し，自らはその荘官となって支配権を確保した荘園をいい，鎌倉時代に各地に広まった。

**3** **下地中分**は，室町幕府が，軍費調達のため一国内の荘園の年貢の半分を徴収する権限を守護に認めたものであり，また地頭請は，守護が地頭にその年貢の納入を請け負わせたことをいう。

**4** 太閤検地は，豊臣秀吉がほぼ同一の基準で全国的に実施した土地の調査であり，田畑の生産力を石高で表示するとともに，一地一作人の原則により，検地帳に登録した農民に耕作権を認め，年貢納入等の義務を負わせた。

**5** 地租改正は，明治政府が，地主に**地券**を与えて土地の所有権を法的に認めたものであり，安定した財源確保のため，収穫高を課税標準として地租を納入させるとともに，土地の売買を禁止した。

難易度 ＊

## 必修問題の解説

古代の土地制度で重要なものは，律令制度のもとで制定された班田収授法，荘園制度のもととなる墾田永年私財法である。中世の武家政権では，鎌倉時代の地頭請，下地中分（**3**）の内容，室町時代の守護請，半済令（**3**）の内容，近世では，織田信長の検地と豊臣秀吉の太閤検地（**4**）の違いを明確にさせておきたい。明治新政府が行った地租改正（**5**）では課税対象，税率，納入方法が重要である。

**1 ×** **班田収授法では口分田は収公。**
班田収授法は戸籍に基づき**6歳以上の男女**に口分田を与えることを認めたものである。口分田は永久私有ではなく，与えられた者が死亡すると口分田は**収公（国家に返還）**された。

**2 ×** **寄進地系荘園は平安時代の11世紀に拡大。**
租税を免れ（不輸の権），検田使立入拒否の特権（不入の権）を認められた寄進地系荘園は，平安時代の11世紀以降に各地に広がった荘園で，開発領主が自ら開墾した土地を**有力な貴族や寺社に寄進**することで，**荘官となって所領の支配**を維持することができた。

**3 ×** **下地中分は鎌倉時代の地頭と荘園領主が土地を折半。**
室町幕府が軍費調達のため一国内の荘園の年貢の半分を徴収する権限を守護に認めたのは**半済令**である。**下地中分は鎌倉時代**に行われた荘園領主と地頭との年貢をめぐる紛争の解決策で，荘園領主が地頭と荘園を折半することで，地頭の荘園侵略を阻止するものである。地頭請は鎌倉時代に**荘園領主**が地頭にその年貢の納入を請け負わせたことをいう。

**4 ◎** **一地一作人の制度は豊臣秀吉の政策。**
正しい。太閤検地（天正の石直し）は1582年に豊臣秀吉によって始められた検地である。太閤検地によって農民の耕作する権利と年貢納入の義務が定められた**一地一作人の原則が確立**し，これによって荘園制が崩壊することになった。

**5 ×** **地租改正の課税基準は地価。**
1873年に公布された地租改正条例で，地主に地券が交付され，**課税基準が収穫高から地価に変更**され，**地価の3%が金納化**された。また，1872年には江戸時代に出された**田畑永代売買**（でんぱたえいたいばいばい）**の禁令（1643年）が廃止**された。

**正答 4**

# FOCUS

荘園制は豊臣秀吉の太閤検地によって崩壊し，一地一作人の原則がとられるようになる。江戸時代には，1643年に田畑永代売買の禁令，1673年に分地制限令が出され，本百姓を維持する政策がとられた。明治時代に入ると地租改正条例が公布され（1873年），物納であった税が土地所有者による金納に改められた。土地制度の変遷過程を時代ごとの特色と関連づけて覚えていくとよいだろう。

## 重要ポイント 1 土地制度の変遷

**●律令時代**

| | |
|---|---|
| 班田収授法（645年） | 唐の均田制にならい，農民の生活を保障し徴税対象を確保することを目的としたが，律令政治の展開に伴い，雑徭などの労役の負担が厳しくなると農民の疲弊は著しくなり，浮浪する農民が多くなった。 |
| 三世一身法（723年） | 浮浪・逃亡する農民が大規模な土地経営を行う貴族や地方豪族の下に集まるようになり，新たに開墾した者は子・孫・曾孫の３世まで土地使用が認められた。 |
| 墾田永年私財法（743年） | 開墾した土地の永久私有が認められた。面積は制限されていた。<br>→墾田地系荘園：８～９世紀に成立した初期荘園には，貴族や寺社が浮浪者などを使って私有地化した自墾地系と，他人が開墾した土地を購入した既墾地系とがある。いずれも開墾した土地をなんらかの方法で私有地化したもので，これらを墾田地系荘園という。 |

**●平安時代**

荘園増加の防止・縮小のために，902（延喜２）年の**延喜の荘園整理令**以降，荘園整理令がたびたび出された。1069（延久元）年の**延久の荘園整理令**によって，記録荘園券契所（記録所）が設けられ，基準に合わない荘園を停止した。

10世紀頃より，国司らの圧迫を免れるために，開発領主や土着豪族は，中央の有力貴族・寺社に名目上寄進し，自分は荘官として実際に経営に当たるようになった（**寄進地系荘園**の成立）。院政期になると高級貴族や寺社を知行国主として支配権を与え，そこからの収益を得させる知行国制度が成立した。

**●鎌倉時代**

地頭による荘園侵略が横行し，荘園領主が地頭に年貢の徴収を請け負わせる**地頭請**が行われるようになった。なかには地頭と荘園を折半する者も現れた（**下地中分**（したじちゅうぶん））。

**●室町時代～織豊政権の時代**

守護に年貢の徴収を請け負わせる**守護請**が行われるようになった。守護は守護大名となり権限を拡大した。織豊政権の時代に検地が行われると，荘園制は崩壊した。

**●江戸時代**

田畑永代売買の禁止（1643年），分地制限令（1673年）によって，本百姓の経営を維持し没落を防いだ。

**●明治時代～第二次世界大戦後**

1873年に**地租改正条例**が出され，地主は地価の３％を金納することに改められたが，小作農には従来の年貢が課せられていた（寄生地主制）。第二次世界大戦後，GHQの指令によって農地改革が行われ，農民は寄生地主制と高率小作料から解放された。

## 重要ポイント2 土地政策と史料

**ヤマト政権下**→朝廷の直轄地は屯倉（直轄民は子代・名代）
豪族の私有地は田荘（私有民は部曲）

645年 **大化改新**→646年に「改新の詔」によって，豪族の田荘・部曲廃止
↓
『日本書紀』→「昔在の天皇等の立てたまへる子代の民，処々の屯倉，及び，別には臣・連・伴造・国造・村首の所有る部曲の民，処々の田荘を罷めよ。」
公地公民制の成立→班田収授法→口分田の班給→良民男子は２段（１段＝360歩）・良民女子は男子の３分の２・奴婢は良民男女のそれぞれ３分の１

723年 **三世一身法**→『続日本紀』→「頃者，百姓漸く多くして，田池窄狭なり。望み請ふらくは，天下に勧め課せて，田疇を開闢かしめん。其の新たに溝池を造り，開墾を営む者有らば，多少を限らず，給ひて三世に伝へしめん。若し旧き溝池を逐はば，其の一身に給せん。」
↓
開墾奨励策

743年 **墾田永年私財法**→『続日本紀』→「聞くならく，墾田は養老七年の格に依りて，限満つる後，例に依りて収授す。是に由りて農夫怠倦して，開ける地復た荒る，と。今より以後，任に私財と為し，三世一身を論ずること無く，咸悉くに永年取る莫れ。」
↓
荘園制成立

1069年 **記録荘園券契所**の設置→『愚管抄』→「コノ後三条院位ノ御時，……延久ノ記録所トテハジメテヲカレタリケルハ，諸国七道ノ所領ノ宣旨・官符モナクテ公田ヲカスムル事，一天四海ノ巨害ナリトキコシメシツメテアリケルハ，……」
↓
基準に合わない荘園を停止

1352年 **半済令**→『建武以来追加』→「一，寺社本所領の事　観応二・七・廿四御沙汰……次に近江・美濃・尾張三カ国の本所領半分の事，兵粮料所として，当年一作，軍勢に預け置くべきの由，守護人等に相触れ訖んぬ。半分に於いては，宜しく本所に分かち渡すべし。……」
↓
半済令によって，守護の権限が拡大し，守護大名化

## 実戦問題

＊＊
**No.1 荘園制度に関する記述として最も適切なのは，次のうちどれか。**

【国家総合職・平成７年度】

**1** 平安時代初期に墾田永年私財法が発布されると公領（国衙領）では班田収授が行われなくなり，公租公課は土地ではなく人口をもとに行われるようになったが，荘園では依然として土地を基礎に年貢が割り当てられた。

**2** 平安時代後期には院（上皇）への荘園の寄進が集中したので，朝廷は荘園整理令を出すとともに記録荘園券契所を設けてこれを抑えようとしたが，当時の実力者である藤原摂関家に荘園の寄進が集中する結果となった。

**3** 鎌倉時代における朝廷の財政基盤は依然として荘園からの年貢であったが，幕府の収入は守護を通じた公領（国衙領）からの租税であったため，幕府は荘園とは利害関係を持たなかった。

**4** 鎌倉時代末期から南北朝時代の騒乱中に荘園領主と荘園との間の実質的なつながりはほとんど断たれ，足利幕府の下地中分や守護請により天皇家や公家は名目上の領主としてわずかばかりの年貢を受ける立場となった。

**5** 室町時代に入ると農業技術の発展により生産が向上し，地侍等の新興名主層を中心とする惣村の力が強まった。さらに年貢の百姓請などにより荘園領主の荘園内部への支配権は実質的に失われていった。

＊＊＊
**No.2 室町時代における土地制度に関する記述として，適切なのはどれか。**

【国家総合職・平成元年度】

**1** 幕府は財政収入の拡大と安定を図るため新しく土地を開墾した者には，その所領の保障（本領安堵）をしたので，特に一向宗の大社寺などが大規模な開墾をした。

**2** 幕府は土地を寄進した者に租税免除の特権を与えるとともに，寄進者をその土地の地頭に任命したので，地方の豪族から寄進が相次いだ。

**3** 幕府は地頭の勢力拡大を阻止しなかったので，荘園領主は領地を折半して支配する下地中分により年貢を確保した。

**4** 荘園や公領の年貢の半分を軍費調達のため徴発する権限を幕府が守護に与えたことなどから守護の力が強くなり，荘園や公領の年貢徴収を守護に請け負わせる守護請が盛んに行われた。

**5** 幕府は財源確保のため，荘園や公領の年貢を村の責任で納入させる村請制をとり，また分割相続による耕地の細分化を抑えるために分地制限令を出した。

＊＊＊
**No.3** **明治政府の初期の財政と地租改正に関する次の記述のうち，妥当なのはどれか。**

【国税専門官・平成８年度】

**1** 明治新政府の成立当初の財源は旧幕府領からの年貢を主体としていた。廃藩置県により全国の統治権を一手に握ったことによって，政府の財政規模は拡大し，財政の収支は均衡した。

**2** 明治新政府の主な財源は，地租改正が行われるまで年貢であった。年貢であった当時は，税のかけ方も取立て方もさまざまであったが，豊作が続き，雑税が何千種類もあったことから，政府予算の編成は円滑に行われていた。

**3** 明治新政府は，農民の税負担の軽減を最大の目的として地租改正事業を行い，税率を地価の100分の３と定めて地租の金納化を採用した。この税率は明治期を通じて変更されることはなかった。

**4** 明治新政府は税制の公平化を掲げて，地租改正事業への国民の協力を求めた。地租の率は，従来の年貢に比べ大幅に軽減されていたため，土地の面積の調査を巡るトラブルも終息していった。

**5** 明治新政府の行った地租改正事業は，数年に及ぶ大事業であった。これにより，農民の私的土地所有が認められ，資本主義へ移行する基礎ができあがった。

**No.4** * 次のA～Eは，7～11世紀におけるわが国の土地政策に関する記述であるが，年代の古い順に並べかえたときに，正しいのはどれか。

【地方上級（東京都）・平成13年度】

A：調・庸などの租税収入が減少したため，公営田（くえいでん）や官田といった直営方式の田地経営によって財源の確保が図られた。

B：後三条天皇は荘園整理令を出し，記録荘園券契所（けんけいじょ）を設けて，荘園の証拠書類を審査し，年代の新しい荘園や書類不備のものなど基準に合わない荘園を停止した。

C：朝廷は田地の拡大を図るため，百万町歩の開墾計画をたて，さらに，三世一身法（さんぜいっしんのほう）を施行して，農民に開墾を奨励した。

D：班田収受の法によって，6歳以上の男女に口分田が班給され，死ぬまで耕作することが認められた。

E：朝廷は墾田永年私財法を発布し，土地所有を公認したが，この頃から有力な貴族や寺社，地方豪族などは，各地で大規模な開墾に乗り出した。

**1** C—D—E—B—A　**2** C—E—D—A—B　**3** D—C—B—E—A
**4** D—C—E—A—B　**5** D—E—C—B—A

## 実戦問題の解説

### No.1 の解説　荘園制度

→問題はP.120　正答5

**1 ×　墾田永年私財法は奈良時代に発布された。**

墾田永年私財法は743年に発布されたものである。国司の支配下にある公領（国衙領）は口分田と同じ輸租田（租を納める義務のある田）で，不輸租（税を免除された田）が認められない限り，租を納めなければならない。輸租田ならば公領，荘園でも課税対象とされた。

**2 ×　後三条天皇の延久の荘園整理令は，藤原氏の荘園も審査の対象。**

1067年に藤原頼通が隠退すると，翌年後三条天皇が即位した。天皇は，1069年に延久の荘園整理令を出し，中央に**記録荘園券契所**を設置し，基準に合わない荘園を停止するなど，増加を抑えた。藤原氏の荘園も例外ではなく，荘園が整理・縮小された。院の荘園への寄進が集中したのは院政が始まってからである。

**3 ×　鎌倉幕府のおもな財源は公領・荘園からの収益。**

鎌倉幕府の経済的基盤は関東知行国（朝廷が将軍に与えた荘園所領）と関東御領（平氏から没収した荘園所領），関東進止の地（幕府が地頭の設置権を有する公領や荘園）で，公領・荘園に立脚した経済体制となっていた。幕府は地頭を通じて公領や荘園から年貢や兵粮米を徴収していた。

**4 ×　下地中分は鎌倉時代，守護請は室町時代に行われた。**

**下地中分**は鎌倉時代に行われたもの。鎌倉時代に増加した地頭の荘園侵略に対して荘園領主がとった対応策で，荘園領主が土地を二分し，一方を地頭に与えることで残りの部分に対する支配権の維持をねらった。足利幕府は**半済令**を出して，荘園領主を圧迫した。

**5 ◎　惣村は一揆の母体。**

正しい。室町時代になると，農民たちの自治的組織である惣村では惣掟が定められ，領主への年貢も惣村全体で一括して請け負う百姓請（地下（じげ）請・村請）が行われた。

## No.2 の解説　室町時代の土地制度

→問題はP.120　正答4

**1 ×　本領安堵は幕府や領主が土地の所有を承認し，保証した制度。**
本領安堵は将軍が御家人に対し先祖伝来の土地を保持することを保障する制度で，新しく土地を開墾した者には適用されなかった。

**2 ×　寄進者への租税免除である不輸の権は平安時代の土地制度。**
寄進による租税免除の特権（**不輸の権**）は平安時代の慣習で，武家政権が確立してからは年貢として徴収されるようになった。

**3 ×　下地中分は鎌倉時代の土地制度。**
下地中分は鎌倉時代に地頭の年貢横領や荘園侵略に対して荘園領主がとった措置で，荘園領主が地頭に土地の半分を与え，領主の残りの土地に対する支配権を確保しようとしたもの。

**4 ◎　室町時代には守護請が実施された。**
正しい。室町時代になると，守護が領主から荘園や公領の経営を任され，毎年一定の年貢徴収を請け負うようになった（**守護請**）。また，足利尊氏が半済令を出したことで，守護は徴収した年貢の半分を軍費として取得でき，地方武士にそれを分与する権限が認められ，守護の大名化が急速に進んだ。

**5 ×　村請制と分地制限令は江戸時代の土地制度。**
村請制と分地制限令は江戸時代に行われたもの。村請制は村の長である名主が納入責任者となって年貢を納入する制度。分地制限令は1673年に出された。

## No.3 の解説　明治政府の初期の財政と地租改正

→問題はP.121　正答5

**1 ×　新政府の当初の財源は旧幕府の債務も引き継ぎ不安定。**
1871年の廃藩置県から**1873年の地租改正**までは，複雑な算出方法による現物貢納が行われ，廃藩で諸藩の債務を引き継いだので，新政府の財政は不安定なものであった。

**2 ×　地租改正までは米価が変動し財政は不安定。**
政府の歳入の90％以上が地租によるものであり，地租改正で歳入が確保されるまでは，税の算出方法も複雑で財政は不安定であった。

**3 ×　地租の税率は変更され，1877年に2.5％に引き下げられた。**
地租改正は農民の税負担の軽減を最大の目的としたものではない。さらに地租が金納となっても小作人が地主に納める小作料は物納であったため，農民による**地租改正反対一揆**が各地で起こったので，政府は1877年に地租を３％から**2.5％に引き下げた**。

**4 ×　地租改正で農民の負担が減らなかったため一揆が各地で発生。**
地租改正は地主・自作農の土地所有が確定する一方で，政府は従来の年貢の収入を減らさない方針を貫いたため，農民の負担は重く，多くの農民の生活は従来よりも苦しくなった。

**5** ◎ **地租改正によって農民の私的土地所有が承認された。**

正しい。1880年代から小作地率が上昇し，1890年代には大地主が耕作から離れて農業経営を行わず，小作人に貸し付けて高額現物小作料を得るという**寄生地主化**の動きが盛んになった。

## No.4 の解説　7～11世紀における我が国の土地政策 →問題はP.122 正答4

A **財源確保のために直営方式の公営田・官田が設けられたのは９世紀。**

国家直営の公営田は９世紀に実施された。813年の石見国，823年に大宰府管内に置かれた財源確保のための直営田のほか，畿内に置かれた元慶（がんぎょう）官田が有名である。

B **後三条天皇の延久の荘園整理令が出されたのは1069年（平安時代）。**

後三条天皇による**延久の荘園整理令**は1069年に出された。太政官に設けられた記録荘園券契所によって荘園が厳しく審査され，摂関家の荘園も整理された。

C **三世一身法が出されたのは723年（奈良時代）。**

百万町歩の開墾計画は722年に出されたが頓挫した。新たに開墾した土地を３代に限って私有を認めるとする**三世一身法**は723年に施行された。

D **班田収授法が出されたのは大宝律令（701年）が作られたころ。**

班田収受の法（班田収授法）によって６歳以上の男女に口分田が班給されることとなったのは大宝律令（701年）が完成する過程である。６歳以上の男子には２段，女子には男子の３分の２が支給された。さらに，家人・私奴婢にも良民男女のそれぞれ３分の１が支給された。

E **墾田永年私財法が出されたのは743年（奈良時代）。**

三世一身法（723年）に不十分なところがあったことから**墾田永年私財法**が743年に制定された。これをきっかけに公地公民が崩れることとなり，私有地拡大に拍車をかけた。

よって，古い順に並べると，D—C—E—A—Bとなり，**4**が正しい。

# 11 対外交渉史

## 必修問題

**鎌倉時代から江戸時代までの我が国の対外関係に関する記述として最も妥当なのはどれか。** 【国家専門職・令和元年度】

**1** 13世紀後半，**元のフビライ＝ハン**は，日本に朝貢を求めたが，北条時宗はその要求に応じなかった。元は，文禄の役，慶長の役と二度にわたって日本に兵を派遣したが，高麗や南宋の援軍を得た日本軍は，集団戦法や火薬で圧倒し，元軍を二度とも退けた。

**2** 15世紀初め，国内を統一した足利義満は，対等な通交を求めてきた明に使者を送り，国交を開いた。この日明貿易では，正式な貿易船と海賊船とを区別するために**勘合**という証明書が用いられ，その後，16世紀半ばまで，室町幕府が貿易の実権を独占した。

**3** 16世紀半ばに始まった南蛮貿易では，主に，銅銭，薬草，生糸などを輸入し，刀剣，銅，硫黄などを輸出した。南蛮船で日本に来たキリスト教の宣教師は，布教活動を行ったが，キリスト教信者の増大を警戒した九州各地の大名によって国外に追放された。

**4** 17世紀，江戸幕府は当初，諸外国との貿易に意欲を出し，キリスト教を黙認していたが，後に貿易統制とキリスト教の禁教政策を強化していった。そして，異国や異民族との交流は長崎・対馬・薩摩・松前に限定され，**鎖国**と呼ばれる状態が完成した。

**5** 18世紀末以降，中国・ロシア・アメリカ合衆国などの諸外国が日本に開国を求めた。19世紀半ばには，アメリカ合衆国のペリーが二度来航したことを受け，江戸幕府は，自由貿易や下田・箱館の開港などを内容とする**日米和親条約**を結ぶこととなった。

難易度 ＊＊

## 必修問題の解説

対外交渉史は，古代から近世にかけて通史のパターンで出題されやすい。日本の各時代における中国や欧米との貿易取引（**2**，**3**，**4**，**5**）や，戦乱（**1**）などを把握しておきたい。

**1 ×** 蒙古襲来は文永の役と弘安の役。
文禄の役と慶長の役は豊臣秀吉が行った朝鮮出兵における戦いである。高麗軍や南宋を援軍としたのは元である。さらに，集団戦法と火薬は元軍が使用した。

**2 ×** 日明貿易は明への朝貢貿易。
足利義満時代の日明貿易（**勘合貿易**）は，明への朝貢貿易であり，対等な貿易とはいえない。15世紀後半になると日明貿易は幕府の手を離れ，大内氏が独占し，16世紀後半には衰退した。

**3 ×** 南蛮貿易での日本の輸出品は銅ではなく銀，刀剣，硫黄。
南蛮貿易では銅銭は輸入していない。日本からの輸出品は刀剣，銀，硫黄などである。南蛮船で日本に来たキリスト教の宣教師が布教したキリスト教は，特に九州の大名が信仰し，キリシタン大名となっていった。

**4 ◎** 徳川家光が３代将軍の頃に鎖国完成（1641年）。
島原の乱（1637～1638年）以降，幕府はキリスト教の禁教政策を強化し，鎖国を完成させた。

**5 ×** 18世紀末以降開国を要求したのは欧米。
日本に開国要求をした国に中国は含まれず，アメリカ，ロシアが中心である。1854年の日米和親条約には自由貿易の規定はなく，自由貿易については1858年の**日米修好通商条約**で取り決められた。

**正答 4**

## FOCUS

対外交渉史は外交，貿易，戦乱に分けられる。また，出題パターンとしては通史的に時代をまたぐ形で問題が多い。各時代ごとに日本との交流や貿易取引を丁寧にまとめておきたい。戦乱では原因と結果が問われやすい。

## POINT

### 重要ポイント 1 対外交渉

| 時代・時期 | 出来事 |
| --- | --- |
| 古墳時代 | 4～5世紀　儒教の伝来，6世紀　仏教の伝来 |
| 飛鳥時代 | 607年　遣隋使派遣（小野妹子）<br>・学問僧の旻，高向玄理，南淵請安らの留学生が遣隋使に同行<br>630年　遣唐使派遣（犬上御田鍬）<br>・阿倍仲麻呂，吉備真備，玄昉らが遣唐使に同行<br>663年　白村江の戦い（朝鮮から撤退） |
| 奈良時代 | 727～919年　渤海（中国東北部～ロシア沿海地方）から渤海使が34回来日<br>753年　鑑真の渡来　→765年　唐招提寺建立 |
| 平安時代 | 894年　遣唐使の中止<br>平氏政権　日宋貿易に力を入れる　→大輪田泊の修築<br>・輸入品：宋銭，陶磁器，香料<br>・輸出品：硫黄，木材，刀剣，扇 |
| 鎌倉時代 | 1325年　建長寺船が元に送られる |
| 室町時代 | 1342年　天竜寺船が元に送られる<br>14世紀後半～15世紀　倭寇の活発化（朝鮮半島での暴挙）<br>1404年　勘合貿易：明への朝貢形式，後に幕府から大内氏へ<br>1543年　種子島にポルトガル人によって鉄砲が伝来<br>1549年　ザビエルによるキリスト教の伝来 |
| 織豊政権 | 南蛮貿易が盛んになる（対ポルトガル・スペイン）<br>・輸入品：鉄砲，火薬，鉄，中国の生糸など<br>・輸出品：銀，刀剣，海産物，漆器など<br>〈豊臣秀吉〉<br>朱印船貿易を開始<br>朝鮮出兵　1592年　文禄の役<br>1597年　慶長の役　→秀吉の病死により撤退 |
| 江戸時代 | 朱印船貿易が盛んに　→南方の各地に日本町ができる（シャムの山田長政）<br>1604年　糸割符制度の創設：生糸の輸入の制限<br>1607年　朝鮮通信使の来日（以後将軍の代替わりに来日）<br>1631年　海外渡航船を奉書船に制限<br>1639年　ポルトガル船の来航を禁止<br>1641年　オランダ商館を長崎の出島に移す<br>→鎖国（以後，オランダ，中国，朝鮮に交渉を制限）<br>1825年　異国船打払令（清・オランダ以外の外国船をすべて撃退）<br>1853年　アメリカのペリーが来航 |

| 時代・時期 | 出来事 |
|---|---|
| 明治時代 | 1871年　日清修好条規を締結<br>1876年　日朝修好条規を結び，朝鮮を開国させる<br>1894年　日清戦争　→1895年　下関条約を締結<br>1904年　日露戦争　→1905年　ポーツマス条約を締結<br>1905年　韓国に統監府を設置　→初代統監は伊藤博文<br>1910年　韓国併合（朝鮮総督府の設置） |
| 大正時代 | 1914年　第一次世界大戦に参戦　→1919年　ヴェルサイユ条約<br>1915年　二十一カ条の要求　→袁世凱政府への要求<br>1919年　中国で排日運動が起こる――五・四運動<br>朝鮮で排日運動――三・一（独立）運動 |
| 昭和時代 | 1927年　山東出兵（中国での国民革命軍の北伐に対し，在留日本人の保護を口実に出兵）<br>1931年　柳条湖事件　→満州事変勃発<br>1932年　満州国樹立<br>1933年　国際連盟脱退<br>1937年　盧溝橋事件　→日中戦争<br>1941年　真珠湾攻撃　→太平洋戦争勃発<br>1945年　ポツダム宣言受諾<br>1956年　日ソ共同宣言に調印（鳩山内閣）→日本の国連加盟<br>1972年　沖縄返還（佐藤内閣）<br>日中共同声明発表　→日中国交正常化（田中内閣）<br>1978年　日中平和友好条約の締結（福田内閣） |

## 重要ポイント 2　鎖国に至る過程

鎖国政策はキリスト教の布教を禁じることと，幕府の貿易管理の強化が最大の目的で，鎖国によって幕藩体制が一層確立されていくことになった。

| | |
|---|---|
| 1600年 | オランダ船リーフデ号が豊後に漂着<br>→ヤン=ヨーステン，ウィリアム=アダムズが徳川家康の外交顧問に |
| 1612年 | 家康が天領に禁教令を出す　→翌年，全国に |
| 1616年 | 中国船以外の外国船入港地を平戸・長崎に制限 |
| 1623年 | イギリス人，平戸商館を閉鎖して退去 |
| 1624年 | スペイン船の来航禁止 |
| 1631年 | 奉書船制度の開始：特権的商人以外の派船を抑える |
| 1633年 | 奉書船以外の海外渡航を禁止 |
| 1635年 | 日本船の海外渡航を全面禁止・海外在住日本人の帰国禁止 |
| 1637年 | 島原の乱：益田（天草四郎）時貞を盟主とするキリシタンの反乱 |
| 1639年 | ポルトガル船の来航禁止 |
| 1641年 | オランダ商館を長崎の出島に移す |

## 実戦問題

**No.1** * **次は，わが国と過去に存在した中国王朝との関係に関する記述であるが，A，B，Cに当てはまるものの組合せとして最も妥当なのはどれか。**

【国家専門職・令和３年度】

○　小野妹子が[ A ]に派遣され，翌年に[ A ]の煬帝は使節をわが国に送った。また，[ A ]への留学生である高向玄理らは，中国の制度，思想，文化についての新知識をわが国に伝え，７世紀半ば以降の政治に大きな影響を与えた。

○　平清盛は，摂津の大輪田泊を修築して[ B ]の商人の畿内への招来に努め，貿易を推進した。[ B ]との貿易がもたらした多くの珍宝や銭貨，書籍はわが国の文化や経済に大きな影響を与え，その利潤は平氏政権の重要な経済的基盤となった。

○　足利義満は，倭寇と呼ばれる海賊集団と区別するために[ C ]から発給された勘合を用いて朝貢貿易を行った。この貿易は，滞在費，運搬費などをすべて[ C ]が負担したことから，わが国の利益は大きいものであった。

| | A | B | C |
|---|---|---|---|
| **1** | 隋 | 宋 | 明 |
| **2** | 隋 | 宋 | 清 |
| **3** | 隋 | 元 | 清 |
| **4** | 唐 | 宋 | 明 |
| **5** | 唐 | 元 | 清 |

**No.2** * **わが国の貿易に関する記述として，妥当なのはどれか。**

【地方上級（特別区）・平成22年度】

**1**　1167年に太政大臣となった平清盛を中心とする平氏政権は，多数の荘園と知行国を経済基盤とするほかに，摂津の大輪田泊を修築して，日宋貿易による利益拡大にも積極的に取り組んだ。

**2**　明を建てた洪武帝が，日本に倭寇の禁圧と朝貢を求めてきたために，足利義満は，1401年に博多商人の肥富や僧祖阿らを明に送って，明の冊封を受け入れ，1404年には，倭寇と区別するために朱印船貿易を始めた。

**3**　鉄砲の伝来以後，オランダの商船は九州の平戸や長崎などにも来航し，その後1584年から来航したイギリス船とともに貿易を行ったことから，当時の人々は彼らを南蛮人と呼んだので，これを南蛮貿易といった。

**4**　江戸幕府は，1609年にオランダ，1613年にイギリスと平戸で貿易を始め，西国大名や豪商に勘合を与えて，ルソンやカンボジアなど東南アジア諸国との貿易を行わせた。

**5**　江戸幕府は，1641年にオランダ東インド会社の商館を長崎の出島に移し，これ以後，場所を長崎に限定して，オランダ以外の諸国との交渉を閉ざすこととした。

**No.3*** 古代から近世にかけての対外交渉史に関する次の記述のうち，妥当なものはどれか。　【地方上級（関東型）・平成29年度】

**1**　平安初期までは遣唐使が派遣され，日本は政治的・文化的に大陸から大きな影響を受けた。平安前期に遣唐使が中止された後も，宋や高麗の商船が頻繁に来航し，大陸の文物が日本にもたらされた。

**2**　鎌倉時代には元による二度の襲来を受けた。当時の執権北条氏は元との和睦を望んだため御家人たちの信用を失い，北条氏の権威は低下した。

**3**　室町時代には明との間で勘合貿易が行われた。室町幕府が勘合符を発行し，その勘合符を持つ明の商人のみが貿易を許され，明の商人の日本での滞在費は室町幕府がすべて負担した。

**4**　戦国時代から織豊政権期にかけては，ヨーロッパの国々の貿易船がたびたび来航した。そのうちスペインとポルトガルは主に貿易を行い，イギリスとオランダは主に布教活動を行った。

**5**　江戸時代初期には鎖国が行われた。貿易が認められたのはオランダと中国のみで，それまで続けられていた朝鮮通信使も廃止された。

**No.4*** 中世～近世の日本の貿易史に関するア～エの記述のうち，妥当なもののみをすべて挙げているのはどれか。　【市役所・令和２年度】

ア：平安時代末期に成立した平氏政権は日宋貿易を行い，大量に輸入された宋銭が国内通貨として流通した。

イ：室町時代には中国の明との間で勘合貿易が行われていたが，３代将軍足利義満の時代に倭寇の活動が活発化すると，義満は勘合貿易をいったん停止した。

ウ：戦国時代にはスペイン・ポルトガル両国との南蛮貿易が始まり，中国産生糸や鉄砲などが輸入され，銀などが輸出された。

エ：江戸時代に入ると次第に貿易が制限されるようになり，最終的に日本に来航する貿易船はオランダ船のみとなった。

**1**　ア，イ
**2**　ア，ウ
**3**　ア，エ
**4**　イ，エ
**5**　ウ，エ

## 実戦問題の解説

### No.1 の解説　中国王朝との関係史

→問題はP.130　正答 1

A：**小野妹子が派遣されたのは隋。**
「隋」があてはまる。**小野妹子**は飛鳥時代の607年に聖徳太子の命令で遣隋使として隋に派遣された。**高向玄理**は遣隋使に同行し留学，帰国後に国博士となった。

B：**平清盛は日宋貿易を推し進めた。**
「宋」があてはまる。平安時代末期に平清盛は摂津（今の大阪府北部や兵庫県南東部）の**大輪田泊（今の神戸港）**を修築して，宋の商人を畿内に招来し，日宋貿易を盛んにした。日宋貿易の利益は平氏政権の経済基盤となった。

C：**足利義満は勘合貿易（日明貿易）を行った。**
「明」があてはまる。足利義満は室町幕府第３代将軍で，海賊と区別するために明から発給された勘合を用いて**朝貢貿易**を行った。滞在費や運搬費は明が負担したことから，勘合貿易での日本側の利益は大きく，室町幕府の財源となった。

よって，**A**が隋，**B**が宋，**C**が明となり，**1**の組み合わせが正しい。

### No.2 の解説　我が国の貿易

→問題はP.130　正答 1

**1** ◎ **平清盛は1159年の平治の乱で源義朝に勝利，その後に太政大臣に就任。**
正しい。平治の乱（1159年）で源義朝に勝利した平清盛は1167年に太政大臣となり，畿内から九州までの西国の武士を支配下に治め，知行国や荘園を経済基盤とする平氏政権を確立した。**摂津(せっつ)の大輪田泊(おおわだのとまり)（現在の神戸市）**を修築して，中国の北宋・南宋との**日宋貿易**を行い，日本からは金や木材・刀剣・漆器などを輸出し，宋からは宋銭・陶磁器・書籍などを輸入した。

**2** × **朱印船貿易は，豊臣秀吉時代・江戸時代初期に行われた貿易。**
３代将軍足利義満は1401年に明に正使として僧の祖阿(そあ)，副使として博多商人の肥富(こいつみ)を送って国交を開き，1404年に**日明貿易（勘合貿易）**を開始した。朱印船貿易は16世紀末から17世紀初頭に東南アジアへ向けて行われた貿易である。

**3** × **南蛮貿易はポルトガル・スペインとの貿易。**
1543年にポルトガル人が種子島に鉄砲を伝来した後，ポルトガルは1571年に開港された長崎に来航し，貿易を行うようになった。また，1584年に肥前の平戸にスペイン人が来航したことから，貿易が開始され，ポルトガル人，スペイン人を南蛮人と呼ぶようになり，両国との貿易を**南蛮貿易**といった。その後，オランダ商船は1609年，イギリス商船は1613年に入港し，日本では南蛮人と区別して，紅毛人と呼ばれた。

**4** × **勘合貿易は室町時代。江戸幕府が与えた渡航許可証は朱印状。**
江戸幕府は1609年にオランダに通商許可を，1613年にイギリスに通商許可を与え，平戸商館で貿易を行った。西国の大名や豪商には渡航許可証の**朱印状**を与えて，東南アジア諸国との貿易を行わせた。勘合は室町時代に日本と明との間で行われた勘合貿易で用いられた。

**5 ×** **1624年にスペイン船来航禁止，1639年にポルトガル船来航禁止。**
江戸幕府は1641年にオランダ商館を長崎の出島に移し，鎖国政策を実施したが，貿易船は**オランダ以外に，私貿易の中国船**の長崎への来航を認めた。また，**朝鮮通信使，琉球王国との交渉**も行われたため，国交をオランダのみに限定したわけではない。

## No.3 の解説　古代から近世にかけての対外交渉史

→問題はP.131　**正答 1**

**1 ◎** **894年に遣唐使を中止した後も宋・高麗との民間貿易は実施。**
630年に開始された遣唐使は，894年に**菅原道真**の建議で中止された。しかしその後も宋や高麗との民間貿易は頻繁に行われていた。

**2 ×** **北条時宗は元への服属を拒否。**
元は日本に服属を求めたが，８代執権北条時宗はそれを拒否したため，元と戦うことになった。後家人の幕府への信頼度か低下したのは恩賞がなかったためである。

**3 ×** **日明貿易の滞在費は明が負担。**
室町時代に行われた勘合貿易（日明貿易）では，勘合（勘合符）は明から交付され，倭寇と区別するために用いられた。日本が臣下の礼をとる**朝貢形式**の貿易だったため，明の商人の日本での滞在費は明が負担したので，貿易による日本の利益は大きなものだった。

**4 ×** **スペイン・ポルトガルは布教活動を目的に来日。**
1543年にポルトガル人が鉄砲を伝え，1549年にはスペイン人の**ザビエル**がキリスト教を伝えて以来，ポルトガル，スペイン両国と南蛮貿易が始まったが，両国は貿易だけでなく，キリスト教の布教活動も行っていた。徳川家康は1600年に漂着したリーフデ号のイギリス人ウィリアム=アダムズとオランダ人ヤン=ヨーステンを外交顧問とし両国と貿易を始めたが，オランダ，イギリスは布教活動を行わなかった。

**5 ×** **鎖国時代にもオランダ，中国，朝鮮通信使は日本に入国。**
徳川家光は貿易の独占を目的に鎖国政策を推進し，1639年にポルトガル船の来航を禁止，1641年にはオランダ商館を出島に移して，鎖国を完成させた。鎖国状態の中でも，**オランダと中国**とは長崎で貿易を続け，朝鮮からは将軍の代替わりごとに**朝鮮通信使**が来日していた。

## No.4 の解説 貿易史

→問題はP.131 正答2

**ア 平氏政権が行った日宋貿易では宋銭が大量に輸入された。**

妥当である。宋から宋銭，陶磁器，香料，薬品，書籍を輸入した。宋銭は宋で鋳造された銅銭のことで，平氏政権は大量の宋銭を輸入して，政権の財源とした。日本からは金・水銀・硫黄・刀剣・漆器・扇を輸出した。

**イ 足利義満は勘合貿易を開始し，朝貢貿易を受け入れた。**

1401年に３代将軍足利義満が明と国交を開き，明の洪武帝は倭寇の取り締まりと朝貢貿易を命じたのを受け，1404年には永楽帝との間に**勘合貿易**（日明貿易）を開始した。４代将軍足利義持は朝貢貿易を嫌い勘合貿易を中断したが，６代将軍足利義教が再開した。この貿易では明側が滞在費・運搬費を負担したので日本の利益は大きかったが，応仁の乱後には，堺商人と結んだ細川氏と博多商人と結んだ大内氏が貿易の実権を握った。1523年以降は大内氏がこの貿易を独占したが，16世紀後半には大内氏が滅亡し勘合貿易も廃止された。

**ウ 南蛮貿易では生糸・鉄砲などを輸入し銀などを輸出した。**

妥当である。1543年に種子島に漂着したポルトガル人が鉄砲を伝えたことをきっかけに，ポルトガル人とスペイン人が来航した。この頃ポルトガル人とスペイン人を南蛮人と呼んでいたので，貿易を南蛮貿易という。この貿易では中国産の生糸や鉄砲などを日本が輸入し，日本からは銀が輸出された。

**エ 長崎で中国，出島でオランダとの貿易を行った。**

江戸時代初期には徳川家康によって朱印船貿易が行われた。３代将軍の徳川家光の時代になると，鎖国政策がとられるようになり，1624年にはスペイン船の来航を，1639年にはポルトガル船の来航を禁止し，さらに，1641年の平戸のオランダ商館を長崎出島へ移して，長崎奉行の監視下に置かれることになった。

よって，**ア**と**ウ**が正しく，正答は**2**である。

# 世界史

## 第１章　西洋史（古代・中世）

テーマ 1　古代文明
テーマ 2　ローマ帝国分裂後のヨーロッパ

## 第２章　西洋史（近代）

テーマ 3　ルネサンスと宗教改革
テーマ 4　近代国家の形成
テーマ 5　市民革命・産業革命

## 第３章　西洋史（現代）

テーマ 6　列強の帝国主義政策
テーマ 7　第一次世界大戦前後
テーマ 8　第二次世界大戦後の情勢

## 第４章　イスラーム史・東洋史

テーマ 9　イスラーム世界の発展
テーマ 10　朝鮮半島の王朝史
テーマ 11　中国王朝史

# 試験別出題傾向と対策

| 試験名 | | 国家総合職 | | | | | 国家一般職 | | | | | 国家専門職（国税専門官） | | | | |
|---|---|---|---|---|---|---|---|---|---|---|---|---|---|---|---|---|
| 頻出度 | 年度 | 21-23 | 24-26 | 27-29 | 30-2 | 3-5 | 21-23 | 24-26 | 27-29 | 30-2 | 3-5 | 21-23 | 24-26 | 27-29 | 30-2 | 3-5 |
| | テーマ　出題数 | 1 | 0 | 0 | 0 | 0 | 1 | 0 | 0 | 0 | 0 | 0 | 0 | 0 | 0 | 1 |
| C | 1 古代文明 | | | | | | 1 | | | | | | | | | |
| C | 2 ローマ帝国分裂後のヨーロッパ | 1 | | | | | | | | | | | | | | 1 |

古代史では，先史時代や人類の出現に関する出題はまったく見られない。最も古い時代からの出題は古代文明からである。ほとんどがエジプト・メソポタミア・インダス・中国の４つの文明に関する記述について正誤を問う形式になっており，個々の文明，たとえばエジプト文明のみを問うような問題は出題されていない。必ず古代文明を同時に問うパターンで出題されるので，それぞれの文明の特徴を正確に把握していることが重要である。

古代文明以降では，古代ギリシャ・ローマから出題されているが，出題頻度は低い。しかし，今後出題される可能性がまったくないとはいえないので，ある程度対応できるようにしておくことが必要である。

### ●国家総合職

出題形式は単純正誤形式だが，全般的に選択肢の記述が長文化する傾向が続いている。難易度は高くなっており，欧米史に不可欠なキリスト教を含む歴史に関する広い教養と深い理解が要求されている。また，近年，中国史やイスラーム（トルコ）関連の出題も見られる。

### ●国家一般職

出題形式はほとんどが単純正誤形式で，世界史上重要な出来事が問われている。古代・中世からの出題は少ないものの，近年では世界の歴史的建造物・遺跡（マチュ=ピチュ遺跡，スレイマン１世モスク等）が問われた例もある。世界遺産なども今後出題される可能性があるので，古代・中世の歴史的遺産は把握しておくことが重要であると言える。

### ●国家専門職

出題形式は，歴史的事実を問う単純正誤形式となっている。これまで近・現代史を重視した出題が多く，古代・中世からの出題頻度は低めであったが，近年，中世ヨーロッパが出題された。古代・中世の重要ポイントは学習しておいたほうがよいだろう。著名なローマ教皇の動きや重要な宗教会議なども学習しておきたい。

| | 地方上級（全国型） | | | | | 地方上級（東京都） | | | | | 地方上級（特別区） | | | | | 市役所（C日程） | | | | |
|---|---|---|---|---|---|---|---|---|---|---|---|---|---|---|---|---|---|---|---|---|
| | 21-23 | 24-26 | 27-29 | 30-2 | 3-4 | 21-23 | 24-26 | 27-29 | 30-2 | 3-5 | 21-23 | 24-26 | 27-29 | 30-2 | 3-5 | 21-23 | 24-25 | 27-29 | 30-2 | 3-4 |
| | 0 | 1 | 0 | 0 | 0 | 1 | 0 | 0 | 0 | 0 | 0 | 1 | 1 | 1 | 1 | 1 | 0 | 0 | 0 | 0 |
| テーマ1 | | | | | | | | | | | | | | | | | | | | |
| テーマ2 | | 1 | | | | 1 | | | | | | 1 | 1 | 1 | 1 | 1 | | | | |

### ●地方上級

問われる時代は多岐にわたっており，近年の傾向としては古代・中世からの出題頻度は低めである。

**全国型**では，ヨーロッパ史とアジア史から出題されている。ここ数年古代からの出題はほとんど見られないが，今後，四大文明や古代ギリシャ・ローマに関して出題される可能性もありうる。中世では，ローマ帝国分裂後の地中海周辺地域に関して出題されており，ビザンツ帝国，フランク王国，神聖ローマ帝国について確実に理解しておきたい。

**関東型**では，例年全国型と共通問題が出題されることが多い。古代・中世に関しては基礎的知識が要求されている。

**中部・北陸型**では，全国型・関東型と共通問題が見られるが，古代・中世からの出題頻度は低い。

### ●東京都・特別区

東京都では，古代・中世からの出題は非常に少ない傾向にある。5年に一度程度で，四大文明，ローマの歴史やローマ帝国分裂後のヨーロッパの歴史が問われている程度である。出題頻度が高くないとはいえ，一般常識的な最低限の知識だけは身に着けておきたい。

特別区では，単純正誤問題で出題されているが，古代・中世の歴史を問う問題は出題頻度が低いとはいえ，まったく出題されていないわけではなく，近年ではローマ帝国の出題も見られるので，古代や中世の歴史事項や王国・帝国でよく知られているものの内容は覚えておきたい。

### ●市役所

市役所では，古代・中世からの出題頻度は低い。22年度にローマ史が出題されているが，その他の年には出題が見られない。しかし，今後もあまり出題されていない穴場として出題される可能性があるので，ギリシャ・ローマなど一度は目を通しておきたいところである。

# 1 古代文明

## 必修問題

**ローマ帝国に関する記述として，妥当なのはどれか。**

【地方上級（特別区）・令和３年度】

**1** オクタウィアヌスは，アントニウス，レピドゥスと第２回三頭政治を行い，紀元前31年には**アクティウムの海戦**でエジプトのクレオパトラと結んだアントニウスを破り，前27年に元老院から**アウグストゥス**の称号を与えられた。

**2** ３世紀末，テオドシウス帝は，２人の正帝と２人の副帝が帝国統治にあたる四分統治制を敷き，皇帝権力を強化し，以後の帝政はドミナトゥスと呼ばれた。

**3** コンスタンティヌス帝は，313年に**ミラノ勅令**でキリスト教を公認し，また，325年にはニケーア公会議を開催し，アリウス派を正統教義とした。

**4** ローマ帝国は，395年，テオドシウス帝の死後に分裂し，その後，西ローマ帝国は１千年以上続いたが，東ローマ帝国は476年に滅亡した。

**5** ローマ法は，はじめローマ市民だけに適用される市民法だったが，やがて全ての市民に適用される万民法としての性格を強め，６世紀には，**ユスティニアヌス帝**の命令で，法学者キケロらによってローマ法大全として集大成された。

難易度　＊

## 必修問題の解説

ローマ帝国は共和政時代の紀元前60年に第１回三頭政治（カエサル・ポンペイウス・クラッスス），紀元前43年に第２回三頭政治（オクタウィアヌス・アントニウス・レピドゥス）が行われた（**1**）。紀元前27年にオクタウィアヌスが初代ローマ皇帝となってローマ帝国が始まった。395年には西ローマ帝国と東ローマ帝国（ビザンツ帝国）に分裂し（**4**），その後，西ローマ帝国の滅亡後，フランク王国が誕生した。

**1 ◎ オクタウィアヌスはクレオパトラ・アントニウス連合軍を撃破。**
オクタウィアヌスは紀元前43年にアントニウスとレピドゥスとともに政治同盟を結び第2回三頭政治を行ったが，アクティウムの海戦でクレオパトラ・アントニウス連合軍を破り，元老院から**アウグストゥス**（尊厳者）の称号を与えられて，初代ローマ皇帝に即位した。

**2 × 四分統治制とドミナトゥス（専制君主政）はディオクレティアヌス帝。**
284年に即位したディオクレティアヌス帝は286年に帝国を東西に二分し，自らが東の正帝として，マクシミアヌスが西の正帝として統治する体制をとった。293年にはそれぞれに副帝を置いたことから，正帝と副帝の2人ずつが統治する**四分統治制**（四帝分治制・テトラルキア）の体制をとり，ディオクレティアヌス帝のみが実際の統治権を持つ**ドミナトゥス**（専制君主政）を行った。

**3 × ニケーア公会議でアタナシウス派（三位一体説）が正統教義とされた。**
ミラノ勅令については正しい記述である。325年のニケーア公会議は，キリスト教の正統な教義を決定する最高会議で，アリウス派ではなく**アタナシウス派**を正統教義とした。アリウス派は異端とされた。

**4 × 西ローマ帝国は476年に滅亡。東ローマ帝国は1千年以上続いた。**
テオドシウス帝の死とともに東西にローマ帝国は分裂し，1453年にオスマン帝国がコンスタンティノープルを陥落させ，東ローマ帝国（ビザンツ帝国）は1453年に滅亡した。

**5 × 『ローマ法大全』は法学者トリボニアヌスが編纂。**
『ローマ法大全』は6世紀にビザンツ皇帝のユスティニアヌス帝の命令で，法学者のトリボニアヌスが中心となって編纂したローマ法を集大成した法典。古代ローマの市民に適用された法律であるローマ法は，ローマ市民権を持つ者だけに適用される市民法だったが，3世紀に帝国内のすべての自由人に拡大され，万民法となった。キケロは共和政ローマ時代の政治家・哲学者であり，文筆家でもあった人物で，『国家論』が代表作である。

**正答 1**

## FOCUS

古代では，近年ローマ帝国が頻出テーマとなっている。帝国の成立過程と歴代の有名な皇帝の政策，キリスト教対策などチェックしておきたい。

# POINT

## 重要ポイント1 古代文明

| | |
|---|---|
| エジプト文明（紀元前3000年～1100年頃） | ナイル川を中心とした世界最古の農耕文明。ノモス（部族国家）の分立　→前3000年頃，王により統一（古王国→中王国→新王国）<br>ピラミッド・スフィンクス・神聖文字・太陽暦・10進法 |
| メソポタミア文明（紀元前3500年～1500年頃） | ティグリス川・ユーフラテス川流域にシュメール人が都市を形成<br>→アッカド人が征服　→アムル人がバビロン第１王朝を建国<br>ハンムラビ法典・楔形文字・太陰暦・60進法・１週７日制 |
| インダス文明（紀元前2300年～1800年頃） | インダス川流域に建設されたドラヴィダ人による文明（遺跡はハラッパー，モエンジョ＝ダーロ）　→アーリヤ人が侵入<br>排水溝のある街路・青銅器・彩文土器・印章・インダス文字 |
| 中国文明（紀元前5000年～1500年頃） | 仰韶(ぎょうしょう)文化：前5000～前3000年頃。磨製石斧や彩文土器を用いる<br>竜山文化：前2500～前2000年頃。邑(ゆう)（村落）を形成，牛・馬を飼育<br>殷：前1500年頃。青銅器・甲骨文字の使用 |

## 重要ポイント2 古代ギリシャ・ローマ

| | |
|---|---|
| 古代ギリシャ | 前６世紀：ソロンによる改革（財産政治）→非合法に独裁権を握る僭主(せんしゅ)が出現（僭主政治）　→クレイステネスが陶片追放の制を設ける。<br>前５世紀：ペルシア戦争後，アテネではペリクレスによって直接民主政が行われる。<br>前４世紀：前431年のペロポネソス戦争を契機に，ポリス社会は混乱，前４世紀後半，マケドニアのフィリッポス２世に征服された。 |
| ヘレニズム時代 | 前334～前324年，マケドニアのアレクサンドロス大王が東方遠征によりエジプト～インドに至る大帝国を築く。ヘレニズム文化が繁栄。 |
| 古代ローマ | 前６世紀：共和政時代　→前５世紀：護民官制度が確立。十二表法，リキニウス=セクスティウス法，ホルテンシウス法により法律が整う　→ポエニ戦争でカルタゴを支配下に　→三頭政治　→前27年，ローマ帝国の成立（元首政。最盛期は五賢帝時代）<br>３世紀：軍人皇帝の時代　→専制君主政時代　→395年，東ローマ帝国（ビザンツ帝国）と西ローマ帝国に分裂 |

## 重要ポイント3 小アジアと東地中海世界

**小アジア**

**ヒッタイト**：前16世紀にバビロン第１王朝（古バビロニア王国）を滅ぼす。馬と戦車使用・鉄製武器使用

**東地中海**

**アラム人**：前12世紀～前８世紀　シリアが拠点・内陸貿易・アラム文字

**フェニキア人**：前12世紀にはエーゲ文明後海上貿易独占・植民市建設（カルタゴ）・フェニキア文字（アルファベットの起源・表音文字）

**ヘブライ人**：選民思想・ユダヤ教・『旧約聖書』・前10世紀にイスラエル王国とユダ王国に分裂

## 重要ポイント4 古代イラン

**アケメネス朝ペルシア（前550～前330年）**

**ゾロアスター教**：ゾロアスターが創始した宗教で，アケメネス朝が保護
**ダレイオス１世**：大帝国建設・サトラップ（知事）設置・フェニキア人との貿易保護　→ペルシア戦争（前500～前449年）でアテネに敗北
**ダレイオス３世**：紀元前333年イッソスの戦いでアレクサンドロス大王に敗北
→紀元前331年アルベラの戦いでアレクサンドロス大王に敗北
→前330年帝国滅亡

**ササン朝ペルシア（224～651年）**

**ゾロアスター教**：ササン朝で国教化・拝火教ともいう・中国では祆教（けんきょう）
**ホスロー１世**：ビザンツ帝国ユスティニアヌス帝と交戦・ササン朝全盛期
**ヤズデギルト３世**：ニハーヴァンドの戦い（642年）でイスラーム軍（正統カリフ時代）に敗北し，事実上崩壊

## 重要ポイント5 インドの諸王朝

| | |
|---|---|
| マウリヤ朝 | 前317年頃～前180年頃にチャンドラグプタが建国。前３世紀のアショーカ王時代が全盛期。アショーカ王は仏教を保護した。 |
| クシャーナ朝 | １世紀～３世紀，西北インドからガンジス川中流域にかけて建国。２世紀のカニシカ王時代が全盛期。大乗仏教，ガンダーラ美術が栄えた。 |
| グプタ朝 | 320年頃～550年頃におこった北インドの統一国家。チャンドラグプタ２世時代が全盛期。純インド的仏教美術がおこる(アジャンター石窟寺院)。 |

## 重要ポイント6 モンゴル高原

匈奴（きょうど）（前４世紀末～１世紀・騎馬遊牧民）→冒頓単于が前209年にモンゴル高原を統一・匈奴の全盛期　→前200年に前漢の高祖（劉邦）を破り，和平条約締結
鮮卑（せんぴ）（２世紀半ばに全モンゴル支配・遊牧民）→４世紀北魏建国
柔然（じゅうぜん）（５～６世紀・モンゴル系遊牧民）→５世紀にタリム盆地支配
突厥（とっけつ）（552～744年・トルコ系遊牧民）→柔然征服後，モンゴル高原・中央アジア

## 実戦問題

### No.1 文字の発明に関する次の記述のうち，妥当なのはどれか。

【国家一般職・平成６年度】

**1** 楔形文字は，ティグリス川とユーフラテス川に挟まれたメソポタミア地方に「粘土の文明」といわれる文明をつくり上げたアッカド人によって発明された。この文字で書かれた遺物としてはナポレオンが発見したロゼッタ石がある。

**2** インダス文字は，ガンジス川流域に都市国家をつくり，下水道を持つ立派な街路や公共浴場など建造物が整然と並ぶハラッパーやモヘンジョ＝ダロの遺跡に代表される文明をつくり上げたアーリア人によって発明された。

**3** フェニキア文字は，アルファベットのもととなった表音文字であり，地中海東岸に都市国家をつくり，航海民族として活躍したヘブライ人によって発明された。この文字で書かれた遺物としてはハンムラビ法典がある。

**4** 神聖文字と呼ばれる象形文字は，ナイル川中・下流域にファラオと呼ばれる国王によって支配され，発達した測地術や太陽暦の使用で知られるエジプトで発明された。この文字は後に表音文字に発達し，パピルスや陶片に記された。

**5** 甲骨文字は，漢字の始まりとされ，黄河流域に優れた青銅器を持つ都市国家をつくり上げた中国最古の王朝である周の時代に発明された。この文字が刻まれた竹簡は主要な政治や経済生活に関する占いに用いられた。

### No.2 ローマの歴史に関する記述として，妥当なのはどれか。

【地方上級（東京都）・平成21年度】

**1** ローマは，数回にわたって行われたポエニ戦争によりギリシャに勝ち，次第に領土を広げて地中海の覇権をにぎるようになった。

**2** カエサルは，クラッススやタキトゥスと結んで第２回三頭政治を始め，ガリア地方を平定した後にポンペイウスを破って独裁者となった。

**3** オクタヴィアヌスは，クレオパトラと結んだアントニウスを破り，地中海世界を統一し，元老院からアウグストゥスの称号を受け，帝政が始まった。

**4** 五賢帝時代は，ローマが最も安定した時期で，テオドシウス帝のとき領土は最大に達し，ローマ市民権が帝国内の全自由民に与えられた。

**5** コンスタンティヌス帝は，ローマ帝国が東西に分裂したことから，東ローマ帝国の首都をビザンティウムに定め，コンスタンティノープルと改称した。

＊＊
**No.3 ローマ帝国に関する記述として，妥当なのはどれか。**

【地方上級（特別区）・平成25年度】

**1** 元老院からアウグストゥス（尊厳者）の称号をあたえられたオクタヴィアヌスは，共和政の伝統を尊重しながらも，専制君主政（ドミナートゥス）と呼ばれる統治を始めた。

**2** 二人の正帝と二人の副帝をおく四分統治を始めたディオクレティアヌス帝は，皇帝の権威を高めるため，元首政（プリンキパトゥス）と呼ばれる体制をうち立てた。

**3** テオドシウス帝は，ミラノ勅令でキリスト教を公認し，ニケーア公会議を開いて，三位一体説をとるアタナシウス派を正統とし，キリスト教の教義の統一をはかった。

**4** コンスタンティヌス帝は，財政基盤を整備するため，コロヌスを土地にしばりつけて税収入を確保し，人々の身分や職業を世襲化し，また，都をローマからビザンティウムに移し，コンスタンティノープルと改称した。

**5** 帝国を東西に分割したユスティニアヌス帝の死後，東ローマ帝国（ビザンツ帝国）はなお1000年以上続くが，西ローマ帝国はゲルマン民族の傭兵隊長オドアケルによって滅ぼされた。

## 実戦問題の解説

### No.1 の解説　文字の発明

→問題はP.142　正答4

最古の文字は紀元前3000年頃にメソポタミア文明を築いたシュメール人によって発明された**楔形文字**(くさびがた)で，次いでエジプト文明やインダス文明で用いられた**インダス文字**，紀元前2000年頃，黄河文明の殷で用いられ，漢字の最古のものとされる**甲骨文字**がある。また，紀元前2000年頃にフェニキア人によって発明された**フェニキア文字**は紀元前700年にギリシャ人に伝えられ，ギリシャ・アルファベットとなり，のちのラテン文字やロシア文字に影響を与えた。

**1×　楔形文字はメソポタミア文明を発展させたシュメール人が発明。**
楔形文字は**シュメール人**が発展させた象形文字で，**粘土板**に葦の茎や金属などの硬いもので刻み込まれた。アッカド人はシュメール人の都市を滅ぼして最初の統一王朝を築いた民族。また，ロゼッタ石は1799年にナポレオンのエジプト遠征の際にナイル川河口で発見されたもので，1822年にフランスのエジプト学者シャンポリオンが神聖文字（ヒエログリフ）を解読した。

**2×　インダス文字が用いられたインダス文明はインダス川流域で発展。**
インダス文明はインド東部のガンジス川ではなく，西部を流れるインダス川の中・下流域におこった文明。インダス文字はドラヴィダ人が使用した印章に刻まれた象形文字で印章文字ともいわれているが，未解読である。アーリア人は前1500年頃にインド西北部に侵入した。

**3×　フェニキア文字はフェニキア人のつくった表音文字。**
フェニキア文字は前12世紀頃に現在のレバノン海岸付近で活動したフェニキア人が発明した。ハンムラビ法典は古バビロニア王国のハンムラビ王が制定。

**4◎　神聖文字は絵文字から発達したエジプトの象形文字。**
正しい。象形文字の中の**神聖文字（ヒエログリフ）**は絵文字の中から発達した最初のエジプト文字である。

**5×　甲骨文字は殷の時代に発明された。**
甲骨文字は**殷**(いん)で使用された。この文字は獣の骨に刻まれており，殷の首都であった殷墟(いんきょ)から出土した。周は殷の後におこった王朝である。

### No.2 の解説　ローマの歴史

→問題はP.142　正答3

**1×　ポエニ戦争とはローマとフェニキアの植民市カルタゴとの戦い。**
ポエニ戦争は３回にわたってローマとフェニキアの**植民市カルタゴ（現在のチュニジア）**とが戦い，ローマが勝利した戦いである。これによって，ローマはアフリカ大陸進出の足がかりを築いた。なお，ポエニ戦争は第１回が紀元前264～紀元前241年，第２回が紀元前218～紀元前201年，第３回が紀元前149～紀元前146年に行われた。

**2 ×** **カエサルはポンペイウス・クラッススと結んだ第1回三頭政治を行った。**
カエサルは紀元前60年に**第1回三頭政治**を始めた。ガリア遠征（紀元前58年～紀元前51年）でゲルマン人やケルト人を征服後，紀元前49年にポンペイウスを破って独裁者となった。なお，第2回三頭政治はカエサルの死後，アントニウス・オクタヴィ（ウィ）アヌス・レピドゥスによって行われた政治のこと。タキトゥスはローマの歴史家・政治家で，『年代記』，『ローマ帝政時代』の著者である。

**3 ◎** **初代ローマ帝国皇帝に即位したのがオクタヴィアヌス。**
正しい。**紀元前31年にアクティウムの海戦**でオクタヴィ（ウィ）アヌスはアントニウスとクレオパトラの連合軍を破り，地中海世界を統一し，元老院からアウグストゥス（尊厳者）の称号を授与され，紀元前27年に帝政を開始した。

**4 ×** **五賢帝時代がローマの全盛期で，トラヤヌス帝時代が領土最大。**
ネルヴァ（在位96～98年），トラヤヌス（在位98～117年），ハドリアヌス（在位117～138年），アントニヌス=ピウス（在位138～161年），マルクス=アウレリウス=アントニヌス（在位161～180年）の5人の五賢帝時代はローマの全盛期で，5人のうちの**2番目の皇帝トラヤヌス帝**の時代に領土が最大に達した。テオドシウス帝は392年にキリスト教をローマ帝国の国教とした皇帝である。212年にアントニヌス勅令で，ローマ市民権を帝国内の自由民に与えたのは，カラカラ帝である。

**5 ×** **コンスタンティノープル遷都は330年，テオドシウス帝の東西分割は395年。**
コンスタンティヌス帝はローマ帝国の首都を330年にローマからビザンティウムに遷都し，そこをコンスタンティノープルと改称した皇帝である。ローマ帝国が東西に分裂したのは395年のことで，**テオドシウス帝**の時代である。

## No.3 の解説 ローマ帝国

→問題はP.143 **正答4**

**1 ×** カエサルの養子のオクタヴィアヌスは初代ローマ帝国皇帝となり，**元首政**を開始した。この政治形態は，実際には，皇帝の独裁政治であった。専制君主政（ドミナートゥス）はディオクレティアヌス帝が開始した。

**2 ×** キリスト教徒大迫害で知られるディオクレティアヌス帝は専制君主政を始めた皇帝である。

**3 ×** 313年にコンスタンティヌス帝はキリスト教を公認する**ミラノ勅令**を出した。

**4 ◎** 正しい。コンスタンティヌス帝はコロヌスを土地にしばりつけ，身分や職業は世襲化し，さらに，330年には首都をローマから**コンスタンティノープルに遷都**した。

**5 ×** 395年にテオドシウス帝は2人の子供にローマ帝国を東西に分割して分与した。これによって，ローマ帝国は**西ローマ帝国と東ローマ帝国に分裂**した。

# ローマ帝国分裂後のヨーロッパ

## 必修問題

**次の文は，ビザンツ帝国に関する記述であるが，文中の空所A～Cに該当する語または語句の組合せとして，妥当なのはどれか。**

【地方上級（特別区）・平成30年度】

ローマ帝国の東西分裂後，西ローマ帝国は[ A ]の混乱の中で滅亡したが，東ヨーロッパでは，ビザンツ帝国が**ギリシア正教**とギリシア古典文化を融合した独自の文化的世界をつくり，商業と貨幣経済は繁栄を続けた。ビザンツ帝国の首都[ B ]は，アジアとヨーロッパを結ぶ貿易都市として栄え，**ユスティニアヌス帝**の時代には，一時的に地中海のほぼ全域にローマ帝国を復活させた。

しかし，7世紀以降，ビザンツ帝国の領土は東西ヨーロッパの諸勢力やイスラーム諸王朝に奪われ縮小し，1453年に[ C ]により滅ぼされた。

| | A | B | C |
|---|---|---|---|
| **1** | 十字軍の遠征 | アレクサンドリア | オスマン帝国 |
| **2** | 十字軍の遠征 | コンスタンティノープル | ササン朝ペルシア |
| **3** | ゲルマン人の大移動 | アレクサンドリア | ササン朝ペルシア |
| **4** | ゲルマン人の大移動 | コンスタンティノープル | オスマン帝国 |
| **5** | ゲルマン人の大移動 | アンティオキア | ササン朝ペルシア |

難易度 ＊

## 必修問題の解説

ビザンツ帝国は東ローマ帝国とも称され，395年から1453年まで今のギリシャとトルコで栄えた帝国である。コンスタンティノープルを首都とし（B），６世紀のユスティニアヌス帝の時代が全盛期である。1453年にはオスマン帝国のメフメト２世によって，コンスタンティノープルが陥落し滅亡した（C）。

**A**：ローマ帝国の分裂の原因はゲルマン人の大移動。

「**ゲルマン人の大移動**」が当てはまる。ゲルマン人の大移動は375年に開始された。395年にローマ帝国に分裂した後に成立した西ローマ帝国（395～476年）は，ゲルマン人傭兵隊長**オドアケル**によって滅ぼされた。十字軍の遠征は1096年に開始され，1270年に終了した遠征で，11世紀末から13世紀末にかけて行われたため当てはまらない。

**B**：アジアとヨーロッパを結ぶ都市はイスタンブル。

「**コンスタンティノープル**」が当てはまる。コンスタンティノープルは現在のイスタンブルである。ビザンツ帝国の首都として，アジアとヨーロッパを結ぶ貿易で栄えた都市であった。アレクサンドリアとアンティオキアはどちらもヘレニズム世界の中心で，アレクサンドリアは東方遠征を行ったアレクサンドロス大王の部下であったプトマイオスが成立させたプトレマイオス朝エジプト（紀元前304～紀元前30年）の首都である。アンティオキアはアレクサンドロス大王の部下のセレウコスが成立させたセレウコス朝シリア（紀元前312～紀元前64年）の首都である。

**C**：ビザンツ帝国を滅亡させたのはオスマン帝国。

「**オスマン帝国**」が当てはまる。ビザンツ帝国は1453年にオスマン帝国の第７代スルタンの**メフメト２世**によって攻略され，滅亡した。メフメト２世はコンスタンティノープルをイスタンブルとしオスマン帝国の首都とした。ササン朝ペルシア（224～651年）はイラン高原に成立した王朝であるが，642年のニハーヴァントの戦いで，イスラーム軍に敗れた後，７世紀に滅亡している。

よって，正答は**4**である。

**正答 4**

## FOCUS

中世ヨーロッパは4世紀後半から始まり，その後一千年続くが，ビザンツ帝国，ローマ教皇の動向，十字軍遠征，叙任権闘争など，中世特有の歴史事項や出来事を十分に把握しておきたい。

## POINT

### 重要ポイント1 フランク王国

●**メロヴィング朝**（481～751年）

**クローヴィス**により開かれる。ニケーア公会議（325年）で正統とされた**アタナシウス派**キリスト教に改宗したことから，ローマ人との関係も親密になった。

●**カロリング朝**（751～987年）

**ピピン**がローマ教皇の支持を得て開く。800年に**カール大帝**が西ローマ帝国の後継者として教皇レオ３世により戴冠された。カールの死後，フランク王国はヴェルダン条約とメルセン条約により東・西フランクとイタリアの３国に分裂した。

### 重要ポイント2 十字軍遠征

**セルジューク・トルコ（イスラーム教徒）**の小アジア進出に悩んでいたビザンツ皇帝の救援依頼を受けて，**ローマ教皇ウルバヌス２世**が，1095年にクレルモン公会議を開き，聖地イェルサレムを奪還する目的で十字軍の遠征が決まった。

７回にわたり実施されたが，失敗が相次ぎ，荘園制の崩壊などで諸侯や騎士階級が没落する一方，国王権は伸張し，イタリア諸都市が東方貿易で発達した。

| 十字軍 | 指導者 | 発端・目的 | 結　果 |
|---|---|---|---|
| 第１回<br>1096~99年 | フランス諸侯 | セルジューク・トルコの聖地占領 | 聖地奪回<br>→イェルサレム王国建国 |
| 第２回<br>1147~49年 | 神聖ローマ皇帝<br>仏王ルイ７世 | セルジューク・トルコが勢力回復 | ダマスクスで敗退 |
| 第３回<br>1189~92年 | 神聖ローマ皇帝<br>仏王フィリップ２世・英王リチャード１世 | エジプト（アイユーブ朝: 1169～1250年）のサラディンがイェルサレム王国を滅ぼす | 英王と仏王の反目<br>英王が単独でサラディンと休戦<br>→聖地回復失敗 |
| 第４回<br>1202~04年 | ヴェネツィア人 | インノケンティウス３世が提唱 | ヴェネツィア人が商敵のコンスタンティノープルにラテン帝国建国（1204～61年） |
| 第５回<br>1228~29年 | 神聖ローマ皇帝<br>フリードリヒ２世 | ローマ教皇から強要されて実施 | 聖地の一時回復（永続せず） |
| 第６回<br>1248~54年 | 仏王ルイ９世 | イスラーム教徒の根拠地であるエジプトを攻撃 | 敗退 |
| 第７回<br>1270年 | 仏王ルイ９世 | チュニスを攻撃<br>最後の十字軍 | ルイ９世が病没・十字軍の拠点アッコンが陥落→敗退 |

## 重要ポイント 3 教皇権の盛衰

**インノケンティウス3世**のときにローマ教皇の権限が最大になったが，その後，十字軍の失敗から教皇の権威は徐々に衰え，教皇のバビロン捕囚などの屈辱的な出来事も起きた。

| | |
|---|---|
| グレゴリウス7世 | 聖職叙任権を巡り神聖ローマ皇帝との間で叙任権闘争が起こり，ハインリヒ4世を破門――カノッサの屈辱（1077年） |
| ウルバヌス2世 | クレルモン公会議を開き，十字軍遠征を提唱 |
| インノケンティウス3世 | 第4回十字軍を提唱。イギリスのジョン王を破門 |
| ボニファティウス8世 | フランス国王フィリップ4世に捕らえられ，憤死（1303年，アナーニ事件）。さらにフィリップ4世は教皇庁をアヴィニョンに移した――教皇のバビロン捕囚（1309～77年） |

14世紀後半には，フランス国王支配下のアヴィニョンの教皇に対抗してローマにも別の教皇が立ち，２人の教皇が対立する教会大分裂（大シスマ）が起こった（1378～1417年）。その頃，ウィクリフやフスなどカトリック教義を批判する人物が現れ，宗教界は混乱したため，**コンスタンツ公会議（1414～18年）**が開催され，教会大分裂は解消，ウィクリフが異端とされ，フスが処刑された。

## 重要ポイント 4 神聖ローマ帝国

フランク王国がカール大帝の死後，東・西フランク，イタリアに３分されて以降，現在のドイツに位置する東フランクはザクセン家の**オットー１世**が東方から侵入してきたマジャール人を撃退し，ローマ教皇を助けた。962年には教皇ヨハネス12世から帝冠を授けられ，これが**神聖ローマ帝国（962～1806年）**の起源となった。11世紀に起こった皇帝ハインリヒ４世の**カノッサの屈辱（1077年）**は，教皇権が皇帝権より強いことを露呈した事件であった。最終的に，神聖ローマ帝国は1805年のアウステルリッツの三帝会戦でナポレオン１世によって滅ぼされた。

## 重要ポイント 5 ビザンツ帝国（東ローマ帝国）

ローマ帝国が二分した後，バルカン半島から小アジア地域にかけて東ローマ帝国が成立した。この帝国はビザンツ帝国とも呼ばれている。６世紀の**ユスティニアヌス帝**時代が全盛期で，**ハギア**（聖）＝**ソフィア聖堂**が建立され，**『ローマ法大全』**が編纂された。1453年にオスマン・トルコのメフメト２世によって滅ぼされた。

## 実戦問題

*
**No.1 キリスト教をめぐる歴史に関する記述として最も妥当なのはどれか。**

【国税専門官・平成19年度】

**1** キリスト教は，ローマ帝政時代の初めころ，パレスチナ地方に生まれたイエスの教えに始まった。キリスト教は帝国各地に広まり，国教として認められたが，教会で教義をめぐって対立が起こったことから，コンスタンティヌス帝はクレルモン公会議を開き，アリウス派を正統とした。

**2** 末期のローマ帝国では，ローマ教会とコンスタンティノープル教会が有力となっていた。しかし，カール大帝が聖像禁止令を発したことを契機として両教会は対立し，ローマ教皇を首長とするローマ・カトリック教会と，ビザンツ皇帝に支配されるロシア正教会とに二分された。

**3** 13世紀の初めに絶頂を極めていた教皇権は，十字軍の失敗や封建制度の動揺を背景に教皇のバビロン捕囚や教会大分裂などが起こり，衰退を見せ始めた。このような中で教会の世俗化や腐敗が進み，教会改革を主張したフスが異端として処刑されたことから，フス派が反乱を起こした。

**4** ルネサンスの人文主義が高まる中，教皇グレゴリウス７世が大聖堂の建築費を得るために免罪符を販売させると，カルヴァンがこれを批判した。カルヴァンの主張は教皇に反感を抱く層に支持され，教皇権から独立したいくつかの教派を生み出した。これらは一般に新教と呼ばれる。

**5** 15世紀半ばころになると旧教と新教の対立が深まり，しばしば宗教戦争が引き起こされた。旧教国イギリスでは新旧両教派の対立に貴族の権力争いがからみ，ユグノー戦争が起こった。一方，新教勢力はローマにイエズス会を結成し，アメリカ大陸やアジアで積極的な布教活動を行った。

*
**No.2 十字軍に関する記述として，妥当なのはどれか。**

【地方上級（特別区）・平成27年度】

**1** 教皇インノケンティウス３世は，1095年にクレルモン公会議をひらいてイェルサレムの奪回を目的とする十字軍の派遣を提唱した。

**2** 第１回十字軍は，1099年に聖地奪回の目的を果たしてイェルサレム王国を建てたが，12世紀末にイェルサレムはアイユーブ朝のサラディンに奪回された。

**3** 教皇ウルバヌス２世が提唱した第４回十字軍は，ヴェネツィア商人の要望によりイェルサレムには向かわず，1204年にコンスタンティノープルを占領してラテン帝国を建てた。

**4** 神聖ローマ皇帝フリードリヒ２世は，第５回十字軍で，外交によるイェルサレムの回復に失敗したが，フランス王ルイ９世が主導した第６回，第７回十字軍はイェルサレムの奪回に成功した。

**5** 1291年に十字軍最後の拠点アッコンが陥落し，十字軍遠征が失敗のうちに幕を閉じたことによって，国王の権威は低下し，没落した諸侯や騎士の領地を没収した教皇の権力が伸長した。

**No.3** * キリスト教と王権・帝権の関係に関する記述として最も妥当なのはどれか。

【国家総合職・平成23年度】

**1** ローマ帝国において，キリスト教は，殉教者を出しながらも社会の下層にも上層にも，また，民族の差を越えて広まった。こうした情勢を前に，ユリアヌス帝は迫害政策を一変させ，ミラノ勅令を出してキリスト教を国教化し，自らもこれに帰依してキリスト教の神によって帝権を神聖化しようとした。

**2** 中世ゲルマン諸国の有力国であったフランク王国は，ビザンツ皇帝から自立するため，ローマ教会に接近を図った。他方，教皇は，世俗権力の支援を得るため，教皇領であったラヴェンナ地方を同国に寄進するとともに，王カールにパトリキウス（ローマ人の保護者）という称号を与えた。これにより，ローマ文化・ゲルマン文化・キリスト教が融合した西ヨーロッパ中世世界が誕生した。

**3** 11世紀に教皇となったグレゴリウス7世が，教会改革をおし進め，聖職者を任命する権利（聖職叙任権）を世俗権力から教会の手に取り戻して教皇権を強化しようとすると，神聖ローマ皇帝ハインリヒ4世はこれに反発し，叙任権闘争が起こった。教皇は皇帝を破門し，さらに諸侯らが教皇側についたため，皇帝はイタリアのカノッサで教皇に謝罪した。

**4** 14世紀に教皇インノケンティウス3世はフランス国王と争って敗れ，教皇庁はフランスのアヴィニョンに移された。その後，ローマにも別の教皇が立ったため教会は分裂した。このため，教皇の権威は弱まり，教会の俗化や腐敗が進んだ。これに対し，イギリスではフスが，ボヘミアではウィクリフが教会改革を主張した。

**5** 16世紀にマルティン=ルターが「95か条の論題」を発表し，教皇の権威や聖職者の特権を否定すると，ドイツではカトリック教会擁護派の皇帝とルター派の諸侯・都市が対立し，内戦となった。内戦は20年にわたったが，ウエストファリア条約によって一応の妥協が成立し，ドイツの諸侯・都市，領民は旧教（カトリック派）か新教（ルター派）のどちらかを選択する自由が認められた。

## 実戦問題の解説

### No.1 の解説　キリスト教をめぐる歴史

→問題はP.150　**正答3**

**1 ×　クレルモン公会議は1095年にローマ教皇ウルバヌス２世が招集。**

キリスト教が国教として認められたのは392年のことで，テオドシウス帝の時代であり，**コンスタンティヌス帝は313年にキリスト教を公認し，ニケーア公会議（325年）を開いた皇帝**である。ニケーア公会議では，アタナシウス派とアリウス派が論争し，カトリック教会では**アタナシウス派が正統とされた**。クレルモン公会議が開かれたのは1095年のことで，ローマ教皇ウルバヌス２世の時代である。

**2 ×　726年ビザンツ皇帝レオン３世が聖像禁止令を発布。**

カール大帝はフランク王国全盛期の国王で，ローマ教皇レオ３世から西ローマ帝国の後継者として戴冠された人物である。**聖像禁止令を発したのはビザンツ（東ローマ帝国）皇帝レオン３世**である。これがもとになって，1054年にはローマ教皇を首長とするローマ・カトリック教会と，**ビザンツ皇帝が支配するギリシャ正教会**とに二分された。ロシア正教会はギリシャ正教会の一派で，10世紀末にロシアの国教となり，ビザンツ帝国滅亡後，モスクワ大公国がギリシャ正教会の後継者とされ，ピョートル１世時代に皇帝に従属する教会とされた。

**3 ◎　教皇のバビロン捕囚＝1309～1377年，教会大分裂＝1378～1417年。**

正しい。教皇のバビロン捕囚は1309年にローマ教皇クレメンス５世がフランス王によってフランスのアヴィニョンに強制的に移住させられたことに端を発し，1377年まで**アヴィニョンに教皇庁**が置かれた事件であり，1378年から1417年まで**ローマとアヴィニョンに２人の教皇が存在**した事件が教会大分裂である。ウィクリフの影響を受け，教会改革を唱えたチェコのフスは，コンスタンツ公会議で1415年に焚刑となったが，その後，フス派の信者が反乱（1419～36年）を起こした。

**4 ×　ローマ教皇レオ10世がサン・ピエトロ大聖堂建築費調達のため贖宥状販売。**

免罪符販売は**ローマ教皇レオ10世**が行ったことである。**これを批判したのがルター**である。ルターの主張は新教（プロテスタント）と呼ばれ，各地に広まった。グレゴリウス７世はカノッサの屈辱（1077年）で神聖ローマ皇帝ハインリヒ４世を破門したローマ教皇である。また，カルヴァンはスイスで宗教改革を行い，予定説を説いた人物である。

**5 ×　ユグノー戦争でカトリックが敗北。イエズス会はカトリックの布教組織。**

ユグノー戦争（1562～98年）は**フランスで起こった旧教（カトリック）と新教（ユグノー）の対立**で，新教派が勝利した戦争である。**イエズス会はカトリックの海外布教のための組織**である。

## No.2 の解説 十字軍

→問題はP.150 正答2

**1** × 1095年にクレルモン（フランス中部）で公会議を開催したのは，ローマ教皇**ウルバヌス2世**である。ローマ教皇インノケンティウス３世は第４回十字軍の提唱とイギリスのジョン王の破門を行った教皇で，13世紀に活躍した。

**2** ◎ 正しい。アイユーブ朝の**サラディン**によってイェルサレム王国は奪われた。

**3** × 第４回十字軍はインノケンティウス３世が提唱した十字軍である。後半部分の**ヴェネツィア商人**の要望に関する記述は正しい。

**4** × 神聖ローマ皇帝フリードリヒ２世はイスラーム教スンナ派国家のアイユーブ朝との外交でイェルサレムの回復に成功した。フランス王ルイ９世が主導した第７回・第８回十字軍はイェルサレムの奪回に失敗した。

**5** × 十字軍遠征の失敗で，国王ではなくローマ教皇の権威が低下し，諸侯・騎士階級も没落したが，国王の権力は伸張した。

## No.3 の解説 キリスト教徒と王権・帝権

→問題はP.151 正答3

**1** × **ミラノ勅令はコンスタンティヌス帝が発布。**
313年にローマ皇帝コンスタンティヌス帝は**ミラノ勅令**を出してキリスト教を公認した。さらに，キリスト教を国教化したのはテオドシウス帝で，392年のことである。

**2** × **イタリアのラヴェンナ地方は教皇に寄進された土地。**
ビザンツ皇帝の支配下にあるコンスタンティノープル教会から離れる動きを見せたのはローマ教会であり，ローマ教会が接近を図ったのは，フランク王国側のピピンに対してである。800年に教皇レオ３世はピピンの子カールに，「**西ローマ皇帝の後継者**」として帝冠を与えた。

**3** ◎ **教皇グレゴリウス７世は神聖ローマ皇帝を破門。**
正しい。**1077年**のカノッサの屈辱に関する記述である。

**4** × **教皇インノケンティウス３世時代は教皇権の全盛期。**
インノケンティウス３世はイギリス国王ジョンを破門し，フランス国王フィリップ２世に聖務禁止を宣言した教皇である。教皇庁がフランスのアヴィニョンに移されたのは1309年。**フス**はベーメン地方（ボヘミア）の民族運動に影響を与えた人物で，**ウィクリフ**がイギリスの教会改革を訴えた大学教授である。

**5** × **ドイツでの戦いは三十年戦争である。**
戦いは1618年から48年までの30年間にわたり，国際戦争へと発展した。この戦争の講和条約の**ウェストファリア条約**では，ドイツの諸侯に主権が認められ，宗教に関しても領主が決めた宗派を領民は選択することになった。

# 試験別出題傾向と対策

| 頻出度 | 試験名 | 国家総合職 | | | | | 国家一般職 | | | | | 国家専門職（国税専門官） | | | | |
|---|---|---|---|---|---|---|---|---|---|---|---|---|---|---|---|---|
| | 年度 | 21-23 | 24-26 | 27-29 | 30-2 | 3-5 | 21-23 | 24-26 | 27-29 | 30-2 | 3-5 | 21-23 | 24-26 | 27-29 | 30-2 | 3-5 |
| | テーマ ＼ 出題数 | 2 | 1 | 0 | 2 | 0 | 2 | 1 | 1 | 0 | 1 | 1 | 2 | 1 | 0 | 1 |
| B | 3 ルネサンスと宗教改革 | | | | | | | | | | | | | | | |
| A | 4 近代国家の形成 | 1 | | | | | | | 1 | | | 1 | 1 | | | |
| B | 5 市民革命・産業革命 | 1 | 1 | | 2 | | 2 | 1 | | | 1 | | 1 | 1 | | 1 |

近代史では，中世の価値観が崩れたルネサンス以降の状況や，ローマ・カトリック教会に対して，ルターとカルヴァンが起こした宗教改革，さらに宗教戦争へと発展していく流れ，コロンブスが新大陸を発見した大航海時代，国王中心の絶対王政からこれを打破する市民革命の動きは頻度が高いテーマとなっている。転換期の変化の過程を整理しながらまとめておくことが最低限必要な作業であろう。

ルネサンスについてはなぜイタリアで起こったのか，という点に注意する必要がある。十字軍以来，東方貿易で栄えたイタリアの状況を丁寧に理解していくこと。その際，人文主義者や芸術家の活動も把握することが大切である。また，近代国家の形成として，ヨーロッパの絶対王政（主義）に関する出題も頻繁に見られる。

市民革命では，ピューリタン革命，名誉革命，アメリカ独立革命，フランス革命に関して出題されている。過去にはアメリカ独立革命が頻繁に出題された。イギリスとフランスの革命を比較する問題も見られる。

### ●国家総合職

近年ではヨーロッパ史と中国史およびインド史・東南アジア史・西アジア史の出題が続いている。キリスト教やイスラーム教，仏教などの歴史的背景をたどる学習が必要である。

### ●国家一般職

出題形式としては単純正誤形式がほとんどである。基本事項を問う問題が多く。教科書を丁寧に学習すること。特に，ヨーロッパにおける国民国家成立の状況やアメリカ独立戦争，フランス革命など，定番となっているテーマは必ず確実に覚えておきたい。戦後史も重要。

### ●国家専門職

出題形式は単純正誤形式で，近現代史（特に18世紀）からの出題が多い。市民革命やヨーロッパ諸国の植民地対策などを中心に，オーソドックスな西洋史の

| | 地方上級（全国型） | | | | | 地方上級（東京都） | | | | | 地方上級（特別区） | | | | | 市役所（C日程） | | | | |
|---|---|---|---|---|---|---|---|---|---|---|---|---|---|---|---|---|---|---|---|---|
| | 21-23 | 24-26 | 27-29 | 30-2 | 3-4 | 21-23 | 24-26 | 27-29 | 30-2 | 3-5 | 21-23 | 24-26 | 27-29 | 30-2 | 3-5 | 21-23 | 24-25 | 27-29 | 30-2 | 3-4 |
| | 1 | 1 | 4 | 0 | 1 | 0 | 0 | 1 | 0 | 0 | 0 | 2 | 0 | 0 | 1 | 1 | 2 | 0 | 1 | 3 |
| テーマ3 | | 1 | | | | | | | | | | | | | | | 1 | | 1 | |
| テーマ4 | | | 1 | | | | | | | | | 1 | | | | | | | | 3 |
| テーマ5 | 1 | | 3 | | 1 | | | 1 | | | | 1 | | | 1 | 1 | 1 | | | |

流れをつかんでおくことが重要であるが，近年は中国を中心にアジア史の出題も増加している。

### ●地方上級

**全国型**では，第一次産業革命の頃のイギリス，西ヨーロッパの絶対王政に関するテーマが重要である。19世紀以降のヨーロッパ各国の状況も把握しておきたい。また，絶対王政についてはイギリス・フランスを中心に政治形態の特色が頻繁に問われている。

**関東型**では，全国型との共通問題が出題されることが多く，近代ヨーロッパ史の政治的・社会的（文化を含む）特徴を問う問題が多い。

**中部・北陸型**では，近代から出題される割合が多くなっている。

### ●東京都・特別区

東京都では，近年では，近代分野からの出題頻度は低い傾向にあったが，令和に入り，17世紀のイギリスに関する出題があった。ルネサンスや宗教改革・大航海時代などに関する基本的知識も問われたことがある。今後に備えておく意味では，近代の簡単な歴史の動きや有名な人物はつかんでおきたい。

特別区では，世界史上の重要テーマから出題される傾向が見られる。後世に影響を与えたヨーロッパの出来事を中心に，歴史上の人物と出来事の因果関係を丁寧に復習しておくことが大切である。

### ●市役所

市役所では，以前から近代史の出題は高い傾向があり，近年もこの傾向が続いている。2，３年に一度の割合で，ルネサンスや宗教改革，絶対王政国家に関する問題や市民革命などのテーマが出されており，学習の有無が大きく影響するテーマといえる。

# ルネサンスと宗教改革

## 必修問題

**ルネサンスと宗教改革についての次の文中の下線部に関する記述として，妥当なものはどれか。** 【地方上級（関東型）・平成30年度】

14～16世紀のヨーロッパでは，カトリック教会中心の中世的世界観が大きく揺らぎ，ルネサンスや宗教改革などの新しい動きが起こった。ルネサンスとは，現実や人間性を肯定し，個人の尊厳や合理的精神を尊重する**文化の革新運動**で，**レオナルド・ダ・ヴィンチ**に代表される$_1$絵画や$_2$マキャヴェリらの思想のほか，学問，技術などの諸分野で運動が展開された。1517年には，ドイツの$_3$ルターが「95か条の論題」で教会や教皇を批判して**宗教改革**が始まった。スイスでは$_4$カルヴァンが改革を行った。これらに対し，旧教側にも$_5$反宗教改革の動きが見られた。

**1** 絵画の分野では，農民や民衆を中心にした題材が描かれ，宗教的な題材は描かれなくなった。

**2** マキャヴェリはその主著『**君主論**』の中で，権謀術数的な政治を否定し，道徳と宗教による政治を理想とした。

**3** ルターが「95か条の論題」で掲げた主張は，ルネサンス期に開発・改良された**活版印刷術**によって急速に広まった。

**4** カルヴァンは，個人の救済は神によってあらかじめ決定されているものではなく，個人が生前に積んだ善行によって決定されるものであると説いた。

**5** 反宗教改革により教皇は教義に関する決定権を失って名目的存在となり，多様な教義解釈が認められるようになって，異端に対する宗教裁判は廃止された。

難易度 ＊

## 必修問題の解説

ルネサンスはイタリアのフィレンツェでおこった文化の革新運動で，その後ヨーロッパ各国に伝播していった（**1**，**2**）。中世と異なる価値観が生まれた時代であり，16世紀にはカトリック教会に対してルターが宗教改革を行い，プロテスタントが現れることとなった（**3**）。



**1×** **14～16世紀のルネサンス絵画では宗教的な題材が描かれている。**
イタリアのミラノの教会のために描かれた**レオナルド・ダ・ヴィンチ**の「**最後の晩餐**」，**ミケランジェロ**によってシスティナ礼拝堂に描かれた「**最後の審判**」「**天地創造**」，ラファエロの聖母像などが宗教的な題材で有名である。農民や民衆を中心とする題材は，19世紀のフランス絵画で描かれ，特に自然主義に属するミレーの「落ち穂拾い」「晩鐘」や，クールベー，ドーミエらに代表される写実主義の絵画が有名。

**2×** **マキャヴェリズム＝権謀術数主義。**
マキャヴェリはその主著『君主論』の中で，君主が目的や手段のために謀略を行い，**権謀術数的な政治を肯定**した。道徳や宗教による政治を理想とはしていなかった。

**3◎** **ルターの主張は活版印刷技術の発展もあり各地に広がった。**
15世紀半ば頃にグーテンベルク（ドイツ人）によって改良された活版印刷術が急速に普及し，ルターの「95か条の論題」も印刷されて広まった。

**4×** **カルヴァンはキリスト教の教説である「予定説」を強調した。**
「**予定説**」とは，人間の救済は神によりあらかじめ定められたものであり，個人の善行や努力には左右されないものとするものである。

**5×** **宗教裁判の強化や禁書目録などによる異端の取締りが強まった。**
反宗教改革（対抗宗教改革）が始まる契機となったトリエント公会議（1545～63年）では，教皇至上権やカトリックの教義を確認し，宗教裁判の強化や禁書目録の設定などによる異端の取締り強化を決定した。宗教裁判は宗教改革期に新旧両派で強まり，**火刑が行われるなど激化**した。

**正答 3**

## FOCUS

イタリアのフィレンツェで始まったルネサンスはアルプスを越えて西ヨーロッパへ伝播した。その伝播した国々で活躍した芸術家，文学者，さらにはその作品名を問う問題も出題されている。文学・芸術の科目と重なる出題が見られる分野である。

# POINT

## 重要ポイント 1 ルネサンス

| | |
|---|---|
| イタリア | **文学・著作** ダンテ：『神曲』『新生』，ペトラルカ：叙情詩人<br>ボッカチオ：『デカメロン』，マキァヴェリ：『君主論』<br>**建築** ブルネレスキ：サンタ・マリア大聖堂<br>ブラマンテ：サン・ピエトロ大聖堂<br>**美術** ミケランジェロ：「ダヴィデ像」「最後の審判」<br>ダ=ヴィンチ：「モナ=リザ」「最後の晩餐（ばんさん）」<br>ラファエロ：「アテナイの学堂」 |
| ネーデルラント | ファン=アイク兄弟：油絵画法，エラスムス：『愚神礼賛（ぐしんらいさん）』 |
| ドイツ | デューラー：版画で有名，「四使徒」 |
| フランス | ラブレー：『ガルガンチュア物語』，モンテーニュ：『随想録』 |
| スペイン | セルバンテス：『ドン=キホーテ』 |
| イギリス | チョーサー：『カンタベリ物語』，シェークスピア：『ハムレット』<br>『ヴェニスの商人』，トマス=モア：『ユートピア』（私有財産制を批判） |

## 重要ポイント 2 宗教改革

| | |
|---|---|
| ドイツ | 贖宥状（しょくゆうじょう）の販売に抗議したルターが1517年に95カ条の論題を発表（聖書中心主義）→1555年のアウグスブルクの和議によりルター派支持も認められる |
| スイス | 1541年，カルヴァンはジュネーヴで宗教改革を行い，福音主義と予定説（魂の救済は神によって最初から定められているという説）を唱えた |
| イギリス | ヘンリ８世が1534年，首長法（令）を発して，イギリス国教会を設立<br>1559年，エリザベス１世による統一法（令）でイギリス国教会体制が確立 |

## 重要ポイント 3 大航海時代

1488年：バルトロメウ=ディアス（ポルトガル）がアフリカ南端の喜望峰に到達
1492年：コロンブス（イタリア）がスペイン女王イサベルの後援により新大陸を発見
1498年：ヴァスコ=ダ=ガマ（ポルトガル）がインド航路の開拓　→香辛料の取引き
1499～1500年：アメリゴ=ヴェスプッチ（イタリア）が南米探険。アメリカの名の由来に
1497・98年：カボット（イタリア）がイギリス王ヘンリ７世の支援で北米探険
1500年：カブラル（ポルトガル）がブラジル到達　→ブラジルはポルトガル領に
1513年：バルボア（スペイン）がパナマ地峡を横断，太平洋を発見
1519～22年：ポルトガルのマゼラン（マガリャンイス）一行がスペイン王室の命令で世界周航

## 重要ポイント 4 ルネサンス期の科学技術

技術→ルネサンスの三大発明（改良）

**火薬（火砲）**：中国の元で用いられていたが，ヨーロッパで火砲が発明された
影響→戦法の変化・騎士没落

**羅針盤**：中国の宋やアラブ人が用いていたが，イタリア人が改良
影響→遠洋航海可能

**活版印刷術**：1450年頃ドイツ人の**グーテンベルク**が発明
影響→書物の普及に貢献

科学→地動説の登場

**コペルニクス**：ポーランドの聖職者・天文学者で，1530年頃地動説を主張

**ガリレオ=ガリレイ**：イタリアの科学者で，学生時代に振り子の等時性を発見→1609年に望遠鏡で天体観測し，地動説を確信→『天文対話』を刊行（禁書）

## 重要ポイント 5 商業革命・価格革命

| | |
|---|---|
| 商業革命 | 大航海時代を経て，西ヨーロッパの商取引を初めとする経済が拡大し，ヨーロッパでは遠隔地貿易の中心は地中海沿岸諸都市から**イギリス・オランダなどの大西洋沿岸諸国**へと移り，海外市場の獲得へ向かうようになった。 |
| 価格革命 | スペインは進出した**ラテンアメリカの銀**を大量にヨーロッパへと流入させたことから，16世紀後半から100年にわたり，ヨーロッパの銀価が下落し，**物価が騰貴**した。商工業は発展したが，従来の南ドイツの銀生産が衰退し，封建的な領主も打撃を受けた。 |

## 実戦問題

＊
**No.1 ルネサンス期に関する次の記述のうち，妥当なものはどれか。**

【市役所・平成20年度】

**1** ミケランジェロは神聖ローマ皇帝の支援を受け，システィナ礼拝堂の天井壁画「天地創造」や正面祭壇画の「最後の審判」を描いた。

**2** イタリアのダンテやイギリスのシェークスピアは，当時主流となっていたアラビア語を用いて作品を著した。

**3** ポーランドのコペルニクスはローマ・カトリック教会の支持する地動説に対し，科学的な立場から天動説を唱えた。

**4** ネーデルラントのエラスムスは16世紀最大の人文主義者であり，ローマ・カトリック教会を批判した『愚神礼賛』を著した。

**5** マキャヴェリはその著書『君主論』において，統治者は暴力や狡智よりも愛や善意，道徳で政治を治めるべきと唱えた。

＊＊
**No.2 大航海時代に関するア～オの記述のうち，妥当なものの組合せはどれか。**

【市役所・平成29年度】

ア：ポルトガルはヨーロッパ諸国の中で植民地の獲得に最初に乗り出し，インドから東南アジアにかけてのほとんどの地域を植民地にした。

イ：アフリカ大陸を回ってアジアへ向かうインド航路の開拓により，ヨーロッパの商業の中心が，地中海沿岸のイタリアの諸都市から大西洋沿岸の諸都市に移った。

ウ：ラテンアメリカからヨーロッパに銀が大量に流入して価格革命が起き，ヨーロッパの物価が下落した。

エ：スペインはラテンアメリカを植民地化し，鉱山や農園を経営した。スペイン人が持ち込んだ伝染病や過酷な労働のためにインディオは激減し，労働力不足を補うためにアフリカから多数の黒人奴隷が移住させられた。

オ：ヨーロッパを原産地とするジャガイモやトウモロコシがラテンアメリカにもたらされ，食糧事情の改善に寄与した。

**1** ア，イ
**2** ア，ウ
**3** イ，エ
**4** ウ，オ
**5** エ，オ

*** No.3 大航海時代に関する記述として，妥当なのはどれか。**

【地方上級（特別区）・令和４年度】

**1** 航海王子と呼ばれたエンリケは，アフリカ大陸の西側沿岸を南下し，南端の喜望峰に到達した。

**2** ヴァスコ・ダ・ガマは，喜望峰を経て，インド西岸のカリカットに到達し，インド航路を開拓した。

**3** ポルトガルの支援を得たコロンブスは，大西洋を横断してカリブ海のサンサルバドル島に到達した。

**4** バルトロメウ・ディアスの探検により，コロンブスが到達した地は，ヨーロッパ人には未知の大陸であることが突き止められた。

**5** スペイン王の支援を得たマゼランは，東周りの大航海に出発し，太平洋を横断中に死亡したが，部下が初の世界周航を達成した。

## No.4 ルネサンスに関する記述として最も妥当なのはどれか。

【国税専門官・平成14年度】

**1** 教皇の力が衰え，封建社会もまた揺らいでくると，西ヨーロッパでは都市の市民層を中心に人間を封建的な束縛から解放しようとする政治・社会革新運動が起こった。この運動は，彼らが最も人間らしく生きていた時代と考えられるローマ共和制を再生させようという形で始まったところからルネサンスと呼ばれ，社会に変革をもたらし，近代化につながった。

**2** ルネサンスは最初にヴェネツィアで起こった。その理由として，東方貿易に有利な海港都市であり経済的に繁栄したこと，東方貿易で高度なイスラム文化が流入したこと，ビザンツ帝国から学者が亡命してきて古代ギリシャ文化を伝えたことなどが挙げられる。ヴェネツィアの大富豪で市政に君臨したサヴォナローラは自邸内にプラトン学院をもうけ，多くの学者や芸術家を養成した。

**3** ルネサンス期には，階級的な制約の打破，人間疎外からの解放をめざすヒューマニズム運動が起こり，人間追求の手がかりを古典古代に求め，ラテン語・ギリシャ語の研究と古典の収集に努力する文学者が多く輩出された。代表的な文学者であるダンテはギリシャ語で『神曲』を著し，ラブレーはラテン語で『随想録』を著した。

**4** ルネサンスの合理的な考え方は，自然科学や技術を進歩させた。コペルニクスは天動説に疑いを抱き地動説を唱え，ガリレオ=ガリレイは望遠鏡による観測によって地動説の正しさを主張した。またルネサンスの三大発明の一つである活版印刷はドイツ人グーテンベルクが発明したといわれ，製紙法と相まって新しい思想の速やかな普及に影響を与えた。

**5** 壮大な規模と豪華絢爛たる装飾が特徴的な中世後期のゴシック様式に代わり，高い天井と屋根，ステンドグラスをはめた大きな窓を持つルネサンス様式が起こった。ピサの大聖堂はルネサンス期の代表的な建築物である。しかし建物内を飾る彫刻や絵画は科学万能の精神を反映してギリシャ神話やキリスト教に題材を求めたものは少なかった。

## 実戦問題の解説

### No.1 の解説 ルネサンス期 →問題はP.160 正答4

**1 ×** 「天地創造」・「最後の審判」はローマ教皇からの制作依頼。
**ミケランジェロ**はローマ・カトリック教会のローマ教皇ユリウス２世の依頼で，1508～12年にかけてシスティナ礼拝堂の天井壁画**「天地創造」**に取り組んだ。システィナ礼拝堂の正面祭壇画の超大作**「最後の審判」**はローマ教皇パウルス３世の依頼で描いた。

**2 ×** イタリアのフィレンツェ出身のダンテは『新曲』をイタリア語で記述。
イタリア・ルネサンスを代表する**ダンテ**は**イタリア語（トスカナ方言）**で『神曲』を著した。イギリスのエリザベス１世時代の詩人で劇作家のシェークスピアは英語を用いて作品を著した。

**3 ×** 地動説＝コペルニクスとガリレオ，天動説＝教会。
ポーランドの聖職者で天文学者でもあった**コペルニクス**は『天球の回転について』で**地動説**を唱えた。ローマ・カトリック教会が支持していたのは天動説である。

**4 ◎** ネーデルラントの人文主義者エラスムスは宗教改革に影響を与えた。
正しい。ネーデルラントの人文主義者（ヒューマニスト）のエラスムスが著した**『愚神礼賛』**は1511年に刊行された書物で，ローマ・カトリック教会を批判している。

**5 ×** マキャヴェリによって1532年に刊行された『君主論』は統治者を分析。
フィレンツェの外交官であった**マキャヴェリ**は**『君主論』**で，統治者は「獅子の勇猛と狐の狡智を兼ねた人物」である必要性を説き，徳がなければあるふりをし，約束は必ずしも守らなくてもよいとし，国家の統一の重要性を唱えた。

### No.2 の解説 大航海時代 →問題はP.160 正答3

**ア** トルデシリャス条約（1494年）でポルトガルとスペインの海外領土分割。
妥当ではない。大航海時代に植民地活動に乗り出したのはポルトガルとスペインである。ローマ教皇**アレクサンデル６世**は両国の**植民地分界線**を定めたことで，ポルトガルはアジアに進出し，スペインはアメリカ大陸，特に中南米に進出し，ブラジル以外のほとんどの地域をスペイン領とした。

**イ** 商業革命＝貿易の中心が地中海沿岸から大西洋沿岸へ移動。
妥当である。商業革命とは，地中海沿岸のイタリア諸都市による東方貿易が衰退し，商業の中心が**オランダやイギリス**などの大西洋沿岸の諸都市へ移動し，貿易構造が変化したこと。

**ウ** 南米の銀の大量流入が価格革命の一因。
ラテンアメリカの安価な銀がヨーロッパに大量に流入した結果，ヨーロッパの貨幣価値が下落し，**物価が上昇**した。

**エ　スペインは植民地経営とキリスト教布教を展開。**
妥当である。ラテンアメリカの先住民であるインディオは，「征服者」（コンキスタドール）スペイン人が持ち込んだ伝染病や虐殺によって激減した。

**オ　ジャガイモとトウモロコシはラテンアメリカが原産地。**
ジャガイモはラテンアメリカのアンデス地方が原産地。トウモロコシは熱帯アメリカが原産地。トマト，ピーマン，カカオ，カボチャなど**ラテンアメリカ原産の食料作物がヨーロッパへもたらされ**，さらに，アジアやアフリカにまで広がった。

よって，正答は**3**である。

## No.3 の解説　大航海時代

→問題はP.161　**正答2**

**1 ×　アフリカ大陸の喜望峰に到達したのはバルトロメウ・ディアス。**
15世紀前半に探検事業に取り組んだポルトガルの**航海王子エンリケ**はヴェルデ岬を発見した。エンリケは自ら航海をすることはなかったが，航海者を援助し，アフリカ西岸に船隊を派遣した。そのため，航海王子と呼ばれている。ディアスはポルトガルのジョアン２世の命令で出航し，喜望峰に到達した。ジョアン２世はスペインとの間で海外領土分割条約の**トルデシリャス条約**（1494年）を締結した15世紀後半のポルトガルの国王。

**2 ◎　ヴァスコ・ダ・ガマがインド航路を開拓。**
ポルトガルの航海者ヴァスコ・ダ・ガマが1498年にヨーロッパ人として初めてインド航路を開拓した。1488年に喜望峰に到達したバルトロメウ・ディアスが随行し，５隻でインド西岸のカリカットに到達した。

**3 ×　コロンブスを支援したのはスペイン女王のイサベル。**
コロンブスはイタリアのジェノバ出身の船乗りで，大西洋を西に進む進路がインドへの近道と説くフィレンツェの天文学者**トスカネリ**の地球球体説を信じて，大西洋を横断して，北米と南米の間に位置するカリブ海のサンサルバドル島に1492年に到着した。

**4 ×　コロンブスの発見を未知の大陸と突き止めたのはアメリゴ・ヴェスプッチ。**
15世紀末から16世紀初頭にかけて，フィレンツェの航海者ヴェスプッチが南米を探検し，コロンブスが到着した未知の大陸が「新大陸」であることを突き止めた。この探検によって判明した「新大陸」はアメリゴの名前に基づいて「アメリカ」と呼ばれることとなった。

**5 ×　マゼランは西周りの大航海を行った。**
ポルトガルの航海者マゼランはスペインのカルロス１世の後援で，西周りでモルッカ諸島をめざし，南米南端の海峡（現在のマゼラン海峡）から太平洋を横断し，フィリピンに到達した。マゼランはフィリピンでの現地の抗争に巻き込まれ1521年に亡くなり，部下が1522年に世界周航を成功させた。

## No.4 の解説 ルネサンス

→問題はP.162 正答4

**1 ×** **ルネサンスは政治・社会革新運動ではなく文芸復興。**

ルネサンス（文芸復興）は人間を中心にとらえようとする**精神運動**で，イタリアから西欧に広がった文化・芸術・思想における新しい動きのことである。ルネサンスで手本とされ，研究されたのは古代ギリシャ・ローマ文化である。

**2 ×** **ルネサンスは最初にフィレンツェで始まった。**

ルネサンスはイタリアの**フィレンツェ**で始まった。フィレンツェで文芸を保護育成したのは大富豪のメディチ家である。**サヴォナローラはフィレンツェのドミニコ会聖職者**でメディチ家批判の説教を行い市民の支持を得たが，教皇を批判して破門され，1498年に火刑となった。

**3 ×** **ダンテはイタリア語で『神曲』を執筆。**

『神曲』はダンテが**イタリア語（トスカナ方言）**で著した作品。『随想録（エセー）』はフランスの思想家モンテーニュの作品。**ラブレーはルネサンス・フランスの作家で『ガルガンチュアとパンタグリュエルの物語』**を著した。

**4 ◎** **地動説はコペルニクスとガリレオ=ガリレイ。**

正しい。**コペルニクスとガリレオ=ガリレイが地動説**を唱えた。火薬・羅針盤・活版印刷がルネサンスの三大発明で，**活版印刷はグーテンベルク**が発明した。

**5 ×** **ピサ大聖堂はロマネスク様式。**

**ゴシック様式**は中世後期の建築様式で，フランスのパリを中心に発展した。高い天井と尖頭アーチを特色とし，ステンドグラスが見られる建築様式である。**イタリアのピサ大聖堂は中世のロマネスク様式**を代表する建築物。石造の天井と半円アーチを特色とする。ルネサンス様式を代表する建築物は，フィレンツェのサンタ・マリア大聖堂やローマのサン・ピエトロ大聖堂である。

# 近代国家の形成

## 必修問題

**近世のヨーロッパに関する記述として最も妥当なのはどれか。**

【国家一般職・平成20年度】

**1** 海外に進出したスペインは，「新大陸」の銀を独占して急速に富強となり，16世紀後半の**フェリペ2世**の治世に全盛期を迎えた。また，ポルトガルを併合してアジア貿易の拠点であるマラッカを領有したことから**「太陽の沈まぬ国」**として強盛を誇り，1588年には無敵艦隊（アルマダ）がイギリス艦隊との海戦に勝利して大西洋の制海権を握った。

**2** 毛織物工業が盛んで中継貿易で利益をあげていたネーデルラントは，15世紀半ばからハプスブルク家の領有地で，北部にはルター派の新教徒が多かった。ハプスブルク家の王朝であるスペインは，カトリックを強制して自治権を奪おうとしたが，北部7州はロンバルディア同盟を結んで戦いを続け，1581年にネーデルラント連邦共和国の独立を宣言した。

**3** ドイツでは，17世紀初めに新教徒への対応をめぐり，諸侯がギベリン（皇帝派）とゲルフ（教皇派）に分かれて争う三十年戦争が始まった。戦いは，スウェーデンやフランスが干渉し，宗教戦争から国際戦争へと様相を変えて長期化したが，1648年のヴォルムス協約によって終結し，ドイツ諸侯の独立主権が認められた。

**4** イギリスでは，ばら戦争の後に王権が強化され，**エリザベス1世**の時代に絶対主義の全盛期を迎えたが，各州の地主であるユンカーの勢力が大きかった。そこで，宰相マザランは常備軍・官僚制を整備して中央集権化を推し進め，綿織物工業の育成に力をいれて国富の充実をはかった。

**5** 16世紀後半のフランスでは，ユグノーと呼ばれたカルヴァン派とカトリックとの対立が激化し，宗教戦争が長期化した。これに対し，ユグノーであったブルボン家のアンリ4世は，王位につくとカトリックに改宗し，**ナントの勅令**を発してユグノーに一定の信仰の自由を認め，内戦はようやく鎮まった。

難易度 ＊＊

## 必修問題の解説

**16〜18世紀にかけてヨーロッパに誕生した絶対主義国家に関する問題では，国王の政策が問われやすい（1）。同時に宗教戦争（3，5）も起こっている。**

**1 ×** スペイン無敵艦隊はイギリス海軍に敗北。

「太陽の沈まぬ国」として強盛を誇ったフェリペ２世時代のスペインは1580年にポルトガルを併合し，アジア貿易の拠点のマラッカを領有するなど全盛期を迎えたが，**スペインの無敵艦隊（アルマダ）はイギリス艦隊にアルマダ海戦（1588年）で敗北**し，大西洋の制海権を失った。

**2 ×** ネーデルラント北部７州の同盟はユトレヒト同盟。

毛織物の栄えたネーデルラントは15世紀後半にオーストリアのハプスブルク家の領地となり，神聖ローマ皇帝カール５世（スペイン王としてはカルロス１世）によって支配され，カトリック国となっていたが，北部はカルヴァン派の新教徒が多かったため，**北部７州が1579年にユトレヒト同盟**を結んでスペインと戦った。ユトレヒト同盟は1581年にはネーデルラント連邦共和国の独立を宣言し，1609年にスペインからの独立を達成した。なお，ロンバルディア同盟は12世紀に結成された北イタリアの都市同盟のことである。

**3 ×** ドイツ三十年戦争はカトリックとプロテスタントの戦い。

ギベリン（皇帝派）とゲルフ（教皇派）に分かれて対立したのは，**イタリア**の都市国家で，12～14世紀にかけてのことである。神聖ローマ皇帝とローマ教皇の対立で，イタリア諸都市内部もギベリンとゲルフに分裂した。三十年戦争はドイツ（神聖ローマ帝国）で1618年に始まった**ベーメン（ボヘミア）のプロテスタントの反乱**をきっかけに広がった宗教戦争で，カトリックとプロテスタントの戦いから，プロテスタント側にスウェーデン，デンマーク，フランスが加勢し勝利する結果となった。**1648年にはウェストファリア条約**によって戦争が終結した。なお，**ヴォルムス協約は1122年**に結ばれた聖職叙任権に関するローマ教皇と神聖ローマ皇帝との協約である。

**4 ×** 宰相マザランはフランスのルイ14世時代の政治家。

ユンカーとは16世紀以降の東ドイツで勢力を拡大した地主貴族である。宰相マザランはフランス国王**ルイ14世**に仕えた政治家で，中央集権化に努めた。なお，エリザベス１世は毛織物工業に力を入れた。

**5 ◎** ナントの勅令でユグノー戦争を終結させたのはアンリ４世。

正しい。フランスのブルボン家のアンリ４世は，ユグノーであったが，**カトリックに改宗**してユグノー戦争（1562～98年）をナントの勅令（1598年）を発して終結した。

**正答 5**

## FOCUS

16～17世紀の絶対王政期はスペインのフェリペ２世，イギリスのエリザベス１世，フランスのルイ14世に代表されるが，18世紀にフランスで啓蒙思想が唱えられると，啓蒙専制君主のプロイセンのフリードリヒ２世，オーストリアのヨーゼフ２世（マリア＝テレジアの子），エカチェリーナ２世らが登場した。

## POINT

### 重要ポイント 1 絶対王政（絶対主義）

16世紀から18世紀にかけて，王権による中央集権化が進むにつれて，国王は王権神授説を唱え，絶対的権力を正当化し，官僚と常備軍をもとに国家統一を行うようになった。また，商人と結びつき富を自らの手に集中させる重商主義政策をとった。

**●スペイン**

**フェリペ2世**時代が全盛期で，1580年にポルトガルの王統が途絶えると，その領土を継承した。新大陸からの銀によって富を蓄積した。

**●オランダ**

スペイン領ネーデルラントでは新教徒が多かったが，熱心なカトリック教徒であったフェリペ2世が厳しい旧教化政策をとったため，1568年から**オランダ独立戦争**（1568～1609年）が始まった。1579年に**北部7州がユトレヒト同盟を結成**し，1581年には**ネーデルラント連邦共和国**として独立を宣言。1609年には休戦条約が結ばれ，オランダは事実上の独立を勝ち取った（1648年のウェストファリア条約で正式に承認された）。

**●イギリス**

イギリス国王ヘンリ7世が絶対王政の基礎を確立し，**ヘンリ8世**の時代を経て，**エリザベス1世**の時代には絶対王政が全盛期に達した。1559年，エリザベス1世は統一法（令）を出し，イギリス国教会制度を確立した。エリザベス1世の時代には海外進出が盛んになり，1600年，**東インド会社**が設立された。

**●フランス**

ルイ13世の時代から王権が強化され，**ルイ14世**は王権神授説を提唱し親政を始めた。**財務総監のコルベール**の指導下で重商主義政策がとられた（フランス絶対主義の全盛期）。1685年にナントの勅令を廃止したため，多くのユグノーが国外逃亡した。

**●ロシア**

ロマノフ朝の**ピョートル1世**（大帝）は国政改革を行うとともに，軍備の拡大をめざして，シベリア経営を行った。ポーランド，デンマークと結んで，当時バルト海域で勢力を誇っていたスウェーデンに対して**北方戦争**（1700～21年）を起こし勝利した。18世紀後半には**エカチェリーナ2世**がさらに領土を拡大し，日本にも使節ラクスマンを派遣した。プガチョフの農民反乱（1773～75年）の後は，農奴制がさらに厳しくなった。

**●プロイセン（プロシア）とオーストリア**

プロイセンでは，**フリードリヒ2世**の時代，オーストリアの**マリア=テレジア**がハプスブルグ家の全領土を継承すると，これに異議を唱え，シュレジエンを占領した（**オーストリア継承戦争**，1740～48年）。

マリア=テレジアはシュレジエンの奪回をめざし，宿敵フランスと同盟し，さらにロシアとも提携した（外交革命）が，**七年戦争**（1756～63年）でプロイセンに敗北した。

## 重要ポイント２ 宗教戦争

●**ユグノー戦争**（1562〜98年）

**フランス**で起こった。この戦争では新旧両派の対立に宮廷内の混乱も加わり，国政が大混乱に陥った。1598年，**アンリ４世がナントの勅令**を出し，新教徒に旧教徒と同等の権利を与えることで問題を収拾した。

●**三十年戦争**（1618〜48年）

オーストリアの属領**ベーメン（ボヘミア）地方の新教徒**が神聖ローマ皇帝によるカトリック強制に反発したことがきっかけとなって，ドイツの新旧両派の諸侯による内乱へと発展した。新教徒側にスウェーデン，デンマーク，フランスがつき，国際戦争にまで拡大し，**ウェストファリア条約**で，ドイツ諸侯に主権が承認された。また，この条約ではスイスとオランダの独立が承認された。

## 重要ポイント３ ヨーロッパ諸国の植民地活動

絶対主義諸国は重商主義政策を進めて，国内では大商工業者による資本主義生産が始まり，一方，市場や原料の供給地を求めて，植民地の獲得に乗り出した。

| 国　名 | 拠　点 | 活動内容 |
|---|---|---|
| **ポルトガル** | インドのゴア<br>中国のマカオ | アジアで香辛料貿易に従事 |
| **スペイン** | フィリピンのマニラ | 中南米の金銀を独占 |
| **オランダ** | ジャワ島のバタヴィア | アジアに進出して東インドを領有<br>1602年，東インド会社を設立 |
| **イギリス** | インドのボンベイ・マドラス・カルカッタ | 1600年，東インド会社を設立<br>フランスとの抗争に勝利し，インド経営に集中 |
| **フランス** | インドのポンディシェリ・シャンデルナゴル | 1604年，東インド会社を設立<br>1664年，コルベールが東インド会社を再建 |

## 実戦問題

**No.1** (*) **ヨーロッパの絶対主義諸国家に関する記述として最も妥当なのはどれか。**

【国家一般職・平成15年度】

**1** スペインは，南アフリカの金を独占してこれを財政の基盤とするとともに，フェリペ2世が国内の毛織物工業を積極的に保護した結果，毛織物生産は全盛を極め，毛織物の輸出によって膨大な富をえて，「太陽の沈まぬ国」として強盛を誇るに至った。

**2** イギリスでは，エリザベス1世が国内の毛織物工業の育成に努めるとともに大商人に貿易独占権を与えて王室に莫大な利益をもたらした一方，強力な常備軍と官僚機構を組織し，地方を国王が任命した官僚により直接統治することにより中央集権化を進めたため，絶対王政は最盛期を迎えた。

**3** プロイセンでは，フリードリヒ=ヴィルヘルム1世がユンカーを官僚・軍隊の中心とする軍事色の強い絶対主義の基礎を築き，その子フリードリヒ2世は啓蒙主義思想の影響を受け，いわゆる啓蒙専制君主として国内産業の育成や司法改革に力を注いだ。

**4** フランスでは，ルイ14世が即位し，テルミドールの反動と呼ばれる貴族たちの反乱がおさえられた後は王権が確立されるとともに，蔵相ケネーが国王を補佐して官僚制を整備し，徹底した重農主義政策をとって農産物の自由取引を推進して国富の増大に貢献したので，フランス絶対王政は頂点に達した。

**5** ロシアでは，ピョートル1世の死後一時国政が乱れたが，エカチェリーナ2世が啓蒙思想の影響を受けて，法律の整備などの諸種の改革を行って社会体制の近代化を図り，農奴制の廃止を求めるコサック，農奴らの大規模な反乱事件の後は，農奴制を一切廃止し，農奴にも一般市民と同等の人権を与えた。

**No.2** ＊＊ **絶対王政の時代に関する記述として，妥当なのはどれか。**

【地方上級（特別区）・平成24年度】

**1** イギリスでは，エリザベス１世がオラニエ公ウィレムを指導者とするネーデルラントの独立を支援したため，スペインから無敵艦隊の来襲を受けて，これに敗れた。

**2** スペインでは，カルロス１世がレパントの海戦でオスマン帝国海軍を破った後，ポルトガルの王位を継承し，アジアの植民地も手に入れて，「太陽の沈まぬ国」を築いた。

**3** フランスでは，ルイ14世がネッケルを財務総監に任命して，重商主義政策を行い，国庫の充実を図ったが，ナントの勅令の廃止によってユグノーの商工業者が亡命したため，経済は大きな打撃を受けた。

**4** プロイセンでは，フリードリヒ２世（大王）がハプスブルク家のマリア=テレジアの即位をめぐるオーストリア継承戦争に乗じてシュレジエンを獲得し，さらに七年戦争でもこれを確保した。

**5** ロシアでは，エカチェリーナ２世が清とネルチンスク条約を結んで国境を決め，さらに北方戦争でスウェーデンを破り，バルト海沿岸にサンクト・ペテルブルクを建設して都を移した。

**No.3** ＊＊ **16世紀から17世紀にかけてのヨーロッパに関する記述として最も妥当なのはどれか。** 【国家一般職・平成28年度】

**1** イギリスでは，国王の権威を重んじるトーリ党と，議会の権利を主張するホイッグ党が生まれた。国王ジェームズ２世がカトリックの復活を図り，専制政治を強めると，両党は協力して，王女メアリとその夫のオランダ総督ウィレムを招いて王位に就けようとした。

**2** フランスでは，ルイ14世が即位し，リシュリューが宰相となって国王の権力の強化に努めたが，それに不満を持った貴族がフロンドの乱を起こした。国内の混乱は長期化し，ルイ14世が親政を始める頃にはフランスの王権は形骸化していた。

**3** 神聖ローマ帝国内に大小の領邦が分立していたドイツでは，ハプスブルク家がオーストリア領ベーメン（ボヘミア）のカトリック教徒を弾圧し，それをきっかけに百年戦争が起こった。その後，ウェストファリア条約によって戦争は終結した。

**4** スペインは，フェリペ２世の下で全盛期を迎えていたが，支配下にあったオランダが独立を宣言した。イギリスがオランダの独立を支援したため，スペインは無敵艦隊（アルマダ）を送り，イギリス艦隊を撃滅し，オランダ全土を再び支配下に置いた。

**5** ロシアは，ステンカ=ラージンによる農民反乱が鎮圧された後に即位したイヴァン４世（雷帝）の下で，軍備の拡大を背景にシベリア経営を進め，中国の清朝とネルチンスク条約を結び，清朝から九竜半島を租借した。

**No.4** ＊＊ **西ヨーロッパにおける封建制崩壊から絶対主義の時代にかけての記述として妥当なのはどれか。** 【国家一般職・平成12年度】

**1** スペインは，フェリペ２世の時代，アフリカ南端の喜望峰を発見し，当時，地中海の覇権を握っていたオスマン帝国の脅威にさらされることなく，アジアに直接赴くインド航路の開拓に成功した。このインド航路の開拓は，一種の国営事業として行われたため，それに伴う香辛料の直接取引はスペイン王室に莫大な利益をもたらし，首都マドリードは繁栄を誇った。

**2** イギリスでは，エリザベス女王の時代，地中海のシチリア島，キプロス島を占領し，キリスト教徒の地中海貿易を脅かしていたオスマン帝国の大艦隊をレパントの海戦に破って，その脅威を和らげるとともに，イギリスの国民産業となった綿織物業を背景に，1600年にはイギリス東インド会社を設立するなど目覚ましい海外進出を果たした。

**3** オランダは，独立戦争中ネーデルラント南部の毛織物業者が多く移住してきたため発達した毛織物業を背景に，オランダ東インド会社を設立するなど盛んに海上貿易に進出した。これによりポルトガル勢力を排除しつつ東洋貿易を独占し，17世紀前半にはスペインに代わって世界商業の覇権を握り，首都アムステルダムは世界商業・金融の中心として栄えた。

**4** フランスでは，ルイ14世が宰相リシュリューの死とともに親政を開始した。対内的には王権万能の政治を実現し，ヴェルサイユに壮大な宮殿の建造を計画したが，財政難のため未完成に終わった。対外的には，イギリスと結んでスペイン・プロイセンと戦ったスペイン継承戦争など数度の侵略戦争を行い，そのため国民は疲弊し，フランス革命の遠因となった。

**5** プロイセンは，フリードリヒ大王の時代，ナントの勅令の廃止によりフランスから亡命してきたユグノーを登用し，重商主義政策を励行して産業および財政の基礎を固める一方，オーストリア継承戦争でプロイセンに併合されたシュレジエンの奪回をめざすオーストリアとの戦争に勝利し，ドイツ帝国を成立させ，ヨーロッパの列強の地位についた。

**No.5*** **近代ヨーロッパ各国の社会情勢とその時代の政策，思想に関する記述として妥当なのはどれか。** 【国家総合職・平成12年度】

**1** 17世紀後半のフランスは，絶対王政の最盛期を迎えていた。ルイ14世は，王政を支える富の源を土地に求めて農業生産を経済の中心と考え，農民の保護を重視した。一方，商工業については自由放任政策をとり，商工業者に多かったユグノーの信教の自由を認めたため，亡命中のユグノーが帰国し，経済が発展した。

**2** 18世紀前半のイギリスの植民地であったアメリカは，植民地議会や大学を設立するなど自治的な政治体制を発展させる一方，本国の植民地政策による重税に苦しんでいた。人々は，ベンサムの「幸福が意味しているのは快楽であり，人生の目的は最大多数の最大幸福の実現にある」という功利主義的思想に影響を受け，独立への気運が高まっていった。

**3** 18世紀後半のロシアは，啓蒙専制君主といわれたエカチェリーナ２世の下で，さまざまな改革がなされ，農奴制も廃止された。しかし，これらの改革は地主本位の不十分なものであったことから，生産手段の共有に基礎を置く階級対立のない社会を理想とする思想が生まれ，これに影響を受けた労働運動が盛んになった。

**4** 19世紀前半のイギリスは，他国に先駆けて産業革命を果たして資本主義体制を確立していた。政府は，自由主義的政策から国家的保護政策に転換し，経済面では，高い関税で他国からの輸入を規制する一方，自国製品の輸出を促進し，自国の商業および産業をさらに発展させた。

**5** 19世紀後半のドイツは，プロイセン国家の武力による統一が進み，普仏戦争の結果ドイツ帝国が成立した。ドイツ帝国は，すでに帝国主義段階にあったイギリス，フランスに対抗するため，経済面においては保護関税政策を推進して急速に資本主義を発展させ，植民地を持つに至った。

## 実戦問題の解説

### No.1 の解説 ヨーロッパの絶対主義諸国家

→問題はP.170 正答3

**1 ×** スペインは南米へ進出。毛織物工業保護はイギリスのエリザベス１世。
スペインは**ラテンアメリカのポトシ銀山の銀を独占**して財政の基盤とした。フェリペ２世のもとで全盛期を迎えたスペインは1580年にはポルトガルを併合したが，国内産業は弱かった。**毛織物工業の育成に努めたのはイギリスのエリザベス１世**である。

**2 ×** 王権神授説で官僚機構や常備軍を組織したのはフランスのルイ14世。
イギリス絶対王政の全盛期の女王エリザベス１世は1600年には貿易独占権を東インド会社に与えた。またイギリス国王は地方の大地主階級のジェントリ（郷紳）の協力によって王権を強化した。**強力な常備軍と官僚機構を組織して中央集権化を進めたフランスとは異なる。**

**3 ◎** フリードリヒ２世＝啓蒙専制君主・オーストリア継承戦争。
正しい。ユンカーはドイツのエルベ川以東の地主貴族のことで，官僚・軍隊を独占した。プロイセンの**フリードリヒ２世（在位1740～86年）は啓蒙絶対君主として国の近代化に努めた。**

**4 ×** テルミドールの反動でロベスピエールが処刑された。
**テルミドールの反動は，1794年にクーデターでジャコバン派のロベスピエールが処刑された事件**である。ケネーは18世紀のルイ15世時代の重農主義者で，『経済表』を著した。ルイ14世の下で官僚制を整備して，**重商主義政策をとったのは財務総監コルベール**である。

**5 ×** 啓蒙専制君主であったエカチェリーナ２世は反動化し，農奴制を強化。
エカチェリーナ２世は夫のピョートル３世の跡を継いで，啓蒙専制君主として改革を行ったが，農奴制廃止を求めるコサックのプガチョフの乱（1773～75年）が起きるとこれを鎮圧した後，**さらに農奴制を強化し，貴族の特権を拡大させるなど反動政治を行った。**なお，エカチェリーナ２世は1792年にラクスマンを日本に派遣している。

## No.2 の解説　絶対王政の時代

→問題はP.171　**正答4**

**1 ×　アルマダ海戦でスペインの無敵艦隊がイギリス海軍に敗北。**

イギリスのエリザベス１世はスペイン王フェリペ２世の支配下にあったオランダ（ネーデルラント連邦共和国）の独立を支援したため，スペインとの間で1588年に**アルマダ海戦**が勃発した。この戦いではイギリス海軍に無敵艦隊（アルマダ）が敗れた。

**2 ×　レパントの海戦でスペインのフェリペ２世がオスマン帝国海軍に勝利。**

1571年の**レパントの海戦**では，スペインがオスマン帝国を破っている。また，1580年に，スペインはポルトガルを併合している。カルロス１世は在位期間が1515～56年のスペイン王であり，フェリペ２世がその後を継いで，1598年まで国王となった。

**3 ×　ルイ14世時代の財務総監コルベールは重商主義政策を実施。**

フランス国王ルイ14世の治世下で重商主義政策を進めたのは財務総監の**コルベール**である。**ネッケル**はルイ16世に国家財政を立て直すために起用された銀行家である，

**4 ◎　オーストリア継承戦争でフリードリヒ２世がマリア=テレジアに勝利。**

正しい。1740～48年のオーストリア継承戦争は，プロイセンのフリードリヒ２世がオーストリアのハプスブルク家のマリア=テレジアと戦った戦争であり，プロイセンが勝利した。さらに，1756年から63年にかけて再度行われたプロイセンとオーストリアの戦争が七年戦争であり，こちらもプロイセンが勝利した。

**5 ×　ピョートル１世はシベリア経営に取り組み，清とネルチンスク条約を締結。**

1689年にロシア皇帝の**ピョートル１世**と清の皇帝の康熙帝との間で結ばれた国境画定条約が**ネルチンスク条約**である。また，ピョートル１世は1700～21年の北方戦争でスウェーデンを破った。さらに，1712年にはサンクト・ペテルブルクを首都とした。エカチェリーナ２世はピョートル１世を引き継いだ女帝である。

## No.3 の解説 16世紀から17世紀のヨーロッパ →問題はP.172 正答 1

**1 ◎ ジェームズ２世がフランスへ亡命し，無血の名誉革命となった。**
正しい。トーリ党（国王派）とホイッグ党（議会派）は1670年代末頃には成立していた。ジェームズ２世（在位1685〜1688年）の専制政治強化とカトリックを復活させようとする政策に対し，トーリ党とホイッグ党はオランダ総督ウィレムとメアリ（ウィレムの妻でジェームズ２世の娘）をイギリスに招いたことから，ジェームズ２世が亡命した**名誉革命**の内容である。

**2 × ルイ14世の宰相はマザラン。**
リシュリューはフランス王ルイ13世（在位1610〜1643年）の宰相である。フロンドの乱（1648〜1653年）はルイ14世（在位1643〜1715年）の宰相マザラン（在任1642〜1661年）が鎮圧した貴族の反乱である。

**3 × ベーメンのプロテスタントの戦いをきっかけに三十年戦争勃発。**
ベーメン（ボヘミア）のプロテスタントとカトリックを強要するハプスブルク家の戦いは**三十年戦争**（1618〜1648年）で，この戦いはプロテスタントが勝利し，ウェストファリア条約を締結した。百年戦争（1339〜1453年）はイギリス王エドワード３世がフランス王位継承権を主張したことから始まり，フランスの勝利で終わった戦いである。

**4 × イギリス海軍がスペインのアルマダを撃滅。**
スペイン王フェリペ２世によるネーデルラントへのカトリック政策は，オランダが独立を宣言するに至り，イギリスはオランダの独立を支援したが，1588年のスペイン無敵艦隊（アルマダ）とイギリス海軍が戦った**アルマダ海戦**では，イギリスが勝利した。

**5 × ネルチンスク条約はピョートル１世時代。**
イヴァン４世（雷帝）は在位期間が1533年から1584年であり，16世紀のロシア皇帝である。コサックの首領ステンカ=ラージンによる農民反乱は1670年から1671年で，17世紀の反乱であり，時代が異なる。ステンカ=ラージンの反乱が鎮圧された後の1672年に即位したのが**ピョートル１世**である。1689年には清朝とネルチンスク条約を結んだが，これは国境画定と通商を目的としたものである。九龍半島の租借はイギリスである。

## No.4 の解説　西欧における封建制崩壊から絶対主義の時代 →問題はP.173 正答3

**1 ×　ポルトガルのバルトロメウ=ディアスが喜望峰に到達。**

アフリカ南端の喜望峰を発見したのはポルトガルであり，ポルトガル王のジョアン２世の時代のこと。**バルトロメウ=ディアス**によって発見された。さらに，ポルトガル王のマヌエル１世の命令で，ヴァスコ=ダ=ガマがインド航路の開拓に成功し，ポルトガルの首都リスボンは香辛料の貿易で莫大な利益がもたらされ，繁栄を誇った。

**2 ×　レパントの海戦でオスマン帝国を破ったのはスペイン。**

レパントの海戦（1571年）でオスマン帝国の大艦隊を破ったのはスペインの**フェリペ２世**の時代である。地中海の覇権は，オスマン帝国からスペインに移った。また，綿織物業がイギリスの国民産業になるのは産業革命が起こった18世紀後半以降のことである。

**3 ◎　オランダは17世紀前半に世界商業の覇権を掌握。**

正しい。1602年にオランダ東インド会社が設立された。オランダはバタビア（現在のジャカルタ）を拠点にアジア貿易を発展させ，首都アムステルダムが栄えた。

**4 ×　ルイ14世の宰相はマザラン。**

宰相リシュリューはルイ13世に仕えた人物である。ルイ14世時代の宰相は**マザラン**である。マザランの死とともに，ルイ14世は親政を開始した。ヴェルサイユ宮殿はルイ14世によって完成されている。スペイン継承戦争（1701～1713年）はフランスがイギリスではなくスペインと結んで，イギリス，オーストリア，オランダと戦った。これら一連の戦争は財政を窮乏させ，フランス革命の遠因となった。

**5 ×　ドイツ帝国を成立させたのはヴィルヘルム１世。**

ルイ14世によるナントの勅令の廃止は1685年のことであり，フリードリヒ大王（２世）は1740年に即位したプロイセンの啓蒙専制君主である。フリードリヒ大王（２世）は富国強兵を進め，シュレジエンの奪回をめざすオーストリアとの七年戦争（1756～1763年）に勝利した。ドイツ帝国の成立は1871年のことで，**ヴィルヘルム１世**の時代である。

## No.5 の解説　近代ヨーロッパ各国の社会情勢，政策，思想 →問題はP.174 正答5

**1 ×** ルイ14世は商業を重視する重商主義政策を実施。
ルイ14世は王政を支える富の源を商業に求め，重商主義政策をとり，大商人を保護した。ルイ14世が**1685年にナントの勅令を廃止**すると，商工業者の多数を占める**ユグノーが国外に亡命**することになり，経済に深刻な打撃を与えた。

**2 ×** アメリカの独立はイギリスの思想家ロックの思想の影響。
自治的政治体制を発展させていたアメリカ植民地は，イギリス本国が1765年に出した印紙法，1773年に出した茶法に苦しみ，1775年にボストン北西のレキシントンでイギリス本国と武力衝突した。植民地側は翌年，ロックの啓蒙思想の影響を受けた**独立宣言**を発表した。

**3 ×** 農奴制廃止（農奴解放令）はアレクサンドル２世時代。
ロシアで**農奴解放令**が出されて，農奴制が廃止されたのは1861年のことであり，エカチェリーナ２世時代ではなく，アレクサンドル２世の時代である。改革を進めたエカチェリーナ２世の時代には，労働運動ではなく，プガチョフによる農民反乱（1742年頃～1775年）がさかんになり，農奴制が強化された。

**4 ×** イギリスの産業革命は18世紀後半。
イギリスは**18世紀中頃**から他国に先駆けて産業革命を達成した。19世紀前半に産業革命を達成したのは，フランス，ベルギーである。また，イギリスの産業革命では，自由主義的政策がとられた。

**5 ◎** プロイセンがフランスを破り，ドイツ帝国が成立。
正しい。普仏戦争の結果，フランスに勝ったプロイセンは**1871年にドイツ帝国を成立**させた。

# 市民革命・産業革命

## 必修問題

**フランス革命期に関する次の記述のうち，妥当なものはどれか**

【地方上級（全国型）・令和３年度】

**1** バスティーユ牢獄が襲撃されてフランス革命が勃発すると，国王ルイ16世は封建的特権の廃止を宣言し，ラ・ファイエットらが起草した**人権宣言**を発布した。

**2** 国王の処刑後，第１回対仏大同盟の結成など内外の危機を打開するため，急進派のジロンド派はジャコバン派議員を追放し，**ロベスピエール**らを指導者とするジロンド派の独裁が実現して恐怖政治が始まった。

**3** 恐怖政治への不満が高まり，ロベスピエールは反対派に捕えられ処刑された。これをブリュメール18日のクーデタという。この後総裁政府が成立したが政局は不安定で，国民は社会秩序の安定を切望した。

**4** **ナポレオン法典**の制定により特権階級の特権は維持されることとなり，正統主義の原則に立つ保守反動の体制が作られることとなった。

**5** フランス革命時代に度量衡の統一が進められ，パリを通る子午線の長さの4000分の１を１メートルとし，それを基準に容積・質量の単位も10進法で組織だてたメートル法が制定された。

難易度 ＊＊

## 必修問題の解説

1789年に第三身分が国民議会の設立を宣言した後，パリの民衆がバスティーユ牢獄を襲撃し全国で農民が蜂起した。国民議会が封建的特権の廃止を決議し，1789年８月26日にラ・ファイエットらが起草した人権宣言が採択され，自由・平等・主権在民・私有財産の不可侵が宣言された（**1**）。国民議会は教会財産を没収。さらにギルドを廃止して，営業の自由を進め，度量衡の統一を行い，1791年９月には立憲君主政の憲法を制定した（**5**）。

**1 ×** 封建的特権の廃止は国民議会が宣言した。

国民議会は1789年8月4日に封建的特権の廃止を宣言し，同年8月26日に人権宣言も発布。自由・平等・国民主権・権力分立・私有財産の不可侵が規定されている。起草者に自由主義貴族のラ・ファイエットが含まれる。

**2 ×** 急進派がジャコバン派。穏健派がジロンド派。

1793年に**国民公会**がルイ16世を処刑し，ベルギーへ進出すると，それを警戒したイギリス首相ピットがフランス包囲の第1回対仏大同盟を結成した。急進派のジャコバン派は1793年に穏健派のジロンド派委員を議会から追放し，ロベスピエールらを指導者とするジャコバン派政権は反対派を処刑する恐怖政治を展開した。

**3 ×** ロベスピエールが処刑されたのはテルミドール9日のクーデタ（1794年）。

ロベスピエールの恐怖政治への不満が高まり，反ロベスピエール派によって，ロベスピエールが処刑されたのは，テルミドール9日のクーデタ。ブリュメール18日のクーデタは，1799年に軍人のナポレオン・ボナパルトが起こしたもので，総裁政府が崩壊し統領政府を成立しナポレオンが第一統領となった出来事。

**4 ×** 正統主義はウィーン会議で提唱された原則。

**正統主義**はフランスの外相タレーランがウィーン会議（1814～15年）で提唱した原則で，**フランス革命前の国際秩序を原則とみなす**もので，これによってブルボン王朝が復活した。ナポレオン法典（1804年）は，ナポレオンが制定した民法典で，法の前の平等，私有財産の不可侵，契約の自由などが含まれていた。日本やオランダなど各国の民法典にも影響を与えた。

**5 ◎** 1790年に国民議会が度量衡単位の統一を宣言。1799年にメートル法採用。

国民議会は1790年に全国の行政区画を改め，教会財産を没収して国有化し，ギルドを廃止し，度量衡統一の方針を示した。1795年にパリを通る子午線の長さの4000分の1を1メートルとする法が制定された。

**正答 5**

## FOCUS

フランス革命前後の過程は近年頻出テーマとなっている。ナポレオン戦争からウィーン体制，その後のフランス七月革命，二月革命まで把握しておこう。

# POINT

## 重要ポイント 1　市民社会の成立

### ●ピューリタン革命

**チャールズ1世**は，1628年に議会によって可決された権利の請願を守らず，専制政治を進めた。議会は反抗，1642年に革命が起こり，指導者**クロムウェル**はチャールズ1世を処刑し，共和政を打ち立てた。クロムウェルは1651年に**航海法**（航海条例）を発布してオランダの海運業に打撃を与え，第一次英蘭戦争（1652～54年）でオランダを撃破した。しかし，護国卿となったクロムウェルは厳格な軍事的独裁政治を進めたため，国民の不満が高まり，彼の死後，イギリスは**王政復古**した。

### ●名誉革命

王政復古し，即位したチャールズ2世は次第に専制化し，カトリックを擁護したため，議会は公職者をイギリス国教徒に限る**審査法**（1673年），不当逮捕しないことを定める**人身保護法**（1679年）を制定した。続くジェームズ2世も専制政治を行ったため，1688年に名誉革命が起こり，国王の亡命後，**メアリ2世**と**ウィリアム3世**が権利の宣言を承認し，議会が**権利の章典**を発布，議会政治の基礎が確立した。

### ●アメリカの独立

1775年，アメリカの13植民地は，ワシントンを総司令官として，イギリスに対し独立戦争を起こし，76年に**独立宣言**を発表した（トマス=ジェファソンらが起草）。フランス・スペインの援助の下で勝利を収め，87年に連邦主義・三権分立主義・民主主義に基づく合衆国憲法が制定された（初代大統領にはワシントンが就任）。

### ●フランス革命

財政の危機 → 特権身分への課税 → 三部会の召集（1789） → 国民議会の結成 → 球戯場の誓い → バスティーユ牢獄の襲撃 → 封建的特権の廃止 → フランス人権宣言 → 憲法発布・議会解散（1791） → 立法議会を召集 → フイヤン派（立憲君主主義）とジロンド派（穏和共和主義）が対立（1792） → オーストリア・プロシアと開戦 → 王権停止・共和政が成立

→ 男子普通選挙により国民公会が召集 → ルイ16世の処刑（1793） → ジャコバン派の独裁（ロベスピエール・ダントンら） → 英を中心に第1回対仏大同盟が結成 → 同盟国との戦い　ジロンド派とジャコバン派の対立 → ジャコバン派の独裁（封建的貢租の無償廃止・物価統制など） → 恐怖政治への反発 → テルミドール9日のクーデタ（ロベスピエールの処刑）（1794） → 総裁政府の成立・革命は終結へ（1795）

1789年に旧制度（アンシャン・レジーム）下の財政危機を乗り切るため三部会が召集されたが，議決方法に不満を持った第三身分が国民議会を結成し，憲法制定までは解散しないことを誓った（球戯場の誓い）。国民議会は封建的特権の廃止を決定し，**フランス人権宣言**を採択したが，**ルイ16世**が武力で国民議会を解散させようとしたことから，パリ市民が暴動を起こし，革命は全国へ広がった。

## 重要ポイント2 産業革命

18世紀後半，**イギリス**はマニュファクチュア（工場制手工業）の発達により大量の資本が蓄積され，また，地主による**第二次囲い込み**によって土地を失った農民が都市労働者となり，安価な労働力が出現した。当時，イギリスは広大な海外市場を得ており，このような背景から，綿（木綿）工業を中心に製鉄，炭鉱，機械工業，海運，造船，交通が発達していった。さらに**工場制機械工業**が発展するとともに，資本主義体制が確立したが，資本家と労働者の対立なども見られるようになった。

## 重要ポイント3 フランス革命後のヨーロッパ

**●ナポレオン１世の台頭**

総裁政府下で頭角を現した**ナポレオン=ボナパルト**は，1799年のブリュメールのクーデターで統領政府を樹立し，第一統領となった。1804年には「**ナポレオン法典**」を発布，皇帝ナポレオン１世として即位した。1806年大陸封鎖令でイギリスの孤立を図ったが効果なく，1812年，モスクワ遠征に失敗。エルバ島へ流された後，1815年に復位したが，**ワーテルローの戦い**に敗れ，セントヘレナ島へ流された。

**●ウィーン体制**

フランス革命とナポレオン戦争処理のため，オーストリアの**メッテルニヒ**が**ウィーン会議**を開催（1814～15年）。フランス代表タレーランが革命前のブルボン王朝を正統とし，旧制度の復活をめざす**正統主義**を採用した。ウィーン議定書では，大国に有利な領土変更がなされた。四国（五国）同盟（ロシア・イギリス・プロイセン・オーストリア，のちにフランスが加盟），神聖同盟（ロシア皇帝アレクサンドル１世が提唱）を軸とし，自由主義，民族主義運動を抑えるウィーン体制が完成したものの，ギリシャやラテンアメリカ諸国の独立によってウィーン体制は破綻した。

**●フランス七月革命・二月革命**

・**七月革命**（1830年）：シャルル10世が貴族・聖職者を重んじ議会を圧迫。これに対して革命が勃発，**ルイ=フィリップ**が王となった。

・**二月革命**（1848年）：選挙法改正を契機に起きた。ルイ=フィリップは亡命，憲法制定後の国民投票で**ルイ=ナポレオン**が当選，ナポレオン３世と称した。

**●1848年革命**

ウィーンでは1848年３月に，メッテルニヒが失脚（三月革命）。

## 実戦問題

**No.1** ＊＊ **第一次産業革命および第二次産業革命に関する記述として，妥当なのはどれか。**

**【地方上級（東京都）・平成29年度】**

**1** 第一次産業革命とは，17世紀のスペインで始まった蒸気機関等の発明による生産力の革新に伴う社会の根本的な変化のことをいい，第一次産業革命により18世紀の同国の経済は大きく成長し，同国は「太陽の沈まぬ国」と呼ばれた。

**2** 第一次産業革命の時期の主な技術革新として，スティーヴンソンが特許を取得した水力紡績機，アークライトが実用化した蒸気機関車，エディソンによる蓄音機の発明などがある。

**3** 第一次産業革命は生産力の革新によって始まったが，鉄道の建設は本格化するには至らず，第二次産業革命が始まるまで，陸上の輸送量と移動時間には，ほとんど変化がなかった。

**4** 19世紀後半から始まった第二次産業革命では，鉄鋼，化学工業などの重工業部門が発展し，石油や電気がエネルギー源の主流になった。

**5** 第二次産業革命の進展につれて，都市化が進むとともに，労働者階層に代わって新資本家層と呼ばれるホワイトカラーが形成され，大衆社会が生まれた。

**No.2** ＊ **フランス革命に関する記述として，妥当なのはどれか。**

**【地方上級（特別区）・平成26年度】**

**1** 国王の召集により三部会が開かれると，特権身分と第三身分は議決方法をめぐって対立し，改革を要求する第三身分の代表たちは自らを国民公会と称したが，国王が弾圧をはかったため，パリ民衆はテュイルリー宮殿を襲撃した。

**2** 国民公会は，封建的特権の廃止を宣言し，「球戯場の誓い」を採択したが，この誓いには，自然法にもとづく自由と平等，国民主権，私有財産の不可侵などが盛り込まれた。

**3** 国王一家が王妃マリ=アントワネットの実家のオーストリアへ逃亡しようとひそかにパリを脱出し，途中で発見されて連れもどされるという，ヴァレンヌ逃亡事件が起こり，国王は国民の信頼を失った。

**4** 1791年に立憲君主政の憲法が発布され，この憲法のもとで男子普通選挙制にもとづく新たな立法議会が成立したが，オーストリアとプロイセンが革命を非難したので，プロイセンに対して宣戦し，革命戦争を開始した。

**5** ロベスピエールをリーダーとしたジロンド派は，公安委員会を使って恐怖政治を展開したが，独裁体制に対する反発が強まり，「ブリュメール18日のクーデター」によりロベスピエールが処刑された。

**＊＊ No.3 産業革命以降の英国に関する記述として最も妥当なのはどれか。**

【国家総合職・令和2年度】

**1** 英国では，18世紀前半にワットが蒸気機関車を実用化したことで，輸送手段が飛躍的に進歩する交通革命が起こった。この結果，植民地で栽培されている綿花を自国に大量輸送することが可能となり，18世紀後半に綿織物の生産量が急激に増え，綿工業を中心とした産業革命が始まった。

**2** 英国は，19世紀後半から帝国主義政策を開始し，アフリカ大陸において，カメルーン，南西アフリカ，東アフリカを植民地として獲得した。さらに，モロッコにおけるフランスの優越的な地位に挑戦し，門戸開放を二度にわたって求めるモロッコ事件を起こしたが，ドイツとロシアがフランスを支援したため失敗に終わった。

**3** 第一次世界大戦中，英国は，植民地としていたインドに対して，戦争への協力の見返りとして独立を約束するブレスト＝リトフスク条約を締結した。しかし，第一次世界大戦後，英国が約束を果たさなかったことによりインド国内で反英運動が高まりを見せたため，英国は限定的に自治を認めるローラット法を制定した。

**4** 世界恐慌の後，英国は，挙国一致内閣を成立させ，金本位制の停止や歳出削減を実施した。また，カナダのオタワでイギリス連邦経済会議を開催し，カナダやオーストラリアなどを含むイギリス連邦内の関税を低くし，連邦外の国に対して関税を高くするブロック経済化を進めた。

**5** 第二次世界大戦中，英国のチャーチル首相は米国のフランクリン＝ローズヴェルト大統領とカイロで会談し，ドイツに無条件降伏を要求するカイロ宣言を発表した。第二次世界大戦後は，国際連盟が戦争を防げなかったという反省から，米国首脳と共に発表した大西洋憲章を基に，ヤルタ会談において国際連合憲章を発表し，国際連合を発足させた。

## 実戦問題の解説

### No.1 の解説　産業革命　→問題はP.184　正答4

**1 ×** **18世紀後半にイギリスで世界初の産業革命開始。**

18～19世紀に石炭や蒸気を動力源とする機械や技術革新をきっかけに起こった産業や経済社会の変化を第一次産業革命という。最初にこの革命が起こったのは市民革命が進んだ**イギリス**である。当時イギリスは「世界の工場」と呼ばれた。**蒸気機関**を発明したのはイギリスのニューコメンで，蒸気機関に改良を加えたのがワットである。

**2 ×** **スティーヴンソンは蒸気機関車，アークライトが水力紡績機を発明。**

第一次産業革命による技術革新は，綿工業の分野での機械の発明や蒸気機関が大きい。水力紡績機を発明したのは**アークライト**。蒸気機関車を実用化したのが**スティーヴンソン**である。エディソンの蓄音機の発明は19世紀後半で，第一次産業革命期ではない。

**3 ×** **1830年にリヴァプール－マンチェスター間に旅客鉄道開通。**

第一次産業革命期にイギリスでは本格的な鉄道が開通した。蒸気機関の発達は交通機関に影響を与え**交通革命**が起こった。

**4 ◎** **第二次産業革命は19世紀後半から開始。**

19世紀後半に起こった第二次産業革命では，**石油や電気**がエネルギー源となり，重工業部門が発展した。

**5 ×** **ホワイトカラーは知的・技術的な作業を行う労働者階層。**

ホワイトカラーは事務職などで働く従業員であり，資本家のことではない。工場などで働く工員・作業員などの労働者はブルーカラーと呼ばれる。第一次産業革命でブルーカラーが増加し，第二次産業革命後にホワイトカラーが増加した。

### No.2 の解説　フランス革命　→問題はP.184　正答3

**1 ×** **第三身分の代表は国民議会と称した。**

1789年５月５日に三部会が開かれたが，平民からなる第三身分の議員たちは，自らを**国民議会**と称した。国民議会が憲法起草の準備を始めると，国王が弾圧をはかったため，パリの民衆が７月にバスティーユ牢獄を襲撃した。

**2 ×** **「球戯場の誓い」は国民議会の誓い。**

1789年６月に国民議会が「球戯場の誓い」で憲法制定まで解散しないで戦うことを誓い，８月４日に自然法に基づく**自由と平等，国民主権，私有財産の不可侵**が盛り込まれた人権宣言を採択した。

**3 ◎** **1791年にルイ16世一家が逃亡を企てたのがヴァレンヌ逃亡事件。**

正しい。1791年９月に国王ルイ16世一家は深夜にテュイルリー宮殿を脱出したが，発見され，脱出を阻止された。

**4 ×** **立法議会は制限選挙，国民公会が男子普通選挙を実施。**

男子普通選挙制によって成立した議会は，国民公会（1792年成立）である。1791年に成立した立法議会は制限選挙が行われて成立した。

**5 ×** ロベスピエールはジャコバン派。

急進共和派ジャコバン派のリーダーのロベスピエールは，恐怖政治を展開したため，94年７月の**テルミドールのクーデター**で処刑された。**ブリュメール18日のクーデター**は1799年のナポレオンの起こしたクーデターである。

## No.3 の解説　産業革命以降の英国

→問題はP.185　正答４

**1 ×** 蒸気機関車の製作はスティーヴンソンによる。

蒸気機関車の実用化は1825年（19世紀前半）のことで，1814年に**スティーヴンソン**が製作してからである。**ワット**は1769年（18世紀後半）に蒸気機関を改良した人物。18世紀後半に産業革命が始まり，その結果，19世紀には交通・運輸で交通革命が起こった。

**2 ×** モロッコ事件はドイツがフランスに対して起こした事件。

1880年代半ばからカメルーン，南西アフリカ，東アフリカを植民地として植民地として獲得したのはドイツである。モロッコにおけるフランスの優越的な地位に挑戦し，二度にわたって**モロッコ事件**を起こしたのもドイツである。この事件でフランスを支援したのはイギリスで，ドイツの行動は失敗に終わり，モロッコはフランスの保護国となった。

**3 ×** ブレスト＝リトフスク条約（1918年）はドイツとロシアの講和条約。

イギリスは1919年にインド民族運動の要求である戦後自治をインド統治法で約束したが，反英運動が高まると，同年**ローラット法**で反英運動を弾圧した。ブレスト＝リトフスク条約はソヴィエト政権がドイツと結んだ単独講和条約である。

**4 ◎** マクドナルドによる挙国一致内閣の成立，ブロック経済実施。

1931～35年にマクドナルドによって挙国一致内閣が成立した。1931年には金本位制を停止し，1932年にはオタワ連邦会議（イギリス連邦経済会議）で，**ブロック経済圏**を形成した。

**5 ×** カイロ会談＝対日戦処理方針。国際連合憲章の採択＝サンフランシスコ会議。

**カイロ会談**（1943年）ではチャーチル，フランクリン＝ローズヴェルト，蒋介石が会談し，対日処理方針を定めたカイロ宣言が発表された。ドイツの共同管理や戦争犯罪の裁判などについて合意したのは**ヤルタ協定**（1945年）である。1941年にチャーチルとローズヴェルトの会談の結果として発表された大西洋憲章は国際連合憲章へ継承されたが，国際連合憲章の原案はダンバートン＝オークス会議（1944年）で作られ，1945年の**サンフランシスコ会議**で国際連合憲章が正式に採択され，国際連合が発足した。

# 試験別出題傾向と対策

| 試験名 | | 国家総合職 | | | | | 国家一般職 | | | | | 国家専門職（国税専門官） | | | | |
|---|---|---|---|---|---|---|---|---|---|---|---|---|---|---|---|---|
| 年度 | | 21-23 | 24-26 | 27-29 | 30-2 | 3-5 | 21-23 | 24-26 | 27-29 | 30-2 | 3-5 | 21-23 | 24-26 | 27-29 | 30-2 | 3-5 |
| 頻出度 | テーマ　出題数 | 1 | 2 | 2 | 2 | 2 | 1 | 1 | 2 | 2 | 1 | 1 | 0 | 2 | 1 | 1 |
| B | 6 列強の帝国主義政策 | | 1 | 2 | | 1 | | 1 | 1 | | | | | | 1 | 1 |
| A | 7 第一次世界大戦前後 | | 1 | | 2 | 1 | 1 | | | 1 | | 1 | | 1 | | |
| A | 8 第二次世界大戦後の情勢 | 1 | | | | | | | 1 | 1 | 1 | | | 1 | | |

現代史では，19世紀以降の世界の動きが問われている。一国の歴史だけを問う問題はほとんど見られず，マクロ的な視点で国際関係を問う出題が大部分を占めている。このような国際関係を重視した出題は現代史特有のパターンといえる。列強の帝国主義政策や，第一次世界大戦前後の世界の動き，第二次世界大戦後の情勢など，19～20世紀の歴史は，それぞれの史実が細かく，押さえておくべきことも多いので，できるだけ早い時期に重要事項を整理して覚えていくようにしたい。

### ●国家総合職

出題形式は単純正誤形式で，長文問題が出題されている。近年，現代史に比重を置く出題となっているので，現代史の細かい史実を丁寧に学習していくことが重要である。第二次世界大戦後の情勢は特に出題頻度が高く，東南アジア諸国，インド，中国，イスラーム諸国，東欧諸国などの状況も併せて通史的に理解しておきたい。また，キリスト教の歴史は重要である。

### ●国家一般職

出題形式としては単純正誤形式が大半を占めている。現代史では難易度の高い問題が出題される傾向があり，第二次世界大戦後のヨーロッパ・アジアの状況まで網羅した学習が必要である。

### ●国家専門職

出題形式は単純正誤形式となっている。最近では近・現代史に比重を置く出題傾向が強くなり，20世紀前半の歴史を問う問題も多い。冷戦時代も出題されている。第二次世界大戦直後のアジア諸国の動向を含む国際関係に目を向けた学習が必要である。

### ●地方上級

**全国型**では，近・現代史からの出題が多い。特にヨーロッパ列強の動きや経済状況，政治動向などについては出題頻度が高い。帝国主義時代の列強の状況，世界恐慌に至るまでの各国の状況，第一次世界大戦から第二次世界大戦期のヨーロ

| | 地方上級（全国型） | | | | | 地方上級（東京都） | | | | | 地方上級（特別区） | | | | | 市役所（C日程） | | | | | |
|---|---|---|---|---|---|---|---|---|---|---|---|---|---|---|---|---|---|---|---|---|---|
| | 21-23 | 24-26 | 27-29 | 30-2 | 3-4 | 21-23 | 24-26 | 27-29 | 30-2 | 3-5 | 21-23 | 24-26 | 27-29 | 30-2 | 3-5 | 21-23 | 24-25 | 27-29 | 30-2 | 3-4 | |
| | 1 | 3 | 5 | 4 | 2 | 0 | 1 | 0 | 2 | 2 | 1 | 0 | 3 | 1 | 0 | 3 | 2 | 3 | 2 | 2 | |
| | | | | 1 | | | 1 | | 1 | | | | | | | | | 1 | | | テーマ6 |
| | | | | 1 | 1 | | | | 1 | 1 | 1 | | 1 | 1 | | 1 | 1 | 1 | 1 | | テーマ7 |
| | 1 | 3 | 5 | 2 | 1 | | | | | 1 | | | 2 | | | 2 | 1 | 1 | 1 | 2 | テーマ8 |

ッパ諸国の状況，20世紀後半の世界情勢などは重要テーマである。また，中国の近・現代史の出題も多く要注意である。

**関東型**では，一部全国型と共通問題となっている。全国型と異なる問題では，19世紀のアメリカ合衆国，19世紀半ばのイギリスの近代化の変遷などが見られ，英米の動向が問われるパターンが多い。

**中部・北陸型**では，一部全国型・関東型と共通問題となっている。独自の問題としては，ウィーン会議，ヴェルサイユ体制（ヨーロッパ諸国の状況）などヨーロッパ全体の動きを問う問題が多い。

### ●東京都・特別区

東京都では，19世紀末から20世紀にかけての現代史の出題頻度は低かったが，近年戦後史からの出題もみられる。ただし，今後の対策としては，世界大戦に関する一般常識的な知識は持ち合わせておきたい。

特別区では，数年に一度の割合といった程度で，第一次世界大戦，第二次世界大戦と戦後の状況に関する出題が見られる。西洋史と東洋史の両面で戦争の因果関係とその影響などをまとめておきたい。

### ●市役所

市役所では，単純正誤問題が出題形式となっており，西洋史の中で現代史が出題される割合は非常に高い。第一次世界大戦前後や第二次世界大戦前後の国際情勢をしっかり押さえておくことが正答を導き出すポイントになるだろう。また，中東戦争，イラン・イラク戦争など中東の現代史もかなり出題されているので，現在の中東情勢にも注目しておきたい。

# 列強の帝国主義政策

## 必修問題

**帝国主義の下に，ヨーロッパ列強が行ったアフリカ分割に関する記述として妥当なのはどれか。** **【国家一般職・平成13年度】**

**1** ベルギーは，19世紀後半にコンゴ川流域地方に進出し植民地経営を始めた。これを契機にヨーロッパ列強は，アフリカ分割のための会議を開き，ベルギー国王によるコンゴ支配を認め，また，内陸部を含めたアフリカにおける列強の先取権を相互に承認することを決めた。

**2** イギリスは，19世紀末にフランスから独立しようとしていたエジプトを援助したことを契機に同国の内政に干渉して保護下におき，一方，南アフリカではフランス系移民の子孫であるブール（ボーア）人の建国した国を征服し，**ケープタウンとカイロをつなぐ縦断政策**を企てた。

**3** フランスは，19世紀後半にリビアに進出し，そこを足掛かりに北アフリカの大部分を占領し，さらにモロッコ進出を企てたため，モロッコを独占的に支配していたイギリスと対立した。その後，フランスはモロッコ，イギリスは南アフリカでの優越権を持つことをそれぞれ承認しあった。

**4** ドイツは，イギリス，フランスが進出していないアフリカ西部に進出し，アメリカ合衆国の援助により独立したリベリア共和国などを植民地とする一方，ケニアを植民地にしてアフリカ横断政策を進めたが，縦断政策をとるイギリスと衝突し，ファショダ事件が起こった。

**5** イタリアは，帝国主義政策をとるのに十分な資本の蓄積が遅れ，20世紀になってアフリカ北東部のエチオピアに侵入し，植民地とした。これをもって，ヨーロッパ列強各国によるアフリカ大陸全土の分割が終了し，20世紀初頭にはアフリカにおける独立国は消滅した。

**難易度　＊＊＊**

## 必修問題の解説

**欧米諸国のアフリカ分割ではアフリカの地図を手元において，場所の確認をしておいたほうがよい。ベルギーはコンゴに進出し（1），イギリスはオランダ系移民のブール人と戦い，南アフリカに進出した（2）。イタリアはリビア（3）とエチオピア（5），フランスはモロッコ（3），ドイツはカメルーン（4）と場所を押さえておこう。**

**1 ◎ アフリカのコンゴはベルギーの植民地支配下。**
正しい。ベルギー国王レオポルド2世は探検家スタンリーを派遣し，植民地経営を進め，1908年には**ベルギー領コンゴ**となった。

**2 × ブール人はオランダ系移民の子孫。**
1875年にイギリスのディズレーリ首相は**エジプト政府からスエズ運河の株式を買収**すると，エジプトの内政に干渉し，1882年にはエジプトを占領した。また，**ブール（ボーア）人はオランダ系移民の子孫**であり，ブール人とイギリスが戦った**南ア戦争**（1899～1902年）では，イギリスが勝利した。

**3 × リビア進出はイタリア。**
**リビアに進出したのはイタリア**であり，1912年にイタリアの植民地となる。1842年に，フランスはアルジェリアを攻め保護国化し，1881年にはチュニジアも保護国化した。**モロッコを巡ってフランスとドイツが対立**したが，ドイツが孤立化し，その後，ドイツに対抗するため，イギリスはエジプトでの，フランスはモロッコでの優越権をそれぞれ承認し合った。

**4 × アフリカ横断政策を進めたのはフランス。**
**リベリア共和国は19世紀半ばから独立国**として存在していた。**ケニアを植民地化したのはイギリス**であり，**アフリカ横断政策を進めたのはフランス**である。また，1898年に起こった**ファショダ事件**は，縦断政策を進めるイギリスと**横断政策を進めるフランス**がファショダで衝突した事件で，フランスが譲歩した事件。

**5 × 20世紀初頭のアフリカの独立国はリベリア・エチオピア。**
イタリアは19世紀後半にエチオピアに侵入したが，**敗北し**，20世紀に入り，1935年に再度エチオピアに侵攻し，翌年イタリアに併合した。20世紀初頭のアフリカの独立国にはリベリア共和国，エチオピア帝国があり，**独立国は消滅していない**。

**正答 1**

# FOCUS

帝国主義政策では，アフリカにおいては，列強による分割，イギリスのアフリカ縦断政策とフランスのアフリカ横断政策の衝突事件＝ファショダ事件（1898年），イギリスの3C政策とドイツの3B政策が頻出。アジアでは，イギリスによるインド支配およびアヘン戦争（1840～42年）が重要である。

## 重要ポイント1 ヨーロッパ諸国のアジア進出

欧米の列強諸国は産業革命に成功し，原料の供給と市場を求めて国外に進出した。自国にとって，より有利な市場を求めるために，アジア諸地域を植民地化した。

**●イギリスのインド支配**

東インド会社は，17世紀後半までにはポルトガル，オランダ，フランスとの競争に勝ち，19世紀初めには，インド全域をはじめ，ネパール，スリランカを植民地化した。

18世紀後半から起こった産業革命の進行とともに，かつてはイギリスに綿織物・藍などを輸出していたインドは，イギリス本国に木綿工業の原料を供給し，その製品を販売する市場に転落した。1857年，そのことに反発した東インド会社の**傭兵（シパーヒー〈セポイ〉）**が反乱を起こし，ムガル帝国皇帝の統治復活を宣言したものの，翌年，鎮圧された。東インド会社は責任を取り，1858年に解散，イギリス政府は1877年にインド帝国の成立を宣言し，**ヴィクトリア女王**がインド皇帝を兼任した。

**●イギリスの中国（清朝）支配**

18世紀後半に，イギリスは中国貿易を独占するようになったが，当初は中国への輸出品を持たず，中国から茶・絹・陶磁器を輸入していたため，大量の銀が流出していた。そこで，イギリスは中国の茶を本国に，本国の綿製品をインドに，インドのアヘンを中国に運ぶ**三角貿易**を行い，利益を上げるようになった。

| | |
|---|---|
| アヘン戦争（1840～42年） | アヘンの密貿易が増え，大量の銀が国外に流出 →アヘン密売の取締り →イギリスとの間にアヘン戦争が勃発 |
| 南京条約の締結（1842年） | 香港の割譲，上海・寧波（ニンポー）・福州・厦門（アモイ）・広州の５港を開港，公行の廃止，賠償金の支払いを内容とする不平等条約 |
| アロー号事件（1856年） | イギリス・フランス両国によるアロー戦争（第２次アヘン戦争）に発展 →英仏軍の勝利。1858年，天津条約を締結 |
| 北京条約の締結（1860年） | 清軍が天津条約の批准書の交換を阻止 →英仏軍は北京を占領 →外国公使の北京駐在，天津など11港の開港，キリスト教布教の自由，九竜半島をイギリスへ割譲 |

**●東南アジア諸島部の植民地化**

| | |
|---|---|
| オランダ | 18世紀半ばにジャワ島の大部分を領有，19世紀末までにインドネシアのほぼ全域を支配。1904年にはスマトラ島をオランダ領東インドに編入 |
| スペイン | 16世紀後半にルソン島のマニラを根拠地に，フィリピンに進出 |
| イギリス | 1826年，ペナン，マラッカ，シンガポールを海峡植民地とし，1895年にはマレー連合州を成立させ，マレー半島にも支配を拡大。1886年にはミャンマーをインド帝国へ併合 |

## 重要ポイント 2 帝国主義政策

19世紀末になると欧米では第2次産業革命によって，独占資本主義の段階に達した。巨大な生産力を背景に，技術力・軍事力にまさる列強諸国は植民地や勢力圏を求めて盛んに海外進出を行った。その結果，アジアの大半は植民地もしくは半植民地化され，アフリカや太平洋地域の島々も分割された。

20世紀初めからは植民地再分割が始まり，帝国主義政策を展開した諸国間では衝突が繰り返され，第一次世界大戦の一因となった。

**●アフリカの分割**

1880年代に，中央アフリカを巡りイギリスとフランスが対立したのを契機に，84～85年にベルリン会議が開かれ，アフリカ分割の原則が定められた。

| | |
|---|---|
| **イギリス** | スエズ運河の株式の過半数を獲得，エジプトの内政に干渉<br>→マフディーの反乱（1881～98年・ムハンマド=アフマド率いるスーダンの反英回教徒の抵抗戦争）を抑え，エジプト=スーダンを征服<br>南アフリカで南アフリカ戦争（1899～1902年）が勃発<br>→ケープ植民地首相セシル=ローズがダイヤモンド鉱山採掘を独占するために，ブール人（オランダ系移民の子孫）国家のトランスヴァール共和国・オレンジ自由国を侵略。1910年に南アフリカ連邦を組織<br>↓<br>アフリカ南北を抑え，ケープタウン・カイロをつなぎ，カルカッタ（インド）を結びつける３Ｃ政策をとった――アフリカ縦断政策 |
| **フランス** | 19世紀前半のアルジェリアに続き，後半にはチュニジアを保護国に<br>↓<br>ジブチ・マダガスカルとの連絡をめざした――アフリカ横断政策<br>↓<br>1898年，ファショダ事件で英仏が衝突　→仏の譲歩　→1904年，英仏協商で，英はエジプト，仏はモロッコで優越権を持つことを認めあう |
| **ドイツ** | 1880年代半ば，アフリカ東部と西部・南西部に進出し，カメルーンなどの植民地を獲得　→1905年・1911年にフランスのモロッコ進出に反対して，モロッコ事件を引き起こす　→列強はフランスを支援 |
| **イタリア** | 1880年代にソマリランド・エリトリアを得る　→1896年，エチオピアをねらったが失敗　→1911～12年，イタリア=トルコ戦争でリビア（トリポリ・キレナイカ）を奪う |

**●太平洋諸地域の分割**

- **イギリス**：オーストラリア・ニュージーランド・北ボルネオを自治領に。
- **アメリカ**：フィリピン・プエルトリコ・グアム島を獲得。ハワイを併合。
- **ド イ ツ**：ビスマルク・カロリン・マリアナ・マーシャル・パラオ諸島を獲得。
- **フランス**：タヒチ・ニューカレドニアなどを領有。

## 実戦問題

＊＊＊
**No.1 帝国主義時代の列強の経済状況に関する次の記述のうち，妥当なのはどれか。** 【地方上級（全国型）・平成９年度】

**1** 後発資本主義国でも産業革命がようやく進展し，1870年以降19世紀末に至る時期には好況期を迎えた。特にドイツは19世紀半ばの保護貿易主義を転換して自由貿易主義をとるに至った。

**2** ドイツやアメリカで鉄鋼・化学・電気などの重工業が発達し，それらの企業を中心に独占資本が形成されたが，ドイツでは反独占をめざす中小産業家層の運動や独占に対する公的規制が見られたのに対し，アメリカではそのような動きはなかった。

**3** 鉄道網の拡充，スエズ運河の開通など交通革命の進展で輸送コストが大幅に低下したため，アメリカ，ロシア，エジプト，インドなどから安価な穀物がヨーロッパに流入し，穀物価格が暴落してヨーロッパでは慢性的な農業不況が引き起こされた。

**4** 「世界の工場」といわれ他を圧していたイギリス経済も19世紀末には停滞を始めた。資金難に陥ったイギリスはスエズ運河の株式をフランスに売却してエジプトから撤退し，インド支配に専念した。

**5** 列強は市場を求めて対外膨張主義をとり植民地や勢力圏の拡大を巡って争った。しかし，ロシアは20世紀初頭にようやく農奴解放を行ったものの，外国資本の導入を排除したため重工業が育成されず，国民が貧しく労働運動が頻発して，対外進出は不可能であった。

＊
**No.2 19世紀前半のインド政策とその頃のインドの状況に関する次の記述のうち，正しいのはどれか。** 【地方上級（全国型）・平成５年度】

**1** イギリスは東洋との貿易・取引きを目的として東インド会社を設立し，インドの商業は中継貿易で栄えた。

**2** イギリスの支配に反抗してセポイの反乱が起き，東インド会社は解散されて，インドは独立した。

**3** インド支配を巡り，イギリスはオランダと激しく対立していたが，プラッシーの戦いでオランダを破り，インドはイギリスの植民地となった。

**4** イギリスはローラット法により人権を無視した政策をとったため，インド国内でガンディーらによる非暴力・不服従の運動が起こった。

**5** イギリスは産業革命の進行に伴いインドを原料供給地・製品市場としたため，インドでは手工業が死滅した。

＊＊＊
**No.3 北アメリカ及びラテンアメリカ諸国の独立に関する記述として最も妥当なのはどれか。** 【国家専門職・平成28年度】

**1** 18世紀半ばまでに，北アメリカの東海岸には，イギリスによって20以上の植民地が成立していた。しかし，イギリス領カナダが独立を果たしたことをきっかけに，北アメリカの植民地においても独立運動が本格化し，アメリカ独立革命の起点となった。

**2** 植民地軍総司令官に任命されたジェファソンは，大陸会議においてアメリカ独立宣言を採択した。それに対し，イギリス本国が東インド会社による植民地への茶や綿の販売を厳しく制限したため，植民地側はボストン茶会事件を起こして反発し，独立戦争へと発展していった。

**3** ヨーロッパにおける三十年戦争の激化により，戦局はしだいに植民地側に有利になり，18世紀末，イギリスはウェストファリア条約でアメリカ合衆国の独立を承認した。その後，人民主権，三権分立を基本理念とする合衆国憲法が制定され，初代大統領にワシントンが就任した。

**4** フランス革命の影響を受けたトゥサン＝ルヴェルテュールらの指導により，カリブ海フランス領で反乱が起こった。植民地側はこれに勝利し，キューバ共和国がラテンアメリカ初の独立国としてフランス，アメリカ合衆国から正式に承認され，あわせて奴隷制が廃止された。

**5** 16世紀以降の南アメリカ大陸は，多くがスペインの植民地であったが，ナポレオンによるスペイン占領の影響をきっかけに，独立運動が本格化した。植民地側は次々と勝利を収め，19世紀前半には，南アメリカ大陸のほとんどの植民地が独立を達成した。

## 実戦問題の解説

### No.1 の解説 帝国主義時代の列強の経済状況 →問題はP.194 正答3

**1 ×** **1848年革命の後にドイツは反動化し，保守的なユンカー層が主導権を掌握。**
ドイツでは，1834年に**ドイツ関税同盟**が発足し，先進工業国のイギリスなどからの安価な生産物に保護関税を課した保護関税政策（1879年）を実施した。したがって，この時期には自由貿易主義をとることはできなかった。

**2 ×** **アメリカでは反トラスト法が独占資本を規制するために制定。**
19世紀後半以降になると，アメリカでは独占化・資本の集中化が著しくなり，これに規制を加えるために，**1890年のシャーマン反トラスト法**に代表されるような反トラスト法が制定された。

**3 ◎** **スエズ運河は1869年にフランス人レセップスによって完成。**
正しい。1870年代以降のヨーロッパでは，不況と低成長が続き，植民地の必要性が高まった。

**4 ×** **1875年にイギリスはスエズ運河会社の株を買収し，経営権を獲得。**
スエズ運河株式会社の財政難に乗じて，1875年にイギリスの保守党のディズレーリ首相が**スエズ運河株を買収**し，1882年に事実上，エジプトを保護国化した（正式な保護国化は1914年）。

**5 ×** **ロシアの農奴解放令は19世紀で，アレクサンドル２世によって発布。**
ロシアは，1861年の農奴解放令以後，フランス・ドイツの資本・技術を導入し，1890年代に急激に発展した。

### No.2 の解説 19世紀前半のイギリスの対インド政策とインドの状況 →問題はP.194 正答5

**1 ×** **イギリスの東インド会社成立は1600年。**
イギリス東インド会社は，1600年に設立された大特許会社で，喜望峰から東マゼラン海峡にまで至る全域の貿易および植民についての独占権を与えられていた。東インド会社は長年貿易を独占していたが，イギリス本国の産業資本家の強い反対にあい，**1833年**には商業活動が全面的に禁止された。このためインドは原料供給地に転落し，綿布産業は打撃を受けている。

**2 ×** **インドの独立は1947年（20世紀）。**
1858年にセポイ（シパーヒー）の反乱の失政の責任をとり，東インド会社は解散したが，それ以後はイギリス（1877年にヴィクトリア女王がインド皇帝を兼任）の直轄統治となった。**インドの独立は1947年**である。

**3 ×** **プラッシーの戦いは1757年（18世紀）。**
**プラッシーの戦い**は1757年であり，イギリス東インド会社軍が戦った相手はオランダではなくフランスである。イギリス東インド会社軍はプラッシーの戦いで，フランス・ベンガル土侯連合軍に勝利しインドの支配権を確立した。

**4 ×** **ローラット法は反英運動への弾圧法で20世紀に制定。**

**ローラット法**の制定は19世紀前半ではなく1919年（20世紀前半）である。

**5 ◎ インドはイギリスの原料供給地製品市場となった。**
正しい。インドはイギリス産業革命およびイギリス東インド会社の支配の影響で綿布製品輸出国から原材料の綿花輸出国となり，イギリスの綿布製品市場となった。

## No.3 の解説　南北アメリカ諸国の独立

→問題はP.195　正答5

**1 × 18世紀半ばまでの北アメリカ植民地は13州。**
18世紀半ばまでに，北アメリカの東海岸にはイギリスの植民地が13州が形成されていたので，「20以上」は誤り。イギリス領（1867年には自治領）カナダが実質的に独立したのは1931年で，アメリカ独立革命（1775～1783年）の起点となったとはいえない。

**2 × 植民地総司令官はワシントン。**
植民地軍総司令官はジェファソンではなく，**ワシントン**である。ジェファソンは独立宣言を起草した人物である。イギリス本国は東インド会社による植民地への茶取引の独占を認めたため，植民地側が1773年にボストン茶会事件を起こした。

**3 × ウェストファリア条約では，ネーデルラントとスイスの独立が承認。**
三十年戦争（1618～1648年）を終結させたのが，ウェストファリア条約であり，18世紀末のことではない。また，この条約で，ネーデルラントとスイスの独立が承認された。

**4 × トゥサン＝ルヴェルテュールはハイチの指導者。**
ラテンアメリカ初の独立国家となったのは，キューバではなくハイチ（フランス領）である。トゥサン＝ルヴェルテュールはハイチの指導者で，ナポレオン軍と戦い，1804年に独立が成し遂げられた。キューバ共和国の独立は，**アメリカ・スペイン戦争**でアメリカが勝利したことによる。

**5 ◎ ウィーン会議後，南アメリカの植民地は独立。**
ウィーン会議（1814～1815年）で確立したウィーン体制の中，アメリカ大統領モンローが**モンロー教書**で南北アメリカとヨーロッパとの相互不干渉を宣言すると，南アメリカ大陸の独立運動が本格化した。

# 第一次世界大戦前後

## 必修問題

**第一次世界大戦後のヨーロッパの歴史に関する記述として，妥当なのはどれか。**

【地方上級（東京都）・令和元年度】

**1** 1919年の国民会議でヴァイマル憲法が制定されたドイツでは，この後，猛烈なインフレーションに見舞われた。

**2** イタリアでは，**ムッソリーニ**が率いるファシスト党が勢力を拡大し，1922年にミラノに進軍した結果，ムッソリーニが政権を獲得し，独裁体制を固めた。

**3** 1923年にフランスは，ドイツの賠償金支払いの遅れを口実にボストン地方を占領しようとしたが，得ることなく撤退した。

**4** 1925年にドイツでは**ロカルノ条約**の締結後，同年にドイツの国際連合への加盟を実現した。

**5** イギリスでは大戦後，労働党が勢力を失った結果，新たにイギリス連邦が誕生した。

難易度 ＊＊

## 必修問題の解説

1919年には敗戦国ドイツでヴァイマル憲法が制定された（**1**）。経済的に不安定だったヴァイマル共和国（1919～33年）のルール地方をフランスとベルギーが占領すべく強行したが（**3**），国際的に批判されると撤退し，1924年以降は国際協調が進むこととなった。この一連の流れを押さえておきたい。

**1 ◎ 敗戦したドイツで1919年にヴァイマル憲法が制定。**

第一次世界大戦で敗北したドイツは**ヴァイマル共和国**となり，**ヴァイマル憲法**が制定された。戦後に調印したヴェルサイユ条約では1320億金マルクもの賠償金が課せられていたので，戦後復興が遅れ，猛烈なインフレーションに見舞われた。1924年頃にはインフレを終息させるために首相の**シュトレーゼマン**によって発行されたレンテンマルクによって，インフレは急速に収まっていった。

**2 × ファシスト党はローマ進軍によって政権を獲得。**

イタリアの**ムッソリーニ**は1919年に政党のファシスト党を成立させ，**ローマ進軍**を展開し，政府に圧力をかけた。国王がムッソリーニに組閣を命じたことで，ムッソリーニは首相に就任し，一党独裁体制を樹立させた。

**3 × 1923年にフランス・ベルギーはルール地方を占領。**

1923年にフランス（ポワンカレ右派内）はベルギーとともに，ドイツの賠償金支払いの遅れを口実に，ドイツの**ルール地方**を軍事的に占領した。1924年に**ドーズ案**（アメリカの銀行家ドーズを中心とした専門委員会がドイツの賠償支払い緩和を認め，アメリカ資本をドイツに投入）が出されると，フランス・ベルギーは1925年に撤退した。ルール占領による対ドイツ強硬策は国際的に批判された。

**4 × 1926年にドイツは国際連合ではなく国際連盟に加盟。**

1925年にスイスのロカルノで結ばれたロカルノ条約で，ドイツは西欧諸国との国境の現状維持と相互保障で合意したことから，翌年国際連盟への加盟が実現した。**国際連合は1945年に成立**した国際組織である。

**5 × 1929年にはイギリス労働党政権が誕生。**

大戦後の1924年には，イギリス労働党と自由党の連立内閣が短命政権であるが誕生し，1929年には**マクドナルドによる労働党内閣が成立**した。また，1931年に成立したウェストミンスター憲章で，イギリスと旧イギリス領が自治領なって結びついた連合体であるイギリス連邦が誕生した。

**正答 1**

## FOCUS

第一次世界大戦後，アメリカ大統領ウィルソンの提唱した平和原則の十四カ条の民族自決主義によって東欧諸国が独立した点や，1920年には国際連盟が誕生した点などが重要である。第二次世界大戦前の世界恐慌の各国の対策や連合国の戦争処理会談も頻出事項である。

# POINT

## 重要ポイント 1 第一次世界大戦

### ●大戦前夜の国際対立

**三国同盟**
1890年にドイツでヴィルヘルム２世の親政が始まる。
・ロシアとの再保障条約の更新を拒否。
→ロシアはフランスに接近，露仏同盟を結ぶ。
・３Ｂ政策（ベルリン・ビザンティウム・バグダード）をとり，イギリスの３Ｃ政策に対抗。
1882年～1915年　三国同盟の成立　→ドイツ・オーストリア・イタリアの秘密軍事同盟。
→イタリアはトリポリ戦争・バルカン戦争でドイツ・オーストリアと対立，フランスに接近。
→第一次世界大戦勃発によりイタリアは三国協商側に立ち参戦　→三国同盟の崩壊。

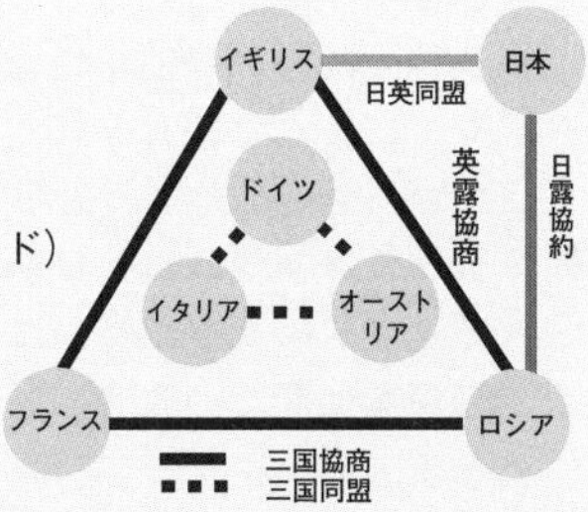


**三国協商**
・イギリスはロシア対策のため1902年に日英同盟，ドイツ対策のため1904年に英仏協商を結ぶ。
→南下政策を阻止されたロシアはバルカン方面へ進出　→ドイツ・オーストリアと対立。
・1907年，英露協商が成立　→三国協商の成立へ。

### ●バルカン問題

バルカン半島では，オスマン帝国からの独立を図る**パン・スラヴ主義**が起こった。多くのスラヴ系民族を抱えるオーストリアは，バルカン半島のスラヴ系諸国を抑える目的で半島への勢力拡大をねらっていたが，1908年にオスマン帝国に青年トルコ革命が起こると，混乱に乗じてボスニア・ヘルツェゴヴィナを併合した。

| | |
|---|---|
| 第一次バルカン戦争（1912年～1913年） | バルカン同盟諸国（セルビア・ギリシャ・ブルガリア・モンテネグロの４か国）とオスマン帝国との戦争　→オスマン帝国の敗北。 |
| 第二次バルカン戦争（1913年） | 第一次バルカン戦争でブルガリアの獲得した領土を巡って，バルカン同盟３国との間で再び戦争が勃発。オスマン帝国・ルーマニアも参戦し，ブルガリアは大敗。<br>↓<br>セルビアとオーストリアはパン・スラヴ主義とパン・ゲルマン主義を掲げ，関係はさらに悪化する。 |

### ●第一次世界大戦

1914年６月，オーストリアの帝位継承者夫妻がセルビア人青年によって暗殺された**サライェヴォ事件**をきっかけに，オーストリアはセルビアに宣戦を布告，列強は同盟・協商関係に従って次々に参戦し，第一次世界大戦が勃発した。
→連合国側の勝利。1918年11月，休戦条約。

## 重要ポイント2 ロシア革命

第一次世界大戦で敗戦を重ねたロシアでは，国民の不満が高まり，**1917年**，首都ペトログラードで起きた大規模なストライキ・デモをきっかけに**三月革命**が勃発した。労働者・兵士は自治組織（ソヴィエト）を組織し，皇帝**ニコライ２世**は退位させられ，臨時政府が成立した。ソヴィエト内では次第にボリシェヴィキの勢力が増大し，政府の方針と対立したため，**レーニン**・トロツキーらは武装蜂起を指導して政府を倒し，ソヴィエト政権を樹立した。これが**十一月革命**である。革命後，ボリシェヴィキは共産党と改称し，1922年，ソヴィエト社会主義共和国連邦が結成された。

## 重要ポイント3 ヴェルサイユ体制

第一次世界大戦後，敗戦国の再起防止・反ソ反共・再分割後の植民地維持・各国内の議会主義化促進等を目的に，1919年の**パリ講和会議**でつくられた新しい国際秩序をさす。その基礎となったのは，米大統領**ウィルソン**が大戦中の1918年に発表した**十四カ条**で，秘密外交の廃止・民族自決・国際平和機関設立などを提唱した。

| | |
|---|---|
| パリ講和会議（1919年） | アメリカ・イギリス・フランスを主導として，対独講和条件を討議。民族自決権は東ヨーロッパに限定。ドイツの植民地と権益は戦勝列強国に配分される。 |
| ヴェルサイユ条約（1919年） | ドイツはアルザス・ロレーヌやポーランド・デンマークとの国境地帯を割譲。軍備が制限され，多額の賠償金を課せられる。 |
| 国際連盟（1920年創設） | 世界の恒久平和をめざす大規模な国際安全保障機構。<br>アメリカは不参加。ソ連・ドイツは排除。イギリス・フランス主導。軍事力に欠け，大きな紛争の解決には非力。 |

## 重要ポイント4 ワシントン体制

1921～22年，米大統領ハーディングの提唱で，**ワシントン会議**が開かれた。この会議を中心に形成されたアジア・太平洋地域の戦後秩序をワシントン体制と呼ぶ。

| | |
|---|---|
| 海軍軍備制限条約（1922年） | 主力艦保有トン数の制限<br>→米・英・日・仏・伊の保有比率＝５・５・３・1.67・1.67 |
| 九カ国条約（1922年） | 英・米・日・仏・伊・中国・オランダ・ベルギー・ポルトガルの９か国が，中国の主権・独立尊重，領土保全を約束。 |
| 四カ国条約（1921年） | 英・米・日・仏の４か国が，太平洋諸島の現状維持を約束<br>→日英同盟は自動的に解消。 |

## 実戦問題❶ 基本レベル

***
**No.1 第一次世界大戦に関する次の記述のうち，妥当なものはどれか。**

【地方上級（全国型）・平成30年度】

**1** 第一次世界大戦は長期化し，戦場となったヨーロッパに大きな惨禍を残した。しかし，大戦中の兵器開発で飛行機の改良などの科学技術が発展したことから，大戦後はヨーロッパ経済が大きく成長した。

**2** 第一次世界大戦中，イギリスはアラブ人に対してはアラブ国家の独立を約束し，ユダヤ人に対してはアラブ人の住むパレスチナでのユダヤ人国家建設を認めることを約束した。その矛盾する政策が現在まで続くパレスチナ問題の原因となっている。

**3** ロシアでは，大戦中のロシア革命によってソヴィエト政権が成立した。イギリス・フランス・日本は直ちに政権の支持を表明したが，ドイツは革命の波及を恐れ，対ソ干渉戦争を行った。

**4** 敗戦国となったドイツは，領土の一部や海外植民地を失ったが，イギリス・フランスが賠償請求権を放棄したため，賠償金の総額はわずかな額となり，戦後は早い時期での復興を果たすことができた。

**5** アメリカはこの大戦に参戦せず，交戦国間の調停に努め，戦後に国際連盟が設立されると，その常任理事国となった。

***
**No.2 第一次世界大戦後から第二次世界大戦前までの各国に関する記述として最も妥当なのはどれか。**

【国家専門職・平成29年度】

**1** アメリカ合衆国は，ウィルソン大統領が提案した国際連盟の常任理事国となり，軍縮や国際協調を進める上で指導的な役割を果たした。世界恐慌が始まると，フーヴァー大統領がニューディールと呼ばれる政策を行い，恐慌からの立ち直りを図ろうとした。

**2** ドイツは，巨額の賠償金の支払などに苦しみ，政治・経済は安定せず，ソ連によるルール地方の占領によって激しいインフレーションに襲われた。この危機に，シュトレーゼマン外相は，ヴェルサイユ条約の破棄，ドイツ民族の結束などを主張し，ドイツは国際連盟を脱退した。

**3** イタリアは，第一次世界大戦の戦勝国であったが，領土の拡大が実現できず，国民の間で不満が高まった。世界恐慌で経済が行き詰まると，ムッソリーニ政権は，対外膨張政策を推し進めようとオーストリア全土を併合したが，国際連盟による経済制裁の決議の影響を受けて，さらに経済は困窮した。

**4** イギリスでは，マクドナルド挙国一致内閣が金本位制の停止などを行ったほか，オタワ連邦会議を開き，イギリス連邦内で排他的な特恵関税制度を作り，それ以外の国には高率の保護関税をかけるスターリング（ポンド）＝ブロックを結成した。

**5** ソ連では，レーニンの死後，スターリンがコミンテルンを組織して，世界革命を主張した。スターリンは，五か年計画による社会主義建設を指示し，工業の近代化と農業の集団化を目指したが，世界恐慌の影響を大きく受けて，経済は混乱した。

**No.3*** **第一次世界大戦後から第二次世界大戦前までの各国の記述として最も妥当なのはどれか。** 【国家総合職・平成15年度】

**1** アメリカ合衆国では，株式相場の大暴落により生じた恐慌の打開を図るため，フランクリン＝ローズヴェルトが全国産業復興法や農業調整法などを中心としたニューディール政策を実施した。対外的には，中南米諸国との善隣外交政策を展開するとともに，ソ連と国交を開き，貿易を拡大させた。

**2** ソ連では，スターリンが中小企業の国有化，労働義務制，食料配給制などを含む新経済政策（ネップ）を採用し，さらに三度の五か年計画を実施した結果，農業生産力が増大した。国際連盟に加入せず孤立主義をとる一方，日本やドイツなどと不可侵条約を締結した。

**3** ドイツでは，戦争による失業者と社会不安が増大するなか，パン＝ゲルマン主義を主張するナチスがドイツ革命を起こし政権を掌握した。ヴェルサイユ条約を破棄して再軍備し，ポーランドやベルギーへ軍隊を進駐したため，国際連盟を脱退することになった。

**4** フランスでは，人民戦線内閣のブルム首相が賠償金を支払わないドイツに対抗するため，ルール地方の軍事占領を行った。ブリアン外相がドイツとロカルノ条約を結びルールから撤退した後は，国際平和の維持に努め，スペイン内乱ではフランコ側に対抗して人民戦線政府を支援した。

**5** イギリスでは，挙国一致内閣の首相となったチャーチルがイギリス連邦経済会議を開き，連邦内の特恵関税制度を設けるなどのブロック経済政策を行った。また，植民地であるエチオピアにドイツが進出すると，従来の不干渉政策を転換し，石油・石炭の輸出を禁止する経済制裁を加えた。

## No.4 ＊ アメリカ合衆国の大統領に関する記述として，妥当なのはどれか。

【地方上級（東京都）・平成25年度】

**1** ワシントンは，アメリカの独立戦争で植民地側の軍隊の総司令官となり，イギリスとの戦いに勝利した後，初代大統領となって独立宣言を発表した。

**2** トマス=ジェファソンは，独立宣言の起草者の一人であり，大統領に就任後，メキシコとの戦争に勝利してテキサス，カリフォルニアを獲得し，アメリカの領土を太平洋沿岸にまで広げた。

**3** リンカンは，南北戦争後に大統領に就任し，戦争で勝利した北部の主張を受けて，奴隷解放宣言を発表するとともに，保護貿易と連邦制の強化に努めた。

**4** ウィルソンは，第一次世界大戦中，軍備の縮小や国際平和機構の設立を提唱し，戦後，国際連盟が結成されると，アメリカは常任理事国として国際紛争の解決に取り組んだ。

**5** フランクリン=ローズヴェルトは，恐慌対策としてニューディール政策を実施したほか，ラテンアメリカ諸国に対する内政干渉を改めて，善隣外交を展開した。

## 実戦問題 1 の解説

### No.1 の解説　第一次世界大戦前後　→問題はP.202　正答2

**1 ×** 第一次世界大戦後のヨーロッパは経済不振。
第一次世界大戦で戦場となったヨーロッパ諸国は戦費や賠償金などの負担で経済の不振に苦しんだ。

**2 ◎** パレスチナ問題の原因はフサイン・マクマホン協定とバルフォア宣言。
イギリスがアラブ人にオスマン帝国からの独立を約束した協定が**フサイン・マクマホン協定**である。イギリスがユダヤ人のパレスチナ復帰運動を援助すると約束したのが**バルフォア宣言**である。

**3 ×** 1917年のロシア革命で誕生したソヴィエト政権が戦線離脱。
革命によって誕生したソヴィエト政権は，1918年にドイツとの講和条約である**ブレスト=リトフスク条約**を結んで戦線から離脱した。連合国側の英・米・仏・日は対ソ干渉を展開し，シベリア出兵を行った。

**4 ×** 敗戦国ドイツは巨額の賠償金を負った。
1919年に調印されたヴェルサイユ条約で，ドイツはすべての海外領土・植民地を放棄することとなり，アルザス・ロレーヌのフランスへの返還，ポーランド回廊のポーランドへの割譲，**巨額の賠償金**が課せられた。このため，戦後のドイツ経済は復興が遅れ，さらに世界恐慌でドイツ経済は混乱を極めた。

**5 ×** アメリカは第一次世界大戦に参戦したが，国際連合には不参加。
1917年にアメリカはドイツに宣戦した。国際連盟はアメリカ大統領**ウィルソン**の十四か条の提案によって組織されたが，孤立主義を方針としたアメリカでは，連邦議会の上院が拒否したため**国際連盟に加盟しなかった**。

### No.2 の解説　第一次世界大戦後から第二次世界大戦前　→問題はP.202　正答4

**1 ×** アメリカは国際連盟に加盟していない。
アメリカ大統領**ウィルソンの十四か条の提案**をきっかけに国際連盟が誕生したが，当時のアメリカ連邦議会の上院は孤立主義をとるモンロー主義を支持したため連盟への加盟は実現しなかった。**ニューディール政策**は経済恐慌対策としてフランクリン=ローズヴェルト大統領が行った。フーヴァー大統領は共和党政権で1931年にフーヴァー=モラトリアムを宣言した。

**2 ×** ルール占領はフランス・ベルギーが行った。
フランスとベルギーはドイツの賠償金の遅れを口実に，1923年にドイツのルール工業地帯を軍事占領した。ドイツ経済は行き詰まり，フランスの占領は国際的に非難され，1925年に年９月に撤退した。ドイツのシュトレーゼマン外相はフランスのブリアン外相とともに国際協調主義を推進し，**ロカルノ条約**を締結した人物で，ラインラントの非武装化，ドイツの国際連盟加盟を実現させた。

**3 ×** **オーストリアを併合したのはドイツ。**
イタリアは第一次世界大戦で，オーストリア領にとどまっていた「**未回収のイタリア**」と呼ばれたトリエステ，イストリア，トランティーノを獲得し，領土拡大を実現し　た。また，ムッソリーニ政権は1936年にエチオピアを併合し，1937年12月に国際連盟を脱退した。オーストリアを併合したのはドイツで，1938年のことである。

**4 ◎** **マクドナルド挙国一致内閣では，スターリング（ポンド）=ブロックを結成。**
労働党党首だった**マクドナルド**は挙国一致内閣（1931～1935年）を組織し，金本位制の停止を実施した。1932年のオタワ連邦会議ではイギリスを中心とするスターリング=ブロックを結成し，ブロック経済を進めた。

**5 ×** **コミンテルンはレーニンによる共産党が組織，ソ連は世界恐慌の影響なし。**
コミンテルンは1919年に各国共産党の統一機関として組織された。**レーニン**の唱えた世界革命論を受け継いだのは**トロツキー**である。**スターリン**はソ連だけで社会主義建設する一国社会主義を提唱した。五か年計画はソ連の経済政策で世界恐慌の影響をほとんど受けなかった。

## No.3 の解説　第一次世界大戦から第二次世界大戦までの各国 →問題はP.203 正答 1

**1 ◎** **ニューディール政策と善隣外交はフランクリン=ローズベルト。**
正しい。**フランクリン=ローズベルト大統領**は1933年に農業調整法（AAA）で農民を保護するため，農産物価格を引き上げ，同年，全国産業復興法（NIRA）で企業間の競争を公正化させ，物価を安定させた。

**2 ×** **ネップを採用したのはレーニン。**
**新経済政策（ネップ）**は，ソヴィエト政権の指導者**レーニン**が1921年に経済活動を促進させる目的で，**市場経済を認めたもの**である。スターリンはネップを変更し，五か年計画を三度（1928，1933，1938年）実行した。ソ連は国際連盟設立当初に加盟できず，1934年に加盟した。国際連盟に加入せず**孤立主義をとったのはアメリカ**である。

**3 ×** **ドイツ革命は1918～19年，ナチスは1920年の成立。**
ドイツ革命は**キール軍港の水兵の反乱**に始まる（1918年11月）。ナチスは1920年にドイツ労働者党を改称して成立した政党である。時期が異なる。ヒトラーは**1933年に国際連盟を脱退**し，1935年にヴェルサイユ条約（軍備条項）を破棄して再軍備し，翌年にロカルノ条約を破棄して，ドイツ西部のラインラントに軍隊を進駐し，**1939年にポーランドに侵攻**した。

**4 ×** **フランスのルール出兵はポアンカレ内閣。**
フランスが1923年にベルギーを誘って，**ドイツのルール地方を軍事占領したときの内閣はポアンカレ内閣**で，25年には撤退している。ブルムが人民戦線内閣首相となったのは1936年のことであるから，時期が異なる。また，ブリアン外相，ドイツのシュトレーゼマン首相によって1925年に**ロカルノ条約**が結ばれたことで，翌年ドイツが国際連盟に加盟できた。ブリアンは1932年に亡くなっているので，1936年７月のスペイン内乱では**人民戦線政府を支援したとはいえない**。

**5 ×** **イギリス挙国一致内閣はマクドナルド。**
1932年にイギリス連邦経済会議（オタワ連邦会議）をカナダのオタワで開いたのは**挙国一致内閣（1931～35年）の首相となったマクドナルド**である。マクドナルドはブロック経済政策も行った。**1935年にエチオピアに進出したのはイタリア**であり，国際連盟はイタリアに経済制裁を行ったが不徹底に終わった。

## No.4 の解説 アメリカ合衆国の大統領

→問題はP.204 **正答5**

**1 ×** **独立宣言の起草はトマス=ジェファソン。**
ワシントンは独立戦争で植民地側の総司令官として戦ったが，合衆国の初代大統領に就任したのは1789年である。**トマス=ジェファソン**らが起草した独立宣言はワシントンが大統領となる前の1776年７月４日に植民地の大陸会議の代表によって発表された。

**2 ×** **メキシコとの戦いはポーク大統領時代。**
トマス=ジェファソンは第３代アメリカ大統領で，1803年にミシシッピ以西のルイジアナをフランス皇帝ナポレオン１世から購入した人物である。また，1845年にテキサスを州として加入させ，メキシコとの戦い（1846～48年）で勝利し，カリフォルニアとニューメキシコ地方をメキシコに割譲させたのは第11代大統領**ポーク**の時である。

**3 ×** **奴隷解放宣言は南北戦争中の1863年に出された。**
リンカンがアメリカ第16代大統領に当選したのは1860年で，南部諸州が1861年にアメリカ連合国を建国し，ジェファソン=ディヴィスを大統領に選んだことから1861年に南北戦争が始まった。北部のリンカンは奴隷制度反対の立場に立つ大統領であり，1863年１月に**奴隷解放宣言**を出し1865年まで自由貿易と奴隷制を支持する南部と戦い，北部側が勝利した。

**4 ×** **アメリカは国際連合には不参加。**
アメリカ第28代大統領のウィルソンは1918年１月に十四カ条を出して，国際平和機構の設立を提唱していたが，1920年に設立された国際連盟にはアメリカ上院の反対で，**不参加**となった。

**5 ◎** **ニューディール政策はローズヴェルト大統領が実施した世界恐慌対策。**
正しい。1929年に起こった世界恐慌の対策としてニューディール政策（新規まき直し）が第32代大統領の**フランクリン=ローズベルト**によって行われ，政府主導で失業者対策が採られた。

## 実戦問題❷　応用レベル

**＊＊**
**No.5**　**下文は第一次世界大戦から第二次世界大戦に至る時期のアメリカ，ソ連，ドイツについてある学者が述べたものであるが，下線部分ア～オに関する次の記述のうち，妥当なのはどれか。**　【地方上級（全国型）・平成11年度】

「第一次世界大戦から，世界的大国として国際社会の場に躍進したアメリカは，1920年代に$_{ア}$大繁栄時代を築き，資本主義社会の理想像となった。また社会主義国家ソ連は，$_{イ}$それとは別の社会像を示して，アジア・アフリカ地域の民衆にまで巨大な影響力を及ぼした。敗戦国となったドイツは，戦後一転して$_{ウ}$民主的な制度を持つ社会国家として再出発し，中規模国民国家の期待を担った。

しかし，それぞれに希望を託された3国の歩みは挫折・変質を経験することになる。アメリカは$_{エ}$大恐慌によって一挙にマイナス・モデルへと転落し，ソ連は一国社会主義の下で人権や民族の抑圧国家に変容し，ドイツのワイマール民主主義は$_{オ}$ナチズムという醜悪な国家に道を譲った。」

**1**　ア――映画やスポーツなどアメリカ風の大衆文化が新境地を開いた。国際的にはマーシャル・プランによってヨーロッパ諸国の経済復興を支援した。

**2**　イ――銀行や大企業の国有化を進め，資本主義的要素を一切排除した新経済政策（ネップ）を採用した。その後の第1次5か年計画により農村では地主の土地を没収して農民の私有地とした。

**3**　ウ――民主的なワイマール憲法を制定したが，社会民主党を中心とする共和国政府に対し，帝政派，保守派，左派政党が対立して政情は安定しなかった。

**4**　エ――ルーズヴェルト大統領は経済再建策として政府支出を削減し，金本位制の確立や貿易の自由化を進めた。

**5**　オ――ナチスは主に失業した労働者たちに支持され，共産党と協力関係を結んで党勢を伸ばし，ユダヤ人の排斥や言論の規制を行った。

**＊**
**No.6**　**第一次世界大戦前後の世界に関する記述として最も妥当なのはどれか。**
【国税専門官・平成21年度】

**1**　サライェヴォ事件を契機にオーストリアがセルビアに宣戦布告をすると，ロシアがオーストリアを，ドイツがセルビアを支持して戦争に加わった。また，イギリスとフランスもドイツに宣戦したことから，戦争の規模は一挙に拡大して第一次世界大戦となった。

**2**　第一次世界大戦が始まると，日本は日英同盟を理由にドイツに宣戦し，中国の山東省に出兵してドイツ租借地を占領した。その後，袁世凱政権に対し，山東省におけるドイツ権益の継承などを内容とする二十一か条の要求を突き付け，その大半を認めさせた。

**3** ロシアでは，第一次世界大戦中に労働者や兵士による十一月革命が起こって帝政が崩壊し，臨時政府が発足した。臨時政府は，戦争継続に反対するレーニンを首相に任命して休戦するとともに，大地主の土地を没収して農民に分配するなど，社会主義革命を推し進めた。

**4** 4年余にわたった第一次世界大戦は，イギリスの無制限潜水艦作戦による打撃を受けたドイツが敗北宣言を行い，終結した。戦後処理のために開かれたパリ講和会議において対独講和条約が調印され，ドイツは海外の植民地をすべて失ったが，賠償支払いの義務は免除された。

**5** 第一次世界大戦の終結後，国際平和の維持を求める気運が高まるなか，アメリカ合衆国大統領ウィルソンが提唱した十四か条の平和原則に基づいて国際連盟が発足し，日英米をはじめとする戦勝国のほか，敗戦国であるドイツも加盟することとなった。

*** No.7 ヴェルサイユ体制またはワシントン体制に関する記述として，妥当なのはどれか。** 【地方上級（特別区）・平成29年度】

**1** パリ講和会議は，1919年1月から開かれ，アメリカ大統領セオドア=ローズヴェルトが1918年1月に発表した十四か条の平和原則が基礎とされたが，第一次世界大戦の敗戦国は参加できなかった。

**2** ヴェルサイユ条約は，1919年6月に調印されたが，この条約で，ドイツは全ての植民地を失い，アルザス・ロレーヌのフランスへの返還，軍備の制限，ラインラントの非武装化，巨額の賠償金が課された。

**3** 国際連盟は，1920年に成立した史上初の本格的な国際平和維持機構であったが，イギリスは孤立主義をとる議会の反対で参加せず，ドイツとソヴィエト政権下のロシアは除外された。

**4** ワシントン海軍軍縮条約では，アメリカ，イギリス，日本，フランス，イタリアの主力艦保有トン数の比率およびアメリカ，イギリス，日本の補助艦保有トン数の比率について決定された。

**5** 四か国条約では，中国の主権尊重，門戸開放，機会均等が決められ，太平洋諸島の現状維持や日英同盟の廃棄が約束されたほか，日本は山東半島の旧ドイツ権益を返還することとなった。

## 実戦問題2の解説

### No.5 の解説　両大戦間のアメリカ，ソ連，ドイツの状況　→問題はP.208　正答3

**1 ×　マーシャル・プランは第二次世界大戦後。**
ヨーロッパ諸国の経済復興を支援したマーシャル・プランは，**第二次世界大戦後の1947年6月**にアメリカの国務長官マーシャルによって提案された。

**2 ×　新経済政策は私企業や農民に自由経営を認めた政策。**
ソ連の**新経済政策（ネップ）**は1921年に採用された政策で，戦時共産主義のために低下した生産力を回復する目的で，小規模の私企業や私営商業を認めた。また，第1次5か年計画は農業の集団化を図ろうとする計画で，集団農場（コルホーズ），国営農場（ソフホーズ）が建設された。

**3 ◎　1919年にワイマール憲法が制定。**
正しい。1919年に社会民主党を中心とする**ワイマール共和国政府**によって民主的な憲法が制定されたが，経済は混乱し，右翼による一揆や，政府要人の暗殺などが相次ぎ，翌年には帝政派将校らがクーデタを起こすなど，政治的にも経済的にも混乱していた。

**4 ×　ルーズヴェルト大統領は金本位制を停止。**
ルーズヴェルト大統領は1931年に金本位制を停止し，自由放任経済を抑制。

**5 ×　ヒトラーは共産党を弾圧。**
1933年に首相になったヒトラーは，共産党を弾圧し，ナチス（ナチ党）の一党独裁を実現し，翌年，総統に就任した。

### No.6 の解説　第一次世界大戦前後の世界　→問題はP.208　正答2

**1 ×　ロシアがセルビアを，ドイツがオーストリアを支持。**
ロシアとドイツが逆である。セルビアの青年によってオーストリア帝位継承者夫妻が暗殺された**サライェヴォ事件**を契機に，ドイツがオーストリアを支持したことから，オーストリアはセルビアに宣戦布告し，ロシアはセルビアを支持した。

**2 ◎　1902年に日英同盟成立→日本が参戦。**
正しい。1902年に日本は「栄光ある孤立」の立場をとっていたイギリスと**日英同盟**を結んでいたが，第二次大隈重信内閣はこれに基づいて，第一次世界大戦（1914～18年）では，イギリス側に回り，日本軍はドイツの拠点青島を占領した。また，1915年には大隈内閣は袁世凱政府に対し**二十一カ条の要求**を突きつけた。

**3 ×　帝政の崩壊は1917年3月のロシア二月革命（三月革命）。**
帝政を崩壊させた革命は三月革命（二月革命）である。ロシアでは1917年3月に労働者や兵士による三月革命が起こって，**ニコライ2世が退位**し，ロマノフ朝の帝政は崩壊した。この後，臨時政府が樹立され，第一次世界大戦は続行されたが，ボリシェヴィキの**レーニン**が臨時政府の指導者ケレンスキーと対立し，同年11月に臨時政府を倒し，ソヴィエト政権を樹立した。これが十一月革命（十月革命）である。ソヴィエト政権はドイツと休戦し，地主の土地を無償没収し，農民に分配している。

**4 ×** **無制限潜水艦作戦はドイツ軍の作戦。**

無制限潜水艦作戦は1917年に開始されたドイツ軍の作戦である。ドイツ軍はキール軍港での水兵の反乱がきっかけで戦争続行が不可能となり休戦協定を結んだ。1919年のパリ講和会議では対独講和条約のヴェルサイユ条約が調印され，ドイツは全植民地を喪失し，**巨額の賠償も課された**。

**5 ×** **国際連盟にアメリカ不参加。**

1918年1月に提唱されたウィルソン大統領による十四か条の平和原則に基づいて国際連盟が発足したが，**アメリカは議会の反対で不参加**。また，当初の段階では社会主義国ソ連，敗戦国ドイツは除外された（のちに加盟）。

## No.7 の解説　ヴェルサイユ体制とワシントン体制

→問題はP.209　正答2

**1 ×** **アメリカ大統領ウィルソンが十四か条の平和原則を発表。**

第一次世界大戦終結を念頭に，1918年1月にアメリカ大統領**ウィルソン**が十四か条の平和原則を発表した。大戦後の1919年1月に，戦勝国の代表によるパリ講和会議が開催された。**セオドア=ローズヴェルト**は日露戦争の仲裁とポーツマス条約の締結を斡旋した大統領である。

**2 ◎** **戦勝国とドイツとの講和条約がヴェルサイユ条約。**

正しい。アルザス・ロレーヌは1870～71年の普仏戦争に勝利したドイツがフランスから獲得した地域で，ヴェルサイユ条約で，フランスに返還された。

**3 ×** **国際連盟に参加しなかったのは，イギリスではなくアメリカ。**

国際連盟は十四か条の平和原則に基づいてヴェルサイユ条約に規定され，1920年に成立したが，アメリカは上院の反対にあい，参加しなかった。

**4 ×** **史上初の軍縮会議のワシントン会議（1921～1922年）では主力艦のみ。**

アメリカ，イギリス，日本の補助艦保有トン数比率の制限は，1930年のロンドン会議で決定した。

**5 ×** **四か国条約は太平洋諸国について，九か国条約は中国について。**

ワシントン会議で結ばれた四か国条約（1921年）は，アメリカ・イギリス・フランス・日本が太平洋諸島の現状維持を約束した条約である。この条約によって日英同盟は解消された。中国の主権尊重，門戸開放，機会均等を認めたのは九か国条約（1922年）である。

# 第二次世界大戦後の情勢

## 必修問題

**第二次世界大戦後の冷戦に関する記述として最も妥当なのはどれか。**

【国家専門職・令和２年度】

**1** 米国のフランクリン=ローズヴェルト大統領は，共産主義の拡大を封じ込めるニューフロンティア政策としてギリシアとオーストリアに軍事援助を与え，さらに**ヨーロッパ経済復興援助計画（マーシャル・プラン）**を発表した。これに対して，ソ連・東欧諸国はコミンテルンを設立して対抗した。

**2** 分割占領下のドイツでは，西ベルリンを占領する米・英・仏が，ソ連が占領する東ベルリンへの出入りを禁止するベルリン封鎖を強行し，東西ベルリンの境界に壁を築いた。その後，西側陣営のドイツ連邦共和国（西ドイツ）と東側陣営のドイツ民主共和国（東ドイツ）が成立した。

**3** 冷戦の激化に伴い，アジア・アフリカの新興独立国を中心とする，東西両陣営のいずれにも属さない第三勢力が台頭してきた。こうした第三勢力の国々が参加して，国際平和・非暴力・不服従を掲げた非同盟諸国首脳会議が中国の北京で開催された。

**4** キューバでは，米国の援助を受けた親米政権が**カストロ**の指導する革命運動に倒された。その後，ソ連がキューバにミサイル基地を建設しようとしたことから，米国が海上封鎖を断行し，米ソ間で一気に緊張が高まるキューバ危機が発生した。

**5** 東ドイツの自由選挙で早期統一を求める党派が勝利を収めると，東ドイツは西ドイツを吸収し，ドイツ統一が実現した。これを受けて，米国のクリントン大統領とソ連のゴルバチョフ書記長がアイスランドのレイキャビクで会談し，冷戦の終結を宣言した。

難易度　＊

## 必修問題の解説

1947年３月に米国のトルーマン大統領がトルーマン・ドクトリンを発表。1947年６月に国務長官のマーシャルがヨーロッパ経済復興援助計画（マーシャル・プラン）を発表（**1**）。これに対し，1947年にソ連と東欧諸国はコミンフォルム（共産党情報局）を結成し，ソ連の冷戦が始まった（**1**）。

**1** × 共産主義の拡大を封じ込める政策はトルーマン＝ドクトリン。
**トルーマン・ドクトリン**では，ギリシャとトルコに軍事援助を与えることを宣言。フランクリン・ローズヴェルト大統領は世界恐慌に対し**ニューディール政策**を実施。**ニューフロンティア政策**はケネディ大統領の政策で，偏見・差別・貧困などの問題解決への協力を国民に呼びかけた政策。ヨーロッパ経済復興援助計画（**マーシャル・プラン**）は国務長官マーシャルが発表。コミンテルンは1919年に**レーニン**が創設した国際組織（共産主義インターナショナル，第３インターナショナル）。

**2** × ベルリン封鎖はソ連が強行。
西ベルリンでは米・英・仏３か国による新ドイツマルクを導入する通貨改革が行われ，これに対抗しソ連が1948年６月に東ドイツ領内の西ベルリンへの交通を封鎖する**ベルリン封鎖**を強行した。1949年５月にドイツの西側占領地区にドイツ連邦共和国（西ドイツ）が誕生し，封鎖は解除された。同年10月にはソ連占領地区にドイツ民主共和国（東ドイツ）が成立した。

**3** × 第三勢力25か国が参加した非同盟諸国首脳会議はベオグラードで開催。
1961年に旧ユーゴスラヴィアのティトーらが提唱して開かれた第三勢力25か国が参加した第１回非同盟諸国首脳会議は，北京ではなく旧ユーゴスラヴィアの首都ベオグラードで開催された。平和共存，反帝国主義，反植民地主義の立場を確認した。

**4** ◎ 1962年に米ソの間でキューバ危機が発生した。
キューバはカストロが指導するキューバ革命によりラテンアメリカ初の社会主義国となった。キューバがソ連の支援で米国を標的としたミサイル基地を建設していることが発覚し，米国は海上封鎖を断行。米ソ間で緊張が高まった。しかし，**ケネディ大統領**がキューバの内政不干渉を表明したことで，ソ連の第一書記**フルシチョフ**はミサイル基地を撤去した。

**5** × 西ドイツが東ドイツを吸収する形でドイツは統一された。
1990年に西ドイツが東ドイツを吸収する形でドイツ統一が実現した。1989年に冷戦終結が宣言されたマルタ会談は，米国の**ブッシュ大統領（第41代）**が参加し，ソ連の**ゴルバチョフ書記長**と合意に至った。

**正答 4**

## FOCUS

戦後の国際情勢は今日の時事問題とも関連しているため，頻出テーマとなっている。冷戦，ドイツの統一，ソ連の崩壊など一連の流れをおさえよう。

## 重要ポイント 1 第二次世界大戦前後

1938年のドイツによるオーストリアの併合，さらに39年に起こったチェコスロヴァキアの解体やポーランドへの干渉を契機として，イギリス・フランスはドイツに宣戦を布告，第二次世界大戦が始まった。

| | |
|---|---|
| 1940年 | ドイツは北欧，オランダ，ベルギーを占領。パリを占領。 |
| 1941年 | ドイツ・イタリア・ルーマニア・フィンランドがソ連に侵入。<br>→ソ連はイギリスと同盟を結ぶ。 |
| 1941年 | 日本軍がハワイの真珠湾を奇襲，米英に宣戦　→太平洋戦争に突入。 |
| 1942年 | 連合国側が総反撃を開始。 |
| 1943年 | 連合軍がイタリア本土に上陸　→イタリアは無条件降伏。 |
| 1944年 | 連合軍がノルマンディーに上陸。 |
| 1945年 | ベルリン陥落，ドイツは無条件降伏。アメリカ軍が沖縄に上陸，広島・長崎に原子爆弾を投下。日本はポツダム宣言を受諾する　→終戦。 |

**●戦後の国際情勢**

| | |
|---|---|
| 国際連合 | 1945年，サンフランシスコ会議で国際連合憲章が採択される。<br>国際平和の維持，経済・文化・教育の発展の援助，基本的人権擁護，紛争の原因を取り除くことが目的。<br>→1948年の総会で「世界人権宣言」を採択。<br>・安全保障理事会の設置＝米・英・仏・ソ・中が常任理事国。<br>・ユネスコ，ＩＬＯ，ＷＨＯなどの専門機関を持つ。 |
| 敗戦国の処理 | ドイツ：1946年，ニュルンベルク裁判。ベルリン分割。米・英・仏・ソによる国土の分割占領。<br>イタリア：植民地没収・軍備制限。<br>日本：1946～48年，東京裁判。すべての植民地と南樺太・千島を没収。アメリカによる単独占領。 |

## 重要ポイント 2 第二次世界大戦後の再建

**●ヨーロッパ諸国**

| | |
|---|---|
| イギリス | 1945年の選挙で労働党が圧勝，アトリー政権が発足。重要産業の国有化，社会福祉制度の充実が図られる。1949年，アイルランド共和国が独立。 |
| フランス | 1944年，ド=ゴールにより臨時政府が組織される。1946年には新憲法が成立，第四共和政が発足する。 |
| イタリア | 1945年，キリスト教民主党が政権を担当。1946年，王政を廃止，共和政に。 |
| 東欧諸国 | ポーランド・ルーマニア・ブルガリア・ユーゴスラヴィア・アルバニアはソ連にならって人民民主主義を唱え，計画経済による工業化を進める。 |

### ●アジア諸国

| | |
|---|---|
| 朝鮮半島 | 北緯38度線を境に，北をソ連，南をアメリカが分割占領。1948年に大韓民国（韓国）が南に成立。北部では金日成を首相に朝鮮民主主義人民共和国（北朝鮮）の創建が宣言され，南北の分立が始まる。 |
| 仏領インドシナ | ホー＝チ＝ミンがベトナム民主共和国の独立を宣言。フランスとの間でインドシナ戦争が起きる（1946～54年）。→1954年，ジュネーヴ協定により終結。フランスはインドシナから撤退，北緯17度線が暫定的軍事境界線に（南部にベトナム共和国が成立し，南北に分断される）。 |
| インド | 1947年，インド独立法が成立。ヒンドゥー教徒を主体とするインド連邦とイスラム教徒を主体とするパキスタンに分かれる。<br>1950年，カーストによる差別の禁止などを定めた新憲法を発布，連邦共和国に。 |
| 中　国 | 国共両党が対立。1947年，国民党の蔣介石は新憲法を発布，中国共産党は毛沢東を指導者に新民主主義を唱え，農民を中心に支持を受ける。1949年，国民党軍は敗退，蔣介石は台湾に（中華民国政府の維持）。<br>→1949年，中華人民共和国の成立（毛沢東主席・周恩来首相）。<br>1950年，中ソ友好同盟相互援助条約に調印。 |

## 重要ポイント 3　東西冷戦

戦後，東欧諸国で議会主義を確立させようとする米・英と社会主義を実行しようとするソ連との間の対立が高まり，**「冷戦」**と呼ばれる状況に発展した。

| | |
|---|---|
| アメリカ | ・1947年，トルーマン・ドクトリンを宣言　→ギリシア・トルコへの共産主義の進出を阻止するために，両国への経済援助を行う。<br>・マーシャル・プラン（ヨーロッパ経済復興援助計画）を発表。<br>・1949年，西側12か国は北大西洋条約機構（NATO）を結成。 |
| ソ連・東欧 | ・マーシャル・プランの受け入れを拒否。1947年，コミンフォルム（共産党情報局）を結成。<br>・1949年，経済相互援助会議（COMECON）を創設。<br>・1955年，東ヨーロッパ相互援助条約（ワルシャワ条約機構）を結成。 |

## 重要ポイント 4　ベトナム戦争

1960年　南ベトナムに南ベトナム解放民族戦線が結成。
1965年　アメリカは北ベトナムへの爆撃（北爆）を開始。南に地上兵力を派遣。
　　　　→ソ連と中国は北ベトナムを援助。アメリカの介入は国際批判を浴びる。
1973年　ベトナム（パリ）和平協定が成立。アメリカ軍は撤退。
1975年　北ベトナム軍と南ベトナム解放民族戦線が全土を制圧。
1976年　南北ベトナムはベトナム社会主義共和国として統一。

## 実戦問題

**No.1** ＊ **東西冷戦に関する記述として，妥当なのはどれか。**

【地方上級（特別区）・令和５年度】

**1** 第二次世界大戦で連合国であったアメリカと枢軸国であったソ連の両国の対立は，戦後，資本主義と社会主義の対立となり，これを冷戦と呼ぶ。

**2** アメリカは，1947年に，西欧諸国に対する経済復興のためのトルーマン・ドクトリンや，共産主義封じ込め政策であるマーシャル・プランを発表した。

**3** アメリカと西欧諸国はNATOを結成し，これに対抗したソ連と東欧諸国は軍事同盟であるCOMECONを結成した。

**4** 1962年のキューバ危機では，米ソは核戦争の危機に直面し，この対立を新冷戦と呼ぶ。

**5** ソ連の共産党書記長に就任したゴルバチョフはペレストロイカを進め，米ソ首脳はマルタ会談で冷戦終結を宣言した。

**No.2** ＊＊＊ **20世紀以降のアメリカ合衆国に関する記述として最も妥当なのはどれか。**

【国家一般職・平成30年度】

**1** トルーマン大統領は，ソ連と対立していたイランに援助を与えるなど，ソ連の拡大を封じ込める政策（トルーマン・ドクトリン）を宣言した。また，マーシャル国務長官は，ヨーロッパ経済共同体（ＥＥＣ）の設立を発表した。

**2** ジョンソン大統領は，北ベトナムを支援するため，ソ連やインドが援助する南ベトナムへの爆撃を開始し，ベトナム戦争が起こった。その後，ニクソン大統領は，国内で反戦運動が高まったことから，インドを訪問して新しい外交を展開し，ベトナム（パリ）和平協定に調印してベトナムから軍隊を撤退させた。

**3** アメリカ合衆国の財政は，ベトナム戦争の戦費や社会保障費の増大によって悪化し，ニクソン大統領は，金とドルとの交換停止を宣言して世界に衝撃を与えた。これにより，国際通貨制度はドルを基軸通貨とした変動相場制とするブレトン＝ウッズ体制に移行した。

**4** レーガン大統領は，ソ連のゴルバチョフ書記長と米ソ首脳会談を行い，中距離核戦力（ＩＮＦ）の全廃などに合意し，米ソ間の緊張緩和を進めた。その後，ジョージ・Ｈ・Ｗ・ブッシュ大統領は，ゴルバチョフ書記長と地中海のマルタ島で首脳会談を行い，冷戦の終結を宣言した。

**5** ニューヨークの世界貿易センタービルなどが，ハイジャックされた航空機に直撃される同時多発テロ事件が起きると，ジョージ・Ｗ・ブッシュ大統領は多国籍軍を組織し，アフガニスタンに侵攻していたイラクに報復し，イラク戦争が起こった。同戦争により，イラクのタリバーン政権は崩壊した。

＊＊
**No.3** **冷戦終結直後に起きた湾岸戦争，今世紀初頭に起きたアフガニスタン戦争，イラク戦争に関する次の記述のうち，妥当なものの組合せを下から選べ。**

【市役所・平成30年度】

ア：湾岸戦争において，クウェートに侵攻したイラクに対し，アメリカは国連安保理決議に基づき，多国籍軍を組織して攻撃し，短期間で勝利した。

イ：日本は，湾岸戦争後に自衛隊を中東地域に派遣したが，イラク戦争でフセイン政権が崩壊した後は，国内での反対が強く，復興支援のための自衛隊派遣を行わなかった。

ウ：イスラーム急進派組織アル・カーイダによる9.11同時多発テロ事件は，アメリカがアフガニスタン戦争でタリバーン政権を崩壊させたことに対する報復として実行された。

エ：アフガニスタン戦争でタリバーン政権が崩壊した後も，イラク戦争でフセイン政権が崩壊した後も，アメリカは現地の治安維持を国連に任せ，数か月で撤退を完了した。

オ：イラク戦争開始に当たり，アメリカはイラクが大量破壊兵器を保有していると主張したが，フセイン政権崩壊後，大量破壊兵器は発見されなかった。

**1**　アとイ
**2**　アとオ
**3**　イとウ
**4**　ウとエ
**5**　エとオ

**No.4** * **第二次世界大戦に関する記述として，妥当なのはどれか。**

【地方上級（東京都）・平成27年度】

**1** ドイツがフランスに侵攻すると，イギリス，ソ連及びポーランドは三国同盟を新たに結んで，ドイツに宣戦布告し，第二次世界大戦が始まった。

**2** アメリカが石油の対日禁輸など強い経済的圧力をかけると，日本はオランダと同盟を直ちに結んで，オランダ領のインドネシアから石油を輸入した。

**3** カイロ会談では，フランス，イタリア及びスペインの首脳が集まり，エジプトの戦後処理に関するカイロ宣言が発表された。

**4** ヤルタ会談では，イギリス，フランス及びオーストラリアの首脳が集まり，中国の戦後処理に関するヤルタ協定が結ばれた。

**5** アメリカによる原子爆弾の投下，ソ連の対日参戦後，日本はポツダム宣言を受諾し，第二次世界大戦は終結した。

## 実戦問題の解説

### No.1 の解説　東西冷戦　→問題はP.216　正答5

**1 ×　ソ連は連合国として第二次世界大戦に参戦。**
第二次世界大戦では，ソ連はイギリス・アメリカ・フランスを中心とする連合国のメンバーとして参戦した。ソ連と東欧諸国は，アメリカ国務長官マーシャルによるマーシャル・プラン（ヨーロッパ経済復興援助計画）の受け入れを拒否し，1947年９月に**コミンフォルム（共産党情報局）**を結成して対抗した。これ以降米ソの緊張状態が激化し，「冷戦」が始まった。

**2 ×　トルーマン・ドクトリンは共産主義封じ込め政策。マーシャル・プランは経済復興援助計画。**
1947年３月にアメリカ大統領トルーマンがギリシャとトルコに軍事援助を与え，共産主義を封じ込めるトルーマン・ドクトリンを宣言した。同年６月にはアメリカの国務長官マーシャルがマーシャル・プランを発表した。

**3 ×　COMECON（経済相互援助会議）はソ連と東欧諸国の経済協力機構。**
1949年４月に結成されたNATO（北大西洋条約機構）に対抗して創設されたのが東欧諸国の軍事機構である**ワルシャワ条約機構**（1955年５月）。COMECON（1949年１月）はマーシャル・プランに対抗するために創設された経済協力機構。

**4 ×　新冷戦はソ連のアフガニスタン侵攻による米ソの関係悪化をさす。**
1962年にキューバ危機は回避されたが，1979年にソ連がアフガニスタン侵攻を開始すると，アメリカ大統領のレーガンはソ連を敵視する政策をとるようになり，再び冷戦が緊張状態となった。この状態を「新冷戦」という。

**5 ◎　マルタ会談で冷戦終結を宣言。**
ゴルバチョフがソ連でペレストロイカ（改革）を進め，1989年12月にアメリカ大統領**ブッシュ**とソ連のゴルバチョフの間でマルタ会談が開かれ，冷戦の終結が宣言された。

### No.2 の解説　20世紀以降のアメリカ合衆国　→問題はP.216　正答4

**1 ×　トルーマン大統領はギリシアとトルコに援助を宣言。**
**トルーマン・ドクトリン**はソ連の拡大を封じ込めるために，1947年３月にイランではなく，ギリシアとトルコに対し，４億ドルの援助を議会に求めた特別教書である。また，マーシャル国務長官が1947年６月，**ヨーロッパ経済復興援助計画**（マーシャル・プラン）を発表したことで，ヨーロッパ経済協力機構（OEEC）が結成された。ヨーロッパ経済共同体（EEC）は1958年にヨーロッパの共同市場化に向けて結成された地域統合である。

**2 ×　ジョンソン大統領は南ベトナム（ベトナム共和国）を支援。**
北ベトナム（ベトナム民主共和国）を支援したのはソ連やインドではなく，中国である。ベトナム戦争では1965年にアメリカが北ベトナムを爆撃（北爆）し，南ベトナムに地上兵力を派遣したことから本格的に始まった。アメリカの軍事介入は国内外の批判を受けたため，**ジョンソン大統領**は1968年に北爆の停止を宣言した。**ニクソン大統領**は1972年にインドではなく，中国を訪問して関係正常化を取り決めた大統領である。さらに，翌73年にはベトナム和平協定を結んでアメリカ軍をベトナムから撤退させた。

**3 ×　1973年に変動相場制へ移行。**

第二次世界大戦後の**国際通貨制度（ブレトン=ウッズ体制）**は，米ドルを基軸通貨としていた。米ドルと各国通貨との交換比率を固定化した（金ドル本位制）であったが，ベトナム戦争の戦費や社会保障費の増大でなどで，アメリカは1971年に金とドルの交換停止を宣言し，1973年には各国通貨は変動相場制に移行した。

**4 ◎　1987年にＩＮＦ全廃，1989年にマルタ会談で冷戦終結宣言。**

1987年のレーガン大統領とゴルバチョフ書記長の米ソ首脳会談では，中距離核戦力（ＩＮＦ）の全廃が取り決められ，1989年12月のブッシュ大統領とゴルバチョフ書記長の**マルタ会談**で，冷戦の終結が宣言された。

**5 ×　同時多発テロは2001年，イラク戦争は2003年。**

国連の決議で多国籍軍が組織されたのは1991年の**湾岸戦争**の時である。この時の大統領がジョージ・H・W・ブッシュ大統領（第41代）である。2001年９月11日に発生したアメリカ同時多発テロでは，ジョージ・W・ブッシュ大統領（第43代）がタリバーン政権をテロ実行者として軍事行動をとり，制圧した。2003年に始まったイラク戦争は，イラクの**フセイン政権**に対し，大量破壊兵器保有を口実にアメリカとイギリスがイラクを攻撃した。

## No.3 の解説　湾岸戦争～イラク戦争

→問題はP.217　**正答２**

**ア　1990～91年の湾岸戦争で多国籍軍がイラクに勝利。**

妥当である。**サダム＝フセイン**が1990年にクウェートに侵攻に対し，アメリカを中心とする多国籍軍がイラクと戦った。

**イ　1992年に自衛隊の海外派遣を可能とするPKO協力法が成立。**

イラク戦争後は2003年にイラク復興支援特別措置法が成立し，陸・海・空の自衛隊員がイラクへ派遣され，イラク国民への人道支援に当たった。

**ウ　同時多発テロの首謀者はビン=ラーディン。**

2001年９月11日の同時多発性テロ事件は，タリバーン政権崩壊の報復事件ではない。イスラーム急進派組織アル・カーイダの指導者**ビン=ラーディン**によるものとされた。アメリカはアフガニスタンに潜伏しているビン=ラーディンの引き渡しをタリバーン政権に求めたが，タリバーン政権が拒否した。このため，アメリカはアフガニスタンをテロ支援国家と認定し，イギリス軍とともにアフガニスタン空爆を実施し，タリバーン政権が崩壊した。

**エ　アフガニスタン戦争後に治安は回復せず，イラク撤退に時間を要す。**

アフガニスタン戦争の終了後は，大統領に就任したカルザイが政権を担当したが，タリバーンが再結成するなど，アフガニスタンの治安は回復しなかった。イラクでも戦争終結後のアメリカの占領政策が成功せず，爆弾テロなど不安定な状況が続いた2009年にオバマ大統領によって2011年末にイラクからの完全撤退が実現したが，撤退には時間がかかっている。

**オ　イラク戦争のきっかけは，イラクの大量破壊兵器保有問題。**

妥当である。アメリカはイラクのフセインが大量破壊兵器を保有しているとの観点から，戦争が実施された。

よって正答は**2**である。

## No.4 の解説　第二次世界大戦

→問題はP.218　**正答5**

**1 ×　ドイツはポーランドに侵攻，三国同盟はドイツ・オーストリア・イタリア。**

三国同盟は第一次世界大戦時のドイツ・オーストリア・イタリアの軍事同盟である。第二次世界大戦はドイツの**ヒトラー**がポーランドに侵攻したことから始まり，イギリス・フランスがドイツに宣戦布告して始まった。

**2 ×　日本とオランダは同盟関係なし。**

日本はオランダと同盟を結んでいない。アメリカは石油の対日禁輸（1941年）の圧力をかけ，A（America・アメリカ），B（Britain・イギリス），C（China・中国），D（Dutch・オランダ）とともに，ABCD包囲陣を結んだ。

**3 ×　カイロ会談はアメリカ・イギリス・中国の首脳陣→日本の戦後処理。**

1943年のカイロ会談では，アメリカ（ローズヴェルト）・イギリス（チャーチル）・中国（蔣介石）が集まり，日本についての戦後処理に関する**カイロ宣言**が発表された。

**4 ×　ヤルタ会談はアメリカ・イギリス・ソ連の首脳陣→ドイツの戦後処理。**

1945年２月にクリミア半島のヤルタ島（ソ連領）で，アメリカ（ローズヴェルト）・イギリス（チャーチル）・ソ連（スターリン）が集まり，ドイツの非軍事化など，戦後処理に関する**ヤルタ協定**が発表された。

**5 ◎　1945年８月に広島・長崎で原爆投下。**

正しい。1945年８月６日のアメリカによる広島への原子爆弾投下，同年８月８日のヤルタ協定によるソ連の日ソ中立条約の破棄と対日参戦，同年８月９日のアメリカによる長崎への原子爆弾投下，同年８月14日の**ポツダム宣言**受諾で，戦争が終結した。

# 試験別出題傾向と対策

| 頻出度 | 試験名 | 国家総合職 | | | | | 国家一般職 | | | | | 国家専門職（国税専門官） | | | | |
|---|---|---|---|---|---|---|---|---|---|---|---|---|---|---|---|---|
| | 年度 | 21-23 | 24-26 | 27-29 | 30-2 | 3-5 | 21-23 | 24-26 | 27-29 | 30-2 | 3-5 | 21-23 | 24-26 | 27-29 | 30-2 | 3-5 |
| | テーマ　出題数 | 5 | 0 | 1 | 0 | 1 | 4 | 0 | 0 | 0 | 1 | 3 | 1 | 0 | 1 | 0 |
| B | 9 イスラーム世界の発展 | 2 | | 1 | | | 2 | | | | | 1 | | | 1 | |
| C | 10 朝鮮半島の王朝史 | 1 | | | | | | | | | | | | | | |
| A | 11 中国王朝史 | 2 | | | | 1 | 2 | | | | 1 | 2 | 1 | | | |

イスラーム史では，ムハンマドによってイスラーム教が創始された時代から，イスラーム世界が拡大していった過程が出題されている。パターンとしてはイスラーム教そのものの特色を問う問題，ウマイヤ朝，アッバース朝，セルジューク=トルコ，オスマン帝国について問う問題が見られる。

東洋史では，ほとんどが中国史から出題されている。中国史の場合，出題パターンは５つの選択肢で５つの統一王朝の特色を問う問題，あるいは，一つの統一王朝についてのみ問う問題の２つの形式が見られる。

朝鮮史の場合は，通史的に古代から現代の朝鮮の統一王朝について問う問題がみられ，日本との関係も問われる場合がある。

### ●国家総合職

出題形式は単純正誤形式がほとんどである。東洋史に関しては，近年，中国と周辺諸国（東南アジア），インド，西アジア，トルコの歴史について出題されている。中国王朝史や清末の中国，朝鮮半島の歴史，パレスチナ問題も重要テーマである。また，第二次世界大戦後のアジア諸国，欧米諸国，東欧諸国の状況など，戦後の世界情勢についても出題される可能性はある。

### ●国家一般職

出題形式としては単純正誤形式が大部分を占める。イスラーム史・中国史からの出題頻度は高い。中国古代の統一王朝についてだけでなく，第二次世界大戦後のアジア諸国の独立の状況についてまで対応できるようにしておくこと。さらに，中国の歴史だけでなく，朝鮮半島の歴史や戦後の朝鮮半島状勢も今後出題される可能性がある。アジア各国について通史的にまとめておきたい。

### ●国家専門職

出題形式は単純正誤形式が大部分を占めている。近・現代史を重視した出題が多く，中でもイスラーム史，中国史については頻繁に出題されている。王朝の創始者や皇帝の政策，戦乱などはいつの時代のものか確実に覚えておくこと。辛亥革命以降の中国も押さえておきたい。

| | 地方上級（全国型） | | | | | 地方上級（東京都） | | | | | 地方上級（特別区） | | | | | 市役所（C日程） | | | | |
|---|---|---|---|---|---|---|---|---|---|---|---|---|---|---|---|---|---|---|---|---|
| | 21-23 | 24-26 | 27-29 | 30-2 | 3-4 | 21-23 | 24-26 | 27-29 | 30-2 | 3-5 | 21-23 | 24-26 | 27-29 | 30-2 | 3-5 | 21-23 | 24-25 | 27-29 | 30-2 | 3-4 |
| | 2 | 1 | 1 | 0 | 1 | 1 | 0 | 0 | 0 | 1 | 2 | 0 | 0 | 0 | 0 | 1 | 0 | 1 | 1 | 1 |
| テーマ 9 | | | | | | | | | | | | | | | | | | | | |
| テーマ 10 | | | | | | | | | | | | | | | | | | | | |
| テーマ 11 | 2 | 1 | 1 | | 1 | 1 | | | | 1 | 2 | | | | | 1 | | 1 | 1 | 1 |

### ●地方上級

**全国型**では，例年，中国史から1問は出題されるパターンが多い。中国史がまったく出題されない年度もあるが，中国史の頻度は高いといえる。中国の各王朝の特色，たとえば統治制度など各王朝の特色がしっかり区別できることが重要である。さらに，中国の諸王朝と周辺国との関係まで学習しておくことは不可欠であり，アジア全体史を把握しておきたい。

**関東型**では，一部全国型と共通問題となっている。ヨーロッパ史の出題の割合が高い傾向にあるが，中国史からの出題も多い。全国型と同様に，各王朝の特色を押さえておくこと。

**中部・北陸型**では，出題数が少ないので，全国型に比べると，中国史の比重は低い傾向にある。

### ●東京都・特別区

東京都では，イスラーム史・東洋史からの出題は低かったが，令和に入り，出題頻度が高まっている。今後の対策として，西洋列強との関連で学習しておくことも重要であろう。

特別区では，中国王朝史からの出題頻度が高い傾向にある。中国の王朝の特色と政策などをよく復習しておきたい。過去問で出題傾向をつかみ，覚えるべきところを中心に押さえておこう。

### ●市役所

市役所では，単純正誤問題が大半で，イスラーム史・東洋史の出題頻高は高くなっている。東洋史の場合は，中国王朝史から王朝の成り立ちや政策など基本問題が出題されている。

# イスラーム世界の発展

## 必修問題

**オスマン帝国に関する記述として，妥当なのはどれか。**

【地方上級（特別区）・令和2年度】

**1** **イェニチェリ**は，キリスト教徒の子弟を徴用し，ムスリムに改宗させて官僚や軍人とする制度であり，これによって育成された兵士で，スルタン直属の常備歩兵軍団であるデヴシルメが組織された。

**2** **カピチュレーション**は，オスマン帝国内での安全や通商の自由を保障する恩恵的特権であり，イギリスやオランダに対して与えられたが，フランスには与えられなかった。

**3** セリム1世は，13世紀末にアナトリア西北部でオスマン帝国を興し，バルカン半島へ進出してアドリアノープルを首都としたが，バヤジット1世は，1402年のニコポリスの戦いでティムール軍に大敗を喫した。

**4** メフメト2世は，1453年にコンスタンティノープルを攻略し，サファヴィー朝を滅ぼして，その地に首都を移し，更には黒海北岸のクリム=ハン国も服属させた。

**5** スレイマン1世のときに，オスマン帝国は最盛期を迎え，ハンガリーを征服して**ウィーンを包囲**し，1538年にプレヴェザの海戦でスペイン等の連合艦隊を破った。

難易度 ＊＊

## 必修問題の解説

オスマン帝国はオスマン1世が建国したトルコ系のイスラーム帝国（**3**）。第3代スルタン（世俗的権力者）のムラト1世はアドリアノープルを首都とした。第4代スルタンのバヤジット1世はニコポリスの戦いでハンガリー王が率いる連合軍を撃破したが（**3**），アンカラの戦いではティムール軍に敗北。第7代スルタンのメフメト2世はビザンツ帝国を滅ぼし（**4**），第9代スルタンのセリム1世はマムルーク朝を滅ぼした（**3**）。第10代スルタンのスレイマン1世はハンガリーを征服し，ウィーン包囲を行った（**5**）。

**1** × **イェニチェリは常備歩兵軍団。デヴシルメはキリスト教徒の徴兵制度。**
**イェニチェリ**はスルタン直属の常備歩兵軍団のことで，14～19世紀初頭まで征服地のキリスト教徒から徴兵し組織された精鋭軍団である。**デヴシルメ**はバルカン半島のキリスト教徒の子弟を強制的に徴用し，ムスリム（イスラーム教徒）に改宗させ，教育や訓練を施して官僚やイェニチェリとする制度。

**2** × **スレイマン１世がカピチュレーションをフランスに付与した。**
**カピチュレーション**とはヨーロッパ諸国に与えたオスマン帝国内での通商上の恩恵的特権のこと。後にフランスだけでなく，イギリス，オランダにも付与された。

**3** × **オスマン帝国（13世紀末～1922年）はオスマン１世が建国。**
1299年アナトリア西北部にオスマン１世が小国を建国した。ムラト１世（在位1360～89年）は1366年にバルカン半島に進出してアドリアノープルを首都にした。**バヤジット１世**（在位1389～1402年）は，1396年のニコポリスの戦いでハンガリー王が率いる連合軍を破った。中央アジアからイランにかけての地域を支配したティムール朝（1370～1507年）を開いたティムール軍に大敗を喫したのは1402年のアンカラの戦いで，この時バヤジット１世が捕虜となった。

**4** × **コンスタンティノープル陥落で滅亡したのはビザンツ帝国。**
メフメト２世はコンスタンティノープルを攻略し，ビザンツ帝国を滅ぼした。イラン高原に建国されたサファヴィー朝（1501～1736年）と戦い勝利したのは，セリム１世（在位15212～20年）である。黒海北部のイスラーム国家のクリム＝ハン国は1475年にオスマン帝国の保護下に入り，1783年にはロシア帝国のエカチェリーナ２世によって滅ぼされた。

**5** ◎ **スレイマン１世はウィーン包囲を行い，プレヴェザの海戦に勝利。**
スレイマン１世はオスマン帝国全盛期の皇帝で，1520年に即位し，その翌年にはハンガリー王国に対し遠征を行い，征服した。1529年９月から10月にかけてウィーンを包囲し，ヨーロッパ諸国を震撼させた。1538年には，イオニア海東岸の町プレヴェザでの海戦で，スペイン・ヴェネツィア・ローマ教皇からなる連合艦隊を破った。

**正答 5**

## FOCUS

イスラーム世界の歴史はイスラーム帝国の誕生と拡大，ビザンツ帝国を滅ぼしたオスマン帝国の発展の過程が重要である。

# POINT

## 重要ポイント 1 イスラーム帝国の成立

**ムハンマドの時代**
610年　ムハンマド（マホメット）がイスラーム教を創設　→唯一神アッラーへの帰依
622年　メッカの大商人からの迫害を避け，メディナに移住　→聖遷（ヒジュラ）
630年　メッカを征服
632年　アラビア半島を統一　→ムハンマド死去
**正統カリフ時代～ウマイヤ朝の成立**　――カリフ：ムハンマドの後継者
632年～661年　ジハード（聖戦）→東：ササン朝ペルシア～西：シリア・エジプト
661年　第４代カリフのアリーが暗殺　→ダマスクスにウマイヤ朝が開かれる
８世紀初めにイベリア半島・中央アジア・西北インドに及ぶイスラーム帝国を完成
**アッバース朝の成立～後ウマイヤ朝の成立**
アラブ人を特権階級とするウマイヤ朝の政策を『コーラン』の教えに背くものと批判するアッバース家が革命を起こす　→750年　アッバース朝が開かれる。ウマイヤ一族はイベリア半島に逃れ，756年　後ウマイヤ朝を建てる（首都：コルドバ）
**イスラーム帝国の分裂**　――独立王朝の成立
868年　エジプトにトゥールーン朝成立
875年　イランにサーマーン朝成立
909年　チュジニアにファーティマ朝成立
932年　イランにブワイフ朝成立
　→946年　バグダードに入城。軍人に土地の徴税権を与える（イクター制）

## 重要ポイント 2 イスラーム諸国の発展

| | |
|---|---|
| トルコ人の王朝 | 10世紀半ば～12世紀半ば：中央アジアにカラ＝ハン朝成立<br>962年～1186年：アフガニスタンにガズナ朝成立<br>1038年：スンナ派のセルジューク朝成立　→1055年：トゥグリル＝ベクがブワイフ朝を倒し，バグダード入城　→1194年：ホラズム朝により滅亡<br>1077～1231年：中央アジアにホラズム朝成立。東西貿易独占で繁栄<br>1148年頃～1215年：アフガニスタンにイラン系のゴール朝成立<br>→12世紀後半からインドに侵入。北インドはイスラーム勢力の支配下に<br>1299年：オスマン１世が小アジア西北部にオスマン帝国（オスマン・トルコ帝国）建国　→1453年にメフメト２世がビザンツ帝国を滅ぼす　→1517年にセリム１世がエジプトのマムルーク朝を滅ぼす（マムルーク朝管理下のメッカ，メディナの保護権掌握・スンナ派イスラーム教の中心国となる）　→スレイマン１世時代全盛期　→19世紀：タンジマート（近代化改革）　→1908年：青年トルコ革命　→第一次世界大戦敗北 |
| エジプト・北アフリカ | 909～1171年：シーア派のファーティマ朝成立　→アイユーブ朝により滅亡<br>1169～1250年：スンナ派のアイユーブ朝成立　→マムルーク朝により滅亡<br>1250～1517年：マムルーク朝成立。エジプト・トルコを支配 |

## 重要ポイント3 イスラーム教徒と戦乱

732年　トゥール＝ポワティエ間の戦い：イスラーム軍（ウマイヤ朝）がフランク王国のカール=マルテルに敗北
751年　タラス河畔の戦い：イスラーム軍（アッバース朝）が唐に勝利。製紙法伝わる
1071年　マンジケルトの戦い：セルジューク朝がビザンツ帝国に勝利し，アナトリアに進出
1189～92年　第３回十字軍：1187年　アイユーブ朝サラディン（サラーフ＝アッディーン）がイェルサレム王国占領。十字軍によるイェルサレム奪回は不成功
1258年　アッバース朝滅亡：フラグがアッバース朝を滅ぼし，イル＝ハン国建国
1396年　ニコポリスの戦い：オスマン帝国バヤジット１世がハンガリー王に勝利
1402年　アンカラの戦い：オスマン帝国バヤジット１世がティムールに敗北
1453年　ビザンツ帝国滅亡：オスマン帝国メフメト２世がコンスタンティノープルを攻略
1517年　マムルーク朝滅亡：オスマン帝国セリム１世がマムルーク朝を滅ぼし，エジプト・シリアを支配
1529年　第１次ウィーン包囲：オスマン帝国スレイマン１世がハンガリーを征服し，ハプスブルク家カール５世と対立し，ウィーン包囲
1538年　プレヴェザの海戦：オスマン帝国スレイマン１世がスペイン・ヴェネツィア連合艦隊に勝利
1571年　レパントの海戦：オスマン帝国セリム２世がスペイン・ローマ教皇・ヴェネツィア連合艦隊に敗北
1683年　第２次ウィーン包囲：オスマン帝国が再度ウィーンを包囲したが失敗
1922年　オスマン朝滅亡：第一次世界大戦では三国同盟側に参戦し敗北，ムスタファ=ケマルがスルタン制とカリフ制廃止・トルコ共和国樹立

## 重要ポイント4 イスラーム文化

イスラーム教による地域的統合と征服地の民族文化との融合文化。『**コーラン**』研究から歴史学が，ギリシアやインドの諸学問から数学が発展し，哲学研究なども栄えた。文学作品としては『**アラビアン・ナイト**』，美術・工芸では植物を図案化した文様の**アラベスク**が有名である。

## 重要ポイント5 オスマン帝国の特色

カピチュレーション→オスマン帝国のスルタンが西欧諸国に与えた通商上の特権。フランス，のちにイギリスやオランダに付与。
イェニチェリ→オスマン帝国の歩兵常備軍。キリスト教徒の子弟を訓練し編成。1826年に廃止。

## 実戦問題

**No.1** ＊＊ **イスラーム諸国と周辺諸国の歴史に関する記述として最も妥当なのはどれか。**

【国家一般職・平成15年度】

**1** ムハンマドの死の直後，その子ムアーウィヤが初代のカリフとなり，メッカを首都とするウマイヤ朝を建てた。ウマイヤ朝はササン朝ペルシアを滅ぼし，また，イベリア半島に進出しトゥール・ポワティエ間の戦いでフランク王国を破った。

**2** ウマイヤ朝内において，スンナ派とシーア派の対立が激しくなると，多数派のスンナ派はコンスタンティノープルを首都とするマムルーク朝を建てた。マムルーク朝はイベリア半島を初めて領土としたイスラーム帝国となった。

**3** サラーフ＝アッディーン（サラディン）は，アッバース朝を建て，エジプトのセルジュク朝を倒した。また，サラディンは，9世紀に十字軍が建てたイェルサレム王国を攻撃してイェルサレムの奪回に成功した。

**4** ティムールはバグダードを首都としてティムール朝を開き，小アジアやインドにまで領土を拡大した。しかし，フラグに率いられたモンゴル軍の強大な軍事力に抗すことができず，イル=ハン朝に滅ぼされた。

**5** ビザンツ帝国を滅ぼしたオスマン帝国は，スレイマン1世の時に最盛期を迎えた。イラクや北アフリカに領土を広げ，また，ハンガリーを征服し，ウィーンを包囲してヨーロッパ諸国に大きな脅威を与えた。

**No.2** ＊ **イスラーム王朝に関する記述として最も妥当なのはどれか。**

【国税専門官・平成19年度】

**1** 7世紀半ばに，イスラーム教はカリフの正統性をめぐる争いからスンナ派とシーア派とに分裂した。多数派のスンナ派がアッバース朝を建国したことに対抗して，少数派のシーア派はウマイヤ朝を建国した。

**2** アイユーブ朝の創始者サラディン（サラーフ＝アッディーン）は，12世紀後半にイベリア半島の征服に成功した。さらに，国土回復運動（レコンキスタ）を展開してイベリア半島に侵入したフランク王国を，トゥール・ポワティエ間の戦いで破った。

**3** 13世紀半ばには，アラブ地域に侵攻してきたモンゴル帝国軍をセルジューク・トルコとマムルーク朝の連合軍がワールシュタット（リーグニッツ）の戦いで破った。敗れたモンゴル帝国は，以後アラブ地域への侵攻を断念した。

**4** ティムール帝国の創始者ティムールは，現在の中央アジア地域を中心に勢力を伸ばし，15世紀初頭にはアンカラの戦いでオスマン帝国を破った。また，都としたサマルカンドは文化，商業の中心として繁栄した。

**5** 小アジア地域で建国されたオスマン帝国は，「イェニチェリ」と呼ばれる精鋭部隊を擁してバルカン半島にも領土を拡大した。15世紀半ばには，ウィーンを攻略して神聖ローマ帝国を滅ぼすなど，最盛期を迎えた。

＊＊＊
**No.3 イスラーム世界と非イスラーム世界の間の抗争の歴史に関する記述として妥当なのはどれか。** 【国家一般職・平成13年度】

**1** イラン系のアッバース朝は，当初帝国の版図を中央アジア方面へ拡大したが，タラス河畔の戦いで唐に敗れた後，アフリカ北部からイベリア半島への進出を果たした。

**2** アッバース朝は，ドイツ・ポーランドの連合軍とワールシュタットで戦ったがこれに敗れ，さらにチンギス=ハンの率いるモンゴルの侵攻を受け，首都メッカを占領され滅亡した。

**3** バグダードを発祥の地としてアラビア半島を支配したトルコ系のセルジューク朝は，ギリシア正教を信仰するスラブ系のティムール朝にアンカラの戦いに敗れて衰退し，東西に分裂した。

**4** 小アジアに建国されたトルコ系のオスマン帝国は，バルカン半島に進出した後，ビザンツ帝国の首都コンスタンティノープルを陥れ，ビザンツ帝国を滅ぼした。

**5** オスマン帝国は，北アフリカおよびインド半島に勢力を広げた後，ウィーンを占領してオーストリアを支配するとともにレパントの海戦でスペインに勝って地中海の支配権を握った。

## 実戦問題の解説

### No.1 の解説　イスラーム国と周辺諸国　→問題はP.228　正答5

**1 ×** **トゥール・ポワティエ間の戦いではウマイヤ朝は敗北。**
ムハンマドの死後，**クライシュ族ウマイヤ家の出身ムアーウィヤが661年にダマスクスを都にウマイヤ朝を開いた。**ササン朝ペルシア（226～651年）を滅ぼしたのは，正統カリフ時代の**第２代カリフのウマル。**この戦いがニハーヴァンドの戦い（642年）である。また，732年のトゥール・ポワティエ間の戦いではウマイヤ朝は**フランク王国に敗れた。**

**2 ×** **イベリア半島に進出したのは後ウマイヤ朝。**
アブー=アルアッバースがウマイヤ朝を倒し，**バグダードを首都とするアッバース朝**を開いた。マムルーク朝は1250年にエジプトのカイロを都に開かれた王朝。**イベリア半島を初めて領土としたのは後ウマイヤ朝。**

**3 ×** **サラーフ=アッディーンはアッバース朝ではなく，アイユーブ朝の開祖。**
**サラーフ=アッディーン（サラディン）は1169年にアイユーブ朝**を開いた武将で，1171年にはチュニジア・エジプトのファーティマ朝を滅亡させた。**トルコ人のセルジュク（セルジューク）朝は内紛で消滅した。**また，サラディンは**第３回十字軍**（1189～92年）で，11世紀末に十字軍が建てたイェルサレム王国を滅亡させた。

**4 ×** **ティムール朝の首都はサマルカンド。**
ティムールは**サマルカンドを首都**としてティムール朝（1370～1507年）を開いた。ティムールはイル＝ハン国の領土を併合し，領土を拡大させた。1405年にティムールが明遠征途上で病死した後，**トルコ系ウズベク人によって帝国は滅ぼされた。**フラグは1258年にアッバース朝を滅ぼし，イル＝ハン国を建国した。

**5 ◎** **オスマン帝国はスレイマン１世の時代が最盛期。**
正しい。**スレイマン１世**の時代に最盛期を迎え，イラク南部から北アフリカまで領土を広げ，**ハンガリーを征服し，1529年にウィーンを１か月間にわたって包囲し，**ヨーロッパに対し脅威を与えた。

### No.2 の解説　イスラーム王朝　→問題はP.228　正答4

**1 ×** **ウマイヤ朝の建国＝661年，アッバース朝の建国＝750年。**
アッバース朝はウマイヤ朝滅亡後に成立した王朝である。ウマイヤ朝は多数派でムハンマドのスンナ（言行）に従う**スンナ派（スンニー）**の王朝であった。750年に成立したアッバース朝はシーア派を弾圧してスンナ派を保護するようになった。

**2 ×** **サラディンは第３回十字軍で勝利しイェルサレムを征服。**
1171年にアイユーブ朝を創始したサラディン（サラーフ＝アッディーン）は1187年に十字軍の聖地イェルサレムの征服に成功した。**国土回復運動（レコ**

**ンキスタ）**を展開したのはイベリア半島のキリスト教徒たちで，イスラーム教を駆逐した運動である。トゥール・ポワティエ間の戦い（732年）ではウマイヤ朝のイスラーム教徒がカール・マルテル率いるフランク軍に敗れた。

**3 ×** 1241年ワールシュタットの争いで勝利したのがモンゴル帝国軍。
1241年のワールシュタット（ニーグリッツ）の戦いはバトゥ率いる**モンゴル軍**がドイツ・ポーランド連合軍を破った戦いである。この戦いでヨーロッパにモンゴルの脅威を与えることになった。

**4 ◎** 1370年にティムール帝国が建国された。
正しい。**アンカラの戦い**（1402年）はティムールがオスマン帝国のバヤジット１世を破った戦いである。

**5 ×** ウィーン包囲は1529年にスレイマン１世によって行われたが失敗。
オスマン帝国の全盛期の皇帝スレイマン１世はハンガリー征服後，1529年にウィーンを包囲したが，攻略することはできなかった。また，**神聖ローマ帝国を滅ぼしたのはナポレオン１世**である。

## No.3 の解説　イスラーム世界・非イスラーム世界間の抗争 →問題はP.229 正答4

**1 ×** 751年のタラス河畔の戦いでアッバース朝が唐に勝利。
**タラス河畔の戦い**（751年）は，アッバース朝のイスラーム教徒軍と唐軍の間で行われた戦いであるが，高仙芝（こうせんし）が率いる唐軍が大敗している。なお，**製紙法**はこの戦いを機に西伝したといわれる。

**2 ×** ワールシュタットの戦いでモンゴル軍がドイツ・ポーランド軍に勝利。
**ワールシュタットの戦い**（1241年）は，シュレジエン侯ハインリヒ２世の指揮下のドイツ・ポーランド軍がモンゴル軍と戦ったものであるが，ドイツ・ポーランド軍がモンゴル軍に敗北している。チンギス=ハンの子のフラグが西征して，1258年にバグダードを占領したため，アッバース朝は滅亡した。

**3 ×** 1402年のアンカラの戦いでティムールがオスマン軍に勝利。
首都をバグダードに建設し，アラビア半島を支配したのはイスラーム教徒のアッバース朝である。セルジューク・トルコは西アジア一帯を支配した。ギリシア正教を宗教としていたのはビザンツ帝国である。**アンカラ（アンゴラ）の戦い**（1402年）は，ティムール帝国とオスマン帝国の戦いで，ティムールがオスマン帝国のバヤジット１世を捕虜にし，破った戦いである。

**4 ◎** コンスタンティノープル陥落でオスマン帝国がビザンツ帝国を滅ぼす。
正しい。1453年にオスマン帝国の**メフメト２世**はビザンツ帝国を滅ぼした。

**5 ×** 1571年のレパントの海戦ではスペインがオスマン海軍に勝利。
1529年にオスマン帝国のスレイマン１世が行ったウィーン包囲では，ウィーンは陥落していない。また，1571年の**レパントの海戦**では，オスマン帝国がスペインに敗れた。

# 朝鮮半島の王朝史

## 必修問題

**朝鮮半島の歴史に関する記述として妥当なのはどれか。**

【国税専門官・平成13年度】

**1** 高麗は，豊臣秀吉が派遣した日本軍を撃退したものの，国土が荒廃し，王朝の権威は失墜した。海戦で日本水軍に大きな打撃を与えた李成桂は，この混乱に乗じて軍事的実権を握り，高麗王朝を滅ぼし，**李氏朝鮮**を建国した。

**2** 李氏朝鮮は，善隣友好政策を国策とし，清朝や江戸幕府統治下の日本に通信使を派遣したほか，重商政策をとり，清や日本が鎖国政策をとるなか，スペイン，イギリス，フランスと貿易を行い，東アジア地域の貿易の利益をほぼ独占した。

**3** **江華島事件**を契機とした日本との不平等条約の締結後，大院君を中心に，日本の例にならった洋務運動が展開された。大院君に登用された金玉均は，近代化に取り組み，日本との不平等条約の撤廃をめざした外交を展開した。

**4** 日清戦争での清の敗北の結果，清の宗主権から離れ，戦勝国の日本に併合された朝鮮では，**ハーグ密使事件**，廃立された国王を中心に起こした五・四運動など民族自決に基づく民衆による独立運動が頻発した。

**5** 1950年に始まった**朝鮮戦争**には，アメリカ合衆国の統率の下に組織された国連軍が大韓民国側に，中国義勇軍が朝鮮民主主義人民共和国（北朝鮮）側に立って参加した。休戦後，大韓民国と朝鮮民主主義人民共和国は新たに設けられた**軍事境界線**に対じすることとなった。

難易度　＊＊

## 必修問題の解説

高麗は936年に朝鮮半島を統一したが，1231年にはモンゴルの属国となり，元寇の際にはモンゴル軍とともに鎌倉幕府と戦ったことを思い出せれば，豊臣秀吉の朝鮮出兵が李氏朝鮮時代と判断できる（**1**，**2**）。鎖国政策を進めた大院君と，日本を視察し，日本を基に改革を進めた金玉均の違いを明確にすることが大切である（**3**）。朝鮮と清の反日運動の内容（**4**）や，朝鮮戦争の原因と結果も重要だ（**5**）。

**1 ×** 朝鮮出兵に対抗したのは高麗の李舜臣。
高麗は918年から1392年までの王朝であり，豊臣秀吉が朝鮮出兵をしたときの朝鮮半島は李氏朝鮮（1392～1910年）の時代である。**朝鮮出兵で日本水軍に打撃を与えたのは李舜臣**である。**李成桂**は14世紀末期の李氏朝鮮の建国者。

**2 ×** 李氏朝鮮は鎖国政策を実施。
17世紀以降は清に従属し，**鎖国政策をとっていた李氏朝鮮**を，日本が1876年に**日朝修好条規**によって開国させている。

**3 ×** 洋務運動は，李氏朝鮮ではなく，清の富国強兵策。
洋務運動は**清で展開された西洋軍事技術を導入した富国強兵運動**のことで，1860年代に曾国藩，李鴻章によって進められたものである。大院君は高宗の父で鎖国攘夷を進めた人物である。**金玉均は日本と結んで朝鮮改革をめざした開化派の指導者**。

**4 ×** 韓国が日本へ併合されたのは1910年。
ハーグ密使事件は，韓国皇帝の高宗が1907年の第２回ハーグ平和会議に密使を派遣して日本の侵略を訴えた事件である。民族自決に基づく民衆による**対日独立運動は1919年の三・一（独立）運動**である。五・四運動は1919年に起こった中国の排日運動である。

**5 ◎** 朝鮮戦争後，北朝鮮と韓国に国家は分断。
正しい。朝鮮戦争は北緯38度線付近で一進一退を繰り返したが，1953年にソ連の提案で**休戦が成立した**。

**正答 5**

## FOCUS

朝鮮半島の歴史は重要なアジア史となっており，過去に出題されたことがある分野である。出題パターンとしては通史的に朝鮮半島の歴史を問う問題が主流となっている。半島を統一した王朝名を時代順にしっかり把握し，その特色を押さえておくこと。日本との関係で問われる問題も見られるので，日朝関係史という視点でも問題に対応できるようにしておきたい。

# POINT

## 重要ポイント 1 古代の朝鮮

前３世紀に中国人が朝鮮に入って箕子(きし)朝鮮を建国。前190年頃に漢初の燕王盧綰(ろわん)の臣の衛満が朝鮮に亡命し，箕子朝鮮の国を奪って**衛氏朝鮮**を建国（前194～前108年）。前108年に前漢の**武帝**は朝鮮を征服して，**朝鮮四郡**（楽浪(らくろう)郡・真番(しんばん)郡・玄菟(げんと)郡・臨屯(りんとん)郡）を設置，これにより衛氏朝鮮は滅亡した。

## 重要ポイント 2 三国時代から半島統一へ

| | |
|---|---|
| 三国時代 | **半島北部**<br>４世紀初めに高句麗により支配される。<br>**半島南部**<br>３世紀　三韓（馬韓・弁韓・辰韓）に分立。<br>４世紀　辰韓に新羅，馬韓に百済がおこり，弁韓は加羅諸国（任那）になる。<br>→後に新羅に併合される。<br>※ 朝鮮半島は高句麗・新羅・百済が並び立つ三国時代になる。 |
| 新羅の半島統一 | 660年　新羅は唐と同盟して百済を破る。<br>663年　白村江の戦い――百済・日本を破る。<br>668年　高句麗を滅亡させる。<br>676年　唐を退け，朝鮮半島を統一。<br>※仏教を国教とし，唐の影響を受けた骨品制に基づく貴族社会を築く。<br>骨品制→出身階級で５段階の身分をつくり，官職・官位を規定した。 |

## 重要ポイント 3 高麗時代（918～1392年）

10世紀に入り，**新羅**(しんら)(しらぎ)は貴族内での内紛で次第に衰退していった。918年に新羅の武将・王建が**高麗**を建国し，935年に半島を統一。高麗では仏教が国教となり，『大蔵経』が刊行されるなどで盛んになり（アジア最古の銅活字による印刷），また，製陶の技術が進んで高麗青磁が作られた。

高麗は唐と宋の制度を採用して栄えたが，13世紀にモンゴル軍の侵入を受け服属し，蒙古襲来（元寇）の基地となった。さらに14世紀には倭寇の略奪に苦しめられ衰退し，1392年に倭寇を撃退した武将・李成桂により滅亡した。

## 重要ポイント4 李氏朝鮮（1392～1910年）

**●建国から服従へ**

**李氏朝鮮**の政治を動かしたのは高句麗時代に始まった**両班**（ヤンバン）という特権身分の文班と武班で，王位継承争いにも加わり，党争を繰り返した。16世紀になると争いはますます激化し，1592～93年，1597～98年の豊臣秀吉による侵犯（壬辰（じんしん）・丁酉（ていゆう）の倭乱）などにより国土は荒れ，17世紀前半には清の攻撃を受けて属国となった。

清の属国化した後も，政治的な動揺が続き，対外的には鎖国状態にあった朝鮮だが，1860年代に入ると欧米諸国は相次いで開国を迫るようになった。

1875年　日本の軍艦が朝鮮沿岸で挑発的な軍事演習を行う（江華島事件）。
　→1876年，日朝修好条規（江華条約）を締結。釜山など３港の開港，治外法権を認める不平等条約で，これにより鎖国政策は放棄。
1882年　壬午（じんご）軍乱　→王妃閔氏（びんし）一族の親日・改革政策に，軍の一部が反対する摂政の大院君を擁立して挙兵。清は援軍を送り，閔氏政権を再建。
1884年　甲申政変　→親日派の独立党と親清派の事大党が対立。独立党は日本の武力を借りて事大党を倒したが，清の干渉により敗退　→日清間の対立。
1894年　甲午農民戦争（東学党の乱）　→農民の反乱に日清両軍が挙兵し，日清戦争が勃発　→日本の勝利。95年の下関条約により清は朝鮮の独立を認める。
1897年　国号を大韓帝国と改める。
　→実質的独立を図るが，諸外国の干渉が激しく，動揺が続く。
1904，05，07年　日韓協約締結　→日本は日露戦争当時から，三次にわたって日韓協約を締結し，李氏朝鮮の主権を奪う。
1910年　韓国併合により日本は朝鮮総督府を設置。韓国は植民地となる。

## 重要ポイント5 第二次世界大戦後の朝鮮

**●南北の分断**

朝鮮は，日本の敗戦により植民地支配から解放されたものの，戦後，朝鮮に進出した米ソ両軍により，北緯38度線を境界として北をソ連が，南をアメリカが分割して占領することになり，1948年８月，南に**大韓民国**が（**李承晩**（イスンマン）大統領），同年９月，北に**朝鮮民主主義人民共和国**が建国された（**金日成**（キムイルソン）首相）。

**●朝鮮戦争**

米ソの対立が深まるなかで，南北に分断された朝鮮での統一を巡る対立も厳しくなり，1950年，朝鮮民主主義人民共和国が境界線を越えて侵攻，**朝鮮戦争**が勃発した。1953年にはソ連の提案により休戦が成立したものの，**南北の分断は固定**されたままの状態で現在に至っている。

| | |
|---|---|
| **大韓民国** | 1960年　学生革命で李承晩政権が崩壊。<br>1961年　朴正熙（パクチョンヒ）がクーデタで独裁政権樹立　→1979年に暗殺。<br>1965年　日韓基本条約締結　→日韓国交正常化。 |
| **朝鮮民主主義人民共和国** | 金日成首相（1972年以降主席）の下で，中ソから一定の距離を置く独自の社会主義工業化を推進。 |

## 実戦問題

**No.1** ＊＊ **朝鮮半島の歴史に関する記述として最も妥当なのはどれか。**

【国家総合職・平成23年度】

**1** 紀元前１世紀頃，中国東北地方におこった高句麗が半島北部に勢力を広げ，漢の楽浪郡と対立するようになった。高句麗は漢に朝貢せず，その後も対立を続けたため，半島北部の支配は高句麗が４世紀初めに楽浪郡を滅ぼすまで安定しなかった。一方，半島南部では，３世紀頃に馬韓・弁韓・辰韓の三つの部族が連合して任那（加羅）が成立し，半島南部全域を支配した。

**2** ７世紀頃，唐と結んで半島の南東部での勢力を拡大した新羅は，半島北部に君臨した高句麗と半島南西部に割拠した百済を滅ぼし，さらに唐の影響力をも排除して，半島に統一国家を打ち立てた。その後，新羅は，唐との関係を修復して冊封関係を結び，律令や郡県制を取り入れて中央集権的な国家体制を整備し，仏教を保護して各地に仏教寺院を建立した。

**3** 10世紀初め，新羅が豪族たちの抗争や農民反乱によって衰えると，農民出身の朱元璋が高麗を建国し，その後全国を統一した。高麗は，郡県制や科挙を廃止して，中国北部を支配していた契丹（遼）の支配方式にならい，猛安・謀克制という兵農一致体制を組織して軍事力の強化に努めた。

**4** 14世紀末，高麗の武官であった李成桂（太祖）が高麗を滅ぼして朝鮮（李氏朝鮮）を建国した。太祖は，明と対立関係にあったことから，独自の法典や官僚機構を整備し，朱子学を弾圧した。また，明の影響を排除するため，漢字に代わって朝鮮語を表記する独自の民族文字（訓民正音）を作らせ，正式な文字として公文書にも採用した。

**5** 19世紀半ば，鎖国政策をとる朝鮮では大院君が摂政となり，開国を主張したが，華夷思想に基づく中央集権体制の立て直しをめざす国王高宗の王妃閔妃と対立した。政変により閔妃が殺害されると，朝鮮への進出をめざす日本は，その混乱に乗じて江華島近海に軍艦を派遣して江華島事件を起こし，事件後結ばれた日朝修好条規により，朝鮮は開国した。

**No.2** ＊＊ **朝鮮半島の歴史に関する記述として最も適切なものは，次のうちどれか。**

【国家総合職・平成７年度】

**1** 漢の武帝により征服されて以来，およそ400年の間朝鮮半島はほぼ中国の諸王朝の直轄地だった。しかし，半島北部におこった高句麗が４世紀初めに中国の混乱に乗じて南下し，楽浪郡，帯方郡を滅ぼして初めて朝鮮半島の統一を実現した。

**2** 五胡十六国時代の混乱を経て７世紀初めに中国を統一した唐は，朝鮮半島にも何度か大軍を送り高句麗を攻めたが失敗に終わった。この敗戦を機に国内に反乱が起き，唐は滅亡した。一方，この戦乱の際に多くの高句麗人が日本に亡命し，日本の古代文化の発展に貢献した。

**3**　8世紀後半，半島を統一していた新羅の勢力が衰えると，朝鮮半島は戦国時代に突入した。こうした中で高麗王朝は10世紀半ばに半島の統一を成し遂げ，中国から科挙制を導入するとともに官僚制として文官と武官の2班からなる両班制を採用し，厳格な身分制度を確立した。

**4**　13世紀に入ると，モンゴルの大軍が半島に攻め込んできた。高麗はモンゴル軍の侵入を辛うじて撃退したものの，国力は疲弊して北方からの異民族の侵入を防ぐことができなくなり，ここに新たに異民族国家である李氏朝鮮が成立した。

**5**　15世紀に入ると，李氏朝鮮は全盛時代を迎えた。しかし16世紀末に2度にわたる豊臣秀吉軍の侵攻を受け水軍やゲリラ活動で辛うじて攻撃を食い止めることができたものの，この戦いによる李朝の国力後退は著しく，17世紀にはついに明によって滅ぼされた。



＊＊＊
**No.3　朝鮮半島の歴史に関する記述として，妥当なのはどれか。**

【国家一般職・平成10年度】

**1**　新羅は，日本の協力を得て白村江の戦いで高句麗を滅ぼした後，唐から半島の支配をゆだねられた朝鮮半島最初の統一王朝である。この新羅も発祥は高句麗の王族が南下したもので，支配階級の奉ずる仏教は民衆には流布しなかった。

**2**　朝鮮民族による最初の統一王朝である李氏朝鮮は，日本の豊臣秀吉の侵入を明の援軍を得て李成桂により撃退した。また，満州にヌルハチの後金がおこると直ちにこれに服属し，後金の渤海征服に手を貸して，満州との国境沿いの領土保全に成功した。

**3**　李氏朝鮮は，清に朝貢し，日本に通信使を送って友誼を結ぶ以外は鎖国を国是とし，欧米諸国の開国要求を拒んでいたが，江華島事件をきっかけに開国を迫る日本との間で日朝修好条規を結んで開国した。その結果，押し寄せた日本商人による米などの買占めが行われ，民衆の間に反日の気運が高まった。

**4**　日露戦争の戦勝国となった日本は，列強の反対を無視して軍隊を進駐させ，武力を背景に日韓併合条約を締結した。これに対して，独立を叫ぶ民衆が蜂起し，軍隊も加わった義和団事件が全国に広まったが，日本の統治政策の緩和により沈静化した。

**5**　第二次世界大戦後，北部はソ連軍，南部はアメリカ軍が占領し，それぞれの政権が樹立され，朝鮮民主主義人民共和国と大韓民国が成立した。その後，アメリカ軍の協力を得た朴正煕軍事政権の北進により朝鮮戦争が始まり，中国人民解放軍が北朝鮮側に立って参戦した。

## 実戦問題の解説

### No.1 の解説　朝鮮半島の歴史　→問題はP.236　正答2

**1 ×　高句麗は後漢の光武帝に朝貢。**
高句麗は紀元1世紀頃に建国した国である。中国東北部から朝鮮半島北部を支配したが，紀元2年に，高句麗侯が後漢の光武帝に朝貢し，高句麗王の位を与えられている。なお，前漢の武帝時代の紀元前108年に支配下に置かれた楽浪郡を高句麗が313年に滅ぼした内容は正しい。3世紀ごろの朝鮮半島は，朝鮮民族の馬韓・弁韓・辰韓が分立していた。任那（加羅）は朝鮮半島南部の小国である。

**2 ◎　新羅は7世紀に朝鮮半島を統一。**
正しい。新羅は660年に百済を，668年に高句麗を滅ぼし，**676年に朝鮮半島を統一**した。新羅では仏教文化が広まり，仏国寺は新羅時代の建造物で世界遺産になっている。

**3 ×　高麗は王権が建国，朱元璋は明の皇帝（洪武帝）。**
高麗は918年に王建によって建国され，936年に朝鮮半島を統一した王朝である。朱元璋は元末の紅巾の乱（1351〜66年）の指導者で，中国に明を開いた人物である。高麗は唐や宋の影響が強く，科挙制が導入されていた。猛安・謀克制は中国北東部に興った金（1115〜1234年）の軍事・行政制度である。

**4 ×　李成桂の朝鮮は明に臣従。**
李成桂は倭寇を撃退したことで知られ，高麗を倒し，**李氏朝鮮を建国**した人物である。明とは対立関係になく，明にとって李氏朝鮮は朝貢国であった。**民族文字の訓民正音（ハングル）**は1446年に第4代世宗が制定したが，1506年には公式な場で使用を禁止されている。公文書で正式に採用されたのは19世紀後半のことである。

**5 ×　鎖国政策をとった大院君は攘夷策を推進。**
第26代国王高宗の摂政の大院君は鎖国政策をとった人物で，開国ではなく，攘夷策を進め，高宗の王妃で近代化を進めようとした閔妃（びんひ）と対立した。**閔妃の殺害（乙未（いつび）事変）は1895年**のことであり，江華島事件（江華島付近での日本と朝鮮の軍事衝突）は1875年，日朝修好条規締結は1876年のことで，順番が異なる。

### No.2 の解説　朝鮮半島の歴史　→問題はP.236　正答3

**1 ×**　朝鮮半島を初めて統一したのは新羅である。また，前漢の武帝は前108年に朝鮮を征服して，**朝鮮四郡**（楽浪郡（らくろうぐん）・真番郡（しんばんぐん）・玄菟郡（げんとぐん）・臨屯郡（りんとんぐん））を設置した。これにより衛氏朝鮮は滅亡した。

**2 ×**　唐は新羅と結び，668年に高句麗を滅ぼすことに成功している。唐の滅亡の直接の原因は，875〜884年の黄巣の乱の武将・**朱全忠**が907年に哀帝を廃したことである。

**3 ◎** 正しい。**両班制**とは，高句麗に始まり李氏朝鮮時代に確立した政治的社会的特権身分制度。

**4 ×** 高麗はモンゴル軍の攻撃に耐えられず，1259年に元に服属し，日本進出の拠点となった。また，新羅も高麗もそして李氏朝鮮も，異民族ではなく同じ朝鮮民族国家である。

**5 ×** 李氏朝鮮は，1392年に建国され，**1910年の韓国併合まで存続**した。また，李氏朝鮮の初代王李成桂は，明と親密に国交を交えた。1592～93年，1597～98年に豊臣秀吉の李氏朝鮮侵入では明の援助もあり，秀吉軍を撃退した。

## No.3 の解説　朝鮮半島の歴史

→問題はP.237　**正答3**

**1 ×** **新羅は辰韓（半島南部）から成立した。高句麗は楽浪郡（半島北部）を滅亡させて成立。**

新羅は朝鮮半島南東部にあった辰韓からおこり，４世紀半ばに建国した。高句麗の王族が南下したわけではないので誤り。660年に唐と結んでまず百済を，668年に高句麗を滅ぼし，676年に朝鮮半島を統一した。また，新羅の都・慶州の東南部には仏国寺という代表的な仏教寺院があり，**仏教文化が盛ん**であったことをうかがわせる。

**2 ×** **新羅（676年～）→高麗（918年～）→李氏朝鮮（1392年～）。**

李氏朝鮮以前に，新羅・高麗が半島を統一している。また，豊臣秀吉の李氏朝鮮侵入（1592～93年，1597～98年）のときに活躍したのは**李舜臣**で，李成桂は李氏朝鮮初代の王（在位1392～98年）である。

**3 ◎** **江華島事件は，日本の挑発により朝鮮軍が日本軍艦へ砲撃した事件。**

正しい。1875年の江華島事件による1876年の日朝修好条規（江華条約）で，朝鮮は自主独立をし，釜山・仁川・元山の開港，日本公使館・領事館の設置などを受け入れ，以後，日本の植民地政策が進行していく。

**4 ×** **韓国併合は1910年。義和団事件は1900～1901年清末の排外運動。**

義和団事件は1900～01年に清でおこった排外運動であり，日韓併合条約（韓国併合に関する条約）は1910年８月に日本が朝鮮半島を植民地化した条約である。1894～95年の日清戦争，1904～05年の日露戦争で，朝鮮から清・ロシア両国の影響力を排除した日本は，朝鮮植民地化を進め，1910年に韓国を併合した。

**5 ×** **朝鮮戦争は，北朝鮮（金日成）が韓国（李承晩）への軍事侵攻したことで開戦。**

朝鮮戦争は1950～53年であり，**朴正熙**(パクチョンヒ)がクーデターで軍事政権を樹立したのは1961年。1945年８月に第二次世界大戦が終結すると，暫定的に北緯38度線を境に，北をソ連軍，南をアメリカ軍が占領することになった。

# 11 中国王朝史

## 必修問題

**中国の諸王朝に関する記述として最も妥当なのはどれか。**

【国家一般職・令和３年度】

**1** 秦は，紀元前に中国を統一した。秦王の政は皇帝と称し（**始皇帝**），度量衡・貨幣・文字などを統一し，中央集権化を目指した。秦の滅亡後に建国された前漢は，武帝の時代に最盛期を迎え，中央集権体制を確立させた。また，儒家の思想を国家の学問として採用し，国内秩序の安定を図った。

**2** 隋は，魏・蜀・呉の三国を征服し，中国を再統一した。大運河の建設やジャムチの整備などを通じて全国的な交通網の整備に努めたが，朝鮮半島を統一したウイグルの度重なる侵入により滅亡した。唐は，律令に基づく政治を行い，節度使に徴税権を与える租庸調制の整備などによって農民支配を強化した。

**3** 宋（北宋）は，分裂の時代を経て，中国を再統一した。都が置かれた大都（現在の北京）は，黄河と大運河の結節点で，商業・経済の中心地として栄えた。北宋は，突厥の侵入を受け，都を臨安（現在の杭州）に移し，国家を再建した（南宋）。南宋では儒学の教えを異端　視する**朱子学**が発達し，身分秩序にとらわれない科挙出身の文人官僚が勢力を強めた。

**4** 元は，モンゴルのフビライ=ハンによって建てられた征服王朝である。フビライ=ハンは科挙制度を存続させたが，これに皇帝自ら試験を行う**殿試**を加えることで，モンゴル人の重用を図った。元代には交易や人物の往来が盛んであり，**『東方見聞録』を著したマルコ=ポーロ**やイエズス会を創設したフランシスコ=ザビエルが元を訪れた。

**5** 明は，元の勢力を北方に追い，漢人王朝を復活させた。周辺諸国との朝貢体制の強化に努めた一方，キリスト教の流入を恐れ，オランダを除く西洋諸国との貿易を禁じる海禁政策を採った。清は，台湾で勢力を伸ばした**女真族**によって建国された。康熙帝，雍正帝，乾隆帝の三帝の治世に清は最盛期を迎え，ロシアとの間に**ネルチンスク条約**を締結し，イランを藩部とした。

難易度　＊

## 必修問題の解説

北宋は趙匡胤が建国（都は開封）（**3**）。南宋は高宗が江南に建国（都は臨安）（**3**）。

元はフビライが建国（首都は大都）(**3**)。明は朱元璋が建国（首都は南京。1421年に北京に遷都）。

**1 ◎** 秦の始皇帝は度量衡・貨幣・文字の統一を実施。前漢の全盛期は武帝時代。
秦は紀元前221年に中国全土を統一した。

**2 ×** 隋は南朝の陳を滅ぼした。ジャムチは駅伝制。節度使は辺境防衛の指揮官。
隋は南北朝時代に南朝の陳を589年に滅ぼし，中国を再統一。**ジャムチはモンゴル帝国と元の駅伝制**のこと。ウイグルはトルコ系騎馬遊牧民族で，744年に東突厥を破り，モンゴル高原を支配したが，840年にトルコ系遊牧民族のキルギスに滅ぼされた。隋は高句麗遠征の失敗後，反乱により滅亡した。**節度使**は710年に辺境防衛のため置かれた募兵集団の指揮官。租庸調（租調庸）制での徴税権はなかった。

**3 ×** 宋（北宋）の都は開封で，金の侵入を受けた。
唐の滅亡後，五代十国時代を経て後周の将軍だった**趙匡胤が960年に北宋を建国し都を開封に置いた**。大都は元の都で，現在の北京。北宋は1126年に突厥ではなく金の侵入を受け（靖康の変），皇帝の弟の高宗が江南に逃れ，都を臨安（現在の杭州）に移し，南宋を建てた。南宋では朱熹（朱子）が朱子学を大成し，儒学の正統とされ身分秩序を重視し**文治政治**を推し進めた。

**4 ×** フビライは科挙制中止。殿試は北宋で実施。ザビエルは明代の中国で没した。
チンギス=ハンの孫で，モンゴル帝国５代皇帝フビライ=ハンが1271年に国号を元として初代皇帝に即位し，1276年に南宋を滅ぼし建国。役人は実質的にモンゴル人と**色目人**で占められ，科挙は中止された。皇帝が行う最終試験の**殿試**は北宋の趙匡胤が創設。イエズス会創設メンバーのフランシスコ=ザビエルは明代に布教をめざしたが，1552年に上川島（広東省の沖合の島）で病没。

**5 ×** 明の海禁政策で民間人の海上交易禁止。女真族は中国東北地方で台頭。
明の海禁政策は，貿易を政府の管理下に置く朝貢貿易を進める政策で，民間人の海外渡航や海上貿易を禁じた。明代にはキリスト教の布教が認められ，イエズス会宣教師マテオ・リッチが16世紀末に布教。清は台湾ではなく中国東北地方の女真族（のちに満州と改称した民族）が建国した王朝。1689年に康熙帝が**ネルチンスク条約**を締結し，ロシア皇帝ピョートル１世と国境を画定。**藩部**は清の本土の外側の行政区域でモンゴル・青海・チベット・新疆（しんきょう）の総称。理藩院が統括した。イランは藩部ではない。

**正答 1**

# FOCUS

中国史は王朝ごとの特色をとらえることが時短学習へとつながるので，創始者や政策をキーワードで覚えていこう。

# POINT

## 重要ポイント 1 中国の統一王朝

| | |
|---|---|
| 秦 | 春秋時代（前770～前403年），戦国時代（前403年～前221年）を経て，始皇帝が紀元前221年に中国を統一。 法家の思想を採用し，富国強兵策を推進。郡県制を実施し，度量衡や文字を統一。万里の長城を修築して匈奴を討伐。 |
| 前漢 | 前202年に劉邦（高祖）が建国。郡国制を採用。権力を奪われた諸侯は前154年に呉楚七国の乱を起こすが平定され，前２世紀後半の武帝時代には中央集権体制が確立。領土の拡大を図り，大月氏国へ張騫を派遣。衛氏朝鮮を滅ぼし，朝鮮北部に楽浪など４郡を設置。後８年に王莽により滅亡。→新の建国。 |
| 後漢 | 新の滅亡後，25年に劉秀（光武帝）が後漢を建国。ローマ帝国皇帝の使者が来航したり，甘英がペルシア湾岸を訪れるなど東西交渉が盛んになる。２世紀に入ると政治が乱れ，黄巾の乱（184年）などを契機に220年に崩壊。 |

## 重要ポイント 2 中国の分裂（魏晋南北朝時代）

| | |
|---|---|
| 三国時代 | 華北に魏，長江下流域に呉，四川に蜀があり，中国を分断して戦った。<br>265年：魏が蜀を滅ぼし，晋（西晋）を建てる。<br>280年：晋は呉を滅ぼし，中国を統一。<br>316年：匈奴に洛陽，長安を攻略され（永嘉の乱），西晋は滅びる。<br>317年：江南に逃れた司馬睿が東晋をおこす。 |
| 五胡十六国時代と南北朝の対立 | 華北には北方民族である匈奴・鮮卑・羯・氐・羌の五胡が侵入し，五胡十六国の乱世となった　→439年　北魏の太武帝が統一。<br>６世紀になると，北魏は東西に分裂し（北朝：439～581年），一方，東晋は５世紀以降に宋・斉・梁・陳の４王朝が興亡（南朝：420～589年）。 |

## 重要ポイント 3 隋・唐時代

| | |
|---|---|
| 隋 | 589年に楊堅（文帝）が南朝の陳を倒し，中国を統一。府兵制を整備，科挙制を実施し，均田制によって大土地所有を制限し租調庸制を定めた。煬帝（第２代皇帝）は大運河を完成し，突厥を討伐した。<br>高句麗遠征を強行したが，失敗。国内が混乱して滅亡した（618年）。 |
| 唐 | 618年に李淵（高祖）が建国。628年，太宗（李世民，第２代皇帝）が中国を統一（貞観の治）。租調庸制・均田制を採用，府兵制を整備。玄宗（第６代皇帝）の時代には均田制から夏・秋の２回銭納させる両税法に，府兵制も募兵制に代わった。<br>755～763年，節度使の安禄山，史思明による安史の乱，875～884年の黄巣の乱により国力は衰退。907年，朱全忠により唐は滅亡。 |

## 重要ポイント4 北宋・南宋時代

| | |
|---|---|
| 北宋 | 960年に趙匡胤が建国。君主専制の中央集権的な官僚体制を確立。<br>神宗（第6代皇帝）の時代に宰相の王安石が改革（王安石の新法）を実施。→青苗法（貧民救済），均輸法（物価安定・流通策），市易法（中小商人救済策），募役法（労役希望者の募集），保甲法（兵農一致の民兵養成策），保馬法（軍馬飼育奨励法）による富国強兵策。<br>靖康の変（1126～27年）が起き，女真族の金の侵入により滅亡。 |
| 南宋 | 皇帝の弟高宗が江南に逃れ，1127年南宋を建て失地回復を企てるが失敗。1142年に金と和議を結ぶ。1234年に北の金がオゴタイ=ハンによって滅ぼされた後，1279年に元のフビライにより滅亡。 |

## 重要ポイント5 モンゴル帝国時代

| | |
|---|---|
| モンゴル帝国 | チンギス=ハンが1206年に建国。フビライ=ハン時代までに大領土を形成。チンギス=ハンは子孫に領土を分け与え，4ハン国（チャガタイ=ハン国・オゴタイ=ハン国・キプチャク=ハン国・イル=ハン国）が建国された。 |
| 元 | 1271年にチンギス=ハンの孫のフビライが大都に都を遷都して建国。南宋を滅ぼし，中国全土を支配。1368年，明に滅ぼされる。<br>モンゴル人第一主義に基づき，モンゴル人と色目人を重用，漢民族を支配。通商・貿易を保護奨励し駅伝制を整え大運河を新設。東西交流が盛んになり，マルコ=ポーロらのヨーロッパ人が来訪した。 |

## 重要ポイント6 明・清時代

| | |
|---|---|
| 明 | 元末の紅巾の乱で指導権を握った朱元璋（洪武帝）が1368年に建国。<br>・衛所制：唐の府兵制にならった軍制。<br>・里甲制（1381年）：村落の行政組織。里長，甲首が徴税。賦役黄冊（租税・戸籍台帳）や 魚鱗図冊（土地台帳）が作られた。<br>永楽帝（第3代皇帝）は大規模な南海遠征を行った（鄭和の南海大遠征）。<br>・一条鞭法：田賦（土地税）と丁税（人頭税）を一括銀納。<br>永楽帝の死後，北部では韃靼，南部では倭寇が明を脅かした（北虜南倭）。<br>1644年，李自成の乱により滅亡。 |
| 清 | 女真（族）のヌルハチが1616年に後金を建国。2代のホンタイジのときに国号を清と改める（1644年）。4代～6代の康熙帝・雍正帝・乾隆帝時代が全盛期。<br>・漢人対策：辮髪令，文字の獄や禁書令による思想統制，満漢併用制。<br>・地丁銀制：地銀に丁銀を繰り込み，一括徴収　→1720年代に普及。 |

## 実戦問題

**No.1** ＊＊ **中国の歴史に関する次の記述のうち，妥当なのはどれか。**

【国税専門官・平成12年度】

**1** 紀元前３世紀，中国最初の統一王朝である秦が成立した。秦の始皇帝は，法家の思想を政策の基とし，交通路の整備や度量衡，文字の統一など集権的な政策を推進した。しかし一方では，一族・功臣に土地を与えて世襲的に統治させる「封建制」を採用したため，始皇帝の死後，秦は分裂し，中国は戦国時代に突入した。

**2** 12世紀，トルコ系民族に華北を占領された宋は，都を江南の臨安（杭州）に置いた。この頃，中国南部の海岸には倭寇が出没し，宋は北方民族の脅威と倭寇の脅威から「北虜南倭」の状態におかれた。こうした状況の中，漢民族を中心とする華夷秩序や君臣・父子間の身分関係を論ずる陽明学がおこった。

**3** 13世紀，モンゴル族が中国全土を征服し，元を建国した。モンゴル人は，漢民族の文化の導入に積極的であり，フビライ=ハンの命によって編纂(さん)された『四庫全書』は，その代表例である。最終試験を皇帝が自ら課す殿試が導入されるなど，科挙が整備された。

**4** 14世紀，元王朝に代わって明王朝が中国を支配するようになった。この時代，イエズス会の宣教師としてマルコ=ポーロが明を訪れ，首都南京の様子をヨーロッパに伝えた。また，明の永楽帝は，皇帝の親政を補佐する内閣大学士を置いたため，これ以降宦官は政治的影響力を失った。

**5** 女真（満州）族の建てた王朝である清は，ロシアとの間に条約を結んでモンゴル北辺の国境線を定め，18世紀には，周辺諸国を朝貢国とする巨大な帝国をつくり上げた。清は，漢民族の文化を重んじて『康熙字典』を編纂する一方，満州人の風俗である辮髪(べんぱつ)を漢人に強制した。

**No.2** ＊ **モンゴル帝国または元に関する記述として，妥当なのはどれか。**

【地方上級（東京都）・令和４年度】

**1** チンギス=ハンは，モンゴル高原の諸部族が平定したイル=ハン国，キプチャク=ハン国，チャガタイ=ハン国を統合し，モンゴル帝国を形成した。

**2** オゴタイ=ハンは，ワールシュタットの戦いでオーストリア・フランス連合軍を破り，西ヨーロッパへの支配を拡大した。

**3** モンゴル帝国の第２代皇帝フビライ=ハンは，長安に都を定めて国号を元とし，南宋を滅ぼして中国全土を支配した。

**4** 元は，中国の伝統的な官僚制度を採用したが，実質的な政策決定はモンゴル人によって行われ，色目人が財務官僚として重用された。

**5** モンゴル帝国は，交通路の安全性を重視し，駅伝制を整えて陸上交易を振興させたが，海洋においては軍事を優先し，海上交易を縮小していった。

＊＊
**No.3 明と清に関する次の記述のうち，妥当なものはどれか。**

【地方上級（全国型）・平成23年度】

**1** 清は満州族によって建てられた王朝で，科挙は廃止され，中央政府の要職は満州族によって独占された。

**2** 明では民間人の海上交易を認めたため，倭寇の活動が盛んになって国家の解体を引き起こすきっかけとなった。そこで清では，周辺の国々を属国とする伝統的な朝貢貿易を復活し，それ以外の貿易を禁止した。

**3** 明では土地税（地税）と成年男子の徭役（丁税）の納入を銀で行う地丁銀制が実施され，清では丁税が廃止され地税のみに一本化した一条鞭法が実施された。

**4** 清は，1689年，ロシアとの間でネルチンスク条約を結んで両国の国境を取り決めた。これは，ヨーロッパの国際法に基づいて結んだ最初の対等条約であった。

**5** 清にやってきたキリスト教の宣教師たちは，中国文化を否定し，信者に孔子の崇拝や祖先の祭祀などを厳禁したため，清ではキリスト教の布教が禁止された。

＊＊
**No.4 10世紀半ば以降の中国の諸王朝の政治に関する記述として最も妥当なのはどれか。**

【国家総合職・平成19年度】

**1** 趙匡胤によって建国された宋（北宋）は，五代十国の動乱の時代に台頭し，宋の国境を脅かしていた遼や西夏などの隣接諸国を滅亡させ，中国の統一を図り，皇帝直属の親衛軍を強化するなどの武断政治を行い，皇帝の独裁体制を築いた。

**2** 宋（北宋）は，12世紀初め，金を建国したツングース系の女真族によって首都開封を奪われたが，江南にのがれて南宋をたて，臨安（現在の杭州）を都と定めた。その後，南宋は，王安石を宰相に起用し，富国強兵策をとり，華北を支配していた金を滅ぼし，再び中国を統一した。

**3** チンギス=ハーンによって建国されたモンゴル帝国は，内陸アジアへも遠征し，ヨーロッパにまたがる領域を支配下においた後，南宋を滅ぼすとともに，13世紀初め，都を大都（現在の北京）とし，国号を元と改め，ヴェトナム，ジャワも征服した。

**4** 紅巾の乱後，朱元璋（洪武帝）によって建国された明は，漢民族の中国再興を図り，海外貿易を統制する一方，東アジアの冊封体制の再編成に努め，15世紀初め，永楽帝の代には，鄭和を東南アジアやインド洋方面に遠征させて，諸国の朝貢を促した。

**5** 満州族のヌルハチによって建国された清は，17世紀初め，明が帝位をめぐる争いから三藩の乱で滅亡すると江南に侵入して中国を統一した。また，明の官制を継承し，皇帝の独裁体制を強化するとともに，中央の要職には満人を配し，地方の下級官吏に漢人を採用した。

## 実戦問題の解説

### No.1 の解説　中国の歴史　→問題はP.244　正答5

**1 ×　春秋・戦国時代（紀元前770～紀元前221年）後，始皇帝が中国統一。**
**封建制を採用したのは周**の時代である。秦の始皇帝死後，陳勝・呉広の乱（紀元前209～紀元前208年）が起こり，秦が滅亡し，代わって前漢が興った。

**2 ×　宋（北宋）を占領したのは女真（満州）族の金。**
12世紀に宋はトルコ系民族ではなく，**ツングース系の女真族からなる金**に華北を占領された。倭寇が出没するのは後の明の時代のことであり，**北虜南倭に苦しんだのは明の永楽帝**である。**王陽明が陽明学を創始したのも明代**である。

**3 ×　『四庫全書』は清時代に編纂。**
『四庫全書』は元のフビライ=ハンではなく，**清の6代皇帝乾隆帝の勅命で編纂された叢書**のことである。**殿試**（でんし）の導入は元ではなく，**宋（北宋）の頃**であり，元の時代には科挙制が一時中止された。

**4 ×　マルコ=ポーロはイタリアの商人で宣教師ではない。**
マルコ=ポーロは13世紀後半に元を訪れたイタリアの商人である。イエズス会の宣教師で明を訪れたのは**マテオ=リッチで**，1601年から北京に滞在した。永楽帝は補佐役として内閣大学士を置いたが，靖難の変で活躍した**宦官はそれ以降，発言権を増大**させるようになった。

**5 ◎　『康熙字典』は4代皇帝の康熙帝，モンゴルとの国境画定は5代皇帝の雍正帝の時代。**
正しい。1727年にロシアと清の雍正帝との間でモンゴル北辺の国境を確定した**キャフタ条約**が結ばれた。『康熙字典』は康熙帝の命令で編纂され，1716年に完成した。

### No.2 の解説　モンゴル帝国と元　→問題はP.244　正答4

**1 ×　チンギス=ハンの没後に，子孫たちが各地にハン国を建国。**
チンギス=ハンは1206年にモンゴルの諸部族を統一してモンゴル帝国を建国した。チンギスの死後に，フラグによってイラン・イラクに**イル=ハン国**（1258～1353年）が建国された。また，バトゥ（チンギスの長男ジュチの子）によって南ロシアに**キプチャク=ハン国**（1243～1502年）が建国され，チャガタイ（チンギスの子）によって中央アジアに**チャガタイ=ハン国**が建国された。

**2 ×　ワールシュタットの戦いはバトゥが率いるモンゴル軍が勝利。**
チンギス=ハンの子でモンゴル帝国第2代皇帝となったオゴタイ=ハンは，1234年に金を滅ぼし，首都**カラコルム**を建設した人物で，バトゥに西方遠征を命じた。バトゥがワールシュタットの戦いで，ドイツとポーランドの連合軍を破った。

**3 ×　モンゴル帝国第2代皇帝はオゴタイ=ハン。**

フビライ=ハンはチンギス=ハンの孫で，モンゴル帝国第５代皇帝（在位1260～94年）であり，元の初代皇帝（在位1271～94年）となった人物。フビライは1264年に都をカラコルムから**大都**（現在の北京）に遷都し，1271年に国号を元とした。1276年には南宋を滅ぼして，中国全土を支配した。

**4 ◎ 元の政策はモンゴル人が行い色目人が財務官僚となった。**
モンゴル人第一主義がとられ，モンゴル人が中央政府の役職を独占し，中央アジアや西アジア出身の色目人が財務官僚として重用された。

**5 × 元の時代には陸上交易と海上交易が発展。**
元の時代には陸上での交易網が広がり，長距離商業が盛んとなった。幹線道路には駅を置く駅伝制（**ジャムチ**）が施行された。海上交通も発展し，杭州，泉州，広州などの港市が発展し，イスラーム商人が来航し，西アジアとの海上貿易も発展した。



## No.3 の解説　明と清

→問題はP.245　**正答４**

**1 × 清では科挙制採用，中央官制の要職は満漢併用制。**
官吏任用制度の科挙制度は清の時代にも維持されている。モンゴル人支配下，元の時代に中止されたが，明に復活し，清で継承され，清末の1905年に廃止された。中央官庁も明の官制を継承し，重要な部署の定員は**満州民族と漢民族の同数**とした。

**2 × 明は民間人の海上交易禁止（海禁政策）をとり，日本とは勘合貿易。**
明では民間人の海上交易を禁止する海禁政策がとられた。そのため，倭寇の脅威にさらされることになった。清でも朝貢貿易が行われていたが，三藩の乱（1673～81年）の鎮圧と台湾の鄭氏の征服（1683年）後，**海禁を解除**した。

**3 × 明＝16世紀に一条鞭法（銀納化），清＝18世紀に地丁銀制（土地税一本化）。**
清の第４代皇帝康熙帝時代には，土地税（地税）の中に人頭税となる成年男子の徭役（丁税）を組み込み，一括して銀で納める地丁銀制が行われた。一条鞭法は明の時代に行われた税制で，土地税と人頭税となる成年男子の徭役（丁税）を一括して銀で納める制度である。

**4 ◎ ネルチンスク条約（４代皇帝康熙帝とピョートル１世）は国境画定条約。**
正しい。**康熙帝**は1689年にロシア皇帝**ピョートル１世**と初めて外国との対等条約であるネルチンスク条約を締結した。

**5 × イエズス会宣教師は典礼（中国文化）尊重したが典礼問題が発生し，1724年にキリスト教が禁教。**
キリスト教のイエズス会の宣教師たちは地図の作成や建築の分野などで，清の時代には重用された。イエズス会の宣教師は布教の際には中国文化を尊重し，信者に孔子の崇拝や祖先の祭祀なども承認していたが，フランチェスコ会，ドミニコ会の宣教師はこの布教方法に反対したため，**典礼問題（中国で**

**の布教方法をめぐる論争）**が発生し，1724年に第５代皇帝雍正帝がキリスト教布教を禁じた。

## No.4 の解説　10世紀半ば以降の中国の諸王朝の政治

→問題はP.245　**正答４**

**1 ×　趙匡胤は文人官僚を中心とする文治政治を実施。**

宋（北宋）を建国した趙匡胤は文人官僚中心の**文治主義（文人政治）**を行い，科挙制を完成させた。1125年に遼を滅ぼしたのは金である。1227年に西夏を滅ぼしたのはモンゴル帝国のチンギス=ハーン（ハン）である。

**2 ×　北宋の神宗（在位1067～1085年）は宰相に王安石を起用。**

**王安石は宋（北宋）の政治家で宰相**として富国強兵策を推進した人物である。北宋を占領した金を滅ぼしたのはモンゴル帝国２代皇帝のオゴタイ=ハーンで，1234年のことである。

**3 ×　フビライ=ハーンが1271年に国号を元とし，中国を支配。**

モンゴル帝国の建国者チンギス=ハーンは大帝国を支配下においたが，西夏を滅ぼした後，1227年に病死した。1279年に南宋を滅ぼし，中国を統一したのは**チンギス=ハーンの孫のフビライ**である。フビライは1264年に大都に遷都し，1271年には国号を元と改め，遠征によって**高麗・ビルマを征服**したが，ヴェトナム・ジャワは征服できなかった。

**4 ◎　洪武帝が明を建国し，永楽帝時代が全盛期。**

正しい。**紅巾の乱（1351～66年）**の指導者であった**朱元璋**は1368年に明を建国し，洪武帝となって漢民族の再興を図った。３代皇帝永楽帝は鄭和に南海遠征を命じ，東南アジアやインド洋方面に遠征させた。

**5 ×　明の官制を継承した清の中央官制では，要職は満・漢同数。**

清の４代皇帝の康熙帝時代に起こった反乱が三藩の乱（1673～81年）である。漢人武将で雲南に駐屯した呉三桂，広東に駐屯した尚可喜（しょうかき），福建に駐屯した耿継茂（こうけいも）（この三人が三藩と呼ばれた）が，**三藩撤廃を阻止するため起こした反乱**であるが，康熙帝に鎮圧された。清の官僚制は**満漢併用制**がとられ，重要な役職の定員は満州人と漢人が同人数となるように定められていた。

# 地　理

## 第１章　人間と環境



## 第２章　生活と産業



## 第３章　世界の諸地域



## 第４章　日本の地理

# 第1章 人間と環境

## 試験別出題傾向と対策

| 頻出度 | 試験名 | 国家総合職 | | | | | 国家一般職 | | | | | 国家専門職（国税専門官） | | | | |
|---|---|---|---|---|---|---|---|---|---|---|---|---|---|---|---|---|
| | 年度 | 21-23 | 24-26 | 27-29 | 30-2 | 3-5 | 21-23 | 24-26 | 27-29 | 30-2 | 3-5 | 21-23 | 24-26 | 27-29 | 30-2 | 3-5 |
| | テーマ　出題数 | 2 | 2 | 1 | 1 | 2 | 3 | 1 | 2 | 1 | 1 | 3 | 0 | 1 | 2 | 2 |
| A | 1 地形環境 | 1 | 1 | | 1 | 2 | 1 | | 1 | | | 1 | | | | 1 |
| A | 2 気候・土壌 | | | | | | 1 | | 1 | | 1 | 1 | | 1 | 1 | 1 |
| A | 3 民族・人口・都市・交通・地図 | 1 | 1 | 1 | | | 1 | 1 | | 1 | | 1 | | | 1 | |

地形環境分野は，頻出度が極めて高く，基本的で比較的易しい問題が出題されてきた。大地形（安定陸塊，古期造山帯，新期造山帯など）や小地形（扇状地，三角州などの沖積平野，海岸地形，カルスト地形など）の特徴や代表例を問う問題や，人間生活との関係についてが中心であった。しかし最近では，プレートテクトニクスと地殻変動（地震）や火山活動に関する出題が目立っている。

気候・土壌分野は，地形環境と並んで最頻出分野である。ケッペンの気候区の特徴と植生・土壌との関連，ハイサーグラフや雨温図から気候区や代表的地域，都市を判断する問題が多い。

民族・人口・都市・交通・地図などの分野では，民族紛争，世界の人口問題，主要河川，国境，交通と建造物，地形図，世界の環境問題など幅広く出題されている。各分野ごとに視野を広げた対策が求められる。

### ●国家総合職

地形環境では，主要な地形（平成30年度）を中心に，成因や代表例などが出題されていたが，世界の島々（令和４年度）の特色など視点が変化している。気候・土壌は，かつては頻出されたが，部分的に出題されている。民族紛争に関する問題（平成28年度）に主題された。今後，ウクライナ紛争に関連した出題が予想される。

### ●国家一般職

これまで地形環境と気候環境に関する出題が多かった。地形では大地形（平成28年度）に関する基本的な問題が，気候では，土壌や農業との関連などが出題されてきた。テーマ３では，海峡や運河，世界の都市，公用語，地形図など広い分野から比較的基本問題が出題されている。最近では温室効果ガス，オゾン層，熱帯林の減少，砂漠化など世界の環境問題（令和５年）が出題された。教科書を中心に少し幅広く対策して欲しい。

### ●国家専門職

地形環境と気候に関する出題が頻出している。最近では世界の気候（令和３年

| | 地方上級（全国型） | | | | | 地方上級（東京都） | | | | | 地方上級（特別区） | | | | | 市役所（C日程） | | | | |
|---|---|---|---|---|---|---|---|---|---|---|---|---|---|---|---|---|---|---|---|---|
| | 21-23 | 24-26 | 27-29 | 30-2 | 3-4 | 21-23 | 24-26 | 27-29 | 30-2 | 3-5 | 21-23 | 24-26 | 27-29 | 30-2 | 3-5 | 21-23 | 24-26 | 27-29 | 30-2 | 3-4 |
| | 4 | 2 | 3 | 2 | 0 | 0 | 1 | 1 | 0 | 1 | 2 | 1 | 2 | 3 | 2 | 3 | 2 | 1 | 1 | 1 |
| テーマ1 | 1 | | 1 | 2 | | | | 1 | | | 1 | | 1 | | 1 | 1 | 1 | | | 1 |
| テーマ2 | 2 | | 2 | | | | 1 | | | 1 | | 1 | 1 | 1 | | 1 | 1 | | | |
| テーマ3 | 1 | 2 | | | | | | | | | 1 | | | 2 | 1 | 1 | | 1 | 1 | |

度），地形の成り立ち（令和５年度）が出題されたが，内容はやや難しくなっている。このほか，都市分野ではわが国の政令都市（平成23年度）が，また，世界の民族問題（令和元年）も出題されている。

### ●地方上級

**全国型**では世界の地形と気候からの出題が目立つ。世界の地形では河川がつくる地形（令和元年），プレートテクトニクス（平成30年度），世界の大地形，などが，世界の気候ではケッペンの気候区（平成28年度），世界の気候と土壌（平成25年度）などが出題された。

**関東型**は全国型と同じ問題が多いが，海岸地形（令和３年度）が出題された。

**中部・北陸型**は，全国型・関東型と共通する問題（上記の海岸地形を含む）が多かったが，図法などが出題されたこともあった。

### ●東京都

本分野からの出題はあまり多くないが，気候（令和３年度）分野から年較差，世界の風などが出題された。地形分野では，プレートテクトニクス，海岸地形，河川名などが出題されたが，独自の問題がやや多い。

### ●特別区

地形分野からの出題がやや多い。世界の地形（令和３年度）では，プレートテクトニクスを含む多くの地形，気候では冷帯と寒帯気候の特徴が，テーマ３では，人口問題（令和元年度），世界の交通（令和４年度）から出題された。

### ●市役所

従来は，世界の山脈，プレートと造山帯，ケッペンの気候区の特徴など，地形・気候分野からの出題が多かったが，最近は都市と都市政策（令和２年度），六大陸と三大洋（令和３年度），交通と建造物（令和４年度）など，テーマ３からの出題が多い。いずれも基本的で易しい問題である。

# 地形環境

## 必修問題

**世界の地形に関する記述として最も妥当なのはどれか。**

【国家総合職・平成30年度】

**1** **フィヨルド**は，氷河の侵食を受けた**U字谷**に海水が浸入して成立した，陸地に深く入り込んだ地形であり，ノルウェー，チリ南部，ニュージーランド南島などの高緯度地方に見られる。一般に，平地が少なく内陸との交通は不便であるが，内湾では波が穏やかなため，養殖業や良港が発達する。

**2** 石灰岩は，弱アルカリ性の水に溶けやすい性質があり，石灰岩の溶食は熱帯やその周辺の地域で起こりやすく，スペインの地方名に由来する独特の**カルスト地形**をつくる。また，石灰岩の台地では，雨水が岩石の割れ目から地中に吸い込まれ，地下に染み込んだ水は，地中の石灰岩を溶かして鍾乳洞をつくる。一方，乾燥した中国南部の桂林では石灰岩の岩塔が林立する。

**3** **三角州**は，河川が海や湖に流れ出るところに形成された三角形の地形である。水はけは良いが，洪水や高潮に襲われやすい。網目のような水路は水運としても利用できることから，古くから人口密集地となってきた。エジプトのナイル川河口には鳥趾状の三角州が，アメリカ合衆国のミシシッピ川河口には円弧状の三角州が形成されている。

**4** **砂漠**は，砂砂漠，礫砂漠，岩石砂漠に分けられる。年間を通じて蒸発量が降水量を上回る乾燥地域では気温の日較差が大きく，熱膨張に伴う破砕作用によって岩盤の風化が進みやすいことから，砂漠面積全体のうち砂砂漠の面積が最も大きい。砂漠の多くを砂砂漠が占める一例として中国のゴビ砂漠が挙げられる。

**5** 日本の海岸は，海面の上昇や地盤沈下によって小さな入り江と岬が隣り合う鋸歯状の海岸線の**リアス海岸**が広く発達している。このため，海岸平野や海岸段丘が分布しない海岸が日本の海岸の過半を占めている。リアス海岸は水深が浅く，波が穏やかであることから港として利用され，周辺には漁業を中心とする集落が分布することも多い。

難易度 ＊＊

## 必修問題の解説

世界の代表的地形に関する問題で，頻出度は極めて高い。フィヨルド（**1**），カルスト地形（**2**），河川がつくる小地形（三角州）（**3**），砂漠（**4**），日本の海岸地形（**5**），など基本的な問題である。これらの地形を中心に幅広くまとめておきたい。その際，代表例も確認しておくこと。

**1** ◎ **フィヨルドやリアス海岸，エスチュアリは沈水海岸。**
正しい。ノルウェーのソグネフィヨルドの水深は1,308mに達する。両岸は1,000mを越える崖に囲まれている。

**2** × **カルスト地形の由来は，スロベニアのカルスト地方。**
**カルスト地形**は，厚い石灰岩からなる地域で，地下水や雨水が石灰岩を溶食することによって形成される。特に熱帯やその周辺に多いわけではない。スロベニアのカルスト地方が名前の由来で，スペイン地方名が由来の地形は，**リアス海岸**である。鍾乳洞の記述は正しい。なお，中国南部の桂林の気候は湿潤である。

**3** × **三角州や扇状地は，河川の堆積作用で形成。**
**三角州**の形成に関する記述は正しい。三角州は低平のため，水はけは良くないが，肥沃なので，古くから農地や人口密集地となってきた。なお，ナイル川河口は円弧状三角州，ミシシッピ川河口は鳥趾(ちょうし)状三角州が形成されている。

**4** × **砂漠で面積が最大なのは，岩石砂漠である。**
砂漠の分類および成因に関する記述は正しい。砂漠面積全体でのうち，面積が最も大きいのは**岩石砂漠**である。なお，ゴビ砂漠は**礫砂漠**に分類される。砂砂漠の代表例はナミブ砂漠である。

**5** × **リアス海岸の内湾では，波がおだやかなので，養殖業や良港が発達する。**
**リアス海岸の成因**，形状に関する記述は正しい。なお，リアス海岸は，日本では，三陸海岸，志摩半島，若狭湾などに見られるが，日本の海岸に占める割合は少ない。

**正答 1**

## FOCUS

地形環境ではプレートテクトニクス，大地形（安定陸塊，古期造山帯，新期造山帯）と小地形［河川がつくる地形（扇状地，三角州など），海岸地形（リアス海岸，フィヨルド，砂州など），氷河がつくる地形（カール，モレーン，U字谷など），地下水がつくる地形（カルスト地形）］が要注意。

## POINT

### 重要ポイント 1 内的営力による地形

営力
- **内的営力**（地球内部からの力で地表を凸凹にする）
  造山運動（褶曲（しゅうきょく）・断層），造陸運動（隆起・沈降），火山活動。
- **外的営力**（地球外部からの力で地表を平坦化する）
  流水・氷河・風・波などによる風化・侵食・堆積作用など。

**●プレート運動と大地形の形成**

プレートの境界
- **広がる境界**　海嶺：大西洋中央海嶺・アイスランドの火山など
  地溝：アフリカ大地溝帯
- **狭まる境界**　海溝，島弧，造山運動，活断層
- **ずれる境界**　サンアンドレアス断層

**●世界の大地形**……地殻変動を受けて形成された時期で３つに分ける。

（１）**安定陸塊**（りくかい）……先カンブリア代に形成
　**準平原**──**楯状地**（例：カナダ楯状地，アフリカ楯状地，バルト楯状地など）
　　　　　└**卓状地**（例：ロシア卓状地，シベリア卓状地），**ケスタ地形**

（２）**古期造山帯**……古生代に形成（低くなだらかな山脈）
　ウラル山脈，**アパラチア山脈**，グレートディヴァイディング山脈，テンシャン山脈など。

（３）**新期造山帯**……中生代から新生代に形成（高く険しい山脈）
　**環太平洋造山帯**──アンデス山脈，**ロッキー山脈**，日本列島など。
　**アルプス=ヒマラヤ造山帯**──アトラス山脈，カフカス山脈など。

### 重要ポイント 2 外的営力による地形──Ⓐ氷河地形・海岸地形

**●氷河地形**
- **侵食作用による地形**──カール（山頂部に半椀状に形成）
  └U字谷（谷氷河が形成した氷食谷）
- **堆積作用による地形**──モレーン（氷河の末端部に形成）

**●海岸地形**……**沈水**（陸地の下降）**により形成**

| | |
|---|---|
| フィヨルド | U字谷に海水が侵入（例：ノルウェー，チリ南部など） |
| リアス海岸 | V字谷に海水が侵入（例：三陸海岸，スペイン北西海岸など） |
| エスチュアリ（三角江） | 河口に形成されたラッパ状の入り江（例：ラプラタ川，テムズ川，セントローレンス川など） |

……**離水**（陸地の上昇）**・堆積で形成**

| | |
|---|---|
| 海岸段丘 | 離水（地盤の隆起）に伴い海岸に沿って形成された階段状の台地地形（例：室戸岬，大戸瀬崎など） |
| 砂州 | 沿岸流によって運搬された砂礫が堆積して形成（例：天の橋立など） |

●**サンゴ礁地形**：波静かな，水温18℃以上の海域に形成。形態的に裾礁（島の周囲の浅海に棚状に発達），堡礁（陸地を囲む礁湖を持つ），環礁（島は海中に没し，輪状のサンゴ礁ができる）に分けられる。

## 重要ポイント 3 外的営力による地形——Ⓑ河川がつくる地形

●**河川の働き……侵食・運搬・堆積**

| | |
|---|---|
| **扇状地** | 山地から平地に移る所に形成。谷口付近が扇頂，中央が扇央，末端が扇端。<br>扇央では平常時は伏流。扇端で湧水するので集落が立地。田に利用。 |
| **天井川** | 土砂の堆積で河床が両側の平野よりも高くなった河川。 |
| **自然堤防** | 河川の氾濫で，河道の両岸に沿って形成された細長い微高地。周囲の氾濫原よりやや高いので，集落・畑などに利用。 |
| **三角州（デルタ）** | 運搬してきた砂泥が河口付近に堆積して形成された低湿な平地。<br>形状により，円弧状三角州（例：ナイル川），カスプ状（例：テヴェレ川），鳥趾状（例：ミシシッピ川）に分類。東南アジアでは田に利用。 |
| **V字谷** | 山地に流れる河川が深く侵食して形成。 |
| **河岸段丘** | 流路に沿って形成された階段状の地形。段丘面は集落，田畑などに利用。段丘崖は雑木林。 |
| **河跡湖** | 蛇行している河川が流路を変え，三日月状に取り残されてできた湖。（例：石狩川流域） |

## 重要ポイント 4 特殊地形

●**カルスト地形**：石灰岩地域で，雨水の溶食によって生じた地形（スロベニアのカルスト地方，秋吉台など）。**ドリーネ**，ウバーレ，ポリエ，鍾乳洞などの地形ができる。

| | |
|---|---|
| **ドリーネ** | すり鉢状の小さな凹地。 |
| **ウバーレ** | 複数のドリーネが結合して形成した細長いくぼ地。 |
| **ポリエ** | 溶食盆地。ウバーレが拡大して形成したものと陥没して形成したものがある。 |

●**乾燥地形**

| | |
|---|---|
| **ワジ** | 乾燥地域で普段は水のない河谷。 |
| **砂漠地形** | 岩石砂漠（サハラ砂漠ではハマダ），礫砂漠（レグ），砂砂漠（エルグ）<br>砂漠の大部分は岩石砂漠・礫砂漠で，砂砂漠は少ない。 |
| **バルハン** | 三日月状の砂丘。 |

## 実戦問題❶　基本レベル

**No.1**（＊＊） **プレートテクトニクスに関する次の記述について，下線部の内容が妥当なもののみをすべて挙げているのはどれか。**　【地方上級（全国型）・平成30年度】

プレートの境界には，プレートが互いにぶつかり合う狭まる境界と，プレートが互いに離れていく広がる境界があり，さらに狭まる境界には，２つのプレートがぶつかり合う衝突帯と，海洋プレートが別のプレートの下に潜り込む沈み込み帯がある。ア<u>衝突帯の代表例は日本列島で，沈み込み帯の代表例はヒマラヤ山脈である</u>。また，イ<u>広がる境界の代表例は太平洋や大西洋の海嶺である</u>。

プレートと火山活動の関係について見ると，ウ<u>広がる境界ではあまり火山活動や地震活動は起こらない</u>。狭まる境界では火山活動も活発で，火山列も見られる。また，プレートの境界以外でも，マントルの深部から高温物質が上昇して火山活動が起こるホットスポットが見られる。それらはプレートが移動しても，ほとんど位置が変わらない。代表例はエ<u>ハワイ諸島</u>である。

**1**　ア，イ　　**2**　ア，ウ　　**3**　イ，ウ　　**4**　イ，エ　　**5**　ウ，エ

**No.2**（＊＊） **世界の地形に関する記述として最も妥当なのはどれか。**

【国家総合職・平成26年度改題】

**1**　造山帯は，新期造山帯と古期造山帯に分けられる。前者の例にはアパラチア造山帯があり，現在も造山運動が続き，高く険しい大山脈が形成されている。後者の例にはウラル造山帯があり，低くなだらかな山脈が形成されている。新期造山帯では石炭などの化石燃料が多く産出されるのに対し，古期造山帯では銅，すず，亜鉛などの非鉄金属の鉱床が多いのが特徴である。

**2**　山地は，長年の河川の侵食により峡谷や渓谷をつくり大量の土砂の供給源となっている。山麓では侵食された土砂が堆積し氾濫原や卓状地をつくり，下流にはケスタと呼ばれる広大な平野が形成される。特に，ヨーロッパ東部のウクライナでは，テラロッサと呼ばれる肥沃な国土に覆われ，世界有数の農牧業地帯となっている。

**3**　海岸の地形は，気候や地殻変動による海面の上昇・下降や陸地の隆起・沈降などによって，離水海岸と沈水海岸に分けられる。前者の例にはノルウェーのフィヨルドがあり，一般に平地が少ない。一方，後者の例には中国の海岸平野があり，黄河の河口部にはラッパ状に開いた入り江（エスチュアリ）が多く見られる。

**4**　地球の表面は硬い岩石からなるプレートで覆われており，プレートの境界では激しい地殻変動が生じる。ヒマラヤ山脈はインド・オーストラリアプレートとユーラシアプレートとの境界で形成された山脈で，日本周辺の南海トラフは，フィリピン海プレートとユーラシアプレートの境界で形成された，海底の緩やかな斜

面を持つ細長いくぼみである。

**5** 大陸棚は，大洋の陸地近くの海底の中で，周囲よりも高く平らな部分をさす。大陸棚の水深はおおむね500～1,000mで，魚介類の宝庫であるとともに，石油や天然ガスの埋蔵量も多く，世界各地で採掘が行われている。太平洋南東部の大陸棚は，アンチョビを中心に漁獲量が多いだけでなく，南アメリカ最大の油田地帯でもあり，2018年現在，中東の油田地帯を抜いて確認埋蔵量が最も多い。

## No.3 * 海岸地形に関する次の記述のうち，妥当なものはどれか。

【地方上級・平成25年度】

**1** 海岸段丘は，海岸沿いの浅い海底堆積面が隆起または海面低下によって地表に現れたものである。

**2** 三角江は，河川によって河口付近まで運ばれた土砂が堆積してできた低平な土地である。

**3** フィヨルドは，河川の河口部が沈水して生じたラッパ状の入り江である。

**4** サンゴ礁は，サンゴ虫や有孔虫などの生物の分泌物や遺骸が集まってできた石灰質の岩礁である。熱帯・亜熱帯地域の濁度の高い大河川河口付近に発達している。

**5** 液状化現象は，湖沼や河道，海岸などの埋立地で，地震などの揺れで起こることがある。

## No.4 ** 世界の地形に関する記述として，妥当なのはどれか。

【地方上級（特別区）・令和３年度】

**1** 地球表面の起伏である地形をつくる営力には，内的営力と外的営力があるが，内的営力が作用してつくられる地形を小地形といい，外的営力が作用してつくられる地形を大地形という。

**2** 地球の表面は，硬い岩石でできたプレートに覆われており，プレートの境界は，狭まる境界，広がる境界，ずれる境界の３つに分類される。

**3** 新期造山帯は，古生代の造山運動によって形成されたものであり，アルプス＝ヒマラヤ造山帯と環太平洋造山帯とがある。

**4** 河川は，山地を削って土砂を運搬し，堆積させて侵食平野をつくるが，侵食平野には，氾濫原，三角州などの地形が見られる。

**5** 石灰岩からなる地域では，岩の主な成分である炭酸カルシウムが，水に含まれる炭酸と化学反応を起こして岩は溶食され，このことによって乾燥地形がつくられる。

## 実戦問題1の解説

### No.1 の解説　プレートテクトニクス　→問題はP.256　正答4

**ア×** 衝突帯では，アルプス山脈やヒマラヤ山脈のように，大陸プレートどうしが衝突している境界と，日本海溝のように海洋プレートがほかのプレートの下へ沈み込んでいる境界がある。いずれも「**狭まる境界**」である。

**イ○** 正しい。代表例は，太平洋の東太平洋海嶺，大西洋の大西洋中央海嶺，インド洋のインド洋中央海嶺などである。

**ウ×** **広がる境界**は，三大洋の海嶺以外に，東アフリカの大地溝帯，紅海，アイスランド島（ギャオ）などがある。ここでは火山活動や地震活動が活発である。

**エ○** 正しい。ハワイ諸島には，キラウエア山やマウナロマ山（ハワイ島），ハレアカラ山（マウイ島）などの火山がある。

以上より，正答は**4**である。

### No.2 の解説　世界の大地形　→問題はP.256　正答4

**1×** **新期造山帯には石油，銅などが，古期造山帯には石炭などが埋蔵。**

**新期造山帯**には，アルプス・ヒマラヤ造山帯と環太平洋造山帯がある。古期造山帯の形成に関する記述は妥当である。なお，新期造山帯では，石油の埋蔵が見られるほか，銅，銀，すず，亜鉛などの鉱床が多い。**古期造山帯**では，石炭などの埋蔵が多い。

**2×** **扇状地や氾濫原は，河川の堆積で形成，卓状地は安定陸塊。**

河川が山麓（さんろく）に堆積して形成した地形は扇状地で，その下流に形成されたのが**氾濫原**（はんらんげん）である。**卓状地**は，先カンブリア時代の地層の上に，ほぼ水平に後代の地層が堆積して台地や平原となっている地域である。**ケスタ**は，かたい地層とやわらかい地層が交互に堆積した層が緩やかに傾斜し，かたい地層が侵食から残って丘陵となった地形。河川の下流では**三角州**が形成される。また，ウクライナでは**チェルノーゼム**と呼ばれる肥沃な黒土が分布している。

**3×** **海岸平野は離水海岸や海岸段丘，沈水海岸はフィヨルド，エスチュアリ。**

海岸地形の成因に関する記述は妥当であるが，離水海岸の例は，**海岸平野**（九十九里平野）と**海岸段丘**（室戸岬）である。ノルウェーの**フィヨルド**は沈水海岸である。沈水海岸の例としては，フィヨルド以外に**リアス海岸**，**エスチュアリ（三角江）**がある。中国の長江河口は三角州である。

**4◎** **プレートには，広がる境界，狭まる境界，ずれる境界がある。**

正しい。

**5×** **大陸棚は，漁場だけでなく，鉱産資源の宝庫である。**

**大陸棚**は，陸地に近い比較的平坦な浅海底で，外縁の水深は平均130m程度である。水産資源，鉱産資源の記述は妥当である。なお，大陸棚で周囲より高く平らな部分を**浅堆**（せんたい）**（バンク）**という。太平洋南東部の大陸棚に油田はない。また，2018年現在，石油確認埋蔵量が最も多い国はベネズエラであるが，オリノコ川流域やマラカイボ湖に多く大陸棚は少ない。



## No.3 の解説　海岸地形

→問題はP.257　正答5

**1 ×** **海岸段丘**は，いくたびもの離水（隆起）と波の浸食作用によって形成された階段状の地形。室戸岬や青森県の大戸瀬崎が代表例である。

**2 ×** **三角江（エスチュアリ）**は，河川の河口付近が沈水して形成されたラッパ状の入り江である。テムズ川，ラプラタ川などが代表例である。

**3 ×** **フィヨルド**は，氷食で形成されたU字谷に海水が侵入してできた奥深い入り江である。ノルウェー海岸，チリ南部海岸が代表例である。

**4 ×** 石灰質の岩礁までの記述は正しいが，**サンゴ礁**が形成されるには，高い水温，浅い水域，高い透明度などが必要である。濁度の高い大河川の河口付近には発達しない。

**5 ◎** 正しい。

## No.4 の解説　世界の地形

→問題はP.257　正答2

**1 ×** **内的営力は大地形を形成し，外的営力は小地形を形成する。**
営力には，地表の起伏を大きくする内的営力と平坦にする外的営力がある。内的営力とは地球の内部からもたらされる隆起・沈降といった**地殻変動**や火山活動などである。外的営力とは，太陽エネルギーを起源とする営力であり，侵食・運搬・堆積といった地表を平坦にする働きをする。

**2 ◎** **プレートの境界は，狭まる境界・広がる境界・ずれる境界の３種類。**
地球のプレートは，年間１～10cmほど移動している。

**3 ×** **新期造山帯は中生代から新生代の造山運動によって形成された山地。**
新期造山帯はプレートの狭まる境界とほぼ一致し，高度や起伏が大きく，地震や火山活動などが活発である。アルプス＝ヒマラヤ山脈と環太平洋造山帯とがある。

**4 ×** **堆積平野では扇状地・氾濫原・三角州などが見られる。**
平野は，広大な侵食平野と小規模な堆積平野に分類される。侵食平野は，長い間の侵食・風化作用により地表が平坦になってできた地形で日本では見られない。堆積平野は，河川や海水の堆積作用によって形成された地形で，**扇状地・氾濫原・三角州**などが該当する。

**5 ×** **石灰岩地域が溶食されてつくられる地形はカルスト地形。**
石灰岩地域で溶食（雨水などに含まれる二酸化炭素によって溶かされること）によって表面に小さな凹地（**ドリーネ**）や，地下に鍾乳洞が形成される地形を**カルスト地形**という。日本では秋吉台や平尾台などに見られる。カルスト地形の名称はスロベニアのカルスト地方に由来する。

## 実戦問題❷　応用レベル

**＊＊**
**No.5　海洋に関する記述として妥当なのはどれか。**

【国家一般職・平成13年度改題】

**1**　地球の表面積の約70％が海洋であり，両半球を比較すると，陸地に対する海洋の割合は北半球のほうが大きい。海洋は，太平洋・大西洋・北極海の三大洋と付属海に区分され，さらに付属海は，大陸に囲まれたベーリング海やオホーツク海などの地中海と，大陸の沿岸にある黒海や日本海などの縁海（沿海）に分けられる。

**2**　海水は，世界的規模の海流や，太陽や月の引力を受けて起こる潮の干満で生ずる潮流などによって動いている。海流は地球の自転などの影響を受けて一定方向に流れている海水の流れで，暖流と寒流に区分される。一般に暖流は低緯度から高緯度に流れ，プランクトンが少なく透明度が高いのに対し，寒流は高緯度から低緯度に流れ，水産資源が豊富である。

**3**　北海は，スカンジナビア半島とユトランド半島に囲まれた海域で，沿岸にはストックホルムなどの都市がある。大西洋北東部漁場の中心をなし，にしん，たらなどの漁獲が多く，油田・ガス田も多く存在する。同海域は冬には一部氷結し，流氷も見られ，タイタニック号の沈没など船舶事故が多く，ロシアの原子力潜水艦が沈没する事故もあった。

**4**　紅海は，アフリカ大陸とアラビア半島に囲まれた海域で，世界で最も深いとされているマリアナ海溝のチャレンジャー海淵が存在する。同海域は世界有数の油田地帯となっており，同海域とアラビア海を結ぶためスエズ運河が開かれている。両海域の水位が異なるため，スエズ運河は水門により人工的に水位を調節している。

**5**　カリブ海は，アメリカ大陸によって北と西を，フロリダ半島とキューバ島によって東と南を囲まれた海域で，ムルロアなどの環礁が多数存在する。暖流と寒流が出会う一帯は大西洋西部漁場の中心をなしている。同海域で発生する熱帯性低気圧サイクロンは，アメリカ合衆国南部に風水害をもたらすことがある。

**＊**
**No.6　次の文は，河川がつくる地形に関する記述であるが，文中の空所A～Dに該当する語の組合せとして，妥当なのはどれか。**

【地方上級（特別区）・平成29年度】

傾斜が急な山地を流れる河川は，山地を深く削って［　A　］をつくり，山地を侵食した河川は，平野に出ると砂礫（れき）を堆積して［　B　］をつくる。［　B　］の下流には，川からあふれた水が土砂を堆積してつくった［　C　］が広がり，川に沿った部分には［　D　］ができる。

| | A | B | C | D |
|---|---|---|---|---|
| **1** | U字谷 | 自然堤防 | 後背湿地 | 氾濫原 |
| **2** | U字谷 | 扇状地 | 氾濫原 | 自然堤防 |
| **3** | U字谷 | 扇状地 | 氾濫原 | 後背湿地 |
| **4** | V字谷 | 自然堤防 | 後背湿地 | 氾濫原 |
| **5** | V字谷 | 扇状地 | 氾濫原 | 自然堤防 |



**＊＊ No.7 世界の主要な河川に関する記述として最も妥当なのはどれか。**

【国家一般職・平成19年度】

**1** 黄河は，四川省南部を水源とし，黄土高原から華北平原を流れ，渤(ぼっ)海に注ぐ中国最長の河川である。流域には多量の泥や砂が流れるため，中・下流部にかけて河床が上昇し，特に下流部では天井川となっている地域もある。

**2** アマゾン川は，アンデス山脈を水源とし，南アメリカ大陸南部を東流して大西洋に注ぐ，世界最大の流域面積を有する河川である。流域の大部分が熱帯気候に属しており，カンポやパンパと呼ばれる熱帯雨林が密生するが，近年，牧場の拡大やダムによる埋没等によって熱帯雨林の破壊が進んでいる。

**3** ドナウ川は，ドイツのシュバルツバルトを水源とし，東流してポーランド，ハンガリー，ルーマニアなど東ヨーロッパ諸国を経て地中海に注ぐ国際河川である。流域は肥沃な土壌に恵まれ，小麦，とうもろこしなどの生産が盛んな農業地域となっている。

**4** ナイル川は，アフリカ大陸の赤道付近を水源とする外来河川であり，北流して紅海に注ぎ，河口近くのアレクサンドリア付近には円弧状の三角州が形成されている。近年までは世界最長とされていたが，現在はアマゾン川に次いで世界第2位の河川である。

**5** コロラド川は，アメリカ合衆国西部のロッキー山脈を水源とし，コロラド高原を横断し，カリフォルニア湾に注いでいる。流域にはグランドキャニオンや世界恐慌後の経済活性化のために建設されたフーヴァーダムなどが存在する。

## 実戦問題2の解説

### No.5 の解説　海洋・海流　→問題はP.260　正答2

**1** × 陸地に対する海洋の割合は，南半球のほうが大きい。三大洋は太平洋・大西洋・インド洋。地中海はヨーロッパ地中海や北極海，ベーリング海やオホーツク海・日本海は縁海。

**2** ◎ 正しい。

**3** × 北海はヨーロッパ大陸とグレートブリテン島の間の海域。ベルゲンなどの都市がある。同海域は，暖流の北大西洋海流が北流しており，冬でも凍結しない。

**4** × マリアナ海溝は，太平洋西部にある。紅海には油田は少ない。また，スエズ運河は同海域と地中海を結ぶ水平式運河である。

**5** × ムルロア環礁は南太平洋にある。カリブ海は北大西洋海流やアンティル海流などの暖流が流れ，寒流は流れていない。同海域で発生するのはハリケーン。

### No.6 の解説　河川がつくる地形　→問題はP.260　正答5

A：**U字谷**は，氷河によって形成された侵食地形で横断面はUである。V字谷は河川の侵食によって形成され，横断面はVであるので**V字谷**が該当する。

B：自然堤防は，河道近くで，洪水によって水と一緒にあふれ出た砂が堆積して形成された微高地で，河川に沿って形成される。河川が山地から平地に出るところに形成されるのは扇状地であるので，**扇状地**が該当する。

C：**後背湿地**は，自然堤防の背後にできた水はけの悪い低湿地で，水田として利用されることが多い。氾濫原は，洪水時に河川の氾濫によって形成される地形全体（自然堤防，後背湿地，三日月湖）をさすので，**氾濫原**が該当する。

D：Bで説明したように，**自然堤防**が該当する。自然堤防の上は，集落や畑として利用されることが多い。

以上により，**5**が正答である。

## No.7 の解説　世界の主要河川

→問題はP.261　正答5

**1 ×　黄河の水源はチンハイ省。下流に黄土を堆積し，華北平原を形成。**

黄河は，チンハイ（青海）省を水源とし，黄土高原から華北平原を流れ，渤海に注ぐ，中国では，長江に次いで第二の長さを誇る。侵食が容易な黄土高原を流れるため，砂泥の堆積が多く，下流では**天井川**になっている。

**2 ×　アマゾン川流域には世界最大の熱帯林「セルバ」が広がる。**

アマゾン川は，アンデス山脈を水源とし，南米大陸の北部を東流して，大西洋に注ぐ，世界最大の流域面積を有する河川である。流域の大部分が熱帯気候に属しており，**セルバ**と呼ばれる熱帯密林が繁茂する。近年，森林の伐採，焼畑，牧場の拡大などで熱帯林の破壊が進んでいる。

**3 ×　ドナウ川はドイツから東流し，流域はヨーロッパ有数の穀倉地帯。**

ドナウ川は，ドイツ南部のシュバルツバルトを水源とし，東流してオーストリア，ハンガリー，クロアチア，セルビア，ルーマニアを経て黒海に注ぐ国際河川である。流域は肥沃な土壌に恵まれ，小麦，とうもろこしなどの生産が盛んな農業地帯となっている。

**4 ×　ナイル川は地中海に注ぐ世界最長の河川。**

ナイル川は，アフリカ大陸の赤道付近を水源とする**外来河川**であり，北流して地中海に注ぎ，河口近くのアレクサンドリア付近には**円弧状三角州**を形成している。アマゾン川より長く，世界最長の河川である。

**5 ◎　コロラド川は，北米南西部住民の生活を支える水源。**

正しい。

# 気候・土壌

## 必修問題

**ケッペンの気候区分に関する記述として最も妥当なのはどれか。**

【国家専門職・令和2年度】

**1** ケッペンの気候区分では，気温，降水量，土壌，植生の4つの指標を用いて，世界を，熱帯，乾燥帯，温帯，冷帯（亜寒帯），寒帯の5つの気候帯に区分している。このうち，乾燥帯を除くすべての気候帯は，樹木が生育可能な気候帯である。

**2** **サバナ気候**は，熱帯雨林気候よりも高緯度側に分布し，一年を通して降水量が多く，雨季，乾季は明瞭ではない。痩せた土壌が多いが，インドのデカン高原では，テラローシャと呼ばれる玄武岩が風化した肥沃な土壌が広がる。

**3** **砂漠気候**は，主に中緯度帯に分布し，年降水量が250mm以下の地域がほとんどである。一面に岩石や砂が広がっており，オアシス周辺を除いて植生はほとんど見られない。土壌からは水分の蒸発が盛んで，地中の塩分が地表付近に集積すると，塩性土壌が見られる。

**4** **温暖湿潤気候**は，主に中緯度の大陸西部に分布し，最暖月平均気温22℃以上かつ最寒月平均気温－3℃以下の地域となるため，夏は高温多湿で冬は寒冷である。主に褐色森林土が分布し，オリーブやコルクがしなどの硬葉樹林が広がっている。

**5** **冷帯（亜寒帯）湿潤気候**は，主に北緯40度以北の広い地域に分布し，一年を通して降水があり，夏は比較的高温である。北部では，タイガと呼ばれる寒さに強い常緑広葉樹林が広がり，泥炭を大量に含んだ強酸性の痩せたプレーリー土が見られる。

難易度 ＊＊

## 必修問題の解説

主な気候区と土壌，植生などとの関連を問う問題である。サバナ気候（**2**），砂漠気候（**3**），温暖湿潤気候（**4**），冷帯湿潤気候（**5**）が出題されている。砂漠気候と冷帯湿潤気候は，比較的出題回数が少ないが，ここでしっかりマスターして欲しい。

**1** × **樹木の生育が見られないのは，乾燥帯と寒帯の２つの気候帯である。**
ケッペンの気候区分では，気温，降水量，土壌，植生の４つの指標と５つの気候帯に区分している。このうち，樹木が生育できない気候帯は，乾燥気候：ステップ気候（BS）と砂漠気候（BW），寒帯：ツンドラ気候（ET）と氷雪気候（EF）である。

**2** × **サバナ気候は雨季と乾季が明瞭で肥沃な土壌が分布している。**
サバナ気候（Aw）に含まれるブラジル高原には玄武岩の風化土が広がる**テラローシャ**があり，コーヒー栽培に適した肥沃土も見られる。インドの**デカン高原**に広がる黒色の玄武岩の風化土は**レグール土**で綿花栽培に適している。

**3** ◎ **砂漠気候は年降水量が極端に少なく気温の日較差が大きい。土壌は塩性土壌。**
オアシス周辺を除いて，植生はほとんど見られない。土壌は強アルカリ性の砂漠土で**塩性土壌**を生じる。

**4** × **温暖湿潤気候は中緯度の大陸東部に分布する。**
温暖湿潤気候（Cfa）は，四季の区別が明瞭な気候である。最暖月は妥当だが，最寒月平均気温は－３℃以上18℃未満の地域である。土壌は**褐色森林土**が多い。**オリーブ**や**コルクがし**など夏季の乾燥に耐える硬葉樹林が広がるのは地中海性気候（Cs）である。

**5** × **冷帯湿潤気候の植生は北部でタイガ，土壌はポドゾルである。**
冷帯湿潤気候（Df）の分布地域や気温，降水に関する記述は妥当であるが，タイガは針葉樹林であり，土壌は灰白色で酸性土壌のポドゾルである。なお，**プレーリー土**は北アメリカの中央平原に分布する黒色土で，小麦やとうもろこしの大産地を形成している。

**正答 3**

## FOCUS

ケッペンの気候区は，最も出題頻度が高い分野である。それぞれの気候区の特徴を理解しておくのは当然だが，ハイサーグラフや雨温図，分布図なども過去問などを参考にぜひ理解しておきたい。本問のように土壌と植生との関連を把握することも大切である。

# POINT

## 重要ポイント 1 ケッペンの気候区分

樹林の有無──樹林がある──熱帯（A），温帯（C），亜寒（冷）帯（D）気候。
└樹林がない──乾燥帯（B）（乾燥が理由），寒帯（E）（低温が理由）。

●**熱帯気候**（A）：最寒月の月平均気温が**18℃以上**。
**熱帯雨林気候**（Af）：年中多雨（ f は年中多雨で著しい乾季がないの意）。
**弱い乾季のある熱帯雨林気候**（Am）：（mは中間の意）。
**サバナ気候**（Aw）：雨季と乾季が明瞭（wは冬に少雨の意）。
●**乾燥気候**（B）：降水量が蒸発量より少ない（無樹林気候は大文字）。
**砂漠気候**（BW）：年降水量が極めて少ない。
**ステップ気候**（BS）：年降水量が少ない。
●**温帯気候**（C）：最寒月の月平均気温が**18℃未満，－3℃以上**。
**地中海性気候**（Cs）：夏に少雨（ s は夏に少雨の意）。
**温暖冬季少雨気候**（Cw）：冬に少雨。
**温暖湿潤気候**（Cfa）：年中多雨（ a は最暖月の平均気温が**22℃以上**）。
**西岸海洋性気候**（Cfb）：年中降雨（ b は最暖月の平均気温が**22℃未満**）。
●**亜寒帯（冷）気候**（D）：最寒月平均気温が**－3℃未満**で最暖月の月平均気温が**10℃以上**。
**亜寒（冷）帯湿潤気候**（Df）：年中降雨。
**亜寒（冷）帯冬季少雨気候**（Dw）：冬に少雨。
●**寒帯気候**（E）：最暖月の月平均気温が**10℃未満**。
**ツンドラ気候**（ET）：最暖月の月平均気温が**10℃未満，0℃以上**。
**氷雪気候**（EF）：最暖月でも月平均気温が**0℃未満**。

## 重要ポイント 2 各気候区の特徴

| 気候区 | 特徴 | 植生 | 土壌 | 分布 | 都市 |
|---|---|---|---|---|---|
| 熱帯雨林気候(Af) | 年中多雨(スコール)気温の年較差小 | 熱帯雨林（セルバなどの常緑広葉樹林） | ラトソル | 赤道付近 | シンガポール，コロンボ，キサンガニ |
| 弱い乾季のある熱帯雨林気候(Am) | モンスーンの影響で弱い乾季米作が盛ん | Afとほぼ同じ | ラトソル | インドシナ半島，アマゾン川下流 | ヤンゴン，サンルイス，バンコク |
| サバナ気候(Aw) | 雨季と乾季明瞭(冬に落葉)草食・肉食動物 | 丈の高い草原と疎林 | ラトソル，赤色土 | リャノ，カンポ，豪大陸北部 | ハバナ，ダーウィン |

| | | | | | |
|---|---|---|---|---|---|
| 砂漠気候(BW) | 年降水量250mm未満。気温の年較差<日較差 | オアシス以外に植生なしなつめやし | 砂漠土(塩性土壌) | 回帰線付近 | カイロ，リヤド |
| ステップ気候(BS) | 長い乾季と短い雨季 | 短草草原(ステップ) | チェルノーゼム，栗色土 | 砂漠の周辺 | ウランバートル，ダカール |
| 地中海性気候(Cs) | 夏…亜熱帯高圧帯下(高温乾燥)<br>冬…偏西風下(温暖湿潤) | 夏の乾燥に耐える硬葉樹(オリーブ，コルクがしなど) | テラロッサ | 地中海沿岸，カリフォルニア州 | ローマ，パース，サンフランシスコ |
| 温暖冬季少雨気候(Cw) | 夏…高温多雨<br>冬…温暖少雨(モンスーンの影響) | 常緑広葉樹(照葉樹) | 赤色土，黄色土 | 華南，アフリカ中南部 | 香港，プレトリア |
| 温暖湿潤気候(Cfa) | 夏…高温多雨<br>冬…低温少雨<br>四季の区別明瞭 | 多様な植生(常緑広葉樹，落葉広葉樹，針葉樹) | 褐色森林土，パンパ土，黄色土 | 日本，北米南東部，南米南東部 | 東京，ニューヨーク，ブエノスアイレス |
| 西岸海洋性気候(Cfb) | 気温の年較差少<br>典型的な海洋性気候 | 落葉広葉樹(ぶな・けやき) | 褐色森林土，ポドゾル性土 | 西ヨーロッパ，豪大陸南東部 | ロンドン，パリ，メルボルン，ウェリントン |
| 亜寒帯湿潤気候(Df) | 年中降水(偏西風の影響)<br>気温の年較差大 | タイガ(針葉樹の純林)，南部は落葉広葉樹 | ポドゾル | シベリア・北米北部(南半球には分布しない) | 札幌，モスクワ，シカゴ |
| 亜寒帯冬季少雨気候(Dw) | 冬…寒冷乾燥(シベリア高気圧)<br>気温の年較差最大 | タイガ | ポドゾル | 中国東北部，シベリア東部 | イルクーツク，チタ |
| ツンドラ気候(ET) | 夏に0℃以上 | 夏にコケ類生育 | ツンドラ土 | 北極海沿岸 | バロー |
| 氷雪気候(EF) | 年中氷結 | 氷雪 | — | グリーンランド，南極 | 昭和基地 |
| 高山気候(H) | 年中常春(ケッペン以後に設けられた気候区) | 疎林・草原 | 礫砂漠状 | アンデス，チベット | キト，ラパス |

**●主要土壌の特色**　*は成帯土壌(気候の影響で生成)。他は間帯土壌(母岩の影響)。

**ラトソル***……熱帯地域に分布する鉄分やアルミニウム分を含んだ赤色土壌。

**チェルノーゼム***……ウクライナから西シベリアに分布する肥沃な黒色土。

**テラロッサ**……地中海沿岸に分布する石灰岩が風化して生成された赤色土。

**ポドゾル***……亜寒（冷）帯のタイガ地域に分布する灰白色の酸性土壌。

## 実戦問題

＊＊
**No.1 ケッペンの気候区分に関する記述として，妥当なのはどれか。**

【地方上級（東京都）・平成24年度】

**1** ケッペンの気候区分は，気温，湿度，降水量により世界の気候を区分したもので，世界の気候は熱帯，乾燥帯，温帯，寒帯の４気候帯に分けられる。

**2** 熱帯の気候区には，ステップ気候区や熱帯雨林気候区があり，ステップ気候区では季節的に降水量の差が大きく，１年が雨季と乾季とに分けられる。

**3** 乾燥帯の気候区には，砂漠気候区やサバナ気候区があり，砂漠気候区では乾燥のため樹木が育ちにくいが，水が得られるセルバでは常緑広葉樹林がみられる。

**4** 温帯の気候区には，地中海性気候区や温暖湿潤気候区があり，地中海性気候区では乾燥に強いオリーブやコルクガシが栽培されている。

**5** 寒帯の気候区には，タイガ気候区や氷雪気候区があり，タイガ気候区では夏の気温の上昇を利用して，春小麦などの作物が栽培されている。

＊＊
**No.2 世界の気候と農業に関する記述として最も妥当なのはどれか。**

【国家専門職・平成28年度】

**1** 地中海性気候の地域は，冬に降水が集中し，夏は乾燥しており，また，コルクガシなどの硬葉樹林がみられる。ブドウやオリーブなどの乾燥に強い樹木作物の栽培が盛んであり，冬の降水を利用した小麦の栽培や，ブドウを原料とするワインの醸造も行われている。

**2** 砂漠気候の地域は，一日の気温変化が大きく，３か月程度の短い雨期がある。ヤギやアルパカなどの家畜とともに水と草を求めて移動する粗放的な牧畜が盛んであり，住民は移動・組立てが容易なテントで生活し，家畜から衣食や燃料を得ている。

**3** 熱帯雨林気候の地域は，年中高温多雨であり，スコールが頻発し，シイ，カシ，クスなどの照葉樹林がみられる。ライ麦の栽培のほか，広大な農地に大量の資本を投入して，単一の商品作物を大量に栽培する焼畑農業が行われている。

**4** ステップ気候の地域は，冬は極めて寒冷であり，夏に降水が集中する。南部はシラカバなどの落葉広葉樹と針葉樹との混交林が，北部はタイガと呼ばれる針葉樹林がみられる。南部では夏の高温をいかして大麦やジャガイモなどの栽培が盛んであるが，北部では林業が中心である。

**5** ツンドラ気候の地域は，最暖月の平均気温が０℃未満であり，夏の一時期を除いて氷雪に覆われている。土壌は低温のため分解の進まないツンドラ土であり，夏はわずかな草とコケ類などがみられる。狩猟や遊牧のほか，耐寒性の小麦やトウモロコシの栽培が行われている。

**No.3** 世界の土壌に関する記述として最も妥当なのはどれか。

【国税専門官・平成21年度】

**1** 気候や植生などの影響を強く受けて生成された土壌を成帯土壌，局部的な地形や母岩の影響を受けて生成し分布が限られる土壌を間帯土壌という。成帯土壌の例としてはレス（黄土）やツンドラ土，間帯土壌の例としてはプレーリー土やレグールがある。

**2** 高温で湿潤な地域においては，鉄とアルミニウムの酸化物を含む赤色のラトソルと呼ばれる土壌がみられ，低温で湿潤な地域においては，石英を多く含む灰白色のポドゾルと呼ばれる土壌がみられるが，これらはいずれも酸性が強く，肥沃さに欠けている。

**3** 草原が生育する程度に乾燥した気候の温帯や乾燥帯では，テラロッサやテラローシャと呼ばれる成帯土壌が分布するが，養分が太陽光線で分解されるため肥沃さに欠ける土壌になりがちであり，やせた土壌でも育つトマトやナスの栽培に適している。

**4** 温暖湿潤気候や西岸海洋性気候の地域では，チェルノーゼムと呼ばれる肥沃な黒色土が発達しており，綿花の栽培が行われている。また，地中海性気候の地域の土壌は，プレーリー土と呼ばれ，小麦やトウモロコシの栽培に適している。

**5** 北半球の高緯度地域においては，冷帯・寒帯に特徴的な栗色や灰白色の土壌が分布している。タイガやツンドラ土と呼ばれるこれらの薄い色の土壌は，塩基性（アルカリ性）が強いため腐植層が厚くなり，作物の生育には適さないとされている。

## 実戦問題の解説

### No.1 の解説　ケッペンの気候区分

→問題はP.268　正答4

**1 ×　ケッペンの気候区分は，熱帯，乾燥帯，温帯，亜寒帯，寒帯の５気候帯。**
ケッペンの気候区分は，植物景観を基準に，気温と降水量を指標として区分したものである。ケッペンは世界の気候区を熱帯，乾燥帯，温帯，亜寒帯（冷帯），寒帯の５気候帯に分類した。

**2 ×　熱帯気候区は，乾季の有無で３つに区分。**
熱帯の気候区には，**熱帯雨林気候区（Af）**と**サバナ気候区（Aw）**がある。さらに弱い乾季のある熱帯雨林気候区（Am）が加わることもある。熱帯雨林気候区は年中高温多雨，サバナ気候区は雨季と乾季が明瞭である。

**3 ×　乾燥帯は，降水量により砂漠，ステップ気候区に区分。**
乾燥帯の気候区は，**砂漠気候区（BW）**と**ステップ気候区（BS）**に分類される。砂漠気候区は年中乾燥しているため，オアシス以外は植生は見られない。ステップ気候区は降水がやや多くなる雨季があり草丈の低い草原が広がる。

**4 ◎　温帯は，気温，降水量，植生から４つの気候区に区分。**
妥当である。**地中海性気候区（Cs）**，**温暖湿潤気候区（Cfa）**以外に，**温暖冬季少雨気候区（Cw）**，**西岸海洋性気候区（Cfb）**がある。

**5 ×　寒帯は，最寒月の月平均気温が０℃でツンドラ気候区と氷雪気候区に区分。**
寒帯の気候区には，**ツンドラ気候区（ET）**，**氷雪気候区（EF）**がある。ツンドラ気候区は短い夏に気温が上昇し，コケ類や地衣類が生育する。氷雪気候区は年中氷結している。また，**タイガ**（針葉樹林の純林亜寒帯）が見られるのは亜寒帯気候区である。なお，亜寒帯気候区は，**亜寒帯湿潤気候区（Df）**と**亜寒帯冬季少雨気候区（Dw）**がある。

### No.2 の解説　世界の気候と農業

→問題はP.268　正答1

**1 ◎　地中海性気候は，夏は乾燥し，冬は降水量が多い。**
妥当である。**地中海性気候（Cs）**は，夏に亜熱帯高圧帯の影響を受け乾燥。降水は亜寒帯低圧帯下にはいる冬に集中する。耐乾性のオリーブ，ブドウ，コルクがしなどの樹木作物の栽培が盛んである。地中海沿岸では石灰岩の風化土テラロッサが見られる。

**2 ×　砂漠気候では，オアシスを除いて植生はほとんど見られない。**
**砂漠気候（BW）**は，降水量が極度に少なく，気温の日較差が大きいため，植物はオアシスを除いてほとんど生育しない。本肢はステップ気候の説明。

**3 ×　熱帯雨林気候は，年中高温多雨で，赤道周辺に分布する。**
**熱帯雨林気候（Af）**は，ほとんどが赤道付近に分布し，年中高温多雨なので，多種類の常緑広葉樹からなる密林が多い。かつての**焼畑農業**から**プランテーション**が増え，熱帯雨林の伐採が進んでいる。なお，ライ麦の栽培は，ドイツ（西岸海洋性気候），ロシア（亜寒帯湿潤気候）などの寒冷地，照葉樹林は温帯にみられる。

**4 ×** ステップ気候の土壌には肥沃な黒土がある。

**ステップ気候（BS）**は，砂漠気候区に隣接する。短い雨季があるので，短草草原（ステップ）が広がる。モンゴルでは，ヤギ，羊，馬などの遊牧がみられる。ウクライナ周辺の**チェルノーゼム**，北米の**プレーリー土**など肥沃な黒土では，世界有数の農牧業地帯になっている。本肢の記述は亜寒帯湿潤気候（Df）である。

**5 ×** ツンドラ気候では，夏にコケ類や地衣類が生育する。

**ツンドラ気候（ET）**は，短い夏に気温が上がり0度以上になるため，コケ類や地衣類などが育つ。夏以外は，雪と氷におおわれので，農耕は不可能である。最暖月でも0度未満の気候は，氷雪気候（EF）である。

## No.3 の解説　世界の土壌

→問題はP.269　**正答2**

**1 ×** ツンドラ土，プレーリー土は成帯土壌，レス，レグールは間帯土壌。

成帯土壌と間帯土壌の記述は正しい。レス（黄土）は間帯土壌，プレーリー土は成帯土壌である。なお，成帯土壌の例としてラトソル，栗色土，褐色森林土，ポドゾルなど，間帯土壌にはテラロッサ，レグール（インドのデカン高原に分布。綿花栽培に適している），テラローシャなどがある。

**2 ◎** 熱帯，亜寒帯（冷帯），寒帯の土壌はいずれも酸性。

正しい。ラトソルは，鉄分やアルミニウムなどの酸性物質が表面に多く，赤色になる。ポドゾルは浸透水により溶脱されて灰白色になっている。いずれも肥沃ではない。

**3 ×** テラロッサ，テラローシャは間帯土壌。

草原が生育する程度に乾燥した気候は乾燥帯。テラロッサやテラローシャは間帯土壌で，**テラロッサ**は地中海沿岸（オリーブ，ぶどうなどの栽培），**テラローシャ**はブラジル高原（コーヒーなどの栽培）に分布する。

**4 ×** チェルノーゼムは，ステップ気候に分布する黒土で肥沃。

**チェルノーゼム**は，ステップ気候のウクライナから西シベリアにかけて分布する黒土で，小麦栽培に適している。地中海性気候のうち，地中海沿岸に分布するのはテラロッサである。プレーリー土は北アメリカのプレーリーに分布する黒土で，小麦やとうもろこし栽培が盛んである。

**5 ×** 冷帯はポドゾル，寒帯はツンドラ土が分布。ともに肥沃ではない。

栗色土はステップ気候に分布し，比較的アルカリ性が強いので農業には適さない。**タイガ**は針葉樹の純林。冷帯の土壌（ポドゾル）は**酸性**で農業に適さない。ポドゾルが灰白色なのは酸が鉄分を溶解するためである。

# 民族・人口・都市・交通・地図

## 必修問題

**現代の民族問題に関する記述として最も妥当なのはどれか。**

【国家専門職・令和元年度】

**1** カナダでは，フランス系住民とイギリス系住民が共存しており，フランス語と英語が公用語となっている。イギリス系住民が多くを占めるケベック州では，分離・独立を求める運動が度々起きており，1980 年と 1995 年に実施された州民投票では独立派が勝利している。

**2** シンガポールでは，多くを占めるマレー系住民のマレー語のほか，中国語や英語も公用語となっている。大きな経済力を持っている中国系住民とマレー系住民との間の経済格差を是正するため，雇用や教育の面でマレー系住民を優遇する**ブミプトラ政策**が実施されている。

**3** 南アフリカ共和国では，少数派の**フツ族**と多数派の**ツチ族**は言語や文化をほとんど共有していたものの，両者の間で生じた主導権争いにより，反政府側と政府軍の内戦が勃発した。その結果，ツチ族によるフツ族の大量虐殺やツチ族の大量難民化などの人道問題が生じた。

**4** 旧ユーゴスラビアのコソボでは，セルビア人とアルバニア人が衝突し，多くの犠牲者を出した。国際連合や EUによる調停や，NATO（北大西洋条約機構）による軍事力の行使の結果，停戦の合意が結ばれた。

**5** トルコ，イラク，イランなどにまたがる山岳地帯では，独自の文化と言語を持つバスク人が暮らしている。バスク人は，居住地域が国境で分断されており，いずれの国においてもマイノリティであるが，激しい独立運動の結果，その独自性が尊重されるようになった。

難易度 ＊＊

## 必修問題の解説

現代の民族問題に関し，公用語（**1**・**2**），ルワンダ内戦（**3**），独立過程（**4**），国家のない民族クルド人（**5**）などを正しくの把握しているかを問う問題である。この他にも，先住民，民族紛争（パレスチナ，北アイルランドなど），アパルトヘイトなどもマークしておきたい。

**1×** カナダのケベック州では，フランス系住民による分離独立運動が活発。
カナダでは，イギリス系住民（多数）とフランス系住民が共存してきた。**多文化主義**がとられ，英語，フランス語が公用語である。なお，フランス系民が多いケベック州では，分離独立運動がたびたび起きている。

**2×** シンガポールの民族は，中国系が圧倒的に多い。
シンガポールの民族構成は，中国系（74.1%），マレー系（13.4%），インド系（9.2%）などで，公用語も中国語，英語，マレー語，タミル語である。なお，マレー人を優遇する**ブミプトラ政策**を実施しているのはマレーシアである。

**3×** 南アフリカ共和国では，アパルトヘイトがとられていた。
南アフリカ共和国では，有色人種の差別と白人の優遇を中心とする**アパルトヘイト**（人種隔離政策）が，1991年まで続いた。大量虐殺や大量の難民が問題となったフツ族とツチ族の争いは，ルワンダである。なお，現在のルワンダは復興し，経済成長が著しい。

**4◎** 旧ユーゴスラビアのコソボは，2008年にセルビアから分離・独立を宣言。
正しい。コソボの人口は約179万人。セルビアはコソボの独立を認めていない。現在，国連に未加盟である。

**5×** クルド人は，トルコ，イラク，イランなどにまたがる山岳地帯に居住。
**クルド人**は，推定人口約3,000万人の独自の言語と文化をもつ民族で，国家を持たない。**バスク人**は，スペイン北東部からフランス南西部のピレネー山脈に居住し人口約259万人。スペインではたびたび独立運動が起きている。

**正答 4**

## FOCUS

現在各地で発生している民族問題の主因などを把握しておくことと，その地域を地図上で確認しておくこと。人口では，人口ピラミッド，三角グラフなどを通じて理解する。交通は各交通機関の特徴をまとめておく。

# POINT

## 重要ポイント 1 民族問題

| 紛争地域 | 民族名 | 問題点 |
|---|---|---|
| 旧ユーゴスラヴィア | スロベニア，クロアチア，セルビア，モンテネグロ，マケドニア，アルバニア人 | 多民族・多文化の協調がうまくいかなくなった。コソボ問題。内戦による難民の発生など。 |
| 北アイルランド | 多数派プロテスタントと少数派カトリック住民 | 1988年，プロテスタント，カトリック両勢力の間で和平合意がなり，翌年には自治政府が発足した。 |
| パレスチナ | イスラーム教徒（アラブ系住民）とユダヤ教徒（イスラエル） | ユダヤ人のシオニズム運動により，パレスチナの地にイスラエル建国（1948年）。中東戦争に発展。 |
| スリランカ | シンハラ人（仏教徒）と<br>タミル人（ヒンドゥー教徒） | 2009年，政府軍がタミル人反政府武装組織LTTE支配地域を制圧し，1983年以来続いてきた内戦が終結した。 |
| カシミール | インド（ヒンドゥー教徒）と<br>パキスタン（イスラーム教徒） | 1947年，英領インドから分離独立した際，帰属を巡り戦争が起こる。近年は両国とも核実験を強行。 |

## 重要ポイント 2 人口・交通

**（1）人口増加**　　（人口爆発）（人口革命）

・**自然増加**（出生数－死亡数）　多産多死→多産少死→少産少死→少産多死

・**社会増加**（移入数－移出数）　国際的移動，国内的移動

**（2）人口構成**

・**人口ピラミッド**

富士山型（多産多死），釣鐘型（多産少死），つぼ型（少産少死），星型（生産年齢人口多い，都市型），ひょうたん型（生産年齢人口少ない，農村型）。

・**産業別人口構成**（三角図表）

コーリン＝クラーク説：国民所得が増大するにしたがって第一次産業→第二次産業→第三次産業へと重点が移行。

**（3）交通**

・**陸上交通**：鉄道（安全性・定時性），自動車（利便性）

・**水上交通**：船舶（省力性・大量性）

・**航空交通**：航空機（迅速性）

## 実戦問題1　基本レベル

**No.1** ＊＊ **各地域の宗教・宗派に関する記述のうち，妥当なものはどれか。**

【地方上級（関東型）・令和元年度】

**1**　東南アジア：タイでは仏教徒，フィリピンではキリスト教徒，インドネシアではイスラーム教徒が多数を占める。

**2**　南アジア：インドでは仏教徒，パキスタンとバングラデッシュではヒンドゥー教徒が多数を占める。

**3**　ヨーロッパ：キリスト教徒が多く，イギリスではカトリック，イタリアではプロテスタント，スペインでは正教会の信者が多い。

**4**　アフリカ：北部ではさまざまな伝統宗教が信仰されており，サハラ以南にはイスラーム教徒が多い。

**5**　北アメリカ：キリスト教徒が多く，アメリカ合衆国ではカトリック，メキシコではプロテスタントの信者が多い。

**No.2** ＊＊ **人口や居住に関する記述として最も妥当なのはどれか。**

【国家一般職・平成30年度改題】

**1**　人間が日常的に居住している地域をアネクメーネ，それ以外の地域をエクメーネという。近年では，地球温暖化を原因とした海面上昇による低地の浸水，政治や宗教をめぐる紛争や対立などの影響により人間の居住に適さない地域が増加しており，アネクメーネは年々減少傾向にある。

**2**　産業革命以降，まずは先進国で，その後は発展途上国において人口転換（人口革命）が進行した。特に，我が国では，第二次世界大戦前までには，医療・衛生・栄養面の改善と出生率の低下などの理由から少産少死の状態となり，人口ピラミッドはつぼ型となった。

**3**　人口の増加の種類には，大きく分けて自然増加と社会増加の２つがある。自然増加とは，流入人口が流出人口を上回る場合に発生し，主に人が集中する都市部等でよく見られる。一方で，社会増加とは，出生数が死亡数を上回る場合に発生し，多くは発展途上国で見られる。

**4**　近年，合計特殊出生率が人口維持の目安となる1.6を下回る国が増加してきており，英国やドイツなどは，2020年現在，合計特殊出生率が我が国の水準を下回っている。また，韓国や中国は，今後我が国以上の速さで少子高齢化が進行すると予想されている。

**5**　首位都市（プライメートシティ）では，国の政治・経済・文化などの機能が集中し，その国で人口が第１位となっている。首位都市の１つであるジャカルタでは，自動車の排気ガス等による大気汚染や，スラムの形成などの都市問題が深刻化している。

## No.3 環境問題に関する記述として最も妥当なのはどれか。

【国家一般職・令和５年度】

**1** 温室効果ガスの削減のため京都議定書が採択されたが，発展途上国に課された削減の数値目標が先進国よりも小さく，米国の離脱を招いた。その後，米国を含む新しい枠組みとしてパリ協定が採択されたが，中国やインドなど一部の新興国はこれに加わらなかった。

**2** 工場や自動車などから排出されて風で運ばれた硫黄酸化物や窒素酸化物は，酸性雨の原因とされており，国境を越えた森林への被害や湖沼の酸性化などが問題となった。こうした被害を受けて，欧米諸国は条約を結び，汚染物質の監視や排出削減に努めている。

**3** 近年，南極上空ではオゾン濃度が極端に高いオゾンホールが発見される一方，南極以外の地域ではオゾン層の破壊が進み，人間への健康被害，生態系などへの悪影響が懸念されている。そのため，オゾン層の破壊物質であるフロン類の生産を規制するバーゼル条約が採択された。

**4** 熱帯林は，二酸化炭素の吸収を通して地球温暖化を緩和することから，その減少が問題となっている。しかし，近年は，プランテーション農園の拡大により森林の減少が食い止められており，アフリカ・東南アジアでは森林面積が増加している。

**5** 砂漠化は，干ばつなどの自然的要因のほか，過度の放牧・耕作・森林伐採などの人為的要因によって起こされる。サハラ砂漠の北側に広がるパンパでは，地中海からの湿った空気が南下すると降雨があるが，降雨は不規則でしばしば干ばつが起こり，砂漠化が進行している。

**No.4** ＊＊ **公用語が2つ以上の言語からなる国に関する記述として最も妥当なのはどれか。**

【国税専門官・平成21年度】

**1** カナダは，英語，ドイツ語の2つの言語を公用語としている。国民は主にイングランド系，ドイツ系などの民族で構成されており，宗教はキリスト教（カトリック，プロテスタント）が大勢となっている。

**2** ベルギー王国は，オランダ語，フランス語，ドイツ語の3つの言語を公用語としている。国民は主にオランダ系フラマン人，フランス系ワロン人などの民族で構成されており，宗教はキリスト教（カトリック）が大勢となっている。

**3** スイス連邦は，フランス語，英語の2つの言語を公用語としている。国民は主にフランス系，イタリア系，ロマンシュ系などの民族で構成されており，宗教別人口割合ではキリスト教（プロテスタント）とユダヤ教がほぼ半々を占めている。

**4** シンガポール共和国は，英語，中国語，インドネシア語の3つの言語を公用語としている。国民は主に中国系，ジャワ系，マレー系などの民族で構成されており，宗教別人口割合ではキリスト教（カトリック）とイスラーム教がほぼ半々を占めている。

**5** フィリピン共和国は，フィリピノ語，英語の2つの言語を公用語としている。国民は主にマレー系，中国系，スペイン系などの民族で構成されており，宗教別人口割合では仏教徒が最も多くなっている。

## ＊＊ No.5 都市に関する記述として，妥当なのはどれか。

【地方上級（特別区）・平成30年度】

**1** メガロポリスとは，広大な都市圏を形成し，周辺の都市や地域に大きな影響力をもつ大都市をいい，メトロポリスとは，多くの大都市が鉄道，道路や情報などによって密接に結ばれ，帯状に連なっている都市群地域をいう。

**2** コンパクトシティとは，国や地域の中で，政治や経済，文化，情報などの機能が極端に集中し，人口規模でも第２位の都市を大きく上回っている都市のことをいう。

**3** プライメートシティとは，都市の郊外化を抑え，都心部への業務機能の高集積化や職住近接により移動距離を短縮し，環境負荷を減らして生活の利便性の向上をめざした都市構造のあり方のことをいう。

**4** 日本では，1950年代半ば頃からの高度経済成長期に都市人口が急激に増大し，郊外では住宅地が無秩序に広がるドーナツ化現象が起こり，都心部では地価高騰や環境悪化によって定住人口が減るスプロール現象が見られた。

**5** 早くから都市化が進んだ欧米の大都市の中では，旧市街地から高所得者層や若者が郊外に流出し，高齢者や低所得者層が取り残され，コミュニティの崩壊や治安の悪化などが社会問題となっているインナーシティ問題が発生している。

## ＊ No.6 世界の海峡および運河に関する次の記述のうち，妥当なのはどれか。

【市役所・平成26年度】

**1** ジブラルタル海峡は，大西洋と地中海を結ぶ海峡で，北岸はスペイン，南岸はモロッコである。なお，北岸にはイギリス領がある。

**2** スエズ運河は，紅海と地中海を結ぶ運河である。現在，トルコが支配しており，重要な資金源になっている。

**3** パナマ運河は，カリブ海と太平洋を結ぶ運河である。現在，アメリカ合衆国が支配している。

**4** ホルムズ海峡は，ペルシャ湾と紅海を結ぶ海峡で，海峡の両端にはアメリカ合衆国の基地が点在している。

**5** マラッカ海峡は，マレー半島の先端シンガポール付近からカリマンタン島間にある海峡である。中東から日本への石油輸送ルートとして重要である。

# 実戦問題1の解説

## No.1 の解説　各地域の宗教・宗派

→問題はP.275　**正答1**

**1 ◎** 東南アジアの国々の宗教は交易ルートと関係が深い。
正しい。**1**以外では，仏教徒が多数を占める国として，ミャンマー，ベトナム，シンガポールが，イスラーム教徒が多数を占める国としてマレーシア，ブルネイ・ダルサラームがそれぞれ挙げられる。

**2 ×** インドで多数を占めているのはヒンドゥー教徒。
インド以外の南アジアの国々の中でイスラーム教徒が多数を占めているのはパキスタン。バングデシュはイスラーム教徒が，スリランカは仏教徒が多い。なお，ネパールはヒンドゥー教徒，ブータンはチベット仏教徒（ラマ教徒）が多数を占める。

**3 ×** 北欧はプロテスタント，南欧はカトリック，東欧は正教会。
ヨーロッパにキリスト教徒が多いという記述は正しいが，イギリスは**プロテスタント**系の英国国教会，イタリアとスペインは**カトリック**の信者が多い。

**4 ×** 北アフリカはイスラーム教の影響が強い。
北アフリカは，7世紀頃からイスラーム教が広まり，現在もイスラーム教徒が多い。サハラ以南では，独自の文化をもつ王国が栄えてきたが，19世紀末に西欧の植民地になったことからキリスト教も信仰されている。

**5 ×** アメリカ合衆国ではプロテスタントが半数を超える。
アメリカ合衆国は，プロテスタントが51.3%，カトリックが23.9%。なお，メキシコのカトリックは82.7%，カナダではカトリックは42.6%，プロテスタントは23.3%である。

## No.2 の解説　人口問題と居住地域

→問題はP.275　**正答5**

**1 ×** 人間が居住する地域をエクメーネといい，拡大し続けている。
**アネクメーネ**は非居住地域で，乾燥地域，高山地域，極地などが該当する。また，居住地域を**エクメーネ**といい，人間の英知などで拡大し続けている。

**2 ×** 我が国の人口は「第二の人口転換」に突入している。
人口転換（人口革命）とは，人口の自然増加の形態が多産多死（人口ピラミッドは富士山型）から多産少死（釣鐘型），さらに少産少子（つぼ型）へ変化することをいう。我が国では，近年つぼ型からさらに出生率が低下し，「**第二の人口転換**」といわれている。

**3 ×** 人口の増加には，自然増加と社会増加がある。
**自然増加**とは，ある地域において，出生数と死亡数の差によって生じる人口増加のことで発展途上国に多い。**社会増加**とは，ある地域において，流入人口と流出人口の差によって生じる人口増加のことで大都市に多い。

**4 ×** 合計特殊出生率とは，1人の女性が一生の間に生む子供数の平均値のこと。
2020年の日本の**合計特殊出生率**は1.33である。なお，イギリスは1.56，ドイツは1.53，韓国0.84，中国1.70で，我が国を下回っているのは韓国である。また，2021年から2030年の予測では，韓国（16.7%から25.0%）の高齢化率は正しいが，中国（13.1%から18.2%）は誤りである。日本は29.8%から31.4%と予想されている。

**5◎** **首位都市（プライメートシティ）は，人口が突出して多い都市である。**
正しい。ブラザビル（コンゴ共和国），サンティアゴ（チリ）なども該当。住宅，交通，環境などの都市問題が山積している。

## No.3 の解説　世界の環境問題

→問題はP.276　正答2

**1×** **京都議定書**は，最大排出国の中国や発展途上国などが温室効果ガス削減義務を負わなかったため，米国の脱退を招いた。その後，すべての国が参加する公平な合意により，「**パリ条約**」が採択された。

**2◎** 正しい。

**3×** オゾン層保護のために採択されたのは，**ウィーン条約**と**モントリオール議定書**である。

**4×** 熱帯林は，食料増産や木材利用，大規模な鉱山開発などにより破壊されている。また，アフリカ・東南アジアでプランテーション農園の拡大でも森林面積は減少している。

**5×** **パンパ**はアルゼンチンに広がる広大な平原。サハラ砂漠の南縁の**サヘル地方**では，降水量の減少や人口の増加などによって過放牧や過耕作となり，**砂漠化**が進行している。

## No.4 の解説　各国の民族・言語

→問題はP.277　正答2

**1×** **カナダのケベック州では，人口の約８割がフランス系。**
カナダは，英語とフランス語の２つの言語を公用語としている。国民はイギリス系とフランス系で構成されており，宗教はカトリックが約41%，カナダ合同教会派6.7%，英国教会派2.6%である。

**2◎** **ベルギーの首都ブリュッセルは，言語境界付近に位置する。**
正しい。首都ブリュッセルはフラマン人地域とワロン人地域の境界付近にあたり，両者が混在している。

**3×** **スイスの公用語は４言語，宗教はカトリックが最多。**
スイス連邦は，ドイツ語，フランス語，イタリア語，レートロマン（ロマンシュ）語が公用語・国語である。民族もドイツ系，フランス系，イタリア系，レートロマン系などの民族で構成されている。宗教はカトリック（約41.8%），プロテスタント（約35.3%）である。

**4×** **シンガポールは中国系が多く仏教徒が過半。**
シンガポール共和国は，マレー語，英語，中国語，タミル語を公用語としている。国民は中国系（約75.6%），マレー系（13.6%），インド系（約8.7%）などの民族で構成されている。宗教別人口割合は仏教（中国系），イスラーム教（マレー系など），キリスト教（ヨーロッパ系），ヒンドゥー教（インド系）などで，仏教が過半数を占めている。

**5 ×** **フィリピンはかつてスペインやアメリカの植民地で，キリスト教徒が最多。**
フィリピン共和国は，フィリピノ語，英語の２つを公用語としている。国民は主にマレー系，中国系，スペイン系などの民族で構成されており，宗教別人口割合ではカトリックが約83%を占め最も多い。なお，**イスラーム教徒が南部に居住しており，キリスト教徒と対立している。**

## No.5 の解説 都市

→問題はP.278 **正答5**

**1 ×** **メトロポリスは巨大都市，メガロポリスは巨帯都市。**
**メトロポリス**は，ニューヨーク，東京などのように，周囲の都市と都市圏を形成し，影響力を持つ大都市。**メガロポリス**は，多くの都市が隣接して，帯状に連なった都市地域。アメリカ合衆国北東岸のボストン・ニューヨーク・ワシントン間や京葉地域から京阪神に至る**東海道メガロポリス**が代表例。

**2 ×** **コンパクトシティは，富山市や青森市で取り入れられた。**
**コンパクトシティ**は，都市の中心部に住宅や商業，行政機能などを集約させた都市形態。東日本大震災の被災地でも検討された。

**3 ×** **プライメートシティは，発展途上国の首都に多く見られる。**
産業や経済機能が一極に集中し，国内の他の都市よりも規模が極めて大きい都市をいう。ソウル，バンコク，メキシコシティなども該当する。

**4 ×** **大都市郊外の農地に住宅・工場が無秩序に広がるのは，スプロール現象。**
**スプロール現象**が見られる地域は，防災上問題が多いといわれている。**ドーナツ化現象**は，都心部の定住人口が減り，周辺部の人口が増える現象。

**5 ◎** **最近では，インナーシティ問題からジェントリフィケーションに変化。**
物の老朽化，犯罪の多発など生活環境が悪化した都心部（**インナーシティ問題**）が，再開発による建物のリニューアルなどにより，若者を中心とする富裕層が流入する**ジェントリフィケーション**とよばれる現象が見られる。

## No.6 の解説 世界の海峡と運河

→問題はP.278 **正答1**

**1 ◎** 妥当である。
**2 ×** スエズ運河の位置の記述は正しいが，エジプト政府が所有運営している。
**3 ×** 1999年12月にパナマに完全返還された。現在はパナマ運河庁（ACP）が管理している。また，大規模な拡張工事をしている。**閘門式運河**である。
**4 ×** ホルムズ海峡はペルシャ湾の出口にある海峡。アメリカ合衆国基地はない。
**5 ×** マラッカ海峡はマレー半島とスマトラ島間にあり石油輸送ルートとして重要。

## 実戦問題❷ 応用レベル

*
**No.7 時差に関する次の文中の空欄ア～エに当てはまるものの組合せとして，妥当なものはどれか。** 【地方上級・令和４年度】

日本の標準時子午線は明石市などを通る（　ア　）135度の経線である。日本が午後６時のとき，西経75度を標準時子午線とする地域は，日本と同じ日の（　イ　）である。日付変更線は（　ウ　）上に引かれており，日付変更線を東から西へ越えたときは日付を１日（　エ　）。

| | ア | イ | ウ | エ |
|---|---|---|---|---|
| **1** | 東経 | 午前４時 | 太平洋 | 進める |
| **2** | 東経 | 午前４時 | 太平洋 | 遅らせる |
| **3** | 東経 | 午後10時 | 大西洋 | 進める |
| **4** | 西経 | 午前４時 | 大西洋 | 遅らせる |
| **5** | 西経 | 午後10時 | 太平洋 | 進める |

**
**No.8 航空機の航空路図に用いられる正距方位図法に関する記述のうち，a～cに入る語句の組合せとして妥当なものはどれか。**

【地方上級（全国型）・平成15年度】

この図法では，中心から任意の地点までの距離と方位が正しく描かれる。次の図では，東京を中心にしており，ニューヨークは東京のa ｛ア 北北東　イ 南南西｝の位置になる。

今，東京から真西に向かって再び東京に帰ってくるよう一周するとき，最初に赤道に接するのはb ｛ア 東経49°　イ 東経71°｝の地点になる。

また，この図法では円の外周が，中心地からの対蹠点なので，この円のc ｛ア 直径　イ 半径｝がそのまま地球の外周40,000kmに等しくなっている。

| | a | b | c |
|---|---|---|---|
| **1** | ア | ア | ア |
| **2** | ア | ア | イ |
| **3** | ア | イ | イ |
| **4** | イ | イ | ア |
| **5** | イ | イ | イ |

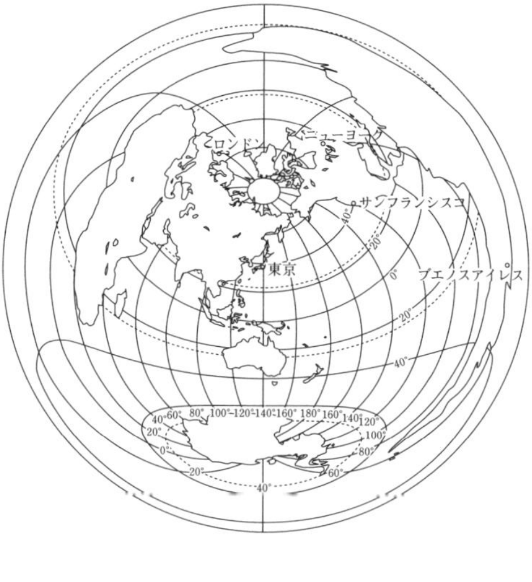

**No.9** ＊＊ **次は現代の都市に関する記述であるが，ア～エに入る用語の組合せとして妥当なのはどれか。** 【国税専門官・平成14年度】

A：都市自体の衰退と大都市中心周辺部の［ア］での社会的荒廃を特徴とする［ア］問題は1970年代に都市の衰退現象とともに先進資本主義国の大都市に共通する都市の現象として注目されるようになった。また，経済基盤の弱化，都市基盤施設の老朽化，社会的諸条件の悪化，高い失業率と貧困層の密集などの多様で複合的な要因による社会問題が発生することがある。

B：［イ］は公園や植樹帯などのように，大都市の美観保護・防火・防災・公園・林地・農地などに利用されるほか，市街地膨張防止のために設けられる。過密状態解消のためにロンドン大都市圏で行われた大ロンドン計画では，既成市街地のまわりに［イ］を設け，ニュータウンはその外側に建設された。

C：先進国では一般的に，都市の規模が大きくなるほど，さまざまな人種が混住するようになるが，その居住形態は，所得水準，社会階層，民族などにより居住地が分離・住み分けられている現象が見られ，これを［ウ］という。

D：都市外縁部が鉄道交通の駅などを中心に宅地化・市街化され，その結果，無秩序に開発されていく現象を［エ］という。中枢管理機能は都市中心部に集積され，居住機能が都市外縁部へと追いやられることになり，特に生活諸条件の整わないままの宅地化の進行は，生活環境の破壊をもたらすことになる。

| | ア | イ | ウ | エ |
|---|---|---|---|---|
| **1** | プライメート・シティ | グリーンベルト | 人種の坩堝（るつぼ） | スプロール現象 |
| **2** | プライメート・シティ | グリーンベルト | セグリゲーション | 都市爆発 |
| **3** | プライメート・シティ | 市街化調整区域 | セグリゲーション | スプロール現象 |
| **4** | インナーシティ | グリーンベルト | セグリゲーション | スプロール現象 |
| **5** | インナーシティ | 市街化調整区域 | 人種の坩堝（るつぼ） | 都市爆発 |

# 実戦問題2の解説

## No.7 の解説　時差

→問題はP.282　**正答 1**

**ア**：日本の標準時子午線は明石市（兵庫県）などを通る**東経**135度の経線である。

**イ**：時差は，経度15度ごとに１時間生じる。日本は東側に位置しているので，**本初子午線**（０度）のロンドンより９時間早い。(135度－０度＝135，135÷15＝9)，西経75度はロンドンよりさらに５時間遅いので，９＋５＝14，東京が午後６時なので（18時－14時＝４）で午前４時である。

**ウ**：**日付変更線**は180度線に沿うように引かれているので，太平洋上である。

**エ**：日付変更線を東から西に越えた時は１日進める。

以上から，**1**が正しい。

## No.8 の解説　地図の図法

→問題はP.282　**正答 1**

**正距方位図法**は，図の中心から任意の点までの距離と方位が正しく，また，その間の直線は大圏（最短）コースを表すので，航空図に利用されている。なお，図の中心以外からは，距離，方位，大圏コースなどを調べることはできない。

また，国連のマークは，北極点を中心とした南緯60°までの正距方位図法が使用されている。

本図は東京中心の正距方位図法である。

「a」では，東京から見てニューヨークの方位を問うている。この場合は，中心（東京）からニューヨークまでの直線を引き方位を求める。答えは北北東の位置になるので「**ア**」である。

「b」は，中心（東京）から真西（図を水平方向に左）に線を引き，赤道と交わる経線を答えるので，アフリカのソマリア沖の東経49°となり，「**ア**」である。

「c」は，この図法では円の外周が東京の**対蹠点**（たいせき）（地球の反対側の地点）なので，中心点からの半径は，地球の全周の半分の距離（約20,000km）になる。したがって，地球の外周40,000kmはこの円の直径になるので，「**ア**」である。

よって，正答は**1**である。

## No.9 の解説　現代の都市の特徴

→問題はP.283　**正答4**

**ア**：都市における社会的荒廃は，人口や産業の空洞化により，生活環境の悪化や犯罪の多発，スラム化などを生じていることで，**インナーシティ問題**という。プライメート・シティは，国内の他の都市に比べ，群を抜いて大きい都市のこと。

**イ**：公園や植樹帯など緑地帯をグリーンベルトという。市街化調整区域は，市街化を抑制するための区域。

**ウ**：大都市で，居住地が分離・住み分けれられている現象をセグリゲーションという。人種の坩堝（るつぼ）とはいろいろな人種が混ざっている状態をいう。

**エ**：郊外で無秩序に開発されていく状態を，**スプロール**（虫食い）**現象**という。

よって，**4**が正しい。

# 第2章 生活と産業

## 試験別出題傾向と対策

| 試験名 | | 国家総合職 | | | | | 国家一般職 | | | | | 国家専門職（国税専門官） | | | | |
|---|---|---|---|---|---|---|---|---|---|---|---|---|---|---|---|---|
| 頻出度 | 年度 | 21-23 | 24-26 | 27-29 | 30-2 | 3-5 | 21-23 | 24-26 | 27-29 | 30-2 | 3-5 | 21-23 | 24-26 | 27-29 | 30-2 | 3-5 |
| | テーマ ／ 出題数 | 0 | 0 | 2 | 3 | 0 | 1 | 2 | 0 | 1 | 2 | 1 | 3 | 0 | 0 | 1 |
| A | 4 世界の農業 | | | 1 | 1 | | | 1 | | | | 1 | 1 | | | 1 |
| A | 5 世界の鉱工業 | | | 1 | 2 | | 1 | 1 | | 1 | 2 | | 1 | | | |
| B | 6 水産業・林業と貿易 | | | | | | | | | | | | 1 | | | |

本章は，世界の農業，鉱工業，水産業，林業，貿易という最も地理らしい分野である。この分野のテーマのうちほぼ1問が出題されている。

世界の農業では，農業地域の特徴と分布（地図からが多い），主要農作物に生産国と輸出入が出題されている。

鉱工業ではエネルギー，鉱産資源の用途と生産国，貿易などが出題されている。

水産業では主要漁場と代表的漁獲物。各森林の特徴と環境問題。貿易でASEAN諸国，先進工業国，ラテンアメリカ諸国などが出題されている。内容は基本的な事項が中心で，比較的平易である。

### ●国家総合職

農畜産物の生産量などから国名を判断する問題などが多く出題されていたが，最近ではAおよびC分野をまとめた世界の農林水産業（令和元年度）に関する基本的な問題が出題されている。

エネルギー資源や鉱産資源の用途や産出国，貿易などをはじめ，新エネルギーやレアメタルなどが出題されている。

### ●国家一般職

主要国の農牧業や世界の水域別漁獲量，バイオエタノールなどを含めた世界のエネルギー事情（令和３年度），世界の主要国の工業地域（令和４年度）などこれまでとほぼ同じ分野から出題された。いずれも難問ではなく，基本的事項を押さえていれば容易に解ける問題が多い。

### ●国家専門職

世界の農業（令和４年度），世界の水域別漁獲量，森林面積や世界の鉱物資源などすべての分野から出題されている。内容は基本的で難しくない。鉱物資源では話題のレアメタル（タングステン，コバルト，クロムなど）が出題され，戸惑

| | 地方上級（全国型） | | | | | 地方上級（東京都） | | | | | 地方上級（特別区） | | | | | 市役所（C日程） | | | | |
|---|---|---|---|---|---|---|---|---|---|---|---|---|---|---|---|---|---|---|---|---|
| | 21-23 | 24-26 | 27-29 | 30-2 | 3-4 | 21-23 | 24-26 | 27-29 | 30-2 | 3-5 | 21-23 | 24-26 | 27-29 | 30-2 | 3-5 | 21-23 | 24-26 | 27-29 | 30-2 | 3-4 |
| | 0 | 1 | 1 | 1 | 0 | 0 | 2 | 1 | 1 | 2 | 0 | 0 | 1 | 0 | 1 | 2 | 0 | 0 | 0 | 0 |
| テーマ4 | | | 1 | | | | 1 | | | 1 | | | | | 1 | 1 | | | | |
| テーマ5 | | 1 | | | | | 1 | 1 | 1 | 1 | | | 1 | | | 1 | | | | |
| テーマ6 | | | | 1 | | | | | | | | | | | | | | | | |

った人が多かったようである。

### ●地方上級

**全国型**では，本分野からの出題は少ない。しかし，米・小麦などの国別生産量や分布，世界の主要漁場，森林地域などや産油国，先進工業国の貿易，鉱物資源（平成26年度）などから出題された。

**関東型**は，全国型とほぼ同じ問題であった。先進工業国の貿易などは出題されなかった。

**中部・北陸型**は，全国型とほぼ同じであったが，世界の農業地域や鉱物資源，農作物の貿易，水産業では独自の問題が出題された。

### ●東京都

世界の農業（令和４年度），世界の農業地域の特徴（平成15年度・20年度），各国の食料自給率（平成26年度），エネルギー・鉱物資源（令和元年度・５年度）などこの分野からの出題は多い。いずれも基本的な内容であるが，基本を押さえていないと，迷う問題もあった。

### ●特別区

世界の農業地域の特徴や原油の生産国（平成29年度）から出題されたが，ほぼ同じ分野から出題されたことがない。なお，内容は極めて基本的で，難問はほとんどない。

### ●市役所

世界の農業地域の特徴，アメリカ合衆国の農業・鉱工業（平成27年度）が出題された。いずれも基本的な問題であり，ポイントを押さえておけば十分対処できる。

# 世界の農業

## 必修問題

**世界の農林水産業に関する記述として最も妥当なのはどれか。**

【国家総合職・令和元年度】

**1** **混合農業**は，輪作や牧畜を組み合わせる農業として古代のギリシャやローマで行われていた**三圃式農業**から発達した農業形態であり，小麦や大麦などの作物を栽培するとともに，牛や鶏などを飼育するものである。その後，米国北部からカナダ南部にかけての太平洋沿岸部やオーストラリア南東部などで，機械化を進め，小麦やトウモロコシなどの生産と，牛や豚の飼育を大規模に展開する農業形態へと発展している。

**2** **園芸農業**は，果樹，野菜，花きの栽培を，多くの資本を投入して主として大都市周辺で集約的に行う農業形態であるが，輸送機関の発達に伴って，市場から遠い地域でも行われている。スペインからはリンゴやサクランボなどの果物が，オランダからはチューリップなどの花きが，我が国に大量に空輸されている。さらに，最近では，**プランテーション農業**を発展させた園芸農業が南アジア地域で進められ，スリランカからカカオやバナナが我が国に大量に空輸されている。

**3** 牧畜業には，放牧，**酪農**，**企業的牧畜**などの形態がある。企業的牧畜は，広大な牧草地や放牧地，フィードロットなどを備えた牧場で，牛や羊の飼育を大規模に行っており，ブラジルの**パンパ**やニュージーランドの**カンポ**といった草原地域で展開されている。米国の大西洋沿岸部の**フロストベルト**と呼ばれる農業地域では，伝統的工業生産に代わって**アグリビジネス**が発達し，家畜生産から食肉加工まで一貫して行われており，我が国にも牛肉などが輸出されている。

**4** 木材の供給基盤となる森林には，熱帯林，温帯林，冷帯林（亜寒帯林）がある。このうち，**熱帯林**では，主に常緑針葉樹の天然林が，パルプ用材，建築用材などに利用され，**冷帯林**では，落葉広葉樹と落葉針葉樹の混合林（混交林）の人工林が，建築用材，家具材などに利用されている。また，森林は，水源涵養や土砂災害の防止，二酸化炭素やフロンなどの温室効果ガスの吸収，生物多様性の維持など様々な機能を持つことから，その保全も求められている。

**5** 世界の主な漁場は，**大陸棚**や**バンク**（浅堆）など浅い水域に発達している。このような水域は，海底まで太陽光が達し，深層の豊富な栄養分を上層に運ぶ湧昇流が起きやすく，プランクトンの繁殖が盛んで多くの魚が集まる。さらに，日本近海には暖流の黒潮と寒流の親潮の潮目があり，北部ではサンマなどが，南部ではサバなどが漁獲されている。ペルーやチリ北部の沿岸では**アンチョビ**が漁獲され，食用のほか，魚粉に加工されたものは飼料や肥料として輸出されている。

難易度　＊＊



## 必修問題の解説

混合農業の成立，作物，地域（**1**），園芸農業とその貿易（**2**），牧畜業・企業的牧畜（**3**），林業（**4**），漁業（**5**）などに関して基本的な事項を出題している。

**1×** 混合農業は，地力の回復を兼ねる輪作や牧畜を組み合わせた農業である。
**混合農業**は中世ヨーロッパの**三圃式農業**から発達した。中部ヨーロッパでは，小麦・ライ麦と根菜類や飼料作物を輪作で栽培し，牧畜業を営む。アメリカの**コーンベルト**ではとうもろこしと豚・肉牛の飼育が盛ん。

**2×** 園芸農業は大都市近郊で盛んで，近郊農業の形式が多い。
**園芸農業**の記述は正しいが，我が国はスペインからリンゴやサクランボは輸入していない。また，南アジアでは，園芸農業はほとんど見られない。また，スリランカからカカオやバナナは輸入していない。

**3×** 牧畜業には，遊牧，酪農，企業的牧畜などの形態がある。
**企業的牧畜**は，アメリカの**グレートプレーンズ**，ブラジルの**カンポ**，アルゼンチンの**パンパ**などの大牧場で展開されている。**フロストベルト**は，アメリカ北部で発達した古い工業地域。**アグリビジネス**の記述は正しい。

**4×** 用材としての木材生産は，亜寒帯林が中心。
熱帯林は常緑広葉樹が木材や紙生産などに利用されているが，農地開発などによる**森林破壊**が問題になっている。亜寒帯林（冷帯林）は針葉樹が多く，建築用材や家具材などに利用されている。なお，森林はフロンガスを吸収しない。

**5◎** 世界最大の漁獲量を誇る海域は，太平洋北西部である。
正しい。なお，国別の漁業生産量（2020年）では，中国が第1位，次いでインドネシア，ペルーの順。日本は8位である。

**正答 5**

## FOCUS

農業では米・小麦・とうもろこしなどの主要穀物や，プランテーション，混合農業，企業的牧畜，地中海式農業などが頻出。主要栽培（生産）地域，貿易などと関連づけて理解しておくこと。統計資料は最新のものでチェック。

## POINT

### 重要ポイント 1 世界の農業地域

**(1) 自給的農業**

| 農業地域 | 特徴 | 農畜産物 | 地域 |
|---|---|---|---|
| 遊牧 | 水・草を求めて家畜とともに移動。 | トナカイ ………<br>らくだ・羊 ……<br>やぎ | 北極海沿岸<br>中央アジア・北アフリカ |
| オアシス農業 | 外来河川の水，湧水地から地下水路で灌漑。 | なつめやし，綿花，小麦 | 砂漠やステップの周辺 |
| 焼畑農業 | 森林や原野を焼いて耕地を作り，草木灰を肥料として作物を栽培。 | キャッサバ，タロイモ，陸稲，バナナ | アフリカ，南米，インド，東南アジアの熱帯地域 |
| アジア式稲作農業 | モンスーンアジアの沖積平野で，稲作を中心とした伝統的農業。家族労働中心で労働生産性低い。 | 米（生産量は中国，インド，輸出量はタイが多い） | 日本，中国（チンリン山脈・ホワイ川を結んだ線以南），東南アジア，インド |
| アジア式畑作農業 | アジアの比較的降水量の少ない地域や冷涼な地域で畑作物を栽培。小規模経営。 | 小麦・こうりゃん …<br>綿花 …………… | 中国東北部，華北<br>デカン高原 |

**(2) 商業的農業**

| | | | |
|---|---|---|---|
| 混合農業 | 中世ヨーロッパの三圃式農業から発展。<br>穀物と飼料作物を組み合わせた農業形態。<br>家畜（牛・豚・家禽） | 穀物（小麦，ライ麦），飼料作物（えん麦，てんさい，とうもろこし，じゃがいも） | ドイツ，フランス，アメリカ合衆国（コーンベルト），アルゼンチン（パンパ） |
| 酪農 | 乳牛を飼育し，牛乳を絞り，生乳・クリーム・バター・チーズなどに加工する集約的な有畜農業。 | 乳牛 | 北欧，アメリカ合衆国（五大湖沿岸），スイス〈移牧〉 |
| 地中海式農業 | 地中海性気候下で行われている。夏は乾燥するので耐乾性の作物を栽培。冬は比較的降水があるので小麦，野菜を栽培。 | 耐乾性の作物（オリーブ，ぶどう，柑橘類）羊・やぎ | 地中海沿岸，カリフォルニア州，チリ中部，南ア共和国南端 |
| 園芸農業 | 資本や労働力，高度な技術を投入して，野菜，果樹，花卉（かき）などを集約的に栽培する農業。 | 野菜，果樹，花卉 | アメリカ合衆国（大西洋岸，フロリダ半島，メキシコ湾岸），オランダ |

### （3）企業的農業

| | | | |
|---|---|---|---|
| 企業的穀物農業 | 大資本を投入し，広大な土地で大型農業機械を利用。高い労働生産性。国際競争力に強い。 | 小麦が中心 | 北米（プレーリー），パンパ，オーストラリア南東部 |
| 企業的牧畜業 | 世界市場を背景に，主に新大陸の草原地域で大規模に牧畜を行い，羊毛・皮革・肉類の販売をする。 | 肉牛，羊 | アメリカ合衆国（グレートプレーンズ），パンパ，オーストラリア内陸部 |
| プランテーション農業 | 熱帯・亜熱帯で欧米人の資本，技術，現地人や移民の労働力を利用し，適地適作の単一耕作（モノカルチャー）を行う。 | Af気候（天然ゴム，茶，カカオ），Aw気候（さとうきび，コーヒー，綿花） | 東南アジア，アフリカ，南アメリカ，カリブ海の島々 |

## 重要ポイント 2 主要農作物生産国，輸出国，輸入国

（2021年）

| 農作物 | 生産国 | 輸出国 | 輸入国 |
|---|---|---|---|
| 米 | 中国，インド，バングラデシュ，インドネシア，ベトナム，タイ | インド，タイ，ベトナム，パキスタン，USA | 中国，フィリピン，サウジアラビア，コートジボワール，ガーナ |
| 小麦 | 中国，インド，ロシア，USA，フランス | ロシア，オーストラリア，USA，カナダ，ウクライナ | インドネシア，中国，トルコ，アルジェリア |
| とうもろこし | USA，中国，ブラジル | USA，アルゼンチン | メキシコ，日本 |
| 大豆 | ブラジル，USA，アルゼンチン | ブラジル，USA | 中国，アルゼンチン |
| 茶 | 中国，インド，ケニア | ケニア，中国，スリランカ，インド | パキスタン，ロシア，イギリス，USA |
| コーヒー豆 | ブラジル，ベトナム，インドネシア，コロンビア | ブラジル，ベトナム | USA，ドイツ |
| カカオ豆 | コートジボアール，ガーナ，インドネシア | コートジボアール，ガーナ，ナイジェリア | オランダ，ドイツ |
| ※ 綿花 | インド，中国，USA，ブラジル，パキスタン | USA，ブラジル，インド | 中国，ベトナム |
| ※ 羊毛 | 中国，オーストラリア，ニュージーランド | オーストラリア，ニュージーランド | 中国，インド，イギリス |

（出典）『日本国勢図会　2023/24年版』，※は『世界国勢図会　2022/23年版』

## 実戦問題❶　基本レベル

＊＊
**No.1　世界の農業に関する記述として，妥当なのはどれか。**

【地方上級（東京都）・令和４年度】

**1**　園芸農業は，北アメリカや日本などの大都市近郊で見られる，鉢花や切花など，野菜以外の観賞用植物を栽培する農業であり，近年は輸送手段の発達とともに，大都市から遠く離れた地域にも出荷する輸送園芸農業が発達している。

**2**　オアシス農業は，乾燥地域において見られる，外来河川や湧水池などを利用した農業であり，イランではフォガラと呼ばれる人工河川を利用して山麓の水を導水し，オリーブなどを集約的に栽培している。

**3**　企業的穀物農業は，アメリカやカナダなどで見られる，大型の農業機械を用いて小麦やトウモロコシなどの穀物の大規模な生産を行う農業であり，土地生産性が高いものの労働生産性は低い。

**4**　混合農業は，ドイツやフランスなどの中部ヨーロッパに広く見られる，中世ヨーロッパの三圃（さんぽ）式農業から発展した農業であり，穀物と飼料作物を輪作で栽培するとともに，肉牛や鶏などの家畜を飼育している。

**5**　地中海式農業は，アルジェリアやモロッコなどの地中海沿岸地域に特有の農業であり，夏には小麦や大麦などの穀物が，冬には柑橘（かんきつ）類やブドウなどの樹木作物が栽培されている。

**No.2** ＊＊ **5種類の農作物，茶，さとうきび，とうもろこし，綿花，じゃがいものいずれかに関する次の記述のうち，下線部分が正しいのはどれか。**

【地方上級（全国型）・平成７年度改題】

**1** 新大陸原産で世界中で広く栽培されているが，世界最大の生産国はアメリカで，世界の生産高の45％を生産している。日本では，穀類の中で最も消費量が多いが，関東地方を中心にごく少量生産しているだけで，自給率はゼロに等しい。

**2** 熱帯モンスーン気候またはサバナ気候の地域で主にプランテーションによって栽培され，キューバ，ブラジルの産物として知られている。日本では，関東地方で少量栽培されているにすぎない。

**3** 中国，インド，アメリカで，世界の生産高の半分以上を占め，パキスタン，ブラジルも生産量が多い。日本では，今ではほとんど栽培されていないが，江戸時代から明治前期までは近畿，中部，中国地方の重要な商品作物であった。

**4** インドのアッサム地方の原産で，主としてアジアのモンスーン地帯で栽培されており，世界一の栽培国であるインドでは，北東部でのプランテーション作物として栽培されている。日本では沖縄で最も生産量が多い。

**5** 新大陸原産の作物であるが，今では世界各地で盛んに栽培され，北ドイツ平原の砂地の畑では，ライ麦と並んで主要作物になっている。日本では九州地方で最も生産量が多い。

**No.3** ＊＊ **世界の農牧業に関する次の記述のうち妥当なものはどれか。**

【市役所・平成21年度】

**1** 焼畑農業では一度焼畑を行うと何十年も土地が利用できなくなるなど，土地生産性が低いため，耐乾性の小麦，ぶどうなどの栽培が中心となっている。

**2** 遊牧は主に寒冷地でトナカイを使って行われるが，高山地域のチベット高原ではリャマを使い，アンデス山脈ではヤクを使用して行われている。

**3** アジア式稲作農業は水田で集約的に行われる農業で，インドや中国で行われており，特に稲作は土地生産性が高い。

**4** オアシス農業は１年中降水量がある熱帯地域で行われ，イランではカナート，北アフリカではフォガラと呼ばれる地下水路が発達している。

**5** 混合農業はヨーロッパ中部で行われている穀物の栽培と家畜の飼育を結びつけた農業のことで，小麦，エン麦などが栽培されている。

**No.4** ＊＊＊ **世界の農業に関する記述Ａ～Ｄのうち，妥当なもののみを挙げているのはどれか。** 【国税専門官・平成23年度】

Ａ：アメリカ北部から中西部においては，第一次世界大戦後に導入されたタウンシップ制により公有地が分割され，黒人奴隷を労働力とした大規模かつ効率的な商業的農業が強化されていった。現在も，五大湖周辺では世界有数の綿花地帯が，その南から中西部にかけてのグレートプレーンズには世界最大規模の混合農業地帯が広がっている。

Ｂ：中国の東部では，黄河や長江などの大河川によって沖積平野が形成されており，国の人口と耕地の大部分が集中している。このうち，東北や華北では水田地帯が広がり稲作が中心である一方，華中や華南においては小麦や大豆の栽培をはじめとする畑作に加え，茶やサトウキビなどの工芸作物の栽培も行われている。

Ｃ：ヨーロッパの伝統的な農業は，アルプス山脈を境にして，南側の地中海式農業と北側の混合農業とに大別される。現在では，地域ごとに特定部門への専門化が進んでおり，北フランス，北イタリアなどでは小麦などの穀物の単一栽培が行われ，オランダでは野菜や花卉（かき）を栽培する園芸農業，デンマークなど冷涼な地域では酪農が発達している。

Ｄ：アフリカでは，植民地時代にプランテーション農業が発達し，輸出用の商品作物が単一耕作されるようになった。独立後の現在も，自給的作物よりも外貨獲得のための商品作物の栽培が重視される傾向があり，ギニア湾岸でのカカオの栽培，ケニアでの茶の栽培など，特定の一次産品を輸出する経済構造がみられる。

**1** Ａ，Ｂ
**2** Ａ，Ｃ
**3** Ａ，Ｄ
**4** Ｂ，Ｄ
**5** Ｃ，Ｄ

## 実戦問題1の解説

### No.1 の解説　世界の農業

→問題はP.292　正答4

**1 ×** 園芸農業は都市向けに新鮮な野菜・果実・花卉などを集約的に栽培。
園芸農業には，**近郊農業**と**遠郊農業**（輸送園芸）があり，アメリカ合衆国，オランダ，日本などの大都市近郊で，大市場向けに行われている。交通手段の発達とともに都市から離れた地域で遠郊農業が盛んになった。

**2 ×** イランの人工河川（地下水路）の名称はカナート。
オアシス農業の見られる地域や外来河川，人工河川の記述は妥当であるが，人工河川は**カナート**である。フォガラは北アフリカの地下水路。なお，オリーブは地中海式農業の代表的作物である。

**3 ×** 企業的穀物農業の経営規模は極めて大きく，機械化が進んでいる。
**企業的穀物農業**は，アメリカ，カナダ，アルゼンチン，オーストラリアなどの新大陸で見られる。大型農業機械を用いて小麦やトウモロコシなどの穀物を大規模に生産するという記述は妥当だが，労働生産性は著しく高いものの土地生産性は低い。

**4 ◎** 混合農業は食用の小麦・ライ麦，飼料用の根菜類，えん麦などを栽培。
中世の**三圃式農業**から発展した農業。肉牛，豚，羊，鶏などを舎飼いする。土地生産性と労働生産性はともに高い。アメリカ中西部の**コーンベルト**では，トウモロコシで肉牛や豚を肥育している。

**5 ×** 地中海式農業は，夏季の乾燥に耐える作物の栽培に特徴がある。
**地中海式農業**は，夏乾燥，冬多雨の地中海性気候の地域（地中海沿岸，アメリカのカリフォルニア，チリ中部，オーストラリア南西部など）で行われている農業。夏季の乾燥に強いオリーブやコルクがし，ぶどうや柑橘類を栽培，冬季は降雨を利用した小麦栽培，ヤギや羊などの飼育もしている。

### No.2 の解説　主要農作物の生産地

→問題はP.293　正答3

**1 ×** とうもろこしに関する記述。生産量は北海道（36.9%）が最も多く，ついで千葉県（7.8%），茨城（6.8%）である。なお自給率はほぼ０％である（2021年）。

**2 ×** さとうきびに関する記述。日本では沖縄，鹿児島の２県で生産されている。

**3 ◎** 正しい。綿花に関する記述。日本でも近世には畿内を中心に換金商品作物として盛んに栽培され，国内需要を賄っていた。

**4 ×** 茶に関する記述。日本で最も生産量が多いのは静岡県（38.0%），次いで鹿児島県（33.9%）である（2021年）。

**5 ×** じゃがいもに関する記述。日本では圧倒的に北海道の生産量が多く，77.5%を占めている。次いで鹿児島県（4.2%）である（2021年）。

## No.3 の解説　世界の農牧業

→問題はP.293　**正答5**

**1 ×** **焼畑農業は，短期の耕作と長期の休耕を組み合わせた粗放的農業。**
**焼畑農業**は，主に熱帯地域で森林や草原を焼いてその灰を肥料にし，キャッサバやタロイモ・陸稲などを栽培する原始的農業である。焼畑農業は早く地力が衰えるため，他の地域に移動し，同様のことを繰り返す。耐乾性の小麦やぶどうの栽培が中心なのは**地中海式農業**である。

**2 ×** **遊牧は，水や草を求めて家畜とともに移動する牧畜。**
**遊牧**は寒冷地の他，乾燥地域，高山地域でも行われている。チベット高原ではヤクを，アンデス山脈ではリャマ・アルパカの遊牧が，乾燥地域ではラクダ・羊・ヤギなどの遊牧が見られる。

**3 ×** **アジア式稲作農業は，小規模経営で労働集約的農業。**
**アジア式（集約的）稲作農業**はモンスーンアジアの沖積平野で行われている。労働集約的であるが，土地生産性は低い。

**4 ×** **オアシス農業は，乾燥地域で水源を地下水に依存した農業。**
オアシス農業は，主に乾燥地域で，河川や湧水，地下水等の農業用水を利用した灌漑農業で，なつめやし，綿花，さとうきびなどを栽培している。蒸発を防ぐため，**カナート**（イラン），**フォガラ**（北アフリカ），カレーズ（アフガニスタン）などの地下用水路が発達している。

**5 ◎** **混合農業は，ヨーロッパで中世の三圃式農業から発達した。**
正しい。**混合農業**は，地力の回復を兼ねる輪作と牧畜を組み合わせた農業。ドイツやフランス，アメリカ合衆国などで見られる。穀物，根菜類，飼料作物などの栽培と肉牛・豚・鶏などの飼育を組み合わせている。

## No.4 の解説　世界の農業

→問題はP.294　**正答5**

**A ×** 誤り。**タウンシップ制**はアメリカとカナダの公有地分割制度。なお，五大湖周辺は酪農地域で，綿花地域は南部である。また，**グレートプレーンズ**は西経100度線の西側に広がる台地状の大平原。ステップ気候なので放牧が中心であったが，最近は灌漑農業が発達し，とうもろこし栽培が盛んになってきた。

**B ×** 誤り。中国では，華北は黄河の流域を中心に畑作（小麦，とうもろこし）が，南部は華中の長江，華南のチュー川流域で稲作が盛んである。

**C ○** 妥当である。南ヨーロッパでは，アルプス山脈の南側では地中海式農業が，北部では**混合農業**が盛んである。

**D ○** 妥当である。アフリカでは現在もプランテーション農業が盛んで，カカオ豆の輸出はコートジボワールやガーナが多い。また，茶の輸出量はケニアが世界第１位である。(統計は2021年)。よって，正答は**5**である。

## 実戦問題2 応用レベル

**No.5** ＊＊ **A～E国は畜産業の盛んなニュージーランド，イラン，デンマーク，アルゼンチン，モンゴルのいずれかである。各国の状況に関する記述として妥当なのは，次のうちどれか。** 【地方上級（全国型）・平成９年度】

A国――国の経済基盤を畜産業に置き，森林を開発してつくった改良牧草地や品種改良の進んだ牛・羊の多頭飼育により労働生産性の極めて高い牧畜を行っている。消費地から遠いにもかかわらず，国際競争力が強い。

B国――古くは皮革や羊毛を主とする粗放的な畜産業であったが，19世紀後半に画期的な輸送手段が発明されてから，肉牛の生産が増大した。牧草としてアルファルファが栽培されている。

C国――畜産は国の基幹産業で，就業人口の３分の１が農牧畜業に従事する。農牧民は古くからの遊牧民で，ゲルと呼ばれるテントに住み，羊，山羊，馬，牛，ラクダなどの遊牧を行っている。

D国――国土の広い範囲が湖沼の多い氷食地形のやせ地であるが，熱心な土地改良の結果，今では国土の３分の２が農地となり，輪作農業と結びついた集約的な酪農が発達している。酪農品の国際競争力が強い。

E国――畜産は主として遊牧民の生業であり，国土中央部の乾燥した高原で夏は山麓，冬は平原に定期的に移動して羊や山羊を飼育する。羊毛を原料とする伝統的な手工芸品が知られる。

**1** A国は肉類の輸出高が世界一である。
**2** B国では輸送手段が鉄道から自動車に代わり，近隣諸国への輸出が伸びた。
**3** C国では家畜の飼育に必要な水はカナートによって賄われている。
**4** D国の農業は協同組合組織によって運営されており，農民の生活水準が高い。
**5** E国ではこの手工芸品が輸出額の大部分を占める。

**No.6** ＊＊ **次の国（地域）の気候区分，代表的な農業区分の組合せとして，妥当なのはどれか。** 【地方上級・平成12年度】

| | 国（地域） | 気候区分 | 代表的な農業区分 |
|---|---|---|---|
| **1** | オランダ | 地中海性気候 | 商業的農業（園芸農業） |
| **2** | ニュージーランド | 温暖湿潤気候 | 企業的農業（牧畜業） |
| **3** | アルゼンチン（パンパ） | サバナ気候 | 企業的農業（穀物農業） |
| **4** | アメリカ合衆国（五大湖周辺） | 冷帯湿潤気候 | 商業的農業（酪農） |
| **5** | ウクライナ | ステップ気候 | 企業的農業（牧畜業） |

＊＊
**No.7 下表は，各国の品目別の食料自給率を表したものであるが，A～Eに該当する国名の組合せとして，妥当なのはどれか。**

【地方上級（東京都）・平成26年度改題】

各国品目別の食料自給率

（単位：%）

| | A国 | B国 | C国 | D国 | E国 |
|---|---|---|---|---|---|
| 穀　類 | 28 | 61 | 97 | 116 | 181 |
| いも類 | 73 | 55 | 89 | 102 | 92 |
| 野菜類 | 79 | 151 | 42 | 84 | 93 |
| 果実類 | 38 | 104 | 12 | 61 | 103 |
| 肉　類 | 52 | 81 | 75 | 114 | 166 |
| 魚介類 | 53 | 17 | 65 | 64 | 33 |

（注）・数値は2019年のものであり，重量ベースである。
・穀類とは，米，小麦，裸麦，雑穀を指す。
・いも類とは，かんしょ，ばれいしょを指す。
・野菜類とは，緑黄色野菜20品目及びその他の野菜31品目を指す。
・果実類とは，みかん，りんご及びその他の果実19品目を指す。
・肉類とは，牛，豚，鶏，鯨，馬，めん羊，やぎ及びうさぎを指す。
・魚介類とは，魚類，貝類，その他の水産動物（いか，たこ，えび等），海産ほ乳類（鯨は除く）のすべてを指す。

（出典：農林水産省「食料需給表」及びFAOSTATより作成）

| | A | B | C | D | E |
|---|---|---|---|---|---|
| **1** | イギリス | イタリア | 日本 | オーストラリア | アメリカ |
| **2** | イギリス | アメリカ | 日本 | イタリア | オーストラリア |
| **3** | イタリア | イギリス | 日本 | アメリカ | オーストラリア |
| **4** | 日本 | イギリス | イタリア | オーストラリア | アメリカ |
| **5** | 日本 | イタリア | イギリス | アメリカ | オーストラリア |

# 実戦問題 2 の解説

## No.5 の解説　畜産の盛んな５か国の状況

→問題はP.297　正答４

**1** × A国は牧畜が盛んで，消費地から遠いという点でニュージーランドである。肉類の輸出高が世界一なのはアメリカ合衆国。

**2** × B国はアルゼンチンである。19世紀後半に発明された画期的な輸送手段とは冷凍船のこと。これにより生肉の輸送が可能となった。

**3** × C国は農牧民が**ゲル**に住むという点でモンゴル。**カナート**はイランの地下灌漑水路のこと。

**4** ◎ 正しい。D国は熱心な土地改良の結果，国土の約３分の２が農地となり，酪農が発達しているデンマーク。同国は，協同組合が生産から輸出まで行う。

**5** × E国はイランである。乾燥した高原はイラン高原。イランの輸出額の大部分は原油である。

## No.6 の解説　気候区分，代表的な農業区分の組合せ

→問題はP.297　正答４

**1** × オランダは，**西岸海洋性気候**で，園芸農業（球根類）や酪農が盛んである。

**2** × ニュージーランドは，**西岸海洋性気候**で，北島では酪農，南島では小麦の栽培や牧羊が盛んである。農業形態は商業的である。

**3** × パンパは，東部が**温暖湿潤気候**，西部が**ステップ気候**。農業は東部で混合農業・企業的穀物農業，西部では企業的牧畜業が盛んである。

**4** ◎ 正しい。

**5** × ウクライナは**ステップ気候**であるが，肥沃な黒土の**チェルノーゼム地帯**は，世界有数の小麦産地である。

## No.7 の解説　各国の品目別食料自給率

→問題はP.298　正答５

A：どの品目も自給率が100%未満なので日本が該当する。

B：穀類の自給は達成できていないが，果実類の自給率が他の４か国に比べて際立って高いので地中海式農業が行われるイタリアが該当する。

C：政策として自給率の向上を図り，小麦については輸出もできるようになったイギリスが該当する。

D・E：ともに穀類と肉類の自給率が高いので**企業的農牧業**が行われ，世界の穀類や肉類の市場で高い地位を占めるアメリカとオーストラリアが該当する。穀類も肉類も生産量はアメリカのほうが多いが，オーストラリアは人口がアメリカの13分の１なので自給率は高くなる傾向にある。したがって，Dがアメリカ，Eがオーストラリアである。

よって，**5**が妥当である。

# 世界の鉱工業

## 必修問題

**世界のエネルギー事情に関する記述として最も妥当なのはどれか。**

【国家一般職・令和３年度】

**1**　産業革命以前における主要なエネルギー資源は石炭であったが，産業革命を契機に石油へと変化した。ヨーロッパの主な油田があったロレーヌ地方やザール地方は，フランスとスペインの国境付近にあったため，その領有問題は両国間の紛争を引き起こした。

**2**　第二次世界大戦後，西アジアなどの産油国で油田の国有化が進み，石油輸出国機構（OPEC）が設立された。この結果，原油価格が大幅に値上がりしたため，**石油メジャー**と呼ばれる欧米の巨大企業が世界の油田開発を独占することで，供給量と価格の安定化を実現した。

**3**　地中の地下水に含まれる天然ガスを**シェールガス**という。シェールガスはこれまで採掘することが難しかったが，技術の進歩により2000年代に中国で生産が急増し，2012年，中国は米国を抜いて天然ガス生産量が世界一となった。

**4**　**原子力発電**は，電力エネルギー源として主として先進国で導入されてきた。中国やインドには原子力発電所は存在せず，今後も建設される予定はないが，ドイツ，フランスでは，新規の原子力発電所の建設が予定されている。

**5**　**バイオエタノール**は，サトウキビやトウモロコシなどを原料として作るエタノールで，再生可能なエネルギーとして注目されている。2014年における主な生産国は米国とブラジルで，世界の生産量の半分以上はこれらの２国で生産された。

難易度　＊＊

## 必修問題の解説

エネルギーに関する問題である。産業革命から現在までの主要エネルギー：石炭（**1**），石油（**2**），天然ガス（**3**），原子力発電（**4**），バイオエタノール（**5**）に関し，多角的に設問が設定されている。それぞれが基本的な問題なので，容易に解答できるはずであるが，少し範囲を広げて考えてみたい。統計などは新しい物を使用したい。



**1 ×** **フランスのロレーヌ地方は鉄鉱石，ドイツのザール地方は石炭の産地。**
産業革命以降，蒸気機関や動力機械が使用され，石炭の消費が進んだ。産業革命以前のエネルギー資源は，薪，炭，水力，風力などの資源を小規模に利用していたが，産業革命を契機に石炭中心になった。ザール地方は重工業が発達したが，国境近くのため帰属先をめぐり紛争が起こった。

**2 ×** **石油をめぐり産油国と石油メジャーが対立し，石油の価格などに影響した。**
第二次世界大戦後，石油価格が大幅に値上がりしたのは，**石油メジャー**が石油価格を引き下げたことに反発した西アジアなどの産油国が油田を国有化し，**OPEC**（石油輸出国機構）などを結成し価格決定権を得たためである。

**3 ×** **シェールガス生産量の世界一は，アメリカ合衆国である。**
21世紀に入ると，アメリカ合衆国がこれまで採掘が難しかった頁岩（シェール）層から天然ガスや石油の採掘を進め，エネルギー事情が大きく変化した（シェール革命）。現在（2020年）もアメリカ合衆国が世界一の生産国である。なお，埋蔵量は中国が世界一である。

**4 ×** **フランスの発電エネルギー源別割合で最も多いのは原子力。**
中国・インドとも原子力発電所は存在し，稼働している。ドイツは今後の原子力発電所の建設予定はなく，2023年に最後の原子力発電所の稼働が停止した。フランスは今後も原子力発電所の建設予定がある。

**5 ◎** **バイオエタノールはサトウキビやトウモロコシなどを原料にしている。**
バイオエタノール生産量（2020年）は，アメリカ合衆国（35.9%），ブラジル（23.6%），インドネシア（7.5%），中国，ドイツの順である。

**正答 5**

## FOCUS

鉱工業では，エネルギー資源，鉱産資源，工業地帯が三本柱である。エネルギー資源では各国のエネルギー構成と変遷，鉱産資源では主要生産国と輸出国，工業地帯はアメリカ合衆国とヨーロッパ，中国が頻出している。

# POINT

## 重要ポイント 1 エネルギー資源

### (1) 石炭の主要生産国と炭田

(2020年)

| 主要生産国 | 生産量割合 | 輸出量順位 | 主要炭田 |
|---|---|---|---|
| 中国 | 57.4% | | フーシュン，カイロワン，タートン，ピンシャン |
| インド | 10.5% | | ダモダル |
| インドネシア | 8.1% | 1位 | テンガロン |
| オーストラリア | 6.3% | 2位 | モーラ，ニューカッスル |
| ロシア | 4.9% | 3位 | クズネツク，ウラル，チェレンホヴォ |
| 南アフリカ共和国 | 3.6% | 4位 | トランスヴァール |

※輸出量第5位はコロンビア，6位はアメリカ合衆国。中国は世界最大の石炭輸入国でもある。

### (2) 原油の主要生産国と油田

(2021年)

| 主要生産国 | 生産量割合 | 輸出量順位 | 主要油田 |
|---|---|---|---|
| アメリカ合衆国 | 18.5% | 4位 | 内陸，メキシコ湾岸，ブルドーベイ，アパラチア |
| サウジアラビア | 12.2% | 1位 | ガワール，サファニア，カフジ |
| ロシア | 12.2% | 2位 | ヴォルガ，ウラル，チュメニ |
| カナダ | 6.0% | 5位 | アルバータ |
| イラク | 4.6% | 3位 | キルクーク |
| 中国 | 4.4% | | ターチン，ションリー，ターカン，カラマイ |

※輸出量第6位はアラブ首長国連邦，7位はクウェート。輸入量世界一は中国，2位はアメリカ合衆国。

※日本の輸入相手先（2022年）はサウジアラビア（38.1％），アラブ首長国（37.9％），クウェート（8.1％）の順で，中東への石油依存度は約94％。リスク回避のため中東依存度を下げることは長期的な課題。

### (3) 天然ガス

アメリカ合衆国（23.1％），ロシア（17.4％）が2大生産国。近年は，アメリカ合衆国・カナダでのシェールガス開発も進められている。

### (4) バイオマスエネルギー

さとうきび・とうもろこしを発酵蒸留してつくられたのがバイオエタノール。利用が急増することで，途上国の食料・肉類の価格の高騰をまねくことも。

### (5) 世界の発電の特徴

- **火力発電が多い**……日本・中国・南アフリカ共和国・オーストラリア・アメリカ合衆国・韓国
- **水力発電が多い**……カナダ・ブラジル・ノルウェー
- **原子力発電が多い**……フランス（69.9％）

## 重要ポイント2 鉱山資源

（2021年　※は2020年）

| | |
|---|---|
| a．**鉄鉱石** | ――オーストラリア（マウントホエールバック，ロブリヴァー），ブラジル（カラジャス，イタビラ），中国（アンシャン，ターイエ，ロンイエン），インド（シングブーム，ラーウルケーラ），ロシア（マグニトゴルスク） |
| b．**ボーキサイト**〔アルミニウムの原料〕 | ――オーストラリア（ウェイパ），中国，ギニア（フリア），ブラジル，インドネシア，インド，ジャマイカ |
| c．**銅鉱**〔電線・伸銅の原料〕 | ――チリ（チュキカマタ），ペルー，中国，コンゴ民主共和国，アメリカ合衆国（ビュート，ビンガム），オーストラリア |
| d．**鉛鉱**※〔バッテリーの原料〕 | ――中国，オーストラリア，ペルー，アメリカ合衆国 |
| e．**亜鉛鉱**〔トタンの原料〕 | ――中国，ペルー，オーストラリア，インド |
| f．**すず鉱**※〔ブリキ缶の原料〕 | ――中国，インドネシア，ミャンマー，ペルー，コンゴ民主共和国 |
| g．**ニッケル鉱**〔ステンレスの原料〕 | ――インドネシア，フィリピン，ロシア，（ニューカレドニア），カナダ，オーストラリア |

## 重要ポイント3 主要工業地帯

**a．西ヨーロッパ――産業革命の発祥地。19世紀は世界工業の中心地**

イギリス……スコットランド（エレクトロニクス），ヨークシャー（毛織物），ランカシャー（綿織物），ミッドランド（鉄鋼・自動車）
ドイツ………ルール（鉄鋼・機械・化学），ザール（鉄鋼），ザクセン（機械）
フランス……パリ（消費財），北部（石油化学），ロレーヌ（鉄鋼）
イタリア……ミラノ・トリノ・ジェノヴァ（繊維・自動車・鉄鋼・造船）

**b．アメリカ合衆国――世界最大の工業国，豊かな資源，巨大な資本**

ニューイングランド（エレクトロニクス），五大湖沿岸（鉄鋼・自動車・先端技術産業），中部大西洋沿岸（総合工業），サンベルト（エレクトロニクス・航空宇宙），太平洋沿岸（航空機・半導体・石油化学）

**c．ロシア――コンビナートからコンプレックス（地域生産複合体）へ**

ウラル（鉄鋼・機械・化学），クズネツク（金属・機械），アンガラ・バイカル（木材・機械），モスクワ（機械・自動車），サンクトペテルブルク（造船・機械）

**d．中国――豊富な資源，近年外資の積極的導入，経済特区の設置，世界の工場**

三大鉄鋼コンビナート……アンシャン，パオトウ，ウーハン
東北…………ターリエン，シェンヤン（重化学工業）
華北…………ペキン，テンチン（繊維・化学）
華中…………シャンハイ，ハンチョウ（繊維・機械）
華南…………ホンコン，コワンチョウ（繊維・機械）
経済特区……アモイ，スワトウ，シェンチェン，チューハイ，ハイナン島

## 実戦問題

**No.1**（＊＊） **次の図は，金鉱，銀鉱，鉄鉱石，ボーキサイトおよび銅鉱について全世界に占める上位５か国または６か国の生産量の割合を示したものである。A～Eと金属鉱の名称との組合せとして最も妥当なのはどれか。**

**ただし，2019年の生産量である。** 【国税専門官・平成17年度改題】

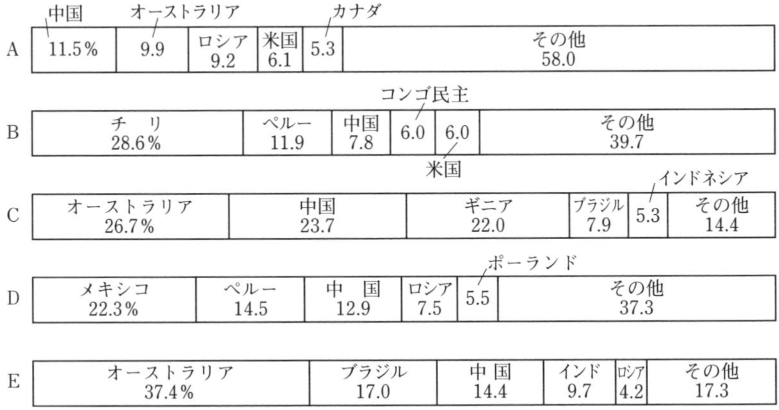


（注）『世界国勢図会 2022/23年版』より引用・加工

| | A | B | C | D | E |
|---|---|---|---|---|---|
| **1** | 金鉱 | 鉄鉱石 | ボーキサイト | 銅鉱 | 銀鉱 |
| **2** | 金鉱 | 銅鉱 | ボーキサイト | 銀鉱 | 鉄鉱石 |
| **3** | 銀鉱 | 鉄鉱石 | 金鉱 | ボーキサイト | 銅鉱 |
| **4** | 銅鉱 | 銀鉱 | 金鉱 | 鉄鉱石 | ボーキサイト |
| **5** | 銅鉱 | 鉄鉱石 | 銀鉱 | 金鉱 | ボーキサイト |

**No.2**（＊＊） **諸外国の農工業等に関する記述として最も妥当なのはどれか。**

【国家一般職・令和元年度改題】

**1** カナダでは，国土の南部で牧畜や小麦の栽培が盛んであり，米国のプレーリーから続く平原は，世界有数の小麦生産地帯となっている。また，カナダは，森林資源や鉄鉱・亜鉛・ニッケルなどの鉱産資源に恵まれているほか，西部では原油を含んだ砂岩であるオイルサンドの開発も行われている。

**2** メキシコでは，メキシコ高原に肥沃な土壌であるテラローシャが広がっており，そこではファゼンダと呼ばれる大農園でカカオやナツメヤシが栽培されている。以前はマキラドーラ制度の下で輸入品に高い関税を課し，自国の産業を保護する輸入代替工業化を行っていたが，北米自由貿易協定（NAFTA）への加盟を契機に関税を引き下げた。

**3** ベトナムでは，南部のチャオプラヤ川の河口付近で広大なデルタが形成され，流域に世界有数の農業地帯が広がる。また，1980年代から，欧州ではなく日本や韓国からの企業進出や技術導入を奨励する，ドイモイ（刷新）と呼ばれる政策で工業化が進展し，コーヒーやサトウキビなどの商品作物はほとんど栽培されなくなった。

**4** シンガポールでは，植民地支配の下で天然ゴムなどのプランテーションが数多く開かれてきたが，近年，合成ゴムの普及で天然ゴムの価格が低迷したため，油ヤシへの転換が進んでいる。工業分野では，政府主導の下，工業品の輸入や外国企業の出資比率を制限することで国内企業の保護・育成を図り，経済が発展した。

**5** オーストラリアでは，内陸の大鑽井盆地を中心に，カナートと呼ばれる地下水路を用いた牧畜が発達してきた。また，鉄鉱石やボーキサイトなどの鉱産資源の世界的な生産国であり，大陸の西側を南北に走る新期造山帯のグレートディヴァイディング山脈には，カッパーベルトと呼ばれる銅鉱の産出地帯がある。



## ＊＊＊ No.3 世界の工業等に関する記述として最も妥当なのはどれか。

【国家一般職・令和４年度】

**1** 工業立地論とは，工業が，輸送費が最小になる場所に立地する可能性について論じるものである。これに従うと，原料重量と製品重量を比較した際に，前者が後者よりも大きい場合は，工業は製品の消費市場に立地しやすい。このような工業を，市場指向型工業という。

**2** 生産コストの中で，労働賃金の比重が大きい工業を労働集約型工業といい，例として鉄鋼業が挙げられる。一方，生産活動に専門的な知識や高度な技術を必要とする工業を資本集約型工業といい，例として石油化学工業が挙げられる。

**3** 英国南西部から，フランスのルール工業地帯やスイスを経てオーストリアに至るまでの地域は，ブルーバナナと呼ばれる。この地域は第二次世界大戦後にヨーロッパの経済成長を支えたが，第一次石油危機やヨーロッパの統合の進展などを背景として，活力が低下している。

**4** 米国では，五大湖沿岸地域で発展していた重工業は20世紀後半に停滞したが，現在では再開発が進められている地域もある。その一方で，サンベルトと呼ばれる南部から西部にかけて広がる地域では，先端技術産業が発展しており，企業や人口の集中が見られる。

**5** 中国では，主に内陸部に経済特区が設けられ，国内企業が外国企業を抑え急速に成長している。今日では，大量の工業製品を輸出するようになったことで「世界の工場」と呼ばれており，2020年における名目GDPは米国と我が国に次ぐ世界第３位となっている。

## 実戦問題の解説

### No.1 の解説　世界の主な鉱産資源の生産国　→問題はP.304　正答2

**A**は**中国**が最大生産国で，以下オーストラリア，アメリカ合衆国と続くので，**金鉱**である。南ア共和国ではヨハネスバーグ近郊で，オーストラリアではカルグールリー，アメリカ合衆国ではネヴァタ州で多く生産されている。

**B**は**チリ**が世界第１位を占めているので**銅鉱**である。チュキカマタが最大の鉱山である。また，近年はコンゴ民主共和国の生産が増加している。

**C**はオーストラリアとギニアに注目する。**ボーキサイト**である。オーストラリアでは北部のウェイパ，ギニアはフリアが最大の鉱山である。

**D**はメキシコ，ペルーの生産が多いので，**銀鉱**である。メキシコではチワワ，ペルーではセロデパスコが有名である。

**E**はオーストラリア，ブラジル，中国，インド，ロシアなどの生産が多いので，**鉄鉱石**である。オーストラリアではマウントホエールバック，ピルバラ地区，ブラジルでは，カラジャス，イタビラ，中国ではアンシャン，ターイエ，パイユンオーポー，インドはシングブーム，ロシアはエカテリンブルクなどの鉱山で生産が多い。

よって，**2**が正しい。

### No.2 の解説　主要国の農業と鉱工業　→問題はP.304　正答1

**1◎ カナダ西部ではオイルサンドの開発が進んでいる。**
正しい。カナダ平原３州（マニトバ，サスカチュワン，アルバータ州）の春小麦の栽培が盛ん。鉱産物では，鉄鉱石と亜鉛の生産量が世界９位，ニッケルが世界３位である。

**2× メキシコでは，アメリカ合衆国との国境沿いに輸出向け工場が集積した。**
メキシコ高原には，**ラトソル**（やせた赤色土）が広がり，小麦，綿花などが栽培されている。**ファゼンダ**はブラジルの大農場である。**マキラドーラ**は税制の優遇を受けて輸出向けの生産を行う保税輸出加工制度・工場で，国境沿いに集積したが，アメリカ企業が進出している。

**3× ベトナムでは，ドイモイ（刷新）政策などにより工業化が進んだ。**
ベトナムではメコン川デルタが最大の農業地帯。チャオプラヤ川はタイを流れる。1986年からの**ドイモイ政策**と呼ばれる市場開放政策，ASEAN加盟などで，急速に工業化が進んだ。なお，コーヒーの生産量は，世界第２位(2017年）である。

**4× シンガポールは，世界の金融センターとして飛躍している。**
シンガポールは，独立後**中継貿易**を経て，外資に対する優遇策などで石油化学，造船業などを誘致し工業国となった。その後は，ハイテク産業や半導体，電子部品などの加工貿易型工業国に転換，**アジアNIEs**の中核国である。

**5 ×** **オーストラリアは，鉄鉱石，ボーキサイトの生産が世界第１位。**
**大鑽井（グレートアーテジアン）盆地**は**被圧地下水**を用いて牧羊が発達している。（**カナート**は乾燥地域の地下水路）また，鉱産資源が豊富である。**古期造山帯**のグレートディヴァイディング山脈は大陸東岸を南北に走る。なお，**カッパーベルト**はアフリカ中南部の銅山地帯である。



## No.3 の解説　世界の工業

→問題はP.305　**正答４**

**1 ×** **原料重量が製品重量よりも大きい場合，工業は原料産地に立地する。**
工業立地論はドイツのウェーバーが論じた説である。工業立地論の記述は妥当であるが，原料重量が製品重量よりも大きい場合は，工業は輸送費が最小になる原料産地に立地する。これを**原料指向型工業**といい，セメント工業や鉄鋼業などが該当する。

**2 ×** **労働賃金の比重が大きい工業を資本集約型工業という。**
労働集約型工業は労働者１人当りの設備投資額の低い工業で，例として機械化以前の農業や製造業がある。生産活動に専門的な知識や高度な技術を必要とする工業を**知識集約型工業**といい，コンピューターの研究開発などが該当する。石油化学工業は**交通指向型工業**である。

**3 ×** **ブルーバナナは西ヨーロッパの人口が多く経済が発展したバナナ型の地帯。**
ブルーバナナは多くの大都市と発達した先端産業や交通網を有しており，現在もヨーロッパで高い経済水準にある。イギリス南部（ロンドン）からドイツ西部（フランクフルト）とフランス東部（ロレーヌ地方）を経てイタリア北部（ミラノ，トリノ）にいたる地域をいう。

**4 ◎** **南部のサンベルトは先端技術産業が盛んである。**
記述は妥当である。五大湖沿岸を含む米国中西部や大西洋岸中部は**スノーベルト**（**ラストベルト**）と呼ばれ，空港や高速道路などの整備が進められ先端技術産業が大規模に集中した。南部の**サンベルト**にはシリコンプレーン，シリコンデザート，エレクトロニクスベルトなどが広がり先端技術産業が盛んである。

**5 ×** **中国では華中・華南の沿岸部に経済特区が設けられている。**
1970年代末に対外開放政策が始まり**経済特区**などが設けられた。工業が飛躍的に成長し「世界の工場」と呼ばれている。2020年の名目ＧＤＰ（国内総生産）は米国に次いで世界第２位，日本の約２倍である。

# 水産業・林業と貿易

## 必修問題

**図は世界の主な漁場と漁獲量を示したものであるが，A～Dの説明と図中の漁場ア～キの組合せとして妥当なのはどれか。**

【国家一般職・平成8年度改題】

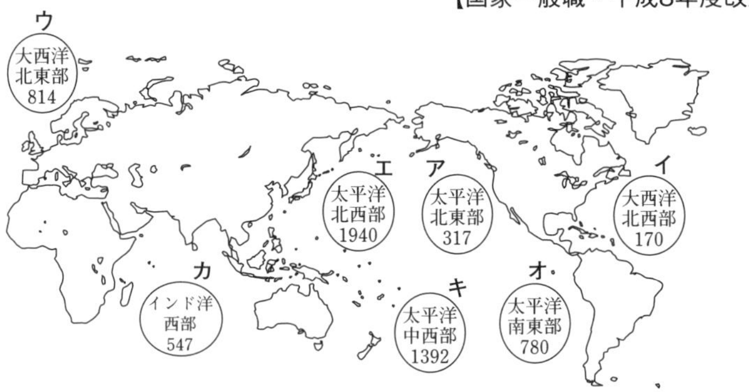


(2019年，単位：万トン)

A：大陸棚は広くないが，寒流と赤道反流とが接する海域にある漁場で，この海域の沿岸国には1962年から10年間世界第1位の漁獲量を誇った国がある。**アンチョビー**といわれる魚の漁獲が多く，そのほとんどは家畜の飼料に加工され輸出されている。

B：広い大陸棚の上にあり，ドッガーバンク，グレートフィッシャーバンクなどの好漁場がある。**トロール漁業**も盛んでニシン，タラなどの漁獲が多い。近年になって沿岸海域では石油の開発も行われている。

C：大陸棚が広く暖流と寒流が接していて海域が南北に長いため，北部ではニシン，タラ，サケ，マスなどの寒流魚，南部ではイワシ，サバ，マグロ，カツオなどの暖流魚の漁獲が多い。

D：湾流（暖流）と寒流が接しており広い大陸棚にはグランドバンクなどの好漁場がある。長い伝統を持つ零細な沿岸漁業が多く，タラ，サバ，ニシンなどの漁獲が多い。

**1** A－カ　B－エ　**2** A－オ　C－キ
**3** A－ア　D－カ　**4** B－ウ　D－オ
**5** C－エ　D－イ

難易度　＊＊

## 必修問題の解説

世界の主要漁場に関する問題である。漁場の成立条件である大陸棚（バンク），潮目，湧昇流等の自然条件や主な漁獲物などを各漁場ごとに理解しておくこと。Aはペルー海流とアンチョビー（オ），Bはトロール漁業とたら・ニシン（ウ），Cは寒・暖流両海流の漁獲物（エ），Dはグランドバンク（イ）がポイントである。

A：太平洋南東部漁場はアンチョビーの漁獲が多い。
太平洋南東部漁場（図の**オ**）を説明。寒流のペルー海流と赤道反流が接する漁場。**アンチョビー**の漁獲が多く，沿岸のペルーは長い間世界第１位の漁獲量を誇ったが，エルニーニョ現象により漁獲量が減少したこともあった。現在は世界第６位（2017年）。沿岸のチリも急増している。

B：大西洋北東部漁場はトロール漁業が盛ん。
大西洋北東部漁場（図の**ウ**）を説明。北海には大陸棚が広がり，バンクも多い。**トロール漁業**は19世紀にイギリスが開発した漁業であるが，漁業資源保護のため規制する動きがある。石油の開発は北海油田である。

C：太平洋北西部漁場は魚種が多く，世界一の漁獲量を誇る。
太平洋北西部漁場（図の**エ**）を説明。代表的な暖流は**黒潮**，寒流は**親潮**である。中国・日本・ロシア・韓国などの漁業活動も盛ん。世界で最も漁獲量が多い漁場である。

D：大西洋北西部漁場はフランス人が開拓した漁場である。
大西洋北西部漁場（図の**イ**）を説明。暖流はメキシコ湾流，寒流はラブラドル海流。主要漁港はセントジョンズ，ハリファックスなど。チェサピーク湾のかきの養殖も有名。

よって，正答は**5**である。なお，**ア**の太平洋北東部漁場は，カリフォルニア海流（寒流）が流れるが，フレーザー川などでサケ・マスを漁獲。**カ**のインド洋西部漁場は北赤道海流・赤道反流（暖流）が流れ，マグロなどを漁獲。**キ**の太平洋中西部漁場も同様の海流が流れ，マグロなどの漁獲が多い。図に表示されていないが，近年インド洋東部漁場の漁獲量（684万t）が伸長している。

**正答 5**

## FOCUS

水産業では世界の三大漁場に関する出題が多い。特に漁場の成立条件はしっかり把握しておくこと。林業では世界各地の森林状況のほか，熱帯林に関する問題が頻出している。貿易では主要国とASEANについての出題が目立つ。

## POINT

### 重要ポイント 1 世界の主要漁場

| 漁場 | 海域 | 海流 | バンク | 漁港 | 特徴 |
|---|---|---|---|---|---|
| 太平洋北西部 | ベーリング海<br>日本近海<br>東シナ海 | 黒潮（暖流）<br>親潮（寒流） | 大和堆<br>武蔵堆 | 銚子，釧路，プサン，ウラジオストク | 魚種が多く，漁獲高は世界一 |
| 大西洋北東部 | ノルウェー沖<br>北海<br>ビスケー湾 | 北大西洋海流（暖流）<br>東グリーンランド海流（寒流） | ドッガーバンク，グレートフィッシャーバンク | ベルゲン，キングストン，グリムズビー | トロール漁法たら・にしんの漁獲 |
| 大西洋北西部 | ニューファンドランド島沖合 | メキシコ湾流（暖流）<br>ラブラドル海流（寒流） | グランドバンク，ジョージバンク | セントジョンズ，ハリファックス | フランス人により開拓 |
| 太平洋北東部 | アラスカ<br>カリフォルニア沖 | カリフォルニア<br>海流（寒流） | — | プリンスルパート，ヴァンクーヴァー | フレーザー川などでさけ・ますを漁獲 |
| 太平洋南東部 | ペルー<br>チリ沖 | ペルー海流<br>（寒流） | — | カヤオ，チンボテ，アントファガスタ | アンチョビーを漁獲し，魚粉にする |

### 重要ポイント 2 世界の林業

| 分布地域 | | 特色 | 主な樹種 |
|---|---|---|---|
| 熱帯林 | セルバ（アマゾン川流域），東南アジア，コンゴ川流域などの赤道周辺 | 多種多様の樹種，奥地など交通の不便なところが多く，伐採・運搬に不便。硬木が多い。焼畑。森林火災。 | マホガニー（高級家具材，カリブ海の島々），チーク（船舶材，タイ，ミャンマー），ラワン（合板材，カリマンタン，フィリピン） |
| 温帯林 | 温帯気候が分布する地域 | 開発が古いため天然林が少なく，人工林が多い。 | 硬葉樹（オリーブ，コルクがし…Cs気候），落葉広葉樹（ぶな，なら…Cfb気候），常緑広葉樹（くす，しい） |
| 寒帯林 | シベリア，カナダなど亜寒帯気候が分布する地域 | タイガ（針葉樹の純林），軟木なのでパルプ，建築材に利用。林業が発達。 | もみ，とうひ，からまつ，えぞまつなどが代表的。 |

## 重要ポイント 3 主要国の貿易

（2020年）

| 日本 輸出 | 日本 輸入 | 中国 輸出 | 中国 輸入 | 韓国 輸出 | 韓国 輸入 | シンガポール 輸出 | シンガポール 輸入 |
|---|---|---|---|---|---|---|---|
| 機械類 | 機械類 | 機械類 | 機械類 | 機械類 | 機械類 | 機械類 | 機械類 |
| 自動車 | 原油 | 繊維品 | 原油 | 自動車 | 原油 | 石油製品 | 石油製品 |
| 精密機械 | 液化天然ガス | 衣類 | 鉄鉱石 | プラスチック | 精密機械 | 精密機械 | 金 |
| 鉄鋼 | 医薬品 | 金属製品 | 精密機械 | 石油製品 | 自動車 | 金 | 原油 |
| プラスチック | 衣類 | 自動車 | 自動車 | 鉄鋼 | 液化天然ガス | プラスチック | 精密機械 |

| マレーシア 輸出 | マレーシア 輸入 | タイ 輸出 | タイ 輸入 | インドネシア 輸出 | インドネシア 輸入 | フィリピン 輸出 | フィリピン 輸入 |
|---|---|---|---|---|---|---|---|
| 機械類 | 機械類 | 機械類 | 機械類 | パーム油 | 機械類 | 機械類 | 機械類 |
| 石油製品 | 石油製品 | 自動車 | 原油 | 石炭 | 石油製品 | 野菜・果実 | 自動車 |
| パーム油 | プラスチック | 金 | 鉄鋼 | 機械類 | 鉄鋼 | 精密機械 | 石油製品 |
| 衣類 | 精密機械 | プラスチック | 自動車 | 鉄鋼 | プラスチック | 銅 | 鉄鋼 |
| 精密機械 | 鉄鋼 | ゴム製品 | 金属製品 | 衣類 | 繊維品 | ニッケル鉱 | プラスチック |

| インド 輸出 | インド 輸入 | 南ア共和国 輸出 | 南ア共和国 輸入 | ドイツ 輸出 | ドイツ 輸入 | フランス 輸出 | フランス 輸入 |
|---|---|---|---|---|---|---|---|
| 機械類 | 機械類 | 白金族 | 機械類 | 機械類 | 機械類 | 機械類 | 機械類 |
| 石油製品 | 原油 | 自動車 | 原油 | 自動車 | 自動車 | 自動車 | 自動車 |
| 医薬品 | 金 | 金 | 自動車 | 医薬品 | 医薬品 | 医薬品 | 医薬品 |
| 有機化合物 | 有機化合物 | 機械類 | 石油製品 | 精密機械 | 衣類 | 航空機 | 衣類 |
| ダイヤモンド | 石炭 | 鉄鉱石 | 医薬品 | 金属製品 | 有機化合物 | 精密機械 | 石油製品 |

| イギリス 輸出 | イギリス 輸入 | イタリア 輸出 | イタリア 輸入 | アメリカ合衆国 輸出 | アメリカ合衆国 輸入 | カナダ 輸出 | カナダ 輸入 |
|---|---|---|---|---|---|---|---|
| 機械類 | 機械類 | 機械類 | 機械類 | 機械類 | 機械類 | 原油 | 機械類 |
| 自動車 | 金 | 医薬品 | 自動車 | 自動車 | 自動車 | 自動車 | 自動車 |
| 医薬品 | 自動車 | 自動車 | 医薬品 | 精密機械 | 医薬品 | 機械類 | 医薬品 |
| 金 | 医薬品 | 衣類 | 原油 | 石油製品 | 原油 | 金 | 金属製品 |
| 原油 | 衣類 | 金属製品 | 衣類 | 医薬品 | 衣類 | 航空機 | 金 |

| メキシコ 輸出 | メキシコ 輸入 | ブラジル 輸出 | ブラジル 輸入 | アルゼンチン 輸出 | アルゼンチン 輸入 | オーストラリア 輸出 | オーストラリア 輸入 |
|---|---|---|---|---|---|---|---|
| 機械類 | 機械類 | 大豆 | 機械類 | 植物性油かす | 機械類 | 鉄鉱石 | 機械類 |
| 自動車 | 自動車 | 鉄鉱石 | 有機化合物 | とうもろこし | 自動車 | 石炭 | 自動車 |
| 野菜・果実 | 石油製品 | 原油 | 自動車 | 大豆油 | 有機化合物 | 金 | 石油製品 |
| 精密機械 | 精密機械 | 肉類 | 化学肥料 | 肉類 | 医薬品 | 肉類 | 医薬品 |
| 原油 | プラスチック | 機械類 | 石油製品 | 自動車 | 大豆 | 機械類 | 衣類 |

（出典）『世界国勢図会　2022/23年版』

## 実戦問題

**No.1** ＊ **世界および日本の森林に関する次の記述のうち，妥当なものはどれか。**

【地方上級・平成21年度】

**1** 世界の森林面積は減少傾向にあるが，アマゾン川流域のセルバなど熱帯雨林地域では近年の環境保護政策によりむしろ増加している。

**2** 日本の人工林の蓄積量は近年大幅に減少しており，全森林面積の２割以下になっている。このため資源価値は少ない。

**3** 世界では薪炭材が産業用材と同程度多く生産されているが，アジアやアフリカでは薪炭材のほうが多く生産されている。

**4** 日本の森林面積は，国有林が日本の全森林面積の２割以下と少なく，私有林が約７割を占めている。特に東日本では，私有林の割合が圧倒的に多い。

**5** 日本はかつて，北米や北欧などから木材を輸入していたが，近年は，そのほとんどを東南アジアから輸入している。

**No.2** ＊＊ **表はアメリカ合衆国，イギリス，ドイツ，イタリア，スウェーデンの５か国の輸出額および輸入額の上位３品目を示したものである。A，C，Eに当てはまる国の組合せとして正しいのはどれか。**

【国家一般職・平成３年度改題】

A

| 輸出（百万ドル） | | 輸入（百万ドル） | |
|---|---|---|---|
| 機械類 | 397,637 | 機械類 | 294,892 |
| 自動車 | 205,139 | 自動車 | 119,836 |
| 医薬品 | 100,829 | 医薬品 | 69,841 |

B

| 輸出 | | 輸入 | |
|---|---|---|---|
| 機械類 | 123,320 | 機械類 | 79,741 |
| 医薬品 | 37,822 | 医薬品 | 36,795 |
| 自動車 | 36,336 | 自動車 | 32,045 |

C

| 輸出 | | 輸入 | |
|---|---|---|---|
| 機械類 | 87,351 | 機械類 | 127,075 |
| 自動車 | 34,881 | 金 | 89,819 |
| 医薬品 | 26,173 | 自動車 | 56,943 |

D

| 輸出 | | 輸入 | |
|---|---|---|---|
| 機械類 | 351,431 | 機械類 | 702,513 |
| 自動車 | 101,941 | 自動車 | 250,208 |
| 精密機械 | 66,617 | 医薬品 | 147,418 |

E

| 輸出 | | 輸入 | |
|---|---|---|---|
| 機械類 | 38,273 | 機械類 | 38,816 |
| 自動車 | 19,916 | 自動車 | 16,108 |
| 医薬品 | 12,464 | 原油 | 5,679 |

(輸出入品及び数字は2020年のものに改変)

| | A | C | E |
|---|---|---|---|
| **1** | アメリカ合衆国 | イタリア | イギリス |
| **2** | イギリス | イタリア | スウェーデン |
| **3** | イギリス | アメリカ合衆国 | ドイツ |
| **4** | ドイツ | イギリス | スウェーデン |
| **5** | ドイツ | アメリカ合衆国 | イギリス |

# 実戦問題の解説

## No.1 の解説　世界および日本の森林　→問題はP.312　正答3

**1 ×　熱帯雨林地域の森林面積の減少は著しい。**

世界の森林面積の減少率以上に，セルバなど熱帯雨林地域では用材の需要増加，農地開発などで森林の減少が著しい。最近は東南アジアを中心に伐採を制限する国が増えている。なお，木材伐採量が世界最大の国は，アメリカ合衆国だが，その用途は用材が多い。

**2 ×　日本の人工林の蓄積量は約63%。**

日本の人工林蓄積量は植林が進み，2017年には約63%を占めている。ただし，労働力不足などにより，需要増に対応しきれていない。

**3 ◎　世界の木材用途は，用材と薪炭材がほぼ半々。**

正しい。木材伐採量が世界最大のアメリカ合衆国は，約86%が用材として利用し，第２位のインドは約86%が**薪炭**用，第３位の中国は約47%が薪炭用である。地域別の薪炭利用率は，アフリカ約90%，アジア61%，南米44%，ヨーロッパ約21%，北米約23%である。

**4 ×　日本の林野面積は，私有林が最大。**

日本の林野面積は国有林が28.9%，公有林が13.8%，私有林が54.7%（2020年）である。私有林の割合が多いのは西日本である。

**5 ×　日本の木材最大輸入先はカナダ。**

日本はかつて，木材は東南アジアからの輸入が多かったが，近年は，北米やロシアからの輸入が多い。なお，最近の輸入先は，カナダ（29.8%），アメリカ合衆国（17.0%），ロシア（13.1%）の順（2021年）である。

## No.2 の解説　先進５か国の貿易の現状　→問題はP.312　正答4

各国の特徴ある輸出品及び貿易額から判断する。

A：自動車の輸出額の大きさからドイツ。ドイツの輸出台数はフランス・日本に次いで世界第３位である。

B：自動車の輸出額と輸入額からイタリアと判断できる。

C：イギリスは自動車の輸出額が多い。かつては原油（北海油田）が上位を占めていたが減少し，近年は金の輸入が多い。

D：輸入額の大きさからアメリカ合衆国と判断できる。なお，上位３品目の輸出入額を比較しても貿易収支が赤字であることがわかる。

E：輸出入額が他の４か国に比べ少ないことからからスウェーデンである。

以上から，**4**が正しい。

（統計は2020年）

# 第3章 世界の諸地域

## 試験別出題傾向と対策

| 頻出度 | 試験名 | 国家総合職 | | | | | 国家一般職 | | | | | 国家専門職（国税専門官） | | | | |
|---|---|---|---|---|---|---|---|---|---|---|---|---|---|---|---|---|
| | 年度 | 21-23 | 24-26 | 27-29 | 30-2 | 3-5 | 21-23 | 24-26 | 27-29 | 30-2 | 3-5 | 21-23 | 24-26 | 27-29 | 30-2 | 3-5 |
| | テーマ　出題数 | 3 | 3 | 0 | 0 | 1 | 3 | 1 | 1 | 0 | 0 | 1 | 3 | 2 | 1 | 0 |
| A | 7 アジア・アフリカ | 2 | 1 | | | 1 | 2 | | | | | 1 | 2 | 1 | | |
| B | 8 ヨーロッパ | | 1 | | | | | 1 | 1 | | | | 1 | 1 | | |
| A | 9 南北アメリカ・オセアニア | 1 | 1 | | | | 1 | | | | | | | | 1 | |

本分野では，テーマAのアジア・アフリカから最も多く出題されている。特にアジアではASEAN諸国や中国の地誌が頻出している。

テーマBのヨーロッパでは西欧諸国が多く出題され，北欧諸国や中欧諸国は少ない。

南北アメリカ・オセアニアでは，アメリカ合衆国の地誌，南アメリカ諸国の地誌と貿易（輸出品中心）およびオーストラリアの地誌が多かった。

文章の正誤を判断する問題が中心だが，地図や図表からの出題も多かった。

地誌は地理の基本であるので，常に地図で確認して欲しい。

### ●国家総合職

本分野からの出題は一時少なくなったが，最近では東アジア・東南アジア諸国＜韓国，フィリピン，シンガポール，タイ，インドネシア各国＞（令和５年度）から出題された。これまでは，経済成長著しいBRICsや中米諸国，オーストラリアが出題された。ウクライナ紛争などの国際紛争に関しても注目しておくことが大切である。

### ●国家一般職

アジアの主要国，南アメリカ諸国などからの出題が多かったが，最近はこの分野からの出題は少ない。しかし，ヨーロッパ主要国の農業を中心とした地誌問題，世界全体の地誌なども出題されたこともあり，侮れない分野である。問題の形式も様々で，図表や地図から国名を判断する問題などあったので，この対策もしておきたい。

### ●国家専門職

平成24年度からこの分野からの出題が増えたが，令和に入ってからは地誌としての出題はない。しかし，東南アジア・南アジアの地誌（平成25・29年度）地中海沿岸の国々（平成26年度），南北アメリカ諸国（平成30年度）など頻出していた。ネパールの地誌（平成25年度），ブータン（平成27年度）などなじみの

| 地方上級（全国型） | | | | | 地方上級（東京都） | | | | | 地方上級（特別区） | | | | | 市役所（C日程） | | | | | |
|---|---|---|---|---|---|---|---|---|---|---|---|---|---|---|---|---|---|---|---|---|
| 21-23 | 24-26 | 27-29 | 30-2 | 3-4 | 21-23 | 24-26 | 27-29 | 30-2 | 3-5 | 21-23 | 24-26 | 27-29 | 30-2 | 3-5 | 21-23 | 24-26 | 27-29 | 30-2 | 3-4 | |
| 3 | 3 | 2 | 2 | 2 | 3 | 0 | 1 | 1 | 0 | 1 | 1 | 1 | 1 | 0 | 2 | 1 | 3 | 1 | 0 | |
| 2 | 1 | 2 | 1 | 2 | 1 | | | 1 | | 1 | 1 | 1 | | | | 1 | 1 | | | テーマ7 |
| | 1 | | | | | | | | | | | | | | 1 | | | 1 | | テーマ8 |
| 1 | 1 | | 1 | | 2 | | 1 | | | | | | 1 | | 1 | | 2 | | | テーマ9 |



少ない国が出題されていた。

## ●地方上級

**全国型**はほぼ毎年出題されている最重要分野である。中東・北アフリカ諸国（平成22・25年度），オーストラリア（平成24年度），北欧諸国（平成26年度）中国（平成27・令和３年度），インド亜大陸（平成28年度），南米諸国（令和元年），東南アジア諸国（令和４年度）が出題された。地図と文章から国名を判断する問題が多い。

**関東型**は，全国型とほぼ同じ問題であったが，視点を変えた独自の問題もあった。

**中部・北陸型**もほぼ全国型と同様な問題であった。

## ●東京都

かつては，アフリカ諸国の地誌やインド，スイス，ロシア，ブラジルなど一国からの出題もあったが，最近では中国の地誌（平成30年度），ラテンアメリカ諸国（令和２年度）から出題されている。基本的な問題で難問は少ないが，地図をよく理解しておきたい。

## ●特別区

これまで本分野からの出題は極めて少なかったが，近年は中国（平成23年度）東南アジア諸国（平成25年度），アフリカ諸国（平成27年度），ラテンアメリカ（令和５年度）から出題があった。

## ●市役所

中国（平成26年度），東南アジア諸国（平成24年度），北米大陸（平成28年度），ヨーロッパ諸国（平成30年度）など，本分野からほぼ毎年出題されてきたが，最近は出題が減少している。

# アジア・アフリカ

## 必修問題

**アフリカに関する次の記述のうち，妥当なものはどれか。**

【地方上級（全国型）・平成30年度】

**1**　北岸部や南岸部には温帯気候が見られるが，その他の地域は，ほとんどがステップ気候や砂漠気候などの乾燥帯となっている。特に赤道付近は降水量が少なく，広大な砂漠が広がっている。

**2**　感染症の広がりや地域紛争の影響で人口増加が停滞しており，近年の**人口増加率**はヨーロッパ地域やアジア地域に比べて低くなっている。

**3**　北部地域は歴史的にヨーロッパの影響を受け，キリスト教徒が多い。一方，中・南部地域は歴史的にイスラーム教の影響を受け，イスラーム教徒が多い。

**4**　石油・金・ダイヤモンドなどの鉱産資源を産出する国が多く，それらの多くは西欧諸国や中国に輸出されている。近年，中国が鉱産資源の開発のために多くの投資や支援を行っている。

**5**　かつてはカカオ豆やコーヒーなどの**商品作物**を栽培する国が多かったが，近年ではそれらの栽培が行われなくなり，商品作物を輸出している国はほとんど見られない。

難易度　＊＊

## 必修問題の解説

アフリカに関する問題である。アフリカの気候（**1**），人口問題（**2**），歴史と宗教（**3**），鉱産資源（**4**），商品作物（**5**）など広い分野から出題された。いずれも基本的な問題で，頻出度が高い。なお，旧宗主国との関係を把握しておくことが大切である。

**1 ×** 気候は赤道を中心に，熱帯・乾燥帯・温帯の順で，南北対称的に分布する。
面積的には，乾燥帯，熱帯，温帯の順で，亜寒帯（冷帯），寒帯は見られない。なお，赤道付近は，年中高温多雨の熱帯雨林気候で，その周辺はサバナ気候である。

**2 ×** 人口増加率は，世界で最も高い地域である。
2000年から2020年にかけての世界の人口増加率は約12.2%である。これを地域別に見るとアフリカ25.7%，アジア11.2%，ヨーロッパ1.3%となっている。アフリカは感染症や地域紛争等の影響があるのも関わらず，人口増加率は世界で最も高い地域である。

**3 ×** 北アフリカではイスラーム教，中・南部では伝統的宗教・キリスト教を信仰。
北部地域では，7世紀頃からイスラーム教が広まり，現在もイスラーム教徒が多い。中・南部地域では農村部などでは部族ごとに伝統的宗教が，都市部を中心にキリスト教を信仰する人が多い。

**4 ◎** 鉱産資源に恵まれており，経済を支える主要な輸出品となっている。
石油はナイジェリア，アンゴラ，金は南アフリカ共和国，ダイヤモンドはコンゴ民主共和国，ボツワナなどで産出されている。近年，資源確保の目的から中国の進出が著しい。

**5 ×** 特定の商品作物に依存する傾向（モノカルチャー経済）が残っている。
全体としては，伝統的農業（遊牧や**焼畑農業**）が多く見られるが，カカオ豆（コートジボワール，ガーナ），茶（ケニア），コーヒー（エチオピア）など植民地時代から続く**プランテーション農業**も盛んで，主要な輸出品となっている。

**正答 4**

## FOCUS

アジアでは中国・ASEAN諸国，南アジア諸国，アフリカでは北アフリカ，ナイジェリア，南アフリカ共和国などが頻出している。内容は位置関係，地形，気候，人口，民族，宗教，旧宗主国，農業，鉱工業など多岐にわたっている。白地図などを使ってまとめることが大切である。

# POINT

## 重要ポイント 1 東・東南アジア

（2022年。産業別人口割合は2020年）

| 国名 | 面積 | 人口 | 民族 | 宗教 | 言語 | 産業別人口割合 | | | その他 |
|---|---|---|---|---|---|---|---|---|---|
| | | | | | | 第一次 | 第二次 | 第三次 | |
| 中華人民共和国 | 千$km^2$ 9,597 | 万人 142,589 | 漢民族 | 儒教・仏教 | 中国語 | % 24.9 | % 27.7 | % 47.4 | |
| | 農村の変化（人民公社→生産責任制），チンリン山脈・ホワイ川線が稲作と畑作を区分。シャンハイが最大都市，外資導入（経済特区）。 | | | | | | | | |
| 大韓民国 | 100 | 5,181 | 朝鮮系 | 仏教・キリスト教 | 朝鮮語 | 5.4 | 24.6 | 70.0 | |
| | 農業国から工業国へ，NIEs，人口の都市集中。 | | | | | | | | |
| タイ | 513 | 7,170 | タイ系 | 仏教 | タイ語 | 31.4 | 22.6 | 46.0 | 緩衝国 |
| | 第二次世界大戦前からの独立国，工業が発展。ASEAN加盟。 | | | | | | | | |
| ベトナム | 331 | 9,819 | ベトナム系 | 仏教 | ベトナム語 | 32.6 | 31.1 | 36.3 | フランスから独立 |
| | 社会主義国，ドイモイ（刷新政策），ASEAN加盟。 | | | | | | | | |
| シンガポール | 0.7 | 598 | 中国・マレー | 仏教・道教 | マレー語・英語・中国語 | 0.3 | 14.6 | 85.1 | マレーシアから分離独立 |
| | ジュロン工業地域，中継貿易，NIEs，ASEAN加盟。 | | | | | | | | |
| マレーシア | 330 | 3,394 | マレー・中国 | イスラーム教 | マレー語 | 10.0 | 27.8 | 62.3 | イギリスから独立 |
| | ゴム・すずからパーム油へ。ブミプトラ政策，ASEAN加盟。 | | | | | | | | |
| フィリピン | 300 | 11,556 | セブアノ系 | キリスト教 | フィリピノ語 | 24.8 | 18.3 | 56.9 | USAから独立 |
| | 火山国，約7000の島，アジア唯一のキリスト教国，ASEAN加盟。 | | | | | | | | |
| インドネシア | 1,911 | 27,550 | ジャワ | イスラーム教 | インドネシア語 | 29.6 | 21.5 | 48.9 | オランダから独立 |
| | 火山国，約１万7000の島，石油生産，少数民族による分離独立運動，ASEAN加盟。 | | | | | | | | |

## 重要ポイント 2 南・西アジア

（2022年。産業別人口割合は2020年）

| 国名 | 面積 | 人口 | 民族 | 宗教 | 言語 | 産業別人口割合 | | | その他 |
|---|---|---|---|---|---|---|---|---|---|
| | | | | | | 第一次 | 第二次 | 第三次 | |
| インド | 千$km^2$ 3,287 | 万人 141,717 | インド・アーリア系 | ヒンドゥー教 | ヒンディー語 | % 44.3 | % 23.9 | % 31.8 | イギリスから独立 |
| | 多数の民族，170もの言語，カースト制度，カシミール問題，ヒンドスタン平原（米），デカン高原（綿花），豊富な鉱産資源。 | | | | | | | | |
| パキスタン | 796 | 23,583 | パンジャブ | イスラーム教 | ウルドゥ語 | 38.3 | 24.7 | 37.0 | イギリスから独立 |
| | インダス文明発祥地，パンジャブ地方（小麦），カシミール問題。 | | | | | | | | |
| バングラデシュ | 148 | 17,119 | ベンガル系 | イスラーム教 | ベンガル語 | 37.9 | 21.2 | 40.9 | パキスタンから分離独立 |
| | ガンジス川デルタ（米・ジュート），国土の大半は低湿地。 | | | | | | | | |
| スリランカ | 66 | 2,183 | シンハラ系 | 仏教 | シンハラ語 | 26.2 | 27.6 | 46.2 | イギリスから独立 |
| | 南西部に人口の７割が集中，茶・天然ゴム，民族の対立。 | | | | | | | | |

| | | | | | | | | | |
|---|---|---|---|---|---|---|---|---|---|
| サウジアラビア | 2,207 | 3,641 | アラブ系 | イスラーム教 | アラビア語 | 3.2 | 22.9 | 73.9 | イギリスから独立 |
| | 原油生産世界一，遊牧民定着化，オアシス農業，工業化進展。 | | | | | | | | |
| イラン | 1,629 | 8,855 | インド・ヨーロッパ | イスラーム教 | ペルシア語 | 16.7 | 33.6 | 49.7 | 国名をペルシアから改称 |
| | 中東最古の産油国，ザグロス山麓に油田，カナートによる灌漑。 | | | | | | | | |
| イスラエル | 22 | 904 | ユダヤ系 | ユダヤ教 | ヘブライ語 | 0.9 | 17.1 | 82.0 | |
| | シオニズム運動により建国，パレスチナ問題，キブツ（集団農場）。 | | | | | | | | |

## 重要ポイント 3 アフリカ

（2022年。産業別人口割合は2020年）

| 国名 | 面積 | 人口 | 民族 | 宗教 | 言語 | 産業別人口割合 | | | その他 |
|---|---|---|---|---|---|---|---|---|---|
| | | | | | | 第一次 | 第二次 | 第三次 | |
| エジプト | 千$km^2$<br>1,002 | 万人<br>11,099 | アラブ人 | イスラーム教 | アラビア語 | %<br>20.4 | %<br>28.5 | %<br>51.1 | 第二次大戦前より独立 |
| | ナイルデルタ（綿花・米・小麦），アスワンハイダム。 | | | | | | | | |
| エチオピア | 1,104 | 12,338 | アムハラ・オロモ | エチオピア正教 | アムハラ語 | 64.1 | 9.9 | 26.0 | アフリカ最古の独立国 |
| | エチオピア高原に人口集中，コーヒーの原産地（カッファ）。 | | | | | | | | |
| リベリア | 111 | 530 | パクウェ族 | 精霊信仰 | 英語 | 41.2 | 7.9 | 50.9 | 第二次大戦前より独立 |
| | アメリカ合衆国の解放奴隷が建国，便宜置籍船，ゴム，鉄鉱石。 | | | | | | | | |
| ガーナ | 239 | 3,348 | アカン族 | キリスト教 | 英語・アカン語 | 40.0 | 18.7 | 41.3 | イギリスから独立 |
| | カカオの輸出，アコソンボダム（アルミニウム工業）。 | | | | | | | | |
| 南ア共和国 | 1,221 | 5,984 | バンツー族 | キリスト教 | 英語・アフリカーンス | 21.4 | 17.6 | 60.9 | 第二次大戦前より独立 |
| | アパルトヘイト，アフリカ第一の工業国，金鉱，牧畜（羊毛）。 | | | | | | | | |
| ケニア | 592 | 5,403 | アフリカ系 | キリスト教 | 英語・スワヒリ語 | 33.6 | 15.3 | 51.1 | イギリスから独立 |
| | ホワイトハイランド，輸出用作物（茶・コーヒー）。 | | | | | | | | |
| ナイジェリア | 924 | 21,854 | アフリカ系 | イスラーム教・キリスト教 | 英語・ハウサ語 | 35.8 | 12.4 | 51.8 | イギリスから独立 |
| | アフリカ最大の人口，ニジェール川デルタ油田，ビアフラ内戦。 | | | | | | | | |

## 重要ポイント 4 アジア・アフリカの国際関係

| | |
|---|---|
| NIEs（新興工業経済地域群） | OECDが他の中進国と区別するため名づけた。アジアでは，韓国，台湾，香港，シンガポールの４か国・地域。 |
| ASEAN（東南アジア諸国連合） | 地域の経済・文化の発展を促進。タイ，フィリピン，マレーシア，インドネシア，シンガポール，ブルネイ，ベトナム，ラオス，ミャンマー，カンボジアの10か国が加盟。 |
| AU（アフリカ連合） | アフリカ統一機構（OAU）を発展的に継承し，EUをモデルに政治，経済，社会的統合を図る。55か国・地域（西サハラを含む）。モロッコは復帰。 |

## 実戦問題❶　基本レベル

◆ **No.1**（＊＊）**東南アジアに関する次の記述のうち，妥当なものはどれか。**

【地方上級・令和４年度】

**1**　東南アジアは大陸部と島嶼部からなり，大陸部は平坦で，島嶼部はなだらかな山地が多い。

**2**　タイやベトナムでは稲作が盛んだが，自国での消費量が多いため，米の輸出量は少ない。

**3**　ASEAN10か国の人口総数は，現在は２億人未満だが，近い将来に２億人を超えることが確実視されている。

**4**　東南アジアの宗教は複雑で，フィリピンの場合はカトリックが中心であるが，南部にはイスラーム教徒が存在し，深刻な対立がある。

**5**　東南アジアの多くの国で，天然ゴムや石油などの一次産品が輸出品目の第１位となっている。

**No.2**（＊＊）**次のA，B，Cは東南・南アジア諸国に関する記述であるが，それぞれに当てはまる国の組合せとして最も妥当なのはどれか。**【国家専門職・平成29年度】

A：この国は，大半が変動帯に属する約7,000余りの島から成り，地震・火山災害が多く，台風にもしばしば襲われる。農業が盛んであるが，輸出指向型の工業化を進め，電機・電子などの工業が成長した。また，スペインの植民地となった時期にキリスト教の影響を強く受け，国民の多数がキリスト教徒である。

B：この国は，古くから水田耕作を中心とする農業が盛んである。1960年代半ばに国土の約半分を占めていた森林が，その後30年間で減少して，洪水が南部を中心に頻発し，同国政府は天然林の伐採を原則禁止した。

C：この国では，自然環境は熱帯雨林，モンスーン林から各種サバンナを経て，北西部の砂漠や北端の氷河を頂く高山まで多様である。独立後は灌漑施設整備や耕地整理等で食糧増産を図り，1960年代後半には小麦・米の高収量品種導入で「緑の革命」を推進した。また，経済成長に伴い，ミルクや鶏肉などの需要が高まり，特にミルクの需要に対する生産の増加は「白い革命」と呼ばれている。

| | A | B | C |
|---|---|---|---|
| **1** | インドネシア | タイ | パキスタン |
| **2** | インドネシア | ベトナム | インド |
| **3** | フィリピン | タイ | インド |
| **4** | フィリピン | バングラデシュ | パキスタン |
| **5** | フィリピン | ベトナム | ネパール |

**No.3** ＊＊ **地図上のアフリカ諸国A～Eに関する記述として最も妥当なのはどれか。**

【国家総合職・平成21年度改題】

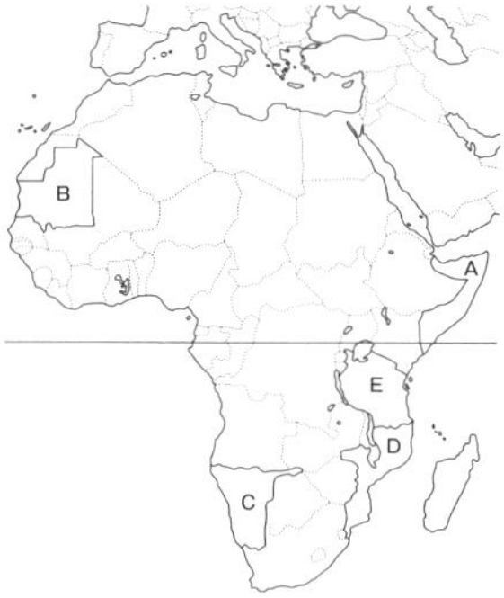


**1**　Aは，国土の大部分は熱帯気候で，雨季と乾季に分かれているが，内陸に入るとともに降水量が減少する。15世紀末にポルトガル人が進出後，奴隷貿易が行われ，海岸地方は奴隷海岸と呼ばれた。アフリカ最大の産油国であり，OPECに加盟している。カカオ，落花生，スズなども主要な産物である。

**2**　Bは，国全体が熱帯気候である。カカオとコーヒーが主産品で，特にカカオは世界第１位の生産国である。また，1993年より石油生産が開始され，近年，石油の輸出額は，カカオ，コーヒーと並んでおり，この国の主要貿易品目となっている。

**3**　Cは，国土の大半は乾燥気候で，特に北部から内陸部にかけては砂漠気候となっている。可耕地が少ないため，牧畜，水産業，鉱業などが中心であり，最近，石油生産も始まった。水産業ではタコなどが日本にも多く輸出されている。

**4**　Dは，国土の東半分は温帯気候で，西半分は乾燥気候であり，アフリカで最も国民総所得が高い。世界屈指の埋蔵量をもつ鉱物資源が多く，金，ダイヤモンドやクロム，バナジウム，白金などのレアメタルも豊富である。

**5**　Eは，北東部に６千メートル近いアフリカ大陸の最高峰があり，気候は，高度等の違いにより熱帯気候，乾燥気候，高山気候などに分かれている。西部に大地溝帯が走っている。コーヒーや綿花などが主産品の農業国である。

**No.4** ＊＊ **中国に関する記述として，妥当なのはどれか。**

【地方上級（東京都）・平成30年度】

**1** 中国は，1953年に，市場経済を導入したが，経済運営は順調に進まず，1970年代末から計画経済による改革開放政策が始まった。

**2** 中国は，人口の約7割を占める漢民族と33の少数民族で構成される多民族国家であり，モンゴル族，マン族，チベット族，ウイグル族，チョワン族は，それぞれ自治区が設けられている。

**3** 中国は，1979年に，夫婦一組に対し子供を一人に制限する「一人っ子政策」を導入したが，高齢化や若年労働力不足などの問題が生じ，現在は夫婦双方とも一人っ子の場合にのみ二人目の子供の出産を認めている。

**4** 中国は，外国からの資本と技術を導入するため，沿海地域に郷鎮企業を積極的に誘致し，「漢江の奇跡」といわれる経済発展を遂げている。

**5** 中国は，沿海地域と内陸部との地域格差を是正するため，西部大開発を進めており，2006年には青海省とチベット自治区を結ぶ青蔵鉄道が開通している。

# 実戦問題1の解説

## No.1 の解説　東南アジア

→問題はP.320　正答4

**1×　東南アジア全域は，新期造山帯に属しており複雑な地形。**
大陸部と島嶼部からなっていることは正しい。しかし，ほぼ全域が険しい山脈の多い**新期造山帯**に属しており，複雑な地形である。

**2×　稲作が盛んなタイやベトナムは米の輸出量も多い。**
東南アジアは大部分が熱帯で，夏の高温と十分な降水量を必要とする稲の栽培に適しており，稲作が盛んである。米の輸出量は，ベトナムはインド・タイに次いで世界第3位であり（2021年），輸出量が少ないとはいえない。

**3×　ASEAN10か国の人口は，約6億7980万人（2022年）で，世界の約8.5%。**
インドネシアの人口だけでも約2億7,550万人（2022年）で，ASEAN10か国の人口総数は約6億7,980万人（2022年）である。

**4◎　南部のミンダナオ島にイスラーム教徒が多く，時々紛争が起きている。**
正しい。

**5×　最近は，ほとんどの国の輸出品第一位は機械類である。**
植民地支配の影響で，かつては一次産品の輸出に経済が依存する**モノカルチャー**経済の国が多かったが，1970年代頃から輸出指向型の工業化を進める国が広がり，現在では多くの国で工業製品が輸出品目の第1位となっている。

## No.2 の解説　東南・南アジア諸国

→問題はP.320　正答3

A：フィリピンに関する記述。フィリピン海プレートがユーラシアプレートに沈み込む変動帯（**狭まる境界**）に位置し，約7,000の島からなる。農業では，バナナの生産が盛ん。1571年から約300年間スペインの植民地であったことからキリスト教徒が多い。インドネシアの大スンダ列島もインド・オーストラリアプレートとユーラシアプレートの変動帯に位置する。島数は17,000を超える。国民の大半はイスラーム教徒である。

B：タイに関する記述。チャオプラヤ川周辺で直播きによる稲作が行われてきたが，**緑の革命**で収穫量が増大した。森林減少の原因は，農業開発，焼畑など。ベトナムの国土は南北に細長く，北部を除きサバナ気候である。森林はベトナム戦争やその後の過剰伐採で減少した。近年は，商業伐採の禁止や植林などで増加傾向にある。バングラデシュの森林はデルタ地帯で森林は少ない。

C：インドに関する記述。緑の革命以降食料の自給を達成，米と小麦の生産量は中国に次いで世界第2位。ヒンドゥー教徒は牛肉を食べることはタブーであるが，搾乳は可能で，乳製品の人気は高い。パキスタンは国土の大半が乾燥気候で，緑の革命はかなり遅れたが，小麦，米の生産は増えている。ネパールは高山気候が広く分布するが，南部では温暖冬季少雨気候が見られる。

従って，正答は**3**である。

## No.3 の解説　アフリカ諸国

→問題はP.321　**正答5**

**1 ×　地図のAはアフリカの角と呼ばれているソマリアである。**
本肢は**ナイジェリア**を説明している。アフリカ最大産油国であると同時にアフリカ最大の人口を持つ国である。地図Aはソマリアである。

**2 ×　地図のBは国土のほとんどが砂漠気候のモーリタニアである。**
本肢はコートジボワールの説明。カカオの生産量が世界第1位から判断できる。地図Bはモーリタニア（**3**参照）である。

**3 ×　地図のCはナミブ砂漠が広がるナミビアである。**
本肢はモーリタニアを説明している。地図Cはナミビアである。ナミビアは国土全体が乾燥気候で，沿岸部にナミブ砂漠（海岸砂漠）が広がる。

**4 ×　地図のDはサバナ気候が広がるモザンビークである。**
本肢は**南アフリカ共和国**を説明している。アフリカ最大の工業国で，国民総所得はアフリカではナイジェリア，エジプトについで第3位（2020年）。地図Dはモザンビークである。

**5 ◎　地図のEはアフリカ最高峰キリマンジャロ山があるタンザニアである。**
正しい。タンザニアである。アフリカ最高峰はキリマンジャロ山（5,895m）である。旧宗主国はドイツ，イギリスである。

## No.4 の解説　中国

→問題はP.322　**正答5**

**1 ×　市場経済を取り入れたのは，1970年代末。**
中国は，1949年に社会主義の中華人民共和国を樹立し，計画経済の仕組みを導入。市場経済を取り入れたのは，1970年代末の改革開放政策による。2001年の**WTO**加盟により，外国企業が中国に進出，経済が飛躍的に伸長した。

**2 ×　多民族国家で，少数民族の多い地域には民族自治区がおかれている。**
人口の約9割を占める漢民族と55の少数民族による**多民族国家**。自治区を形成しているのは，ウィグル族，チベット族，モンゴル族などの5民族である。

**3 ×　「一人っ子政策」で少子化が進み，高齢化が進行中。**
30年以上も「一人っ子政策」が続いたため，人口増加率が徐々に低下し，高齢化が急速に進行している。このため現在は，第2子の出産を認めている。

**4 ×　経済特区や経済技術開発区が工業化に大きく寄与。**
**対外開放政策**により，沿岸地域に**経済特区**や**経済技術開発区**が設けられ，「世界の工場」といわれるほど飛躍的に伸長し，世界最大の工業国になった。「漢江（ハンガン）の奇跡」は韓国の高度成長のことである。

**5 ◎　西部大開発は，沿岸部と内陸部との格差是正事業。**
沿海部と内陸部の格差是正のため，**西部大開発**は2000年に発表された。西部では鉄道，道路，工業団地などが整備されるようになった。安価な労働力を求め，西部に移る企業もある。

## 実戦問題2　応用レベル

**＊＊ No.5　世界の島々に関する記述として最も妥当なのはどれか。**

【国家総合職・令和４年度】

**1**　グリーンランドは，大西洋北部に位置するデンマーク王国の自治領の島で，世界最大の島である。面積はわが国の国土面積の５倍以上あるが，人口は10万人に満たない。島の多くは氷床に覆われており，海岸は多くのフィヨルドに刻まれている。主要産業は水産業であり，また，島の北部には米国の軍事基地が置かれている。

**2**　プエルトリコ島は，カリブ海の北東部に位置するオランダ王国の自治領の島である。面積はわが国の四国ほどであるが，人口は1,000万人を超えている。公用語はオランダ語で，島民のほとんどはプロテスタントである。主要産業は農業で，コーヒー豆やサトウキビの生産が盛んであり，コーヒーの銘柄でも知られる通称ブルーマウンテンは，この島の最高峰である。

**3**　ニューギニア島は，オーストラリア大陸の北に位置し，世界第２位の面積を有する島である。島の中央部を境に，東半分がパプアニューギニア独立国の国土，西半分がオーストラリア連邦の国土となっている。島は赤道直下に位置しているが，大部分が標高の高い山岳地帯であるため，気候は島全体が温暖湿潤気候となっている。主要産業は農林業で，木材の輸出が盛んである。

**4**　セイロン島は，インド半島の南東部に位置する島で，島の全土がスリランカ民主社会主義共和国の国土となっている。面積はわが国の本州ほどであるが，人口は１億人を超えている。島民は，仏教徒である多数派のタミル人と，ヒンドゥー教徒である少数派のシンハラ人とから成る。主要産業は農業で，米，茶，天然ゴムの生産が盛んである。

**5**　マダガスカル島は，アフリカ大陸南東部の沖合に位置する島で，島の全土がマダガスカル共和国の国土となっている。面積はわが国の国土面積よりわずかに大きく，気候は，海流の影響により，島全体が地中海性気候となっている。島民のほとんどは南インドから渡来した移民で，公用語は英語である。主要産業は農業で，ナツメヤシの生産量は世界第１位となっている。

**No.6** ＊＊ **東南アジアまたは南アジアに位置する国に関する記述として最も妥当なのはどれか。** 【国家専門職・平成25年度】

**1** ブータンは，インドと中国に挟まれている立憲君主制の王国である。同国は，隣国のインドとの関係が深く，長らく国の対外政策に関してインドの助言を受ける関係にあった。国民総幸福量（Gross National Happiness）を国家政策の指標としている国としても知られている。

**2** ミャンマーは，南シナ海に面した南北に細長い国土を有しており，国土の大部分はサバナ気候である。同国では，1962年以来長らく閉鎖的な社会主義経済政策が採られてきた。1988年のクーデターにより成立した軍事政権以降も，同様の閉鎖的な経済政策が堅持され，現在も軍事独裁政権が続いている。

**3** バングラデシュは，国土の大部分がガンジス川とインダス川の両大河川が形成した肥沃なデルタ地帯となっている。同国では，肥沃な土地を利用したジュートや米の栽培が盛んであり，いずれも世界有数の生産量となっている。また，生産された米の多くは輸出され，同国の貴重な外貨獲得源となっている。

**4** スリランカは，国土は熱帯に位置し，国名は現地語で「光り輝く島」の意味をもつ。同国では，長らくムスリムが中心の多数派タミル人と仏教徒が中心の少数派シンハラ人との対立があり，2009年まで内戦状態が続いた。内戦終結後も国内の経済は低迷しており，コーヒーやカカオなどのプランテーション作物を中心とする農業依存型経済が続いている。

**5** ネパールは，ヒマラヤ山脈の南に位置する立憲君主制の王国である。同国は，山間部は高山性の気候であるが，南部の地域は降水量の多い温帯気候である。特に南東部のアッサム地方では，肥沃な土壌と温暖な気候を利用した茶と米の栽培が盛んである。

# 実戦問題2の解説

## No.5 の解説　世界の島々　→問題はP.325　正答 1

**1 ◎ グリーンランドは大西洋北部に位置する世界最大の島。**
世界最大の島である。デンマークの植民地であったが，現在はデンマーク王国を構成しており，独自の自治政府が置かれている。人口は約５万６千人(2021年)。島の約80％は氷床に覆われている。

**2 × プエルトリコは，カリブ海北東に位置する米国の自治連邦区の島。**
住民はアメリカ国籍を持つが，コモンウェルスという政治的地位にある。面積は8,868㎢で四国の約半分である。人口は325.6万人（2021年）。公用語はスペイン語・英語。カトリックを信仰する人が多い。主要産業は観光，ラム酒製造，製薬など。なお，ブルーマウンテンはジャマイカの最高峰。

**3 × ニューギニア島は東半分がパプアニューギニア，西半分がインドネシア。**
位置関係の記述は妥当であるが，島の西半分はインドネシアである。島の気候は山岳部を除き熱帯雨林気候（Af）である。主要産業は農林業（ココナッツ，バニラ）鉱業（白金，パーム油）などである。

**4 × セイロン島は人口約２千万人が住み，茶の栽培が盛ん。**
位置，国名は妥当である。面積は66千㎢で北海道の約80％。人口は2,183万人（2022年）である。島民は仏教徒で多数派の**シンハラ人**とヒンドゥー教徒で少数派の**タミル人**からなる。主産業は農業（茶），繊維業など。

**5 × マダガスカルの旧宗主国はフランスで，フランス語は今も公用語の一つ。**
位置, 国名の記述は妥当である。面積は587千㎢で, 日本より約1.55倍大きい。気候は東部が熱帯雨林気候，西部にサバナ気候，ステップ気候, 砂漠気候が分布する。島民は古くは東南アジアから，近年はヨーロッパからの渡来が多い。主要産業は農業と鉱業。なお, ナツメヤシの生産量世界第１位はエジプト。

## No.6 の解説　東南アジア・南アジアの国々　→問題はP.326　正答 1

**1 ◎** 妥当である。ブータンは面積38千㎢，人口78.2万人。立憲君主制の王国である。インドとの関係が深く，**国民総幸福量**を国家政策の指標としている。

**2 ×** ミャンマーは，面積677千km²，人口5,418万人。ベンガル湾に面している。2010年に実施された総選挙の結果，文民政権が発足し，民政移管が実現した。また，民主化が推進され，開放的な経済政策も導入されている。

**3 ×** バングラデシュは，面積148千km²，人口17,119万人（2022年）。ガンジス川河口の肥沃なデルタ地帯に位置している。米の生産量は世界第４位，ジュート生産量は世界第２位である。米は国内で消費され，輸出はしていない。

**4 ×** スリランカは，面積66千km²，人口2,183万人（2022年）。仏教徒が中心の多数派シンハラ人とムスリムが中心の少数派タミル人が対立している。

**5 ×** ネパールは，面積147千km²，人口3,055万人（2022年）。王国ではなく民主共和国である。「**アッサム地方**」はネパールではなく，インド北東部にある州。

# ヨーロッパ

## 必修問題

**ア～エは，イギリス，フランス，ドイツ，イタリアの主要都市に関する記述であるが，これらと地図上の位置A～Jとの組合せとして最も妥当なのはどれか。**

【国家総合職・平成15年度】

ア：この国3位の人口を有する都市で，アルプスに源を発し**ドナウ川**に合流するイーザル川が市内を貫流する。産業および文化の中心地で，交通の要衝として発展してきた。世界的に有名なビール醸造に加えて，製薬，光学機器，食品加工などの各種の工業が行われ，また，印刷と出版の中心地となっている。

イ：この国の北部の州の州都で，地形的には，氷河および河川の堆積物からなる複合扇状地の上に位置している。北部の諸都市を結ぶ道路網の中心であるばかりでなく，この国の民間大企業および国家資本が参加している企業の本社の大部分はこの市にあり，特に金融業に関しては，西ヨーロッパ金融業界の中心の一つでもある。化学工業と繊維産業ではこの国の諸都市をリードしているほか，文化と芸術の中心地である。

ウ：この国最大の都市であり，2つの川の合流点付近の盆地に位置する。商工業の中心地で，機械，自動車，車両，化学薬品，電気製品，ハイテク産業，さらにマスコミ，出版，広告，ファッション関連産業の中心でもある。この国の金融業の中心で，EU発足後のヨーロッパ金融の一大中心地になろうとしている。ヨーロッパで最も豊かな農業・漁業地域を周辺にひかえ，食文化の世界的中心ともなっている。

エ：工業の一大中心地で，綿織物はこの国随一である。17世紀に綿工業が興り，18世紀，紡績機に蒸気機関が導入されると劇的な成長を遂げた。1830年には，リバプールとの間に世界初の鉄道が開通した。運河によってアイリッシュ海と結ばれ，海港としての機能を有し，また多くの鉄道，道路が集中する交通の結節点ともなっている。第二次世界大戦後は綿工業は衰退し，この地域の工業の中心はリバプールに移りつつある。

| | ア | イ | ウ | エ |
|---|---|---|---|---|
| **1** | E | A | J | C |
| **2** | E | I | D | C |
| **3** | G | H | D | B |
| **4** | G | I | C | A |
| **5** | F | H | J | A |

難易度　＊＊

## 必修問題の解説

ヨーロッパの主要都市に関する問題である。文中にヒントが隠されているので，さほど難問ではない。アはドナウ川とビール醸造，イは国の北部の州都で化学工業と繊維工業，ウはファッション関連産業，エは世界初の鉄道が開通した都市から判断できる。主要都市を地図で確認しておくこと。

**ア：ドイツ第３の都市でビールで知られるミュンヘンである。**

ミュンヘンである。地図のG。ドイツの南東部に位置し，ベルリン，ハンブルクに次ぐ第３の都市。**ビール醸造業**は世界的に有名。製薬，精密・光学機械，食品加工業などが盛んである。

**イ：イタリア北部のファッションの中心都市はミラノである。**

ミラノである。地図のH。イタリア北部**パダノ・ヴェネタ平野**西部に位置。豊富なアルプス山脈からの水力，湧水を利用して，繊維工業や化学工業が立地した。ファッション産業の発信地でもある。

**ウ：食文化とファッション，および金融の中心地はパリである。**

パリである。地図のD。フランス最大の都市。**ケスタ地形**で有名なパリ盆地を流れるセーヌ川とマルヌ川の合流点付近に位置。大消費地を背景に総合工業地帯に発達した。ファッション産業の中心地でもある。

**エ：産業革命発祥地のマンチェスターである。**

マンチェスターである。地図のB。イギリス中西部**ランカシャー地方**の工業都市。産業革命の発祥地で綿工業は世界的に有名。近年は重化学工業が発達している。

よって，**3**が正しい。

なお，地図のAはエディンバラ，Cはロンドン，Eはハンブルク，Fはベルリン，Iはヴェネツィア，Jはローマである。

**正答 3**

## FOCUS

ロシアを含めたヨーロッパでは，西欧諸国が最も頻出度が高い。特に，民族，宗教，農業地域，工業地域，貿易は確実に理解しておくこと。東欧およびロシアでは，ロシアの工業地域，ハンガリーの民族問題のほか，EUの発展についても押さえておくとよい。

# POINT



## 重要ポイント 1 ヨーロッパ

(2022年。産業別人口割合は2020年)

| 国名 | 面積 | 人口 | 民族 | 宗教 | 言語 | 産業別人口割合 第一次 | 第二次 | 第三次 | その他 |
|---|---|---|---|---|---|---|---|---|---|
| イギリス | 千km² 242 | 万人 6,751 | アングロサクソン系 | 英国教会 | 英語 | % 1.0 | % 18.2 | % 80.8 | EU離脱 |
| | 中央に古山系のペニン山脈，大農法による小麦などの栽培，自給率向上，北海油田，伝統的工業国，バーミンガムの重工業，産業革命発祥地。シリコングレン。 | | | | | | | | |
| ドイツ | 358 | 8,337 | ドイツ系 | プロテスタント | ドイツ語 | 1.3 | 27.4 | 71.2 | |
| | ゲルマン民族，商業的混合農業（ライ麦・じゃがいも・てんさい），ルール工業地帯，ザール（鉄鋼業），ザクセン（化学工業）。 | | | | | | | | |
| フランス | 552 | 6,463 | フランス系 | カトリック | フランス語 | 2.4 | 20.0 | 77.7 | |
| | 北部（小麦中心の混合農業），南部（地中海式農業），ケスタ地形，TGV，工業地域（パリ・ロレーヌ・リヨン・マルセイユ）。 | | | | | | | | |
| イタリア | 302 | 5,904 | イタリア系 | カトリック | イタリア語 | 4.0 | 26.4 | 69.6 | |
| | 火山国，中央に新山系のアペニン山脈，バノーニ計画（南北格差是正）。 | | | | | | | | |
| スウェーデン | 439 | 1,055 | スウェーデン系 | スウェーデン教会 | スウェーデン語 | 1.7 | 18.3 | 80.0 | |
| | 国土の60%が森林，良質な鉄鉱石産出，鉄鋼業，紙・パルプ工業。 | | | | | | | | |
| デンマーク | 43 | 588 | デンマーク系 | 福音ルーテル系 | デンマーク語 | 2.1 | 18.9 | 79.0 | |
| | 酪農王国，協同組合，肉類・酪製品が輸出の中心，資源少ない。 | | | | | | | | |
| スペイン | 506 | 4,756 | スペイン系 | カトリック | スペイン語 | 4.0 | 20.5 | 75.5 | |
| | メセタ（羊の移牧），リアス海岸，稲作，バスク人，カタルーニャ州独立運動。 | | | | | | | | |
| スイス | 41 | 874 | ドイツ系他 | カトリック・プロテスタント | ドイツ・フランス・イタリア語 | 2.6 | 20.3 | 77.1 | |
| | 永世中立国，国際金融・観光収入，移牧，精密機械。 | | | | | | | | |
| ハンガリー | 93 | 997 | （アジア）マジャール系 | カトリック | ハンガリー語 | 4.8 | 31.9 | 63.3 | |
| | アジア系のマジャール人，プスタ（小麦・とうもろこし）。 | | | | | | | | |
| ロシア | 17,098 | 14,471 | ロシア人他 | ロシア正教 | ロシア語 | 6.0 | 26.5 | 67.5 | |
| | 東西に広い大陸（時差11時間），穀倉（チェルノーゼム），工業地域（ウラル，クズネツク，アンガラ，バイカル），ソ連崩壊後，経済はやや好調。 | | | | | | | | |
| ウクライナ | 604 | 3,970 | ウクライナ人 | キリスト教 | ウクライナ・ロシア語 | 15.1 | 24.0 | 60.9 | |
| | 穀倉地帯，チェルノーゼム，ドネツ炭田，クリヴォイログ鉄山。内戦 | | | | | | | | |

## 実戦問題❶　基本レベル

**No.1** ＊＊ **スウェーデン，ノルウェー，デンマークに関する次の記述のうち，妥当なものはどれか。**

【地方上級（全国型）・平成26年度】

**1**　この３か国はいずれも高緯度で冷帯に属しており，スウェーデンでは，冬は海の水が凍って船の運航ができなくなる。

**2**　この３か国はいずれもカトリック系のゲルマン民族が多い。

**3**　この３か国はいずれも社会保障制度が充実しているが，１人当たりの国内総生産はドイツ，フランスよりも少ない。

**4**　この３か国はいずれもヨーロッパ統合に積極的で，EU加盟国であり，また共通通貨ユーロを導入している。

**5**　スウェーデンは自動車工業などの機械工業が，デンマークは酪農が盛んである。ノルウェーは水産業が盛んで，石油の産出・輸出量が多い。

**No.2** ＊＊＊ **西ヨーロッパの主要工業地域に関する記述として正しいのはどれか。**

【国家総合職・平成元年度】

**1**　イタリアの工業地域は，豊かな労働力を背景としており，南イタリアでは水力発電を利用して重化学工業が，北イタリアではポー川流域で産出される石油によって石油化学工業が発達している。

**2**　ドイツの主要工業地域は，石炭と水運に恵まれたライン川流域に発達し，エッセンを中心に鉄鋼・化学工業が，ザール炭田のザールブリュッケンではフランスから鉄鉱石を輸入して鉄鋼業が発達している。

**3**　ベネルクス３国の工業地域は，地下資源が豊富であり，鉄鉱石が産出されるベルギーでは鉄鋼業が，石油が産出されるオランダでは石油化学工業が発達している。

**4**　イギリスの工業地域は，炭田地帯に立地しており，マンチェスター，リーズでは鉄鋼業，造船業が，バーミンガム，リバプールでは機械工業が発達している。

**5**　フランスの工業地域は，工業地域の集中化政策によって南フランスを中心に発達し，なかでも石炭を産出するロレーヌ地方では鉄鋼業が，メドック地方ではぶどう酒醸造業が発達している。

**No.3** ＊＊ **次のA～Dはヨーロッパの主要な国について，その工業の概況を述べたものであるが，当てはまる国の組合せとして妥当なのはどれか。**

【国税専門官・平成14年度】

A：この国の工業は北部に集中し，伝統的な繊維工業のほか，化学工業や自動車工業に重点が置かれている。巨大企業が存在する一方で，手工業的な中小企業による生産が多い。

B：この国は，第二次世界大戦後，基幹産業を国有化しながら重工業化政策を進め，鉄鋼業を中心に，石油化学や機械・自動車・航空機などの産業が発達している。工業地域は，主に国の東側に集まっている。

C：この国の工業地域の特色は，主要な工業地域が国内の炭田に近接して成立していたことである。これらの工業地域は主として内陸部に形成されたが，資源不足から海外へ原料を求めるようになり，臨海地域に工業生産の中心が移ってきている。

D：この国では，豊富な地下資源と河川や運河の水利を背景としたEU最大の工業地域が形成されている。この地域で産出される粘結炭は，コークスの製造に向いており，鉄鋼業の発達の基盤となった。

| | A | B | C | D |
|---|---|---|---|---|
| **1** | ドイツ | イタリア | フランス | イギリス |
| **2** | ドイツ | フランス | イタリア | イギリス |
| **3** | イタリア | イギリス | フランス | ドイツ |
| **4** | イタリア | フランス | イギリス | ドイツ |
| **5** | イギリス | フランス | イタリア | ドイツ |

## 実戦問題 1 の解説

### No.1 の解説　北欧諸国

→問題はP.332　**正答5**

**1** × いずれの国も高緯度であることは正しく，ノルウェーの首都オスロやスウェーデンの首都ストックホルムは北緯約60度で，日本周辺ではカムチャッカ半島の付け根付近に当たる。デンマークの首都コペンハーゲンは北緯約56度で，日本周辺ではカムチャッカ半島中部に当たる。しかし，暖流の北大西洋海流と，その上を吹く**偏西風**のために，デンマーク全体と，スウェーデン，ノルウェー両国の南部は温帯の西岸海洋性気候となっている。スウェーデン北部では冬に海面が凍るため，キルナ・マルムベリェトの**鉄鉱石**はノルウェーの不凍港ナルヴィクから積み出されていたが，現在は砕氷船が開発されている。

**2** × **ゲルマン民族**が多いことは正しいが，カトリック系ではなくプロテスタント系が多い。

**3** × 北欧諸国の社会保障制度が充実していることは正しい。国内総生産を比較すると，この3か国よりもドイツやフランスのほうがはるかに多いが，1人当たりの国内総生産で比較するといずれの国もドイツ，フランスより多くなっている。

**4** × ノルウェーはEUに加盟していない。また，スウェーデン，デンマークはEU加盟国だが，ユーロは導入していない。

**5** ◎ 妥当である。各国の最大輸出品は，スウェーデンは機械類，ノルウェーは原油，デンマークは機械類である。

### No.2 の解説　西欧の工業地域

→問題はP.332　**正答2**

**1** × **イタリア工業の心臓部は，北部工業地域。**
イタリアの工業地域は北イタリアで，豊富な労働力とアルプスの水力発電・ポー川流域の天然ガスを利用して発展した。南イタリアは農業地帯だが，大土地所有制が残存し，経営も零細であるので，南北格差が大きい。

**2** ◎ **ドイツ最大の工業地帯は，ルール工業地帯。**
正しい。エッセンを中心とした**ルール工業地帯**は，ルール炭田を背景に発達し，ヨーロッパ最大の重化学工業地帯である。ザール工業地域はザール炭田とフランスのロレーヌ鉄山の結合で鉄鋼業が発達。

**3** × **ベネルクス3国の工業地帯は，EUの原点。**
ベルギーは石炭は豊富だが，鉄鉱石は産出せず，輸入に依存している。近年は臨海部に鉄鋼・機械・電子工業が立地している。オランダは天然ガスは豊富だが，石油については産出量が少なく輸入に頼っている。ルクセンブルクでは鉄鉱石が産出する。

**4** × **イギリスは，伝統的な工業国。近年は先端技術産業も発展。**
イギリスの工業地域は，炭田地帯に立地したが，最近は北海油田の開発で北東地域に石油関連工業が立地している。また，マンチェスター・リバプール（ランカシャー）は綿工業，リーズ（ヨークシャー）は毛織物工業，バーミンガム（ミッドランド）は鉄鋼業が盛んである。**先端技術産業**は，シリコングレン（グラスゴーが中心）に発達した。

**5 ×** **フランスは，各地に工業地域が発達しているが，中心はパリ工業地域。**
フランス最大の工業地域は，パリ工業地域で，全工業労働者の約４分の１が集中している。ロレーヌ地方は鉄鉱石の産地である。また，最近はルアーヴル，ダンケルクなど臨海地域に石油関連工業が立地している。南フランスではマルセイユが主要工業地域である。



## No.3 の解説　ヨーロッパ主要国の工業の概況　→問題はP.333　正答４

A：国の北部に重化学工業地域（ミラノ・トリノ・ジェノヴァ）があるのは，イタリアである。アルプスの水力発電，豊富な労働力，ポー川流域の天然ガスなどを利用して発展した。

B：ロレーヌ地方の鉄鋼，マルセイユの石油化学・鉄鋼，リヨンの繊維，パリの自動車・日用品，ツールーズの航空機などが盛んなのはフランスである。

C：ランカシャー，ヨークシャー，ミッドランド，南ウェールズなど主要工業地域がいずれも炭田に近接しているのは，イギリスである。

D：EU最大の工業地域はドイツの**ルール工業地域**である。ルール炭田，ライン川の水運などが発展の背景にあった。

よって，正答は**4**である。

## 実戦問題❷　応用レベル

◆ **No.4**（＊＊） **表は，地中海に面しているアルジェリア，ギリシャ，トルコ，フランスの４か国に関するデータを示したものであり，A～Dは，これらのいずれかの国である。これらの国々に関する記述として最も妥当なのはどれか。**

【国家専門職・平成27年度改題】

| 面 | 面積（千km$^2$） | 人口（万人）（2022年） | 1人当たりGNI（US$）（2020年） |
|---|---|---|---|
| A | 2,382 | 4,490 | 3,291 |
| B | 784 | 8,534 | 8,435 |
| C | 552 | 6,463 | 39,573 |
| D | 132 | 1,039 | 18,040 |

（注）面積及び人口は国連統計，１人当たりGNIは「The World Bank：World Development Indicators」による。また，面積及び人口は，海外領土を除いた数値である。

**1**　A～D国のうち，その首都が最も北に位置するのはC国，最も東に位置するのはB国である。

**2**　C国とD国の首都は，いずれもドナウ川の流域に位置している。

**3**　A国には世界保健機関（WHO）の本部が，C国には欧州連合（EU）の本部がそれぞれ置かれている。

**4**　国民全体に占めるイスラーム教徒の割合が５割を超えているのは，B国とD国である。

**5**　2020年において合計特殊出生率が我が国と比べて低いのは，A国とC国である。

**No.5** ＊＊ **ロシア連邦に関する次の記述のうち，妥当なものはどれか。**

【市役所・平成17年度】

**1** カトリックが大半を占めているが，100を超す民族からなる多民族国家であり，イスラーム教の信者も多い。

**2** 最近では食生活が多様化しているが，主食は黒パンで，スープはトマトとクレソンで赤くしたボルシチである。

**3** チェチェン共和国では隣接する自治区との境界を巡って紛争が起きた。

**4** タイガと呼ばれる草原地帯では放牧が行われている。

**5** ペレストロイカによって市場経済を導入した。近年では極東，シベリアなどの東部開発が精力的に進められている。

**No.6** ＊＊＊ **東ヨーロッパ諸国に関する記述として妥当なのはどれか。**

【国家総合職・平成14年度】

**1** ポーランドは，北方がバルト海に面しており，また，国土の大半が海抜300m以下の平坦地である。古くから隣国ロシアの影響を強く受け，国民の大半はギリシャ正教徒である。石炭をはじめとする豊富な鉱物資源を利用して，重化学工業が発達しており，輸出品の大部分は自動車である。

**2** スロバキアは，1993年に隣国チェコとの連邦を解消し，独立した国家となった。西欧諸国との協調路線をとり，北大西洋条約機構（NATO）にも加盟している。産業は，伝統的に機械，ガラス，繊維などの工業が発達しており，特に，ボヘミア地方におけるガラス工業は，この国の重要な産業の一つである。

**3** ハンガリーは，ヨーロッパの中央部に位置するが，アジア系のマジャール人が国民の大半を占めている。国土の約70%を農地が占め，農産物の輸出を行っている。また，近年は，経済協力開発機構（OECD）に加盟するなど，市場経済の定着をめざした政策が進められている。

**4** マケドニアは，バルカン半島の北西部に位置しており，この国には石灰岩の溶食地形の名称の由来となったカルスト地方がある。旧ユーゴスラヴィアから分離・独立した国の中では最も経済水準が高い。また，カルスト地形に代表される風光明媚な観光地が多く，観光収入もこの国の重要な収入源となっている。

**5** ルーマニアは，ラテン系民族の国で，南側はドナウ川を境にギリシャと接し，東側は黒海に面している。1990年代以降，民主化と市場経済への移行が円滑に進み，国内で豊富に産出する石油と天然ガスを利用した石油化学工業を中心とする重化学工業の発展により，順調な経済成長を続けている。

## 実戦問題2の解説

### No.4 の解説　地中海沿岸諸国

→問題はP.336　**正答1**

4か国の見分け方は，1人当たりGNIが最も高いCがフランス，国土面積が最も大きいAがアルジェリア，人口が最大のBがトルコ，残ったDがギリシャである。

**1◎ 最も北はパリ，最も東はアンカラ。**
妥当である。Aのアルジェリアの首都アルジェは北緯36度，東経3度，Bのトルコの首都アンカラは北緯39度，東経32度，Cのフランスの首都パリは北緯48度，東経2度，Dのギリシャの首都アテネは北緯37度，東経23度なので，最も北はC国，最も東はB国である。

**2× ドナウ川は，スロバキア，ハンガリー，セルビアの首都を流れる。**
ドナウ川はドイツから東へ流れ，オーストリア，ハンガリー，ルーマニアを貫流して黒海に達する**国際河川**なので，Cのフランスも Dのギリシャも流域ではない。

**3× WHOの本部はスイス。EUの本部はベルギー。**
世界保健機関の本部はスイスの**ジュネーブ**に，欧州連合の本部はベルギーの**ブリュッセル**にある。

**4× アルジェリア，トルコは，イスラーム教徒が国民の過半を占める。**
Aのアルジェリアと Bのトルコは国民の9割以上がイスラーム教徒であるが，Dのギリシャは国民の9割以上がギリシャ正教徒である。

**5× ギリシャの合計特殊出生率は，日本より低い。**
人口が増減なく一定の水準にとどまる静止人口となる目安が**合計特殊出生率**2.1であり，Cのフランスは1.83である。一方の我が国は2012年にようやく1.41と16年ぶりに1.4台へ回復したが，現在（2020年）は1.34で，人口減少に歯止めがかかっていない。Aのアルジェリアの合計特殊出生率は2.94，Bのトルコは2.04，Dのギリシャは1.34で（すべて2020年），Dのギリシャを除き我が国より高い。

### No.5 の解説　ロシア連邦

→問題はP.337　**正答5**

**1×** ロシアは，ロシア正教を信仰する人が大半である。ウラル地方やカフカス地方にはイスラーム教の信者も多い。

**2×** ロシア人の主食は，黒パン（ライ麦パン）である。ボルシチはロシアの代表的なスープであるが，赤かぶが中心で，肉や野菜などを入れて長時間煮込んだものである。

**3×** チェチェン共和国はカフカス地方の共和国で，イスラーム系民族が多く，ロシアからの独立をめざし，武力紛争を起こしている。

**4×** **タイガ**は針葉樹の純林のこと。ここでは，大規模な林業が発達している。なお，草原地帯はステップと呼ばれている。

**5** ◎ 正しい。特に極東ロシアには，環日本海経済圏の構想が進み，日本，韓国などから投資が増加している。

## No.6 の解説　東欧諸国

→問題はP.337　**正答3**

**1** × ポーランドの国民の大半はカトリックを信仰している。また，輸出は機械類・自動車・金属製品の順に多い。

**2** × ボヘミア地方はチェコにあり，産業に関する記述もチェコを説明している。なお，スロバキアは，2004年３月，NATOに加盟した。

**3** ◎ 正しい。

**4** × カルスト地方はスロベニアにある。本肢はスロベニアを説明している。マケドニアは，バルカン半島南部にある内陸国で，複雑な民族問題にかかわってきたが，1991年独立した。

**5** × ルーマニアの南側はドナウ川を境にブルガリアと接している。石油などはトランシルヴァニア山脈南麓で産出される。

# 南北アメリカ・オセアニア

## 必修問題

**北・中・南米諸国の商工業と資源に関する記述として最も妥当なのはどれか。**

【国家専門職・平成30年度】

**1** 米国では，20世紀まで，豊富な石炭・鉄鉱石などの資源と水運を利用した工業が発達した南部が同国の工業の中心であったが，21世紀に入ると，北東部の**スノーベルト**と呼ばれる地域に工業の中心が移り，ハイテク産業や自動車産業などが進出した。

**2** カナダは，鉱産資源や森林資源に恵まれ，ウランやニッケル鉱の産出が多く，パルプ・紙類などの生産が盛んである。また，豊かな水資源を利用した**水力発電**が盛んで，水力発電が国全体の発電量の半分以上を占めている。

**3** メキシコは，輸出額のうち，石油が約５割を占め，機械類や自動車などの工業製品が約２割を占めている。同国の最大の貿易相手国は米国であるが，1980年代以降，輸出額に占める対米輸出額の割合は年々減少傾向にある。

**4** ブラジルは，ロシア，カナダに次ぎ世界で３番目の面積を持つ国であり，輸出額のうち，肉類，砂糖，コーヒー豆を合わせた輸出額が約５割を占めている。一方，石油資源に乏しく，その大半を輸入に依存している。

**5** チリは，鉄鉱石が輸出額の大半を占めている。同国の中部に位置するアタカマ砂漠には世界有数の埋蔵量を誇る**カラジャス鉄山**，**イタビラ鉄山**があり，鉄鉱石の産出高が世界一である。また，マラカイボ油田が同国の石油産出の中心地となっている。

難易度　＊

## 必修問題の解説

南北アメリカ主要国の鉱工業を中心とした問題である。アメリカ合衆国の工業地域の変化（**1**），カナダの工業（**2**），メキシコの貿易（**3**），ブラジルの工業と貿易（**4**），チリの鉱産資源（**5**）などで，基本事項を押さえていれば解答できる問題である。南米では，人種，公用語，気候，農牧業などもマークしておきたい。

**1** × アメリカ合衆国の工業は，北から南へ重心が移動した。
アメリカ合衆国では，20世紀前半までに，アパラチアの石炭，メサビの鉄鉱石などの資源と水運を利用して，**メガロポリス**から五大湖沿岸にかけて重工業が発達したが，第二次世界大戦後，国際競争力が低下し，**スノーベルト**と呼ばれるようになった。1970年代に北緯37度以南に**サンベルト**と呼ばれる新しい工業地域が生まれ，工業の中心は，北から南へと移った。近年は，スノーベルトも復活しつつある。

**2** ◎ カナダの工業は，アメリカ合衆国と深く結びついている。
正しい。カナダは，森林資源や鉱産資源に恵まれている。カナダの五大湖沿岸工業地域では，特にアメリカ資本の企業が多い。

**3** × メキシコの最大の貿易相手国は，輸出入ともアメリカ合衆国である。
メキシコは，輸出額のうち，機械類が36%，自動車（部品を含む）が23.9%を占めている。原油は3.5%である。最大の貿易相手国はアメリカ合衆国で，輸出額に占める割合は減少していない。

**4** × ブラジルは，経済成長が著しい「BRICs」の一員。
ブラジルの国土面積は世界第５位で，豊富な鉱産資源を背景に工業化が進展している。輸出額のうち，肉類，砂糖，コーヒー豆を合わせた輸出額は14.7%で，最大の輸出品は大豆（13.7%）である。また，石油資源にも恵まれており，原油の産出量は世界第９位（3.3%，2021年）を占めている。なお，最大の貿易相手国は，輸出入とも中国である（2020年）。

**5** × チリの銅鉱は埋蔵量・生産量ともに世界第１位である。
チリは，銅鉱・銅で輸出額の51.9%を占めている（2020年）。同国の北部に位置するアタカマ砂漠にあるのは銅山の**チュキカマタ**である。なお，チリは銅鉱の生産量は世界の28.6%を占め第１位である（2018年）。なお，**カラジャス鉄山**はブラジル，マラカイボ油田はベネズエラである。

**正答 2**

## FOCUS

かつてはアメリカ合衆国の農牧業地域や工業地域に関する出題が多かったが，最近では，南アメリカ諸国（特に人種・言語・農牧業）やオーストラリア（農牧業，鉱産資源など）に関する問題が頻出している。細部よりも全体的視野から把握しておくことが大切。

## POINT

### 重要ポイント 1 北アメリカ

（2022年。産業別人口割合（2020年））

| 国名 | 面積 | 人口 | 民族 | 宗教 | 言語 | 産業別人口割合 | | | その他 |
|---|---|---|---|---|---|---|---|---|---|
| | | | | | | 第一次 | 第二次 | 第三次 | |
| アメリカ合衆国 | 千km$^2$ 9,834 | 万人 33,829 | ヨーロッパ・アフリカ | キリスト教 | 英語 | % 1.7 | % 19.4 | % 78.8 | |
| | 古山系（アパラチア山脈），新山系（ロッキー山脈），安定陸塊（プレーリー），大規模・機械化農業（適地適作，企業的農業），土壌侵食（等高線耕作），多種豊富な資源，巨大企業による大量生産，広い国内市場を背景に海外へ進出，37° N 以北はフロストベルト，以南はサンベルト。 | | | | | | | | |
| カナダ | 9,985 | 3,845 | イギリス・アイルランド | カトリック | 英語・フランス語 | 1.6 | 19.3 | 79.2 | |
| | 安定陸塊（カナダ楯状地），プレーリー３州の小麦，五大湖周辺が工業の中心，ケベック州（フランス系住民が多い）の独立運動。 | | | | | | | | |

### 重要ポイント 2 中・南アメリカ

| 国名 | 面積 | 人口 | 民族 | 宗教 | 言語 | 産業別人口割合 | | | その他 |
|---|---|---|---|---|---|---|---|---|---|
| | | | | | | 第一次 | 第二次 | 第三次 | |
| メキシコ | 千km$^2$ 1,964 | 万人 12,750 | メスチソ | カトリック | スペイン語 | % 12.5 | % 25.4 | % 62.2 | |
| | 銀の生産世界１位，灌漑による綿花栽培，油田。 | | | | | | | | |
| キューバ | 110 | 1,121 | ヨーロッパ系 | カトリック | スペイン語 | 18.0 | 16.8 | 65.2 | |
| | 社会主義国家，砂糖の輸出，タバコ，ニッケル鉱。 | | | | | | | | |
| コスタリカ | 51 | 518 | ヨーロッパ系 | カトリック | スペイン語 | 18.6 | 17.6 | 63.8 | |
| | 白人系が住民の90%，非軍事国家，コーヒー・バナナの生産。 | | | | | | | | |
| ドミニカ共和国 | 49 | 1,123 | ムラート | カトリック | スペイン語 | 9.0 | 19.5 | 71.6 | |
| | 砂糖・コーヒーの生産，イスパニョーラ島東半部，観光。 | | | | | | | | |
| ハイチ | 28 | 1,159 | アフリカ系 | カトリック | フランス語 | 46.2 | 12.1 | 41.7 | |
| | 世界最初の黒人国家，黒人が住民の90%，コーヒー・サイザル麻。 | | | | | | | | |
| ジャマイカ | 11 | 283 | アフリカ系 | バプティスト他 | 英語 | 15.9 | 15.8 | 68.3 | |
| | 世界有数のボーキサイト産出国，コーヒー（ブルーマウンテン）。 | | | | | | | | |
| ブラジル | 8,510 | 21,531 | ヨーロッパ・アフリカ系 | カトリック | ポルトガル語 | 9.5 | 20.2 | 70.3 | |
| | セルバ（天然ゴム・カカオの原産地），コーヒー（ファゼンダ），イタビラ・カラジャス鉄山，工業化進展，日系人が多い。 | | | | | | | | |

| | | | | | | | | | |
|---|---|---|---|---|---|---|---|---|---|
| アルゼンチン | 2,796 | 4,551 | ヨーロッパ系 | カトリック | スペイン語 | 7.7 | 20.5 | 71.9 | 都市的地域 |
| | 白人が住民の98%，人口の８割が都市に集中，パンパ（小麦・肉牛）。 | | | | | | | | |
| ベネズエラ | 930 | 2,830 | メスチソ | カトリック | スペイン語 | 13.0 | 17.6 | 69.5 | |
| | 油田（マラカイボ湖，オリノコ川流域），OPEC加盟。 | | | | | | | | |
| コロンビア | 1,142 | 5,187 | メスチソ | カトリック | スペイン語 | 16.6 | 20.1 | 63.3 | |
| | コーヒー（世界３位），マグダレナ川流域が経済の中心。 | | | | | | | | |
| ペルー | 1,285 | 3,405 | インディオ | カトリック | スペイン語 | 33.7 | 15.9 | 50.5 | |
| | 銀・銅の産出国，アンチョビーの漁獲，インカ帝国（クスコ）。 | | | | | | | | |
| ボリビア | 1,099 | 1,222 | インディオ | カトリック | スペイン語 | 30.0 | 18.1 | 51.9 | |
| | リャマ・アルパカの飼育，チチカカ湖，アルティプラノ（高原）。 | | | | | | | | |
| チリ | 756 | 1,960 | メスチソ | カトリック | スペイン語 | 7.3 | 21.9 | 70.8 | |
| | 典型的非等高線国家，銅の産出国（世界一），硝石は減少。 | | | | | | | | |

## 重要ポイント３ オセアニア

| 国名 | 面積 | 人口 | 民族 | 宗教 | 言語 | 産業別人口割合 | | | その他 |
|---|---|---|---|---|---|---|---|---|---|
| | | | | | | 第一次 | 第二次 | 第三次 | |
| オーストラリア | 千km²<br>7,692 | 万人<br>2,618 | イギリス系 | キリスト教 | 英語 | %<br>2.8 | %<br>19.2 | %<br>78.0 | |
| | 乾燥大陸（国土の約70%が年降水量500mm未満），グレートアーテジアン（大鑽井）盆地の牧羊（掘り抜き井戸），西部に鉄鉱石産地，中国が最大貿易相手国。 | | | | | | | | |
| ニュージーランド | 268 | 519 | ニュージーランド人 | キリスト教 | 英語 | 6.0 | 20.4 | 73.6 | |
| | 新山系のサザンアルプス山脈，北島は酪農，南島は牧羊が盛ん。 | | | | | | | | |

## 実戦問題

◆ **No.1*** **アメリカ合衆国の地域についての次の図とその産業に関する説明として，妥当なものはどれか。** 【市役所・平成21年度】

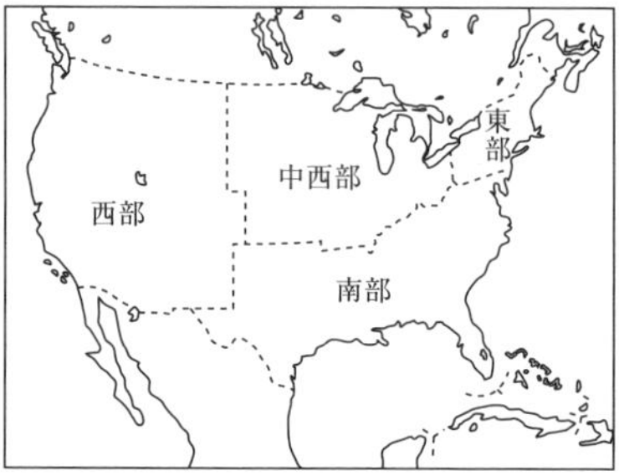


**1** 東部では，古くから自動車産業が盛んである。

**2** 南部では，石油化学工業が発達したが，最近では先端技術産業や宇宙産業が盛んである。

**3** 中西部には，シリコンヴァレーと呼ばれるIC産業集積地がある。

**4** 西部では，最も早く産業が発達し，現在は毛織物工業が最も盛んである。

**5** 西部と中西部・南部を境にして西部はフロストベルト，中西部・南部はサンベルトと呼ばれている。

◆ **No.2*** **ラテンアメリカに関する記述として，妥当なのはどれか。**

【地方上級（東京都）・令和２年度】

**1** 大西洋側には，最高峰の標高が8000mを超えるアンデス山脈が南北に広がり，その南部には，世界最長で流域面積が世界第２位のアマゾン川が伸びている。

**2** アンデス山脈のマヤ，メキシコのインカ，アステカなど先住民の文明が栄えていたが，16世紀にイギリス，フランスの人々が進出して植民地とした。

**3** アルゼンチンの中部にはパンパと呼ばれる大草原が広がり，小麦の栽培や肉牛の飼育が行われており，アマゾン川流域にはセルバと呼ばれる熱帯林が見られる。

**4** ブラジルやアルゼンチンでは，自作農による混合農業が発達しており，コーヒーや畜産物を生産する農場はアシエンダと呼ばれている。

**5** チリにはカラジャス鉄山やチュキカマタ鉄山，ブラジルにはイタビラ銅山が見られるなど，鉱産資源に恵まれている。

**No.3** ＊＊ **オーストラリアに関する次の記述のうち，妥当なものはどれか。**

**【地方上級（全国型）・平成24年度改題】**

**1** オーストラリア大陸は，平均高度が340mと全大陸中で最も低い。また，海抜０～200mに相当する面積が最も広く，全体の約42％を占めている。山地は少ないが，大陸の東側には古期造山帯のグレートディバイディング山脈が伸びている。

**2** オーストラリアの気候は，乾燥気候（砂漠気候やステップ気候）が最も広範囲を占めているが，北部にはサバナ気候，東部沿岸には温暖湿潤気候や西岸海洋性気候，南部や南西部には地中海性気候が分布している。

**3** オーストラリアの先住民は，北部一帯にマオリが，南部と中心にアボリジニーが居住している。ヨーロッパ人の入植により，土地収奪やヨーロッパ人との争いで，人口は2010年に５万人ほどに激減した。

**4** オーストラリアの貿易は，主に羊毛，鉄鋼，ボーキサイト，小麦などを輸出しており，機械類，自動車，石油製品，医薬品などを輸入している。最大の相手国は，輸出入とも中国である。

**5** オーストラリアの牧羊業は，18世紀後半に移民とともに運ばれた羊によって始まった。その後，メリノ種が導入され，品種改良が重ねられた。都市近郊では集約的牧羊が，比較的降水量の少ない内陸部では羊の放牧が盛んである。2020年現在，羊毛の輸出額は中国に次いで第２位である。

### No.4 ＊ アメリカ合衆国に関する記述として，妥当なのはどれか。

【地方上級（東京都）・平成22年度】

**1** 農産物を大規模に扱うアグリビジネスが盛んであり，穀物メジャーとよばれる巨大な穀物商社がある。

**2** サンベルトとよばれる一帯は，北緯37度線の南にあり，サンベルトの工業都市の例としてデトロイトがある。

**3** ロッキー山脈は，国土の東部にそびえ，古期造山帯の一つで世界有数の石炭の産地である。

**4** ミシシッピ川は，アメリカ合衆国の中央部を南西方向に流れる河川であり，カリフォルニア半島の東側から太平洋へ流れている。

**5** ニューヨークは，アメリカ合衆国の首都であり，世界経済の中心であるとともに，国際連合本部があるため，国際政治の中心でもある。

### No.5 ＊＊ 南アメリカに関する次の記述のうち，妥当なものはどれか。

【地方上級（全国型）・令和元年度】

**1** 大陸の南端は温帯だが，それ以外の大陸のほとんどは熱帯であり，熱帯雨林が広がっている。

**2** 住民は，ヨーロッパ系，黒人，先住民，混血の人々などが入り混じっており，各国ごとの構成には，それぞれ特色があるペルーやボリビアにはヨーロッパ系が多く，アルゼンチンには先住民が多い。

**3** アンデス山脈周辺は地下資源に恵まれており，石油や鉄鉱石の産出が多い。しかし，銅山や銀山は枯渇してきており，銅鉱や銀鉱はほとんど産出されていない。

**4** コーヒー豆やバナナなどの商品作物が多く輸出されている。ブラジルでは大豆の生産が盛んで，ブラジルの輸出品の中で最も大きな割合を占めている。

**5** チリはTPP（環太平洋経済連携協定）の原加盟国。ペルーは拡大交渉参加国だったが，2017年にアメリカ合衆国が脱退すると両国も離脱を表明し，TPP11にも不参加となった。

# 実戦問題の解説

## No.1 の解説　アメリカ合衆国の地域

→問題はP.344　正答2

**1 ×　東部（ニューイングランド）は，繊維工業から電子工業を中心に発展。**
東部はニューイングランドと呼ばれる地域で，アメリカ最古の歴史と文化を残している。18世紀末に最初の工業（毛織物や工業）が立地，最近は電子工業（**エレクトロニクスハイウェー**，シリコンアレー）が盛んである。メガロポリスのボストンやニューヨークが代表的都市である。

**2 ◎　南部は，近年工業が発展し，「サンベルト」とよばれている。**
正しい。代表的な都市はアトランタ（機械，繊維），ダラス（**シリコンプレーン**），ヒューストン（宇宙産業，石油化学工業），などである。農業では，小麦地帯，コットンベルト（綿花地帯，最近は大豆，落花生，たばこなど多角化が進む）が広がる。

**3 ×　中西部では工業が停滞し，「ラストベルト」とよばれている。**
中西部では五大湖沿岸のシカゴ（車両，農業機械，製油など），デトロイト（自動車）などが代表的工業都市である。農業では小麦，とうもろこし（コーンベルト）栽培や酪農が盛んである。なお，**シリコンヴァレー**は西部（カリフォルニア州）のサンノゼ付近のIC産業集積地である。

**4 ×　西部では，シリコンヴァレーを中心にIT産業が発達している。**
西部の農業は，カリフォルニア州のセントラルヴァレーを中心に，地中海式農業（果樹，野菜の集約的農業）が行われている。工業ではシアトル，ロサンゼルスの航空機産業，シリコンヴァレー（サンノゼ），**シリコンフォレスト**（シアトル）などのIC産業や製材，パルプ業（ポートランド）も盛んである。

**5 ×　北緯37度線以北は「フロストベルト」，南部は「サンベルト」とよばれる。**
北緯37度線を境にして北部は**フロストベルト**，南部は**サンベルト**と呼ばれている。フロストベルトは1960年代より鉄鋼業の衰退とともに人口流出や都市環境が悪化しだし，経済が衰退し，「フロスト（霜）」と呼ばれた。近年は都市再開発を進め，IT産業を核に再生した。サンベルトはかつて後進地域であったが，温暖な気候，安い労働力，広い工業用地，政府の財政的優遇措置などで，人口流入とともに先端産業が進出し，シリコンヴァレーを中心にアメリカ先端産業の核となっている。

## No.2 の解説　ラテンアメリカ

→問題はP.344　正答3

**1 ×　アンデス山脈は太平洋岸，アマゾン川は流域面積が世界第一位。**
南アメリカ大陸を南北に走る世界最長のアンデス山脈は，大陸の太平洋側にあり，最高峰は標高6,960mのアコンカグア山である。アマゾン川は南アメリカ大陸北部にある大河で，長さはナイル川に次ぐ世界第２位，流域面積は世界最大である。

**2 ×** **ラテンアメリカの大部分は，スペインとポルトガルの植民地であった。**
マヤ文明はユカタン半島（現在メキシコ）を中心に，インカ文明はアンデス山脈中のクスコを中心に栄えた。アステカ文明は，アナワク高原（現在メキシコ）を中心に栄えたので正しい。また，16世紀にこの地域に侵入したのは，ラテン民族のスペイン人とポルトガル人で，メキシコ以南のほぼ全域が両国の植民地となり，ラテンアメリカが形成された。

**3 ◎** **パンパはアルゼンチンの大草原，セルバはアマゾン川流域の熱帯林地域。**
**パンパ**では大土地所有制大農場の**エスタンシア**で，小麦やとうもろこしの栽培と肉牛の飼育（乾燥地域では牧羊）が行われている。**セルバ**では熱帯林の伐採が問題になっている。

**4 ×** **アシエンダはメキシコなどでの呼称である。**
**ファゼンダ**はブラジルの大土地所有制大農園で，主にコーヒーの栽培を，**アシェンダ**はメキシコなどの大農場（メキシコでは一部解体し，個人農に与えている）でとうもろこしなどを栽培しており，いずれも混合農業は見られない。

**5 ×** **チリは，銅生産量および輸出量が世界第一位である。**
ラテンアメリカが鉱産資源に恵まれていることは正しいが，銅の生産が多いチリにあるのはチュキカマタ銅山，鉄鉱石が豊富なブラジルにあるのはイタビラ鉄山とカラジャス鉄山である。

## No.3 の解説　オーストラリア

→問題はP.345　**正答2**

**1 ×** **大部分が安定陸塊のオーストラリアは，平均高度が低い。**
オーストラリア大陸の高度別頻度分布では，200m～500mに相当する面積が最も広く41.6%である。これは他の大陸にはない特徴である。なお，200m以下は39.2%である。

**2 ◎** **オーストラリアの大半は，乾燥気候である。**
妥当である。オーストラリア大陸で最も広く分布しているのは，砂漠気候（BW）で31.4%，次いでステップ気候（BS）25.8%である。亜寒帯気候と寒帯気候は分布していない。

**3 ×** **オーストラリアの先住民は，アボリジニー。**
先住民は**アボリジニー**である。アボリジニーはヨーロッパ人の入植により，土地収奪やヨーロッパ人が持ち込んだ病気などにより，９万人まで激減した。しかし，近年は政府の保護で少しずつ回復している。

**4 ×** **主要輸出品は，鉄鉱石，石炭，液化天然ガス。**
オーストラリアの主要輸出品は，鉄鉱石，石炭，液化天然ガス，金（非貨幣用），肉類の順。輸入品と最大輸出入相手国は正しい（2020年）。

**5 ×** **羊毛の最大生産国は中国。最大輸出国はオーストラリア。**
牧羊の歴史に関する記述は正しい。しかし，羊毛の生産量は中国が世界第１

位だが，輸出量はオーストラリアが世界第１位である（2020年）。

## No.4 の解説　アメリカ合衆国の地誌

→問題はP.346　**正答１**

**1** ◎ 正しい。**アグリビジネス**（農業関連企業）とは，農産物の生産段階だけでなく，加工・貯蔵・流通・販売等を組み合わせた経済活動を行っている企業。**穀物メジャー**は，穀物の流通網を世界中に築き，輸出市場を支配してきた巨大穀物商社で，多国籍企業が多い。

**2** × **サンベルト**は北緯37度線の南の地域をいう。サンベルトは，IC工業・航空宇宙産業・半導体産業など先端技術産業が集まっている。シリコンヴァレー（サンノゼ），シリコンデザート（フェニックス），シリコンプレーン（ダラス，ヒューストン），リサーチトライアングルパーク（ダラム），エレクトロニクスベルト（オーランド）などの地域（都市）がある。自動車産業で有名なデトロイトは，北部の**フロストベルト**を代表した都市である。

**3** × **ロッキー山脈**は，国土の西部にそびえ，新期造山帯の一つで，石炭の埋蔵は多いが良質ではない。石油の埋蔵も確認されている。また，銅なども産出する。東部にあるのは古期造山帯のアパラチア山脈で，良質な石炭産地（アパラチア炭田）がある。

**4** × **ミシシッピ川**は，アメリカ合衆国の中央部を南に流れ，メキシコ湾に注ぐ北アメリカ最長の河川である。河口に鳥趾状三角州を形成している。カリフォルニア半島の東側から太平洋へ流れる河川は，コロラド川である。

**5** × アメリカ合衆国の首都は**ワシントン**である。ワシントンは計画都市（放射直交路型街路をもつ都市）。連邦政府直轄地で，コロンビア特別区を形成する。ニューヨークには巨大企業の本社があり，ウォール街は世界経済の中心地。

## No.5 の解説　南アメリカ大陸

→問題はP.346　**正答４**

**1** × 最南端はツンドラ気候である。大陸の63.4％は熱帯（熱帯雨林気候26.9％，サバナ気候36.5％），次いで温帯が21.0％，乾燥帯14.0％，寒帯1.6％で，亜寒帯（冷帯）は分布していない。

**2** × ペルーやボリビアは先住民（**インディオ**）が多く，アルゼンチンはヨーロッパ系（白人）が多い。

**3** × 銅鉱はチリ（世界第１位），ペルー（２位）。銀鉱はペルー（３位），チリ（４位），ボリビア（８位）で産出量は多い。アンデス山脈周辺の地下資源の記述は正しい。

**4** ◎ 正しい。ブラジル最大の輸出品は**大豆**で，輸出額の13.7％を占めている。

**5** × チリおよびペルーは，2017年１月にアメリカ合衆国が**TPP**からの離脱を表明後も**TPP11**のメンバーとして自由貿易圏拡大を目指している。

# 第4章 日本の地理

## 試験別出題傾向と対策

| 試験名 | | 国家総合職 | | | | | 国家一般職 | | | | | 国家専門職（国税専門官） | | | | |
|---|---|---|---|---|---|---|---|---|---|---|---|---|---|---|---|---|
| 年度 | | 21–23 | 24–26 | 27–29 | 30–2 | 3–5 | 21–23 | 24–26 | 27–29 | 30–2 | 3–5 | 21–23 | 24–26 | 27–29 | 30–2 | 3–5 |
| 頻出度 | テーマ　出題数 | 1 | 0 | 0 | 0 | 1 | 1 | 1 | 0 | 1 | 0 | 1 | 0 | 0 | 0 | 0 |
| B | 10 日本の自然・貿易 | 1 | | | | 1 | 1 | | | 1 | | | | | | |
| B | 11 日本の都市・産業 | | | | | | | 1 | | | | 1 | | | | |

本分野は，他の分野に比べて出題数が少なかったが，令和になってからかなり増えている。かつては地体構造や地域開発，主要農産物の生産地，工業地帯，貿易などからの出題が定番であったが，時代とともにその内容も変化し，自然災害に関する問題などが目につくようになっている。また，これまでほとんど出題されなかった日本の離島や政令指定都市，世界遺産などから出題されている。いずれにしろ地理の基本である自然環境と人間生活との関連を中心に受験対策をして欲しい。また，生産量や貿易量などは，新しい統計で把握しておくことも大切である。

### ●国家総合職

日本の地理の分野からの出題は少なかったが，日本の離島（平成23年度）に関する出題以降，少し増えている。最近は日本の自然災害と防災（令和４年度）に関する出題（プレートと地殻変動・地震，ハザードマップ，地震動予測地図，緊急地震速報，線状降水帯）など時代に即した問題が出されたことは注目に値する。この他，世界遺産や国立公園に関する概略も理解したい。

### ●国家一般職

この分野からの出題は多くないが，地形図の読図（平成23年度）が出題された後，最近では日本の地形（令和２年度）が出題された。扇状地，氾濫原，海岸地形などと人間生活との関連が問われた。グラフや図表，地図から判断する問題が多いのも国家一般職の特徴である。

### ●国家専門職

工業立地や各種産業（平成16年度），水産業，政令指定都市などが出題されていたが，最近はこの分野からの出題はなかった。しかし，大切な分野であるので，基本だけはマスターしておくことが大切である。

### ●地方上級

この分野からの出題は，令和になってから増えている。

全国型は，農林水産業（令和３年度）に関してそれぞれの産出額，稲作，木材，漁業などに関して出題された。また，日本の地形（令和４年度）も出題され

| 地方上級（全国型） | | | | | 地方上級（東京都） | | | | | 地方上級（特別区） | | | | | 市役所（C日程） | | | | | |
|---|---|---|---|---|---|---|---|---|---|---|---|---|---|---|---|---|---|---|---|---|
| 21-23 | 24-26 | 27-29 | 30-2 | 3-4 | 21-23 | 24-26 | 27-29 | 30-2 | 3-5 | 21-23 | 24-26 | 27-29 | 30-2 | 3-5 | 21-23 | 24-26 | 27-29 | 30-2 | 3-4 | |
| 0 | 1 | 1 | 1 | 2 | 0 | 0 | 0 | 0 | 0 | 0 | 1 | 0 | 0 | 0 | 0 | 1 | 2 | 2 | 2 | |
| | 1 | | | 1 | | | | | | | 1 | | | | | | | 1 | | テーマ10 |
| | | 1 | 1 | 1 | | | | | | | | | | | | 1 | 2 | 1 | 2 | テーマ11 |

た。

関東型と中部・北陸型は全国型とほぼ同じ問題であったが，海岸地形（令和３年度）と時差（令和４年度）が加わった。

### ●東京都

最近はこの分野からの出題はない。しかし，品目別食料自給率，発電量の推移など，地図やグラフ，図表を参考に解答する問題がよく出題されていたので，マークしておきたい。

### ●特別区

日本の地体構造（平成26年度）や日本の食料（令和５年度）が出題された。しかし，主要農産物や鉱産資源およびエネルギー資源の貿易などを，図表から判断する問題に気をつけたい。

### ●市役所

テーマ11に該当する出題が目立つ。農業（平成28年度・令和４年度），日本の観光（平成26年度），エネルギー政策（平成25年度）などである。テーマ10からでは地方別の自然環境（令和元年）などが出題された。出題範囲が広範囲なので，しっかり対策して欲しい。また，地図からの出題が多いので，白地図の利用を勧めたい。

# 日本の自然・貿易

## 必修問題

**わが国の地形に関する記述として最も妥当なのはどれか。**

【国家一般職・令和２年度】

**1** 河川が上流で岩石を侵食し，下流へ土砂を運搬して堆積させることにより，様々な地形が作られる。山地の急流では侵食・運搬作用が働き，これに山崩れや地滑りなどが加わることで，横断面がU字型をしたU字谷が形成される。そこに上流からの土砂が堆積すると**氾濫原**が作られる。

**2** 河川が山地から平野に出ると，侵食された砂礫（れき）のうち，軽い砂から順に堆積する。氾濫のたびに河川は流路を変え，礫は扇状に堆積し，**扇状地**が形成される。湧水を得やすい**扇央**は畑や果樹園などに利用されやすく，水を得にくい**扇端**には集落が形成されやすい。

**3** 河川の氾濫が多い場所では，堤防などで河川の流路が固定されることがある。このため，砂礫の堆積が進んで河床が高くなり，再び氾濫の危険が高まる。更に堤防を高くしても河床の上昇は続くため，周囲の平野面よりも河床が高い**天井川**が形成されることがある。

**4** 河川が運んできた土砂や別の海岸の侵食により生じた土砂が沿岸流によって運搬され，堆積することにより**岩石海岸**が形成される。ダムや護岸が整備されると，河川により運搬される土砂が増加するため，海岸侵食が進んで海岸線が後退することがある。

**5** 土地の隆起や海面の低下によって海面下にあった場所が陸地になると，谷が連続して海岸線が入り組んだ**リアス海岸**が形成される。平地が少なく内陸との交通も不便であり，内湾では波が高いため，養殖業や港が発達しにくい。

難易度 ＊

## 必修問題の解説

**日本の主要地形に関する基本的な問題である。河川の侵食・運搬・堆積作用（1），扇状地（2），氾濫原・天井川（3），海岸地形（4・5）であるが，単に地形だけでなく，土地利用など人間生活との関連も理解しておきたい。**

**1 ×** 山地で河川によって形成された谷は，V字谷である。

河川によって山地が深く刻まれた谷の断面はV字型をしたV字谷である（U字谷は，氷食によって形成される)。この下流では，河川沿いに上流からの土砂が堆積して**谷底平野**が形成される。さらに下流域で氾濫により形成された低平地を**氾濫原**という（河道からあふれた土砂は**自然堤防**や**後背湿地**を形成する)。

**2 ×** 扇状地で集落が立地するのは，扇頂（谷口集落）と扇端である。

河川が山地から平地に出ると，重い砂礫から順に堆積し，扇状地を形成する。扇状地の扇頂は水に恵まれ，谷口集落が立地。扇央は**伏流**するため水が乏しいため果樹園や畑，林地として利用されてきた。**扇端**は**湧水**するので集落や水田が分布する。

**3 ◎** 天井川は，河床が周囲の平野よりも高くなった河川。

土砂の運搬が盛んな河川では，河道を堤防によって固定すると，土砂が堆積して河床が高くなる。洪水の危険を避けるため，堤防のかさ上げを繰り返すとさらに河床が高くなり，**天井川**になる。草津川，黄河下流などが好例。

**4 ×** 沿岸流によって沖合に形成される堆積地形は砂州。

河川が運搬してきた土砂や，海岸付近で侵食された砂礫が沿岸流によって沖合に堆積して形成された平地は岩石海岸ではなく**砂州**。岩石海岸は岩盤が露出する海岸である。なお，ダムや護岸が整備されると，河川により運搬される土砂が減少するので，海岸線が後退することがある。

**5 ×** リアス海岸は内湾の波が穏やかで，養殖や良港が発達しやすい。

土地の隆起や海面の低下によって海面下にあった場所が陸地になったのは，離　水海岸（海岸平野など)。**リアス海岸**は起伏の大きい山地が沈水し，入り江が連続している海岸である。平地が少なく，内陸との交通が不便であるが，**津波**が起こると被害が大きくなる。

**正答 3**

## FOCUS

自然分野では地形と気候が多く出題されている。地形は地形名とその代表的地名，気候は日本の気候区分（南海気候区，中央高地気候区など）である。

例年，ほぼ同じ傾向なので過去問を多く解くことを勧めたい。日本の貿易は特に主要品目の輸入先を把握しておくことが大切である。

## 重要ポイント1 日本の自然

### (1) 日本の地体構造と４つの世界自然遺産

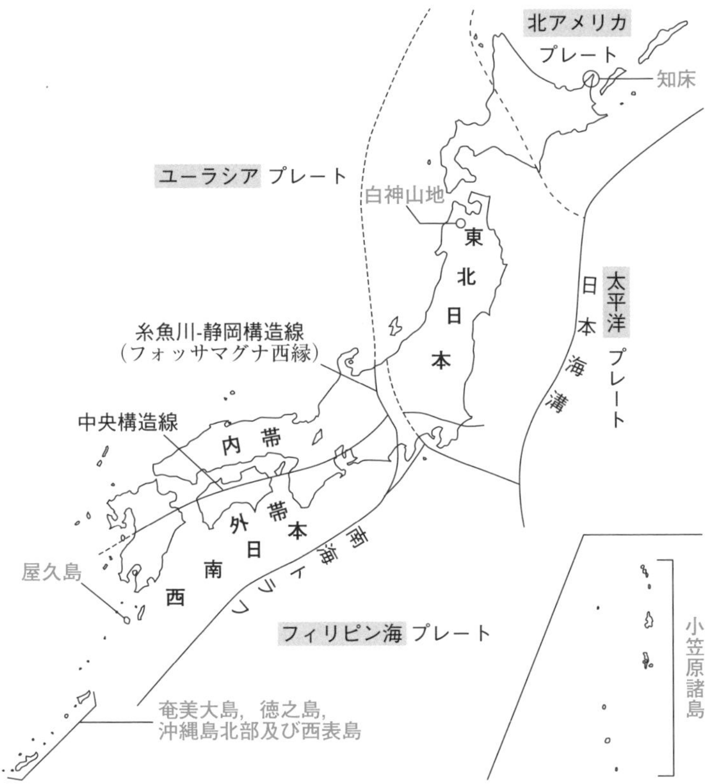


### (2) 日本の気候区分

●**日本海側**――冬に降水量が多く，日照少ない。

**西北海道**……冷涼で，年降水量少ない。

**両羽**……冷涼，年降水量やや多い。

**北陸**……温暖，年降水量多く，湿潤。**冬の積雪量特に多い。**

**山陰**……高温，年降水量多いが北陸より少ない。

●**太平洋側**――冬は少雨だが，日照は多い。

**東北海道**……寒冷，少雨，７月の日照少ない。

**三陸**……冷涼，少雨。
**東北**……温暖，年降水量はやや少ない。
**中央高地**……内陸性気候，年降水量少ない。
**南海**……高温，**年降水量多い**。湿潤。
●**九州気候区**——日本海側・太平洋側双方の特徴を持つ。
**北九州**……日本海側より冬少雨。
●**瀬戸内気候区**——高温で少雨乾燥，日照長い。

## 重要ポイント 2 日本のおもな輸入品と輸入相手先

| | |
|---|---|
| 肉類 | アメリカ(29.1)　タイ(13.4)　オーストラリア(13.1)　カナダ(11.0)　中国(6.5)　ブラジル(6.3)　メキシコ(5.0) |
| 魚介類 | 中国(18.0)　チリ(9.2)　ロシア(9.1)　アメリカ(8.6)　ノルウェー(7.3)　ベトナム(7.0)　タイ(6.3) |
| 小麦 | アメリカ(45.1)　カナダ(35.5)　オーストラリア(19.2) |
| とうもろこし | アメリカ(72.7)　ブラジル(14.2)　アルゼンチン(8.0) |
| 果実 | フィリピン(18.9)　アメリカ(18.7)　中国(14.1) |
| 野菜 | 中国(49.4)　アメリカ(15.0)　韓国(5.4)　タイ(4.0) |
| 木材 | カナダ(29.8)　アメリカ(17.0)　ロシア(13.1) |
| 鉄鉱石 | オーストラリア(55.3)　ブラジル(28.3)　カナダ(7.0)　南ア共和国(3.7)　アメリカ(1.4) |
| 銅鉱 | チリ(35.0)　オーストラリア(18.0)　インドネシア(13.0)　ペルー(9.9)　カナダ(8.5)　パプアニューギニア(4.8) |
| 石炭 | オーストラリア(67.2)　インドネシア(11.3)　ロシア(10.2)　アメリカ(4.8)　カナダ(4.4)　中国(0.6) |
| 原油 | サウジアラビア(40.0)　アラブ首長国(34.8)　クウェート(8.5)　カタール(7.4)　ロシア(3.7)　エクアドル(1.6) |
| 石油製品 | 韓国(24.5)　アラブ首長国(14.3)　カタール(12.3)　アメリカ(9.1)　サウジアラビア(5.3) |
| 液化天然ガス | オーストラリア(36.0)　マレーシア(12.5)　アメリカ(11.0)　カタール(11.0)　ロシア(8.7)　ブルネイ(5.5) |
| 医薬品 | アメリカ(20.5)　ドイツ(12.8)　ベルギー(11.4) |
| プラスチック | 中国(19.4)　アメリカ(15.0)　台湾(13.8)　韓国(13.2) |
| 鉄鋼 | 韓国(33.2)　中国(21.4)　台湾(9.2)　カザフスタン(6.4) |
| アルミニウム | ロシア(16.6)　オーストラリア(13.7)　アラブ首長国(13.3) |
| コンピュータ | 中国(77.6)　タイ(3.9)　台湾(3.4)　アメリカ(3.3) |
| 集積回路 | 台湾(56.3)　中国(9.7)　アメリカ(9.5)　韓国(7.7) |
| 自動車 | ドイツ(33.5)　タイ(9.6)　アメリカ(7.9)　イギリス(7.4)　イタリア(6.7)　オーストリア(5.4)　スペイン(3.8) |
| 衣類 | 中国(55.8)　ベトナム(14.1)　バングラデシュ(4.6) |
| 精密機器 | 中国(20.1)　アメリカ(19.3)　スイス(13.2) |

（出典）『日本国勢図会　2023/24年版』（金額：円による百分比，%）

## 実戦問題

＊＊
**No.1** **次の略地図中のA～Eの地域の説明として妥当なものはどれか。**

【地方上級（全国型）・平成26年度】

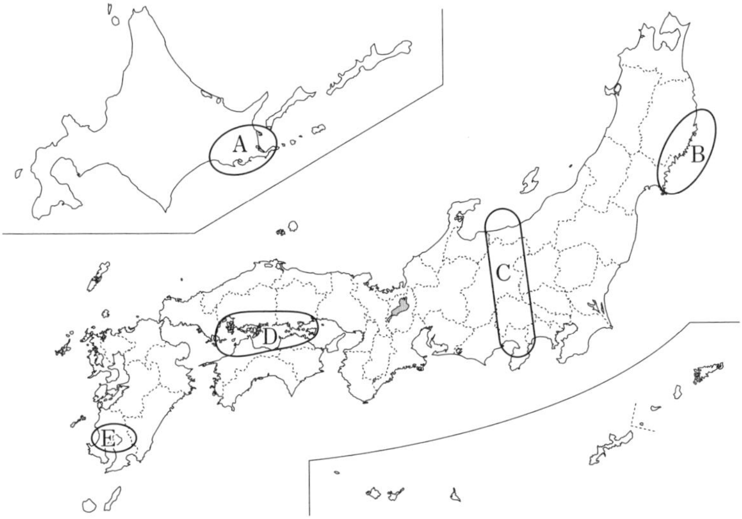


**1**　A地域は，山が海岸に迫り平地が少ない。夏でも気温が低く，冬の積雪は日本で最も多い。

**2**　B地域の海岸はのこぎりの歯のような屈曲を持つリアス海岸で，波が穏やかなためワカメなどの養殖が盛んである。しかし，水深が浅いため港には適さない。

**3**　C地域の日本アルプスの近くにはフォッサマグナがあり，その以東は山地がほぼ南北にのび，その以西は山地がほぼ東西にのびている。

**4**　D地域の瀬戸内海は小さな島が点在する内海で，日本で最も降水量が多い地域である。温暖な気候を利用して果実の生産が盛んである。

**5**　E地域には桜島があり，今でも火山活動が活発である。周辺には火山灰や軽石などからなるシラス台地が広がり，稲作に適している。

**No.2** ＊ **日本の地理に関する次の記述のうち，妥当なものはどれか。**

【地方上級（全国型）・令和４年度】

**1** 日本列島付近にはいくつもの海溝やトラフが形成されているが，日本海溝はいわゆる広がる境界に分類される。

**2** 日本列島は，糸魚川・静岡構造線を西縁とするフォッサマグナによって，東北日本と西南日本に分かれ，さらに，西南日本は，中央構造線によって内帯と外帯とに分かれる。

**3** 日本の河川はなだらかなため，沖積平野の形成はあまり見られない。

**4** 東シナ海を北上する暖流は，沖縄付近で太平洋岸を北上する黒潮と日本海を北上する親潮に分かれる。

**5** 冬になると，日本海側から吹く乾いた風が奥羽山脈などの脊梁山脈を越えて湿潤な風となり，太平洋側に多量の雨や雪をもたらす。

**No.3** ＊＊ **表は，2022年のわが国の主な輸入品５品目について，輸入額，主要輸入相手国上位３か国および輸入額に占めるそれらの国の割合を示したものである。A～Eに当てはまる輸入品の組合せとして最も妥当なのはどれか。**

【国家一般職・平成20年度改題】

| 品目 | 輸入額（億円） | 輸入相手国および輸入額に占める割合（%） | | | | | |
|---|---|---|---|---|---|---|---|
| A | 78,102 | オーストラリア | 67.2 | インドネシア | 11.3 | ロシア | 10.2 |
| B | 18,056 | オーストラリア | 55.3 | ブラジル | 28.3 | カナダ | 7.0 |
| C | 16,826 | チ　リ | 35.0 | オーストラリア | 18.0 | インドネシア | 13.0 |
| D | 7,645 | アメリカ合衆国 | 72.7 | ブラジル | 14.2 | アルゼンチン | 8.0 |
| E | 3,298 | アメリカ合衆国 | 45.1 | カナダ | 35.5 | オーストラリア | 19.2 |

（統計は2022年）

| | A | B | C | D | E |
|---|---|---|---|---|---|
| **1** | 鉄鉱石 | 石　炭 | 液化天然ガス | とうもろこし | 小　麦 |
| **2** | 鉄鉱石 | 石　炭 | 銅　鉱 | 羊　毛 | とうもろこし |
| **3** | 石　炭 | 鉄鉱石 | 液化天然ガス | 羊　毛 | とうもろこし |
| **4** | 石　炭 | 鉄鉱石 | 銅　鉱 | 大　豆 | とうもろこし |
| **5** | 石　炭 | 鉄鉱石 | 銅　鉱 | とうもろこし | 小　麦 |

# 実戦問題1の解説

## No.1 の解説　日本の地域と地形・気候
→問題はP.356 **正答3**

**1 ×** A地域には，根室・釧路市とその間に根釧台地が広がる。夏の気温は低いが，太平洋岸にあるため，冬の降水（積雪）量は少ない。積雪量が多いのは，東北地方の日本海側及び北陸地方である。

**2 ×** B地域の三陸海岸は，**リアス海岸**であるため水深が深く，天然の良港で，養殖が盛んである。湾奥の平地に集落が集中しているため，東日本大震災の大津波で特に大きな被害を被った。

**3 ◎** C地域の日本アルプス（飛騨，赤石，木曽山脈）近くから広がる**フォッサマグナ**（大陥没帯）を境に，日本列島は，関東〜北海道は南北に（越後山脈など），中部〜沖縄は東西に（紀伊山地など）延びている。

**4 ×** D地域の瀬戸内地方は，中国・四国山地に挟まれ季節風の影響を受けにくいため，年間を通じて降水量は少ない。また，温暖な気候を利用してみかんなどの柑橘類の栽培が盛んである。

**5 ×** E地域，鹿児島湾北部には火山噴出物からなる**シラス（白砂）台地**が広がる。地表水流が乏しく，また，地下水位が低いため水不足に悩まされ，稲作には不適であったが，灌漑施設の普及でサツマイモ，茶などが栽培され，生産量も増加している。

## No.2 の解説　日本の自然環境
→問題はP.357 **正答2**

**1 ×** **日本列島付近の４つのプレートの境界は，いずれも「狭まる境界」である。**
日本列島付近は，太平洋プレート，フィリピン海プレート，北アメリカプレート，ユーラシアプレートの４つのプレートが接する変動帯になっている。プレートの境界は，**広がる境界**，**狭まる境界**，**ずれる境界**の３種類に分類できる。それぞれの境界付近では，プレートの運動によって激しい地殻運動や火山活動が起き，大山脈や海溝，海嶺などの大地形がつくられる。日本海溝は太平洋プレートが北アメリカプレートの下に沈み込む「狭まる境界」に分類される。
なお，海嶺は「広がる境界」で形成される。

**2 ◎** **フォッサマグナの東部に分けられる東北日本の高い山は火山が多い。**
妥当である。外帯と内帯を比べると，外帯は険しい山地が多いが，本州と四国に火山はない。内帯は東縁の中部地方を除き，なだらかな山地が多い。

**3 ×** **日本の河川は一般的に短く急である。**
日本列島は国土の約７割が山地なので，河川は一般に短く急流である。平野のほとんどは河川の堆積作用によって形成された**沖積平野**である。

**4 ×** **日本海を北上する暖流は対馬海流である。**
日本付近には，暖流と寒流が流れて，太平洋岸と日本海上で交わる。太平洋岸を北上する暖流は**黒潮**（日本海流）の記述は妥当であるが，黒潮から分かれて北上する暖流は**対馬海流**である。**親潮**（千島海流）は，東北日本の太平洋岸を南下し，三陸沖で黒潮と交わる寒流である。

**5 ×** **冬の日本海側の大雪は，北西季節風と日本海の水蒸気，脊梁山脈が原因。**
冬にユーラシア大陸から吹く北西季節風は乾燥した風であるが，日本海上で対馬海流から水蒸気が供給され，奥羽山脈などの脊梁山脈にあたると日本海側に大量の雪を降らせる。脊梁山脈を越えた風は乾燥した風になり，太平洋側は降雨や降雪が少なく乾燥する。

## No.3 の解説　日本の主な輸入品・輸入相手国

→問題はP.357　**正答5**

A：輸入額と輸入相手国から判断する。輸入額は５品目中最も多く，オーストラリア，インドネシア，ロシアから輸入しているので**石炭**である。鉄鋼業と電力業界の需要が多い。なお，中国からの輸入が減少している。

B：オーストラリア，ブラジル，カナダからの輸入が多いので，**鉄鉱石**である。ブラジルが重要な判断材料となる。

C：輸入先の第１位がチリなので，**銅鉱**とわかる。チリの銅鉱生産は世界の約３分の１を占め，世界一である。液化天然ガスの輸入先はオーストラリア，マレーシア，カタールの順である。

D：輸入額の７割がアメリカ合衆国からなので，**とうもろこし**である。近年はバイオ燃料用の需要が高まっている。羊毛は中国，ニュージーランド，マレーシアなどから，**大豆**はアメリカ合衆国，カナダ，ブラジルなどから輸入している。

E：アメリカ合衆国，カナダ，オーストラリアの３国からの輸入が100％近くを占めているので**小麦**である。

よって，**5**が正しい。

# 日本の都市・産業

## 必修問題

**わが国の工業立地や産業に関する次の記述のうち，最も妥当なのはどれか。**

【国税専門官・平成16年度】

**1** **半導体**は，小型・軽量でかつ価格が高いので，製品に占める輸送費の単価は相対的に安くすむ。そのため，半導体の生産地域は大都市圏から地方へと分散し，労働力を得やすく輸送に便利な空港周辺や高速道路沿いに工場が立地される傾向が強い。

**2** ビールや清涼飲料水の主原料となる水は製造過程で重量が変化しない原料であり，原料産地と市場の間のどこでも輸送費は変わらない。そのためビール工場は賃金の高い東京周辺より，安価な労働力が得やすい地方にその多くが立地されている。

**3** 工業原料を外国からの輸入に依存する場合，原料を輸送する船舶が接岸する臨海部の港湾近くに工場を立地させることが便利である。セメント工場は原料を輸入にほぼ依存しているため，国内市場に近い**太平洋ベルト**地帯にその多くが立地されている。

**4** 鉄鋼は，製造過程で製品の重量が原料に対して軽くなる重量減損原料であり，また製鉄には多量の電力を消費するため，従来は鉱山に近い発電所に隣接して製鉄工場が立地されていたが，現在は安価な電力が沿岸地域で得やすくなったため，静岡県の蒲原などの太平洋側に集中している。

**5** パルプ工業の主原料は原木と硬水であるが，ともに輸送費が高くないため，原料を遠隔地から輸送して生産する。さらにパルプ工場は排出物が少なく環境への負荷が小さいことに加え，パルプの生産量が市場の情報や流行に依存するため，大都市周辺に立地されることが多い。

難易度 ＊＊

## 必修問題の解説

日本の工業立地や産業に関する問題である。工業立地は，一般的には，原料指向型＜セメント（**3**），パルプ（**5**）陶磁器＞，市場指向型＜ビール，清涼飲料水（**2**）＞，労働指向型＜縫製品，組立工業＞，臨海指向型＜鉄鋼（**4**），石油精製，造船＞，臨空港指向型＜IC工業（**1**）＞などに分類できる。

**1** ◎ **半導体などの工業は空港や高速道路沿いに立地する傾向がある。**
正しい。空港周辺に半導体の工場が多い九州を**シリコンアイランド**，高速道路沿いに多い東北自動車道をシリコンロードといっている。

**2** × **ビールや清涼飲料水の工場は，消費地近くに立地する。**
ビールや清涼飲料水の工場は，製品になると重くなるため（缶やビンに入れるため），輸送距離が短い東京周辺など，市場に近い所に立地する。

**3** × **セメント工場は原料産地に立地する。**
セメント工場は，原料が石灰石で，製品になると軽くなるので（**重量減損原料**），輸送費を安価にするため原料産地に立地する。

**4** × **鉄鋼業はわが国の場合，臨海部に立地する。**
鉄鋼業は，原料の鉄鉱石と石炭を海外から輸入しているため，臨海部に立地している。また，臨海部は輸出にも便利である。なお，大量の電力を消費する工業は，アルミニウム工業である。

**5** × **パルプ工業は原料産地に立地する。**
パルプ工業の原料は原木と軟水（硬水ではない）であるが，原木の輸送費が高いため，原料（原木）産地に立地する。

**正答 1**

## FOCUS

日本の産業では農業と工業が頻出している。農業分野では米・小麦・果樹などの生産県，工業では工業立地のほか，工業地帯（京浜・中京・阪神），鉄鋼・自動車・石油精製・IC・化学繊維など主要工場の分布などを確実に理解しておくこと。

# POINT

## 重要ポイント 1 農作物の生産地

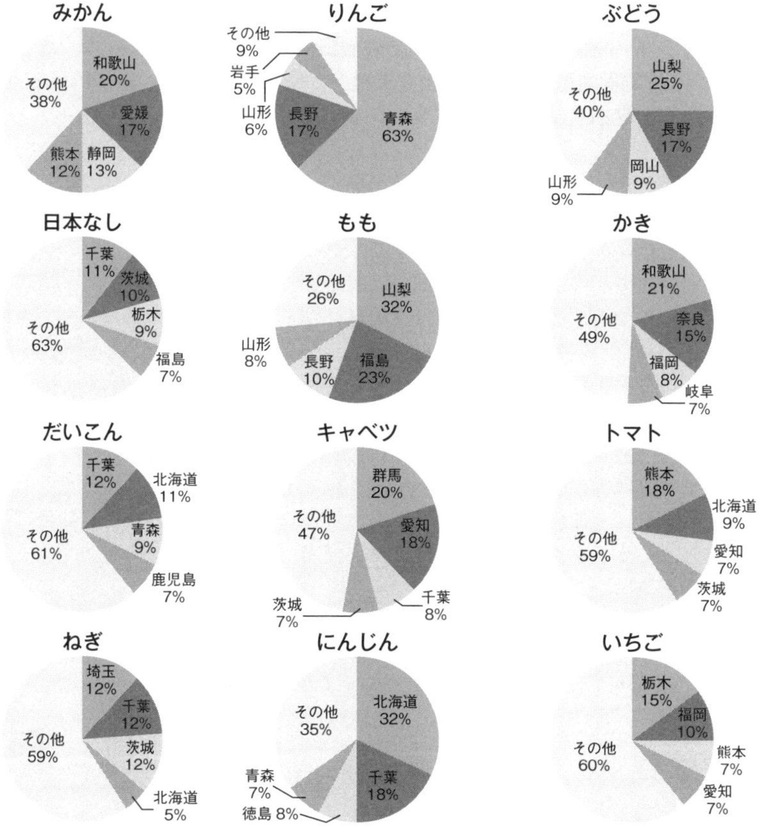


（2021年）

## 重要ポイント 2 食料自給率の推移

| | 1960年 | 1980年 | 2000年 | 2005年 | 2010年 | 2021年 |
|---|---|---|---|---|---|---|
| 米 | 102 | 100 | 95 | 95 | 97 | 98 |
| 小麦 | 39 | 10 | 11 | 14 | 9 | 17 |
| 大豆 | 28 | 4 | 5 | 5 | 6 | 7 |
| 野菜 | 100 | 97 | 81 | 79 | 81 | 79 |
| 果実 | 10 | 81 | 44 | 41 | 38 | 39 |
| 肉類 | 91 | 81 | 52 | 54 | 56 | 53 |
| 鶏卵 | 101 | 98 | 95 | 94 | 96 | 97 |
| 牛乳・乳製品 | 89 | 82 | 68 | 68 | 67 | 63 |
| 供給熱量自給率 | 79 | 53 | 40 | 40 | 39 | 38 |

※単位は％

## 重要ポイント 3 工業地帯の特徴

### （1）工業製品出荷額にみる工業地帯の変化（全工業）

（三大工業地帯）

| | | 京浜 | 中京 | 阪神 | 計 | 北九州（参考） | 全国 |
|---|---|---|---|---|---|---|---|
| 1980年 | 出荷額（十億円） | 37 613 | 25 102 | 30 263 | 92 978 | 5 834 | 214 700 |
| | 全国比（%） | 17.5 | 11.7 | 14.1 | 43.3 | 2.7 | 100.0 |
| 2020年 | 出荷額（十億円） | 23 119 | 54 630 | 32 451 | 110 199 | 8 995 | 303 555 |
| | 全国比（%） | 7.6 | 18.0 | 10.7 | 36.3 | 3.0 | 100.0 |

（主な工業地域）

| | | 関東内陸 | 京葉 | 東海 | 瀬戸内 | 北陸 | 全国 |
|---|---|---|---|---|---|---|---|
| 1980年 | 出荷額（十億円） | 18 053 | 9 899 | 9 525 | 20 803 | — | 214 700 |
| | 全国比（%） | 8.4 | 4.6 | 4.4 | 9.7 | — | 100.0 |
| 2020年 | 出荷額（十億円） | 29 150 | 11 977 | 16 515 | 27 991 | 13 253 | 303 555 |
| | 全国比（%） | 9.6 | 3.9 | 5.4 | 9.2 | 4.4 | 100.0 |

### （2）主な工業地帯の工業製品出荷額

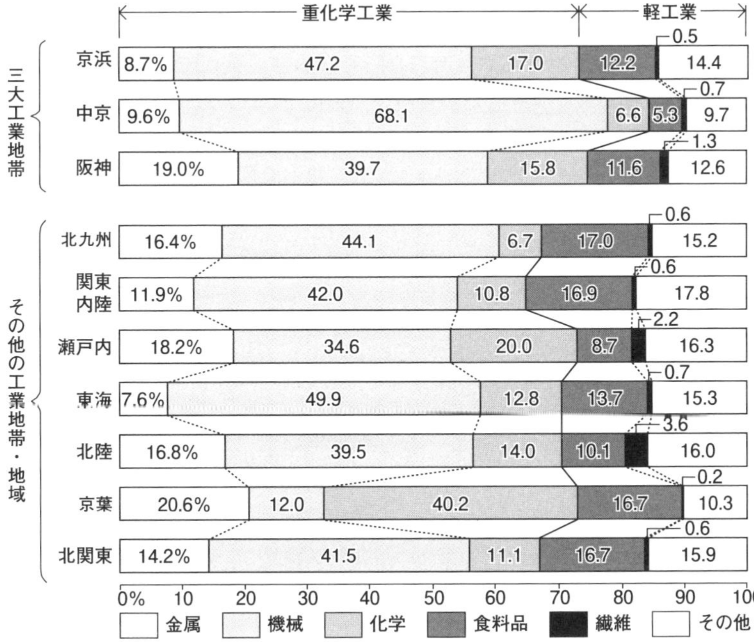


（2020年）

（出典）いずれも『日本国勢図会　2023/24年版』

## 実戦問題

**No.1** ＊ **日本の農畜産物に関するア～エの記述のうち，妥当なもののみをすべて挙げているのはどれか。** 【市役所・令和２年度】

ア：米の収穫量を地方別に見ると，第１位が北陸地方，第２位が北海道である。

イ：日本の果樹栽培は地域ごとに特徴がある。和歌山県，静岡県，愛媛県はみかんの主産地で，山梨県，長野県はぶどうの主産地である。

ウ：野菜の生産は，関東一都六県以外の地域で盛んであり，一都六県内では近郊農業が行われているが，生産量は少ない。

エ：畜産は北海道，九州南部，大都市近郊で盛んであり，北海道では乳用牛や肉用牛，鹿児島県，宮崎県では豚や肉用若鶏（ブロイラー），肉用牛が多い。

**1**　ア，イ
**2**　ア，エ
**3**　イ，ウ
**4**　イ，エ
**5**　ウ，エ

**No.2** ＊＊ **次のア～エは我が国の工業地域に関する記述であるが，A～Dに当てはまるものの組合せとして妥当なのはどれか。** 【国税専門官・平成11年度】

ア：京浜工業地帯の臨海部が過密になったために，東京の内陸部から埼玉・群馬・栃木にかけて発達した関東内陸工業地域では，［　A　］，［　B　］の製造が盛んである。

イ：阪神工業地帯のうち淀川沿岸の地域は，我が国でも有数の［　B　］の生産地である。

ウ：第二次世界大戦後，製糸業の衰えた諏訪，岡谷地方では，その工場施設や労働力を活用して［　C　］工業が発達してきた。

エ：［　D　］工業は，きれいな空気と豊富な水を得やすく，付近に空港のある大分・熊本・宮崎などの九州各地に数多く建設されている。

| | A | B | C | D |
|---|---|---|---|---|
| **1** | 自動車 | 電気機器 | 精密機械 | IC（集積回路） |
| **2** | 自動車 | 電気機器 | 精密機械 | ニューセラミックス |
| **3** | 電気機器 | 自動車 | 精密機械 | IC（集積回路） |
| **4** | 電気機器 | 精密機械 | 化学繊維 | ニューセラミックス |
| **5** | 精密機械 | IC（集積回路） | 化学繊維 | ニューセラミックス |

**＊＊ No.3 我が国の水産業と水産資源に関する記述として妥当なのはどれか。**

【国税専門官・平成９年度】

**1** 近年，近代的な冷凍設備を備えた大型動力船の発達によって，さけ・ます，まぐろ漁の大規模操業が盛んになってきた。このため，現在わが国では沖合漁業より遠洋漁業で捕れる漁獲量のほうが上回っている。

**2** 水産資源保護のため，捕るだけの漁業から作り育てる漁業への切替えが図られるようになった。これまでも沿岸海面での養殖業が盛んに行われてきたが，近年，稚魚などの放流による栽培漁業も普及してきている。

**3** 1970年代以降各国が200カイリの漁業専管水域を設定したことにより，特に日本海における操業区域が制約を受けるようになった。この結果，漁業の中心は釧路，境，銚子をはじめとする太平洋岸の漁港に移ってきている。

**4** 我が国は古くから世界有数の漁獲量をあげ，かつては水産物の代表的な輸出国であったが，1990年以降，国内需要が増大するに伴い輸入量も増加しているものの，高い漁獲量に支えられ国内自給率は安定して推移している。

**5** 第二次世界大戦後今日に至るまで，我が国の動物性たんぱく質の供給源として水産物が畜産物より多いという水産物の需要に支えられて，我が国はアンチョビー（かたくちいわし）の豊漁でペルーが漁獲量を伸ばした1960年代の一時期を除き，漁獲量は世界一を保っている。

## 実戦問題の解説

### No.1 の解説　日本の農畜産物　→問題はP.364　正答4

**ア×　米の収穫量は，地方別では北陸地方，都道府県別では新潟県が第１位。**
地方別に見ると，第１位は東北地方，第２位は関東・東山（山梨県・長野県）地方，第３位は北陸地方である。都道府県別では，第１位は新潟県，第２位は北海道，第３位は秋田県である。（2022年産）

**イ○　みかんの生産量第１位は和歌山県，ぶどうの生産量第１位は山梨県である。**
みかんの生産量が多い順に和歌山県，愛媛県，静岡県。ぶどうは山梨県，長野県，岡山県である。

**ウ×　関東地方の各県では，近郊農業が盛んである。**
関東地方の農業は畑作が中心で，大消費地に近く，野菜の近郊農業が盛んであり，生産量も多い。

**エ○　乳用牛と肉用牛は北海道，豚は鹿児島県，肉用若鶏は宮崎県が第１位。**
第１位の道県の割合は，乳用牛61.7％，肉用牛21.2％。豚は13.4％，肉用若鶏は20.2％である。なお，採卵鳥は茨城県が第１位で8.4％である（2022年）。

以上から，妥当なものは**イ**と**エ**であり，**4**が正答となる。

データ出所：『日本国勢図会2023／24』

### No.2 の解説　我が国の工業地域　→問題はP.364　正答1

A：1950年代に京浜工業地帯から内陸部の埼玉・群馬・栃木にかけて組立工業が進出したのは，自動車と電気機器の分野。

B：阪神工業地帯の淀川沿岸の地域は，電気機器の生産地として有名。

C：第二次世界大戦後，京浜・阪神工業地帯から精密機械工業（カメラ・時計）が，豊富な水，清澄な空気を求め諏訪・岡谷地方に移動した。

D：臨空港立地であるIC工業である。ICは小型・軽量で付加価値が高く，空輸が可能であるため，大分，熊本などの空港近くに立地したので，九州がシリコンアイランドといわれてきた。ニューセラミックスは窯業の新素材。

よって，**1**が正しい。

### No.3 の解説　我が国の水産業と水産資源　→問題はP.365　正答2

**1×**　現在は**遠洋漁業**より**沖合漁業**のほうが漁獲量が多い。

**2◎**　正しい。栽培漁業は1960年代に始まった。200カイリ漁業専管水域の設定や資源の再開発の必要性から，水産養殖などが重視されるようになった。

**3×**　境は鳥取県の漁港で，日本海側である。

**4×**　1971年に水産物輸出国から水産物輸入国になり，近年は世界有数の輸入国となっている。国内自給率は約59％と安定しているとはいえない。

**5×**　現在（2020年），漁獲量は世界第８位である。

# 思　想

# 試験別出題傾向と対策

| 頻出度 | 試験名 | 国家総合職 | | | | | 国家一般職 | | | | | 国家専門職（国税専門官） | | | | |
|---|---|---|---|---|---|---|---|---|---|---|---|---|---|---|---|---|
| | 年度 | 21-23 | 24-26 | 27-29 | 30-2 | 3-5 | 21-23 | 24-26 | 27-29 | 30-2 | 3-5 | 21-23 | 24-26 | 27-29 | 30-2 | 3-5 |
| | テーマ　出題数 | 10 | 3 | 3 | 3 | 3 | 6 | 2 | 3 | 2 | 3 | 6 | 5 | 3 | 2 | 3 |
| B | 1 西洋の古代・中世思想 | 2 | 1 | | | 2 | 1 | | | 1 | 1 | 1 | | | | |
| A | 2 西洋近代思想 | 1 | | 1 | 1 | | 1 | 1 | | | 1 | 1 | 2 | 1 | 1 | 1 |
| A | 3 実存主義 | 1 | | | | | 1 | | | | | 1 | | | | |
| A | 4 西洋現代思想 | 2 | 1 | 1 | 1 | | | 1 | 1 | | | | 2 | 1 | 1 | |
| B | 5 中国の思想家 | | | | 1 | 1 | | | 1 | 1 | | 1 | | 1 | | 1 |
| B | 6 日本の思想家 | 4 | 1 | 1 | | | 3 | | 1 | | 1 | 2 | 1 | | | 1 |

思想の問題は複数の思想家の組合わせで成り立っている。キーワードだけで正誤が決まる初級レベルから，思想家の主張や概念の内容に踏み込む上級レベルまで，組合せ方で難易度が調整されている。対策の基本は問題練習である。選択肢の正しい部分や解説を参考に，効率よく学習しよう。

**●国家総合職**

近代と現代の境があいまいで，年代で区切ったりしないほうがよい。出題者の専攻分野で対象となる思想家もずいぶん変わってくる。直近でいえば功利主義やプラグマティズム，構造主義への偏りが見られ，それ以前のドイツ観念論はほとんど見なくなった。難易度は高めで，セン，ロールズ，レヴィナスなどは新顔で，過去問しかやっていなかった人は苦戦しそうだ。日本思想の問題が出た場合は過去問練習の効果を発揮しやすいだろう。

**●国家一般職**

日本や中国の思想が出題されやすい。総合職に比べると新顔は見当たらず，正誤の判断もオーソドックスな手法で下しやすい。すなわち，問題練習が得点に結びつきやすい基本問題だということ。ただし，数年（5～6年）に1度，平成26年度の問題のように文化のような変則的形式が出ることがある。だが見た目にだまされないこと。基本からそう外れることはなく，落ち着いて対処すれば意外と簡単だ。変化球を楽しむ余裕を期待したい。

**●国家専門職**

変化球好きだった出題傾向も落ち着きを見せ，総合職と類似した思想家を取り上げるようになった。その分，難易度は下がってきた。個人の内面に踏み込むというより，格差，平等など社会対個人という視点で論陣をはる思想家が出題されやすい。例えばマルクス，アダム＝スミス，ロールズなど。経済思想にも目を向

| | 地方上級（全国型） | | | | | 地方上級（東京都） | | | | | 地方上級（特別区） | | | | | 市役所（C日程） | | | | |
|---|---|---|---|---|---|---|---|---|---|---|---|---|---|---|---|---|---|---|---|---|
| | 21-23 | 24-26 | 27-29 | 30-2 | 3-4 | 21-23 | 24-26 | 27-29 | 30-2 | 3-5 | 21-23 | 24-26 | 27-29 | 30-2 | 3-5 | 21-23 | 24-26 | 27-29 | 30-2 | 3-4 |
| | 0 | 1 | 0 | 0 | 0 | 0 | 1 | 0 | 0 | 0 | 3 | 3 | 3 | 2 | 3 | 1 | 0 | 1 | 0 | 0 |
| テーマ1 | | | | | | | 1 | | | | | | | | | | | | | |
| テーマ2 | | | | | | | | | | | 2 | | 1 | | | | | | | |
| テーマ3 | | | | | | | | | | | | | | 1 | | | | 1 | | |
| テーマ4 | | | | | | | | | | | | 1 | 1 | | | | | | | |
| テーマ5 | | | | | | | | | | | | 1 | | 1 | 2 | 1 | | | | |
| テーマ6 | | 1 | | | | | | | | | 1 | 1 | 1 | | 1 | | | | | |

けておいた方が良い。

### ●東京都・地方上級（全国型）

数年おきに基本問題が出題される。続けて同じ範囲が出ることはほとんどない。直近では西洋近代思想が出ていないので注意しておきたい。他の試験の出題例を対策に活用しよう。

### ●特別区

コンスタントに毎年１題出題されている。西洋近現代思想が出ると少々てこずりそうだが，東洋思想ならパターンどおりの基本問題。令和元年度が実存主義だったので，東洋思想に注意を払っておきたい。西洋近現代では国家一般職の過去問を利用すると良い。解説をじっくり読んでみるのも効果的だ。

### ●市役所

初級レベルの基本問題が出ると考えて良い。歴史の勉強と抱き合わせて参考書を読むくらいの対策で十分と言える。名言集などのチェックも効果的。

# 西洋の古代・中世思想

## 必修問題

**古代ギリシャの思想に関する記述として最も妥当なのはどれか。**

【国家総合職・令和５年度】

**1** **タレス**は，自然哲学の開祖であり，火を**万物の根源（アルケー）**と考え，火によって世界の成り立ちとその諸現象が説明できると主張した。その上で，自ら足るを知る簡素な生き方を実践するとともに，精神的不安や苦痛を取り除くことが重要であると考え，そうした実践と理論的考察の両面を通じて実現される**魂の平静（アタラクシア）**が，賢者の理想であると説いた。

**2** **ゼノン**を創始者とする**ストア派**は，人間は本質的に快楽を求める存在であり，自然に従って生きることが重要だと考え，快楽主義を主張した。**ストア派**は，自然に従った魂の状態が徳であり，徳が唯一の善であり，幸福であるためには，徳だけで十分であると説いた。そして，徳として，思慮・勇気・友愛・正義の４つを挙げている。

**3** **ソクラテス**は，倫理学の創始者とされ，物事全般について本質を問題にし，個々の具体的なものではなく，それらの本質となる普遍的なものが知識の対象となると考えた。その普遍的なものをイデアと呼び，人々にイデアの本質を伝えるため，『政治学』において，**善のイデア**が他のイデアを統一し，秩序づけていることを洞窟の比喩を用いて説いた。

**4** **プラトン**は，ソクラテスの弟子であり，理想主義的な哲学を展開した。プラトンは，人々に無知を自覚させることが自分の使命であると考え，対話を通じて相手の無知を自覚させる方法を用い，これを**問答法**と呼んだ。また，自分の理想に叶った人材を育成するため，アテネ郊外にリュケイオンを設立し，国家は哲学者によって統治されるべきという**哲人政治**を説いた。

**5** **アリストテレス**は，徳について体系的な考察を加え，徳を習性的徳（倫理的徳）と知性的徳に分けた。このうち，習性的徳とは，よい行為を反復して習慣づけることによって，感情や欲望が理性に従うよい習性ができあがった魂の状態であるとし，具体的には過不足を避けて中庸を選択することであると説いた。

難易度　＊＊＊

## 必修問題の解説

古代ギリシャ哲学はソクラテスを境に「哲学」としての体系化が急速に進んだ。そしてアリストテレスはイスラーム哲学や近代の合理主義に多大な影響を及ぼしている。ソクラテスからアリストテレスへと橋渡しをしたプラトン。この3人については繰り返し勉強すべきである。

**1 ×** タレスを「哲学の創始者」と呼んだのはアリストテレス。

最初の哲学者と呼ばれたのは**タレス**，**アナクシマンドロス**，**アナクシメネス**の３人で，彼らは空間的にも時間的にも「限定されないもの」と宇宙のように空間的にも時間的にも限定された「(秩序ある) 世界」(コスモス) について思索し，タレスは万物の源として**水**を主張した。実践と理論的考察により魂の平静を求めたのはストア派である。

**2 ×** ストア派もエピクロス派も目指したのは「魂の平静」。

**ストア派**の開祖**ゼノン**は自然の本性を「**ロゴス**」と呼び，ロゴスと一致して生き，何ものにも「心を動かされない状態」に到達しようとした。ストア派は行為の基準として「**徳**」を主張したのに対し，同じく心の平静を理想としながらも**快楽**を重視したのは**エピクロス**である。思慮 (知恵)・勇気・友愛・正義の**４つの徳**を主張したのは**プラトン**である。

**3 ×** ソクラテスは問答法によって人々の無知を自覚させようとした。

**ソクラテス**は徳や善は何かを探究することに一生を費やし，一冊の書も著さず特定の教説も主張しなかった。彼の思想はプラトンの著作によって伝えられた。

**4 ×** プラトンは善のイデアを最上とする主張を展開した。

**プラトン**は『国家』や『饗宴』などの著作を通してソクラテスの善の探究を深化させて**イデア論**を主張した。彼は**善のイデア**を認識できる**哲人王**が国家を統治するのが理想とし，アテネ郊外に**アカデメイア**を設立した。**リュケイオン**はアリストテレスが設立した学校である。

**5 ◎** アリストテレスは「常に同じように」生成変化する世界観の持ち主。

正しい。プラトンのイデア論を批判したアリストテレスにとって究極の実在は自然的世界だったから，恒常的秩序を維持するための習性的徳や中庸の選択は彼が主張したものである。

**正答 5**

## FOCUS

誤りの選択肢にソフィストやストア哲学など，ソクラテスたちが批判した人々や別の時代の思想家をもってくることが多い。万物の根源に関する警句や快楽主義⟷禁欲主義などの対立の構図を利用して，覚え方をいろいろと工夫することができる。

## POINT

### 重要ポイント 1 古代の自然哲学

| 思想家 | 万物の根源として挙げたもの |
|---|---|
| タレス | 水 |
| アナクシマンドロス | ト・アペイロン（限定を持たぬもの） |
| アナクシメネス | 空気 |
| ヘラクレイトス | 火（万物は流転する） |
| アナクサゴラス | あらゆる形，色，味を持った無数の種子 |

＊イオニアの哲学者たちをアリストテレスは「自然学者」と呼んだ。ギリシャの自然哲学はピタゴラス，デモクリトス，ユークリッド，アルキメデスなどを経て進化し，やがて二分されて一方はアラビアへ，もう一方はラテン世界へと伝承された。

### 重要ポイント 2 ソクラテス，プラトン，アリストテレス

| | ソクラテス | プラトン | アリストテレス |
|---|---|---|---|
| 生まれ | 紀元前５世紀<br>アテナイ | 紀元前５世紀<br>アテナイ | 紀元前４世紀<br>スタゲイラ |
| 思索の出発点 | デルフォイの神託への反駁（はんばく） | ソクラテスの影響 | アカデメイア入学 |
| キーワード | 無知の知<br>徳は知である<br>魂の気遣い | 善のイデアの認識<br>哲学者による支配 | イデア論批判<br>形相と質料は相互依存の関係<br>中庸の徳，観想的生活 |
| 探求方法 | 問答法（産婆術） | 仮説的認識（演繹法） | —— |
| 著作 | —— | 『ソクラテスの弁明』<br>『饗宴』『パイドン』<br>『国家』『ポリティコス』 | 『形而上学（けいじじょうがく）』<br>『ニコマコス倫理学』<br>『政治学』 |
| 業績 | ソフィスト批判 | アカデメイア設立 | リュケイオン設立<br>アレクサンドロスの師 |

＊アリストテレスは歴史上初めて形式論理学の体系をまとめた。彼の著作は中世に入ってボエティウスなどによりラテン語訳されたほか，８世紀以後にはアラビア語訳され，イスラーム教の概念とも深く結びつくようになった。

## 実戦問題



＊＊
**No.1 ギリシャの哲学者に関する記述A～Dのうち，妥当なもののみを挙げているのはどれか。** 【国家一般職・平成23年度】

A：ソクラテスは，自分の無知を自覚しているという点で，自分は他の者よりも優れているのだと考え，問答を通して，人々を独断や思いこみから解放し，無知の知を悟らせるようにつとめた。また，徳は知的な営みのなかで実現できるものであり，本来人間の魂は，何が真の善であり徳であるかを知れば，必ず正しい行為を行うようになるという知徳合一を主張した。

B：プラトンは，理性によってとらえられる真の実在，永遠不変の本質をイデアと呼び，すべてのイデアを統一する最高のイデアは「善のイデア」であるとした。また，知恵・勇気・節制という三つの徳が調和したときに人間の魂は最もよい状態となり，正義の徳を実現することができると説き，これらの徳は四元徳として，ギリシャ人の道徳性の基礎とされた。

C：アリストテレスは，事物の本質を質料（ヒュレー），事物の素材を形相（エイドス）と呼び，真の実在は現実の個物にほかならないとした。また，国家を構成する統治者階級，軍人階級，生産者階級が，それぞれの本分を果たして徳を発揮するとき，国家全体に正義が実現されるとし，知恵にすぐれた哲学者が政治を行わなければならないという哲人政治を唱えた。

D：ゼノンは，自然と調和して生きることを理想とするストア学派を創始し，肉体や死の恐怖にわずらわされない魂の平安（アタラクシア）を得ることをめざした。過度と不足の両極端を避け，その中庸の徳を習慣化することによって，永続的で安定した精神的快楽が実現されるとした。

**1** A，B
**2** A，C
**3** B，C
**4** B，D
**5** C，D

＊＊
**No.2 古代ギリシャの思想家に関する記述として最も妥当なのはどれか。**

【国家一般職・平成30年度】

**1** ピタゴラスを創始者とするストア派の人々は，自然全体は欲望の支配する世界であり，人間はその一部として自然によって欲望の情念（パトス）が与えられていると考えた。その上で，欲望の情念を克服し，理性を獲得する禁欲主義を説き，自然から隠れて生きることを主張した。

**2** ソクラテスは，肉体や財産，地位などは自分の付属物にすぎず，真の自分は魂（プシュケー）であると主張した。また，人間が善や正を知れば，それを知る魂そのものがよくなって魂の優れた在り方である徳（アレテー）が実現し，よい行いや正しい行いを実行すると考えた。

**3** プラトンは，物事全般について本質を問題にし，具体的な個々の事物に内在し，それらの本質となる普遍的なものを知ることこそが，徳であると考えた。そのような普遍的なものをイデアと呼び，惑わされやすい理性ではなく，感覚によってイデアは捉えられるとした。

**4** アリストテレスは，プラトンの思想を批判し，優れた理性で捉えられる具体的な個々の事物こそが実存であり，本質は個々の事物から独立して存在すると主張した。そのような本質を認識し，魂の本来の在り方を実現化できる哲学者による哲人政治を理想とした。

**5** エピクロスは，人間は本来快楽を追求する存在であり，肉体的快楽を追求することによって精神的不安や苦痛が取り除かれ，真の快楽がもたらされると考えた。このような思想は功利主義と呼ばれ，エピクロスは，自然に従って生きることを説いた。

**No.3**　＊＊　**宗教に関する記述として最も妥当なのはどれか。**

【国家一般職・令和３年度】

**1**　バラモン教は，主にイランにおいて信仰された宗教であり，人々を４つの身分に分類し，上位の王侯・戦士階級と，それを支える同列の３つの身分から成るカースト制度が特徴である。ここから生まれたスコラ哲学では，宇宙の規範原理である理と，その物質的要素である気がもともと１つであることを自覚することで，解脱ができると説いている。

**2**　仏教は，ガウタマ＝シッダールタ（ブッダ）が開いた悟りを元に生まれた宗教であり，人間の本性は善であるとする性善説や，仁義に基づいて民衆の幸福を図る王道政治を説いていることが特徴である。ブッダの入滅後，仏教は分裂し，あらゆるものがブッダとなる可能性を有すると説く上座部仏教が日本にまで広まった。

**3**　ユダヤ教は，神ヤハウェが定めた「十戒」などの律法（トーラー）を守ることで，国家や民族にかかわらず神からの祝福を得ることができるとする宗教であり，『旧約聖書』と『新約聖書』の２つの聖典をもつ。律法には，定期的な神像の作成や安息日，特定の月（ラマダーン）における断食などがあり，これらを守ることが神との契約とされる。

**4**　キリスト教は，ユダヤ教をその前身とし，イエスをキリスト（救世主）と信じる宗教であり，『新約聖書』のみを聖典とする。イエスは神を愛の神と捉え，律法の根本精神を神への愛と隣人愛とし，これらをまとめて元型と呼んだ。イエスの死後，彼の弟子であるヨハネは，これを発展させた，知恵，勇気，愛，正義の四元徳を説いた。

**5**　イスラームは，唯一神であるアッラーを信仰する一神教であり，ムハンマドが受けた啓示を記録した『クルアーン（コーラン）』を最も重要な聖典とする。特徴として，信仰告白やメッカへの礼拝などの戒律が生活のあらゆる場面で信者の行動を律しており，豚肉食の禁止など，その範囲は食生活にも及ぶ。

## 実戦問題の解説

### No.1 の解説　古代ギリシャの思想家　→問題はP.373　正答1

**STEP❶　人名とキーワードの組合せをチェック**

**ソクラテス**の「**無知の知**」，**プラトン**の「**善のイデア**」，**アリストテレス**の「**中庸の徳**」の組合せは必修。「中庸の徳」がアリストテレスではなくゼノンに結びつけられていることから**D**が誤りとわかり，**D**を含む**4**と**5**が排除される。また，**D**の「**魂の平安（アタラクシア）**」はゼノンではなく**快楽主義**の**エピクロス派**がめざした境地である。

**STEP❷　キーワードの定義の確認**

**A**の「無知の知」が「自分の無知を自覚」することであり，「徳は知的な営みのなかで実現できるもの」なのであるから「知徳合一」という主張は正しい。また「永遠不変の本質」が「イデア」であり，「**知恵・勇気・節制**」に「**正義**」を加えた「**四元徳**」も正しい。アリストテレスの「**質料（ヒュレー）**」は「**事物の素材**」で，「**事物の本質**」が「**形相（エイドス）**」なので，説明が逆になっている**C**は誤り。**C**を含む**2**と**3**も誤りとなり，**1**が正しい。

**STEP❸　この人ならではの説明の有無を確認**

たとえば，アリストテレスはプラトンの**イデア論を批判**しており，そのことが説明のどこかに出てくることが多い。**C**の国家を構成する**3つの階級**と「**哲人政治**」はプラトンのものであり，**人間を「ポリス的（社会的）」**な存在ととらえたアリストテレスとの違いは重要である。

以上から**1**が正しい。

### No.2 の解説　古代ギリシャの思想家　→問題はP.374　正答2

**1×　ゼノンが始めたストア派はヘレニズムを代表する思想。**

**ピタゴラス**はソクラテス以前の宗教的教団を組織した人物で，**オルフェウス教**の信者だった。**ゼノン**に始まる**ストア派**は「**自然に一致して生きる**」ことを目指し，後期になると実践理論を重視するようになった。

**2◎　ソクラテスは「徳は知である」と主張した。**

**ソクラテス**は**問答法**によって自分が**無知**であることを知り，自らの中から自分自身で真実の知を汲み上げることを目指した。「**徳は知である**」が「**徳を教えることはできない**」とも言っている。

**3×　プラトンは善のイデアを無仮定の原理とした。**

**プラトン**は仮説から演繹される命題に矛盾がなくなるような仮説を立てていく学問的認識を唱えたが，善の**イデア**はそのような認識と質的に異なるとし，「**魂の目**」でなければ知り得ないと主張した。

**4×　哲人政治を理想としたのはプラトン。**

**アリストテレス**にとって**究極の実在は自然的世界**であり，これを超越したところに原因を求めてはならないとした。従って本質は個々の事物に内在していることになる。

**5 ×** **エピクロスは苦痛のない心の静けさを求める快楽主義者。**

**エピクロス**が求めたのはストア派と同じ**心の平静さ**であったが，快楽を善としたことで**快楽主義**と呼ばれている。その快楽は自然的かつ必要な欲望を満たすもので，自然についての正しい知識は心の苦痛を取り除くためにあると考えた。

## No.3 の解説　宗教

→問題はP.375　**正答5**

**1 ×** **バラモン教はアーリア人によるインド最古の宗教。**

**バラモン教**は聖典**ヴェーダ**にのっとった**ウパニシャッド**哲学の宗教であり，階級分化の考え方は後のヒンドゥー教に継承された。ウパニシャッドによると人間の中心にある**アートマン**（我）は宇宙の最高原理である**ブラフマン**と同一であり，その同一性を認識したとき，人は**解脱**を達成する。**スコラ哲学**は中世キリスト教において成立したものである。

**2 ×** **万人に仏性を見出したのは大乗仏教。**

**上座部仏教**は自己の人格完成を求めて修行する立場であり，他者の救済まで目指すのが**大乗仏教**。中国を経て日本に広まったのは大乗仏教で中心にあるのは**法華経**と**般若経**である。性善説や王道政治は孟子の主張。

**3 ×** **ユダヤ教は選民思想に基づく厳格な一神教。**

**ユダヤ教**の聖典は神との契約を記した『**旧約聖書**』のみで，偶像崇拝は禁じられている。律法の研究と解釈が重要であり，各地に作られた**シナゴーク**で学者らが**律法**を朗読し解釈を教えることが礼拝の中心となっている。**ラマダーン**はイスラーム教が定めるもの。

**4 ×** **キリスト教はイエスを救世主とみなす信仰に基づいて成立。**

**キリスト教**は『**新約聖書**』と『旧約聖書』を聖典とし，**隣人愛**に象徴される神の愛が強調され，伝統的な律法主義は排除された。イエスの思想はヨハネやパウロなどによる**福音書**によって哲学化された。なお四元徳という主張はプラトンなどに見られる。

**5 ◎** **イスラーム教はアッラーを唯一神とし，ムハンマドは預言者。**

聖典である『**クルアーン**』に記された**戒律**は**シャリーア**として整備されて信者の日常生活を規律している。

# 西洋近代思想

## 必修問題

**心に関連する思想についての記述として最も妥当なのはどれか。**

【国家総合職・令和３年度】

**1** プラトンは，心が神，人間，聖霊の三要素から成るとする**三位一体説**を唱えた。それによれば，聖霊は神を助けて人間を統制することで勇気を，人間は神に従い節度をもつことで節制を実現するという。また，信仰と理性の調和によって人間の**魂（プシュケー）の働き**を優れたものにすることができると説いたとされる。

**2** アサンガ（無著）とヴァスバンドゥ（世親）は，人間には，生まれながらに善になろうとする心が備わるとし，それを**四端の心**と呼んだ。そして，**瑜伽行**（ゆがぎょう）**（ヨーガの修行）**によって四端は仁，義，礼，智の四徳を実現できるとする唯識思想を説いた。この思想は，ナーガールジュナ（竜樹）の空の思想と共に**上座部仏教**の発展に寄与したとされる。

**3** 『こころ』を著したことで知られる夏目漱石は，他人に流されず，自己本位に生きることを目指す，**独自の個人主義**を唱えた。この個人主義は，自他相互の自由を尊重するものであり，自己中心主義とは異なると考えられている。また，晩年には，小さな私を去り，大きな自然に従うという**則天去私**の境地を目指したとされる。

**4** 本居宣長は，古典の研究を通して，古代人の心を知ろうとした。『愚神礼讃』の研究では，儒教的なものの考え方である**高く直き心**に染まる以前の日本には，神代から伝わった神の御心のままなる固有の道である復古神道があったとしたことが知られる。『源氏物語』や和歌の研究では，前者の主題は兼愛であるとした一方，後者の本質は**もののあはれ**であるとしたとされる。

**5** 『死に至る病』を著したことで知られるパスカルは，物体と心を独立した実体とする**物心二元論**を唱え，物体の本質は力強さ，心の本質は考えることにあるとした。そして，人間は，強大な自然と比べると葦のように弱いが，考えることによって弱さを自覚できると考えた。さらに，彼は，信仰や神の愛といった論理的でないものを退けたとされる。

難易度 ＊＊

## 必修問題の解説

哲学者に限らず，後世に伝えられた「言葉」，名言は確実に覚えておきたい。一言一句は無理でも，自分なりの覚え方を工夫してみる価値はある。通史的な問題でも人名とキーワードの組合せが解法の焦点となっている。

**1 ×** 「知」を求めたプラトンに神・聖霊という観念はない。
**プラトン**は人間の魂を**理性・気概・欲望**の３つに区分し，これを国家の構成にも応用した。正しい国家は「**善のイデア**」を認識できる「**哲人王**」が支配すると主張した。そこに神や聖霊が介在する余地はなく，いわゆる**三位一体説**はキリスト教の教義として成立する。

**2 ×** 「空」の思想は大乗仏教の中核を成すもの。
仏教は常住不変の実体を認めない（**無我**）の立場をとり，瞑想を中心とした修行（瑜伽行）によって，一切の存在や現象は心が創り出したものと認識できたとき悟りに達すると主張したのが**大乗仏教**である。アサンガとヴァスバンドゥはその**唯識説**を学派として確立した思想家。**四端説**は**孟子**の主張。

**3 ◎** 夏目漱石の個人主義が求めたのは則天去私の境地。
正しい。**夏目漱石**は人間のエゴイズムを直視し，それとは別の自己尊重の立場を希求し，やがては自然そのものに融合する方向を目指した。

**4 ×** 本居宣長は外来思想を排した古道へ還ろうとした。
**本居宣長**にとって儒教的なものは排すべき**漢意**（からごころ）であり，古代の精神はよくも悪くも生まれたままの**直き心**だったとしている。彼が『源氏物語』の研究で見出したのは「**もののあはれ**」こそが文芸の本質だということ。『愚神礼賛』はエラスムスの著作である。

**5 ×** パスカルは科学研究の果てに信仰一筋の生活に入った。
**パスカル**は信仰の対象を理性の対象とは別であると教えられて育ち，科学的研究を進めながらも**ジャンセニスト**として純粋な福音の教えに忠実であろうとした。『**死に至る病**』は**キルケゴール**の著作。

**正答 3**

## FOCUS

合理論と経験論という2大潮流の思想家たちを対比して考える必要がある。デカルトやパスカル，そしてニュートンなどの科学者の合理性と，キリスト教社会の宿命的な課題である「神」の問題をどう調和させたのか。警句として引用される思想家たちの言葉を手がかりに，自分にわかることを少しでも増やしてみよう。

# POINT

## 重要ポイント 1 経験論と合理論

| | イギリス経験論 | 大陸合理論 |
|---|---|---|
| 創設者 | フランシス=ベーコン | デカルト |
| キーワード | 知は力なり<br>４つのイドラ<br>（種族，洞窟，市場，劇場） | われ思う，ゆえにわれあり<br>物心二元論<br>方法的懐疑 |
| 著　作 | 『ノーヴム・オルガヌム』<br>（新機関） | 『方法序説』『省察』<br>『哲学原理』『情念論』 |
| 探求方法 | 帰納法 | 演繹法 |

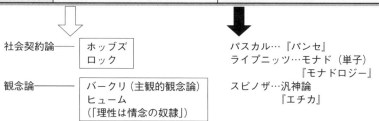

社会契約論――ホッブズ
　　　　　　ロック

観念論――バークリ（主観的観念論）
　　　　　ヒューム
　　　　　（「理性は情念の奴隷」）

パスカル…『パンセ』
ライプニッツ…モナド（単子）
　　　　　　　『モナドロジー』
スピノザ…汎神論
　　　　　『エチカ』

## 重要ポイント 2 社会契約論

| | ホッブズ | ロック | ルソー |
|---|---|---|---|
| 自然状態 | 万人の万人に対する戦い | 自由で平等な状態 | 人間が自由で幸福，善良な状態 |
| 社会契約の目的 | 自己保存 | 完全な自然法の実現 | 一般意志の実現 |
| 著　作 | 『リヴァイアサン』 | 『人間悟性論』 | 『人間不平等起源論』 |
| 思想の特徴 | 専制権力を擁護<br>ガリレイに傾倒 | 生得観念の否定<br>抵抗権を容認 | 社会制度・文明批判<br>直接民主制擁護 |

＊ロックはオレンジ公ウィリアムと親交があったとされ，『統治に関する２つの論考』（1690年）は名誉革命の正当性を主張するために書かれたといわれている。

## 重要ポイント3 ドイツ観念論

### ●カント

ニュートン物理学，ライプニッツ，ヴォルフ，ルソー，ヒュームの影響を受けた。人間とは何か，を根本的に問い直し，経験論と合理論を総合する**批判哲学**を樹立した。

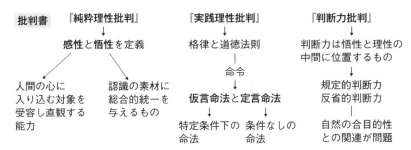

**批判書**

**『純粋理性批判』**
↓
**感性**と**悟性**を定義
- 人間の心に入り込む対象を受容し直観する能力
- 認識の素材に総合的統一を与えるもの

**『実践理性批判』**
↓
格律と道徳法則
|
命令
↓
**仮言命法**と**定言命法**
- 特定条件下の命法
- 条件なしの命法

**『判断力批判』**
↓
判断力は悟性と理性の中間に位置するもの
↓
規定的判断力
反省的判断力
|
自然の合目的性との関連が問題

### ●ヘーゲル

ルソーとカントから影響を受ける。法と道徳が合体したものとして「**人倫**」を追い求めた。

| | |
|---|---|
| **体系構想** | 自然に対する精神の優位を前提とする<br>論理・自然・精神の発展的３段階構造 |
| **弁証法** | 否定や対立を媒介して，直接的抽象的なものから具体的なものへと発展する学的必然性<br>「即自」「対自」「即かつ対自」 |
| **主　著** | 『精神現象学』『法哲学』 |

## 重要ポイント4 功利主義とプラグマティズム

| 思想 | 思想家 | 著　作 | キーワード |
|---|---|---|---|
| **功利主義** | ベンサム<br>J.S.ミル | 『道徳および立法の原理序論』<br>**『自由論』** | **最大多数の最大幸福**<br>**質的快楽計算** |
| **プラグマティズム** | ジェームズ<br>デューイ | 『根本的経験主義』<br>『論理学』 | 真理の基準は有用性<br>**概念道具主義** |

## 実戦問題

💎 **No.1**[*] **社会契約説に関する記述A，B，Cに該当する思想家の組合せとして最も妥当なのはどれか。** 【国家一般職・平成20年度】

A：彼は，自然状態は平等な各人が自己保存の本能に従って自然権を際限なく追求する闘争状態であり，この状態では自然権がかえって脅かされるため，人は理性に基づく自然法に従って社会契約を結び，自然権を絶対的な主権者たる国家に全面的に移譲する必要があるとした。

B：彼は，自然状態は自由で平等な理想的状態だが，社会状態への移行に伴って生ずる不平等を除去し，各人が平等な条件の下で市民的自由を享受するため，自らの権利を人民の意志としての一般意志に基づく共和国に全面的に移譲する必要があるとした。

C：彼は，自然状態は自然法の働く自由・平等で平和な状態だが，紛争を調停する公的機関がないため戦争状態に移行する危険をはらんでおり，社会契約による政治社会の形成が必要であるとした。この契約では自然権を保障するための権力は国家の代表者である政府に移譲されるが，自然権自体は移譲されず，また，政府は人民の信託を受けたものに過ぎず，その不適切な権力行使に対して人民は抵抗できるとした。

| | A | B | C |
|---|---|---|---|
| **1** | ホッブズ | ロック | ルソー |
| **2** | ホッブズ | ルソー | ロック |
| **3** | ルソー | ホッブズ | ロック |
| **4** | ルソー | ロック | ホッブズ |
| **5** | ロック | ルソー | ホッブズ |

＊＊
**No.2 近代の西洋思想に関する記述A，B，Cに該当する思想家の組合せとして最も妥当なのはどれか。** 【国家一般職・平成25年度】

A：歴史を，絶対精神が人間の自由な意識を媒介として自己の本質である自由を実現していく過程であると考え，「世界史は自由の意識の進歩である」と説いた。また，自由や道徳の問題を，個人の内面の主観的なあり方にとどまらず，現実社会の客観的な法や制度にあらわれる，人倫の問題としてとらえた。

B：善悪の基準を行為の功利性におき，総計して最も多くの人々に最も大きな幸福をもたらす行為が最善の行為であると考え，「最大多数の最大幸福」の実現こそ，道徳と立法の原理であると説いた。また，快楽を七つの基準を用いて量的に計算するという単純化によって，私益と公益とを調和させようとした。

C：知性を，行動によって環境との関係を調整しながら生きる人間の，環境への適応を可能にする道具ととらえる道具主義を説き，プラグマティズムを大成したとされる。また，高度に組織化された産業社会では自由放任は無力であるとして，社会化された集合的個人主義として，民主主義を確立しようとした。

| | A | B | C |
|---|---|---|---|
| **1** | オーウェン | J.S.ミル | デューイ |
| **2** | オーウェン | ベンサム | フーコー |
| **3** | ヘーゲル | J.S.ミル | デューイ |
| **4** | ヘーゲル | J.S.ミル | フーコー |
| **5** | ヘーゲル | ベンサム | デューイ |

**No.3** ＊ **次のA～Dは，近現代の思想家等に関する記述であるが，それぞれに該当する人名の組合わせとして最も妥当なのはどれか。** 【国家専門職・令和元年度】

A：快楽には質の違いがあると指摘し，質の低い快楽で満足するよりも，人間としての誇りにふさわしい質の高い快楽を求めるべきだと説いた。また，人間には，他者と一体となって生きようとする社会的感情があるがゆえに，他人を思いやる良心が備わっていると考え，人間の利己的な行為を抑える制裁として，良心による内的制裁を重んじた。

B：人間は誰でも快楽を求め，苦痛を避けることから，快楽と苦痛の感覚が幸福の基準になると考えた。これを踏まえ，快楽をもたらすものを善，苦痛をもたらすものを悪と判断する原則に基づいて，個人の幸福やその総計である社会の利益を客観的に求める快楽計算を考案し，社会全体の幸福を拡大することを唱えた。

C：社会の成員に自由を平等に分配するとともに，その自由な競争がもたらす不平等を是正する原理である，公正としての正義を説いた。また，自由な競争によって生じる格差（不平等）は社会全体の繁栄につながる限りでのみ認められ，恵まれた人は福祉政策などを通じて，不遇な人の生活を改善する義務を負うとした。

D：国家が国内の産業を保護し，輸出額を増大させることで国を富ませようとする重商主義を批判し，各人が自由に自分の利益（私益）を追求すれば，結果的に社会全体の利益（公益）が増大していくと主張した。そのため，政府は警察や国防などに任務が限定された「小さな政府」を目指すべきであるとした。

| | A | B | C | D |
|---|---|---|---|---|
| **1** | ベンサム | J.S.ミル | アダム=スミス | ロールズ |
| **2** | ベンサム | J.S.ミル | ロールズ | アダム=スミス |
| **3** | ベンサム | ロールズ | J.S.ミル | アダム=スミス |
| **4** | J.S.ミル | ベンサム | アダム=スミス | ロールズ |
| **5** | J.S.ミル | ベンサム | ロールズ | アダム=スミス |

＊
**No.4 ドイツ観念論に関する記述A，B，Cに該当する思想家の組合せとして，最も妥当なのはどれか。** 【国家一般職・平成21年度】

A：彼は，イギリス経験論と大陸合理論を総合する批判哲学を樹立した。従来，認識の対象は主観とは独立に存在していると考えられていたが，認識主観の先天的な形式が対象を構成すると説いた彼は，認識の主導権を客観から主観へと転回し，その意義を自ら天文学上のコペルニクスの業績にたとえた。また，彼は，道徳の内容以前にその形式を問題にし，その根本原理を「汝の意志の格率が，常に同時に普遍的立法の原理として妥当しうるように行為せよ」という定言命法に求めた。

B：彼は，理論と実践の溝の克服は神に期待するのではなく，われわれ自身の運命を自我の〈活動〉に求めるべきだと主張し，自我の能動性と絶対性を根本に据え，主観的観念論を展開した。『ドイツ国民に告ぐ』は，彼がナポレオン占領下のベルリンで行った連続講演であり，ドイツ国民の新しい教育とドイツの再建を説いた。

C：彼は，世界を絶対者（絶対的精神）の自己展開の過程としてとらえ，その発展の理論として弁証法を提唱した。彼は客観的な法と主観的な道徳を統一したものとして人倫を説き，その人倫の弁証法的展開として家族と市民社会そして国家の三段階を論じ，理性的な国家を人倫の完成形態であるとした。

| | A | B | C |
|---|---|---|---|
| **1** | ニーチェ | シェリング | ヘーゲル |
| **2** | ニーチェ | フィヒテ | マルクス |
| **3** | カント | シェリング | マルクス |
| **4** | カント | フィヒテ | ヘーゲル |
| **5** | カント | フィヒテ | シェリング |

## 実戦問題の解説

### No.1 の解説　社会契約説

→問題はP.382　正答2

**STEP❶　自然状態の捉え方をまず確認**

BとCは**自然状態**を「自由で平等」な状態としているのに対し，Aは「闘争状態」と捉えているので，自然状態を「**万人の万人に対する戦い**」とみた**ホッブズ**がAに当てはまる。この条件に当てはまらない**3**，**4**，**5**は誤り。

**STEP❷　契約で移譲される権利の範囲にこだわってみる**

Cの記述で「自然権自体は移譲されず」政府は「人民の**信託**」を受けたことを基盤としているので，「人民は**抵抗**できる」場合があると主張しているから，これは**ロック**のことである。ロックは各人が私的な制裁権を契約によって委ねるのは，公共の権力が「**自然法**」の完全な実現を図るためだと主張した。よってCにルソーを入れた**1**も誤りである。

**STEP❸　一般意志というような独特のキーワードに注目**

Bは「人民の意志としての**一般意志**」に基づく共和国へ自らの権利を「全面的に移譲する」とあるので**ルソー**に関する記述とわかる。彼の主張は**人民主権の理論**として近代民主主義の政治に大きな影響を与えた。

以上を正しく組み合わせているのは**2**である。

### No.2 の解説　近代の西洋思想

→問題はP.383　正答5

**STEP❶　「最大多数の最大幸福」でBの思想家を特定**

A，B，Cの中でわかりやすいのは「**最大多数の最大幸福**」という言葉である。Bは**功利主義**の思想家２人を挙げているが，「量的に計算するという単純化」と言っているので**ベンサム**のことだとわかる。**J.S.ミル**の場合は必ず**質的快楽**の記述が入る。従ってBにミルを挙げた**1**，**3**，**4**は誤り。

**STEP❷　思想の記述がわかりにくければ，人物名のほうから攻める**

Bを除いて登場しているのは４人。知名度の高さからいくと**ヘーゲル**だろうが，その主張の難解さは有名。そこでアタックしたいのはCの２人で，手がかりはCにある「**道具主義**」と「**プラグマティズム**」となる。この思想を代表する思想家の一人が**デューイ**と気づけば，正しいのは**5**と決まる。**フーコー**は**『知の考古学』**などの著作により，テクストとみなされる原説体系と歴史的現実を**知と権力の関係**で解明したフランスの思想家である。

**STEP❸　難解な思想は正しい記述のキーワードで判別する**

Aの記述が**ヘーゲル**に関するものとわかれば，「**絶対精神**」や「世界史は自由の意識の進歩である」，「**人倫**」が特徴となるキーワードだと気付くだろう。最もよく知られる弁証法を持ち出さなかったことで難易度を高めた。**オーウェン**は**ユートピア的な社会主義**を提唱した思想家である。

以上から**5**が正しい。

## No.3 の解説　西洋近現代の思想家

→問題はP.384　正答5

### STEP❶　功利主義のベンサムとミルの違いで区分

人間が快楽を求めるというところから出発するAとBは**功利主義**についての記述である。客観的な「**快楽計算**」に基づいて社会全体の幸福を拡大しようとした**ベンサム**がB，そこに「**質の違い**」を加えて「**良心による内的制裁**」を重視した**ミル**はAがそれぞれ当てはまるので，逆の組合せになっている**1**，**2**，**3**は誤り。

### STEP❷　重商主義を批判し「小さな政府」を目指したのはアダム＝スミス

**古典派経済学**の大成者**アダム＝スミス**の『**国富論**』は世界史でも学ぶ事項であり，「神の見えざる手」によって「結果的に社会全体の利益（公益）が増大する」という主張はわかりやすい。Dが彼に関する記述だと最初に見抜くこともできる。よって**4**も誤りとなる。

### STEP❸　「公正としての正義」はロールズの著作名でもある

**ロールズ**はアメリカの倫理学者で，1958年に『**公正としての正義**』を著し，**社会契約論**を再構成して見せた。彼の主張はCで記述された通りで，その後は**政治的リベラリズム**の性格を強めていった。

以上から**5**が正しい。

## No.4 の解説　ドイツ観念論

→問題はP.385　正答4

### STEP❶　批判哲学といえばカント

ドイツ観念論の哲学者といえば必ず**カント**と**ヘーゲル**が登場する。両者とも思想内容は難解だが，独特の用語をヒントにできる。本問の場合，「**批判哲学**」「**コペルニクス**」**的転回**，「**定言命法**」を挙げたAはカントに関する記述であり，Aにニーチェを入れた**1**と**2**は誤り。

### STEP❷　『ドイツ国民に告ぐ』は歴史的な名講演

Bはナポレオンによるベルリン占領という事件に触れているので，思想より世界史の問題といえる。講演者は**フィヒテ**であり，彼はカントの哲学を統一的な体系にまとめようとした。フィヒテとシェリングは**ロマン主義文学**に及ぼした影響という点からも評価されている。Bにシェリングを入れた**3**も誤りとなる。

### STEP❸　弁証法のキーワードで絞れる思想家をまとめておく

Cは「**絶対的精神**」「**弁証法**」「**人倫**」などの用語から**ヘーゲル**に関する記述と判断できる。**マルクス**の弁証法なら「**唯物史観**」への言及が出てきやすい。Cにシェリングを入れた**5**も誤り。

以上を正しく組み合わせているのは**4**である。

# 実存主義

## 必修問題

**次のA～Cは，実存主義の思想に関する記述であるが，それぞれに該当する思想家の組合せとして，妥当なのはどれか。**

【地方上級（特別区）・令和元年度】

A　実存的生き方について3つの段階を示し，第1段階は欲望のままに享楽を求める**美的実存**，第2段階は責任をもって良心的に社会生活を営む**倫理的実存**，第3段階は良心の呵責（かしゃく）の絶望の中で，神の前の「**単独者**」として，本来の自己を回復する**宗教的実存**であるとした。

B　人間の自由と責任とを強調し，実存としての人間は，自らそのあり方を選択し，自らを未来の可能性に向かって投げかけることによって，自分が何であるかという**自己の本質を自由につくりあげていく存在**であるとして，このような人間に独自なあり方を「実存は本質に先立つ」と表現した。

C　「**存在とは何か**」という根本的な問題に立ち返り，人間の存在の仕方そのものを問い直そうとした。自らの存在に関心をもち，その意味を問う人間を，**現存在**（ダーザイン）と呼び，人間は，世界の中に投げ出されて存在している「**世界内存在**」であるとした。

| | A | B | C |
|---|---|---|---|
| **1** | キルケゴール | ハイデッガー | ヤスパース |
| **2** | キルケゴール | サルトル | ハイデッガー |
| **3** | ニーチェ | ヤスパース | キルケゴール |
| **4** | ニーチェ | サルトル | ハイデッガー |
| **5** | サルトル | ハイデッガー | ヤスパース |

難易度　＊＊

## 必修問題の解説

実存主義の先駆者としてキルケゴールを挙げることに異論を唱える人は少ないだろう。ニーチェも逆説的な意味で実存主義の先駆者といえる。もっとも,「神の前に立つ単独者」として信仰に生きたキルケゴールとキリスト教的価値を否定したニーチェは正反対の立場にある。

**STEP❶ 実存主義には有神論的と無神論的の2つの立場がある**

**有神論的実存主義**を代表するのが**キルケゴール**,**無神論的実存主義**を代表するのは**サルトル**である。そして実存主義の先駆者に位置づけられる**ニーチェ**は「**神は死んだ**」と宣言したことで知られている。それを踏まえてAを読むと,人間を「**神の前の単独者**」と呼んでいるのでキルケゴールが当てはまる。従って,**3**,**4**,**5**は誤りとなる。

**STEP❷ 行動する実存主義者サルトルの積極性を読み取る**

Bの記述にある「**自己の本質を自由につくりあげていく存在**」として人間を定義づけている点は,まさに**サルトル**の特徴であるから**2**が正しい。思想内容がよくわからない,あるいは苦手という人は評伝から攻める裏ワザもある。ノーベル文学賞にノミネートされたサルトルに対し,**ハイデッガー**は第二次世界大戦中のナチスへの協力を批判された。その経緯をヒントにすれば,「人間の自由と責任とを強調」したのはサルトルと読み解くことができる。

**STEP❸ 「現存在（ダーザイン）」という特徴的な用語は重要**

**ハイデッガー**と**ヤスパース**はほぼ同時代の実存主義者で,ともに**現象学**の思想家である。それぞれの思想は複雑で一筋縄でいかない。ヤスパースが**精神医学**の研究者でもあり,**限界状況**に直面することで実存が自覚されると主張したのに対し,ハイデッガーは**ニーチェ**を批判的に研究し,**現存在**の存在意味は「**時間性**」にあることを明らかにした。Cの記述はハイデッガーに関するものである。

**正答 2**

## FOCUS

有神論的立場のキルケゴールと無神論的立場のサルトル,「力への意志」や「超人」思想で「神は死んだ」と宣言したニーチェとその研究で名を知られるハイデガーというように,思想家たちをつなぐポイントをうまく活用できると暗記効率もアップする。複数の思想家を組み合わせた問題の場合,実存主義の思想家がまざる確率は,かなり高い。

# POINT

## 重要ポイント 1 キルケゴールとニーチェ

| 思想家 | キルケゴール | ニーチェ |
|---|---|---|
| 教　育 | キリスト教的教育 | ギリシャ文化史 |
| 著　作 | 『死にいたる病』<br>『あれかこれか』 | 『ツァラトゥストラはかく語りき』<br>『権力への意志』 |
| キーワード | 質的弁証法<br>神の前の単独者としての人間 | 神は死んだ（価値の転換）<br>永劫回帰（えいごう）<br>力への意志（超人の到来の要請） |
| 特記事項 | 大衆雑誌「コルサール」に人身攻撃され，大衆の虚偽性を体験した。 | ワーグナーとショーペンハウアーへの傾倒が有名であるが，バイロイト祝祭劇場のこけら落しが行われた頃から両者への情熱を失った。 |

## 重要ポイント 2 その他の実存主義の思想家

| 思想家 | ハイデッガー | ヤスパース | サルトル |
|---|---|---|---|
| 著　作 | 『存在と時間』<br>『形而上学とは何か』 | 『現代の精神的状況』<br>『実存哲学』 | 『存在と無』<br>『自由への道』 |
| キーワード | 存在論的実存主義 | 限界状況 | 実存は本質に先立つ |
| 特記事項 | ニーチェの研究<br>ニヒリズムとの対決<br>ナチスとの一時的な連帯 | 精神病理学者<br>ユダヤ人として迫害を受けた<br>現存在の存在意識<br>第二次世界大戦後に原子爆弾の問題や西ドイツ（当時）の政治状況を批判する著作を発表 | 知の総体を全体化<br>共産主義への接近<br>アンガジュマン（政治参加）<br>ボーヴォワールとの契約結婚<br>『弁証法的理性批判』（1960年）でマルクス主義がわれわれの時代の哲学であり続けていることを主張<br>ノーベル文学賞を辞退 |

## 実戦問題1 基本レベル

**＊＊**
**No.1 次のA，B，Cは哲学者・思想家の著作（日本語訳）からの抜粋であるが，該当する哲学者・思想家の組合せとして最も妥当なのはどれか。**

【国家一般職・平成22年度】

A：いかに多くの人間が人生を空費していることか，といったようなことを人びとはよく口にする。けれども人生を空費している人間というのは，人生の喜びや煩いに心まどわされてうかうかと日を送り，そのためについに自己自身を精神としてまた自己としてたえず決然と意識することのなかった人だけである。かかる人は，神がいまし，そして「彼」（彼自身）がこの神の前に存在していることに気づかず，またもっとも深い意味でそのことを痛感しなかった人である。いうまでもないが，そういう収穫は，絶望を通してよりほかには達せられないことである。

B：俺たちはどちらに向かって動いているのか。・・・俺たちは無限の虚無の中をさ迷っているのではないだろうか。・・・神は死んだ。死んだままだ。しかも俺たちが神を殺したのだ。世界がこれまでに持っていた最も神聖なもの，最も強力なもの，それが俺たちの刃で血まみれになって死んだのだ。・・・自分たちのやったことの偉大さは，俺たちの手に余ることではなかったか。神を殺すようなことができるためには，俺たち自身が神々とならねばならないのではないか？

　これよりも偉大な事業はいまだかつてなかった。この事業のおかげで，俺たちの後に生まれてくる者たちは，これまであったどんな歴史よりも一段と高い歴史に踏み込むのだ。

C：私は死なねばならないとか，私は悩まねばならないとか，私は戦わねばならないとか，私は偶然の手に委ねられているとか，或は私は不可避的に罪は纏綿（てんめん）しているとかいうように，たとえ状況の一時的な現象が変化したり，状況の圧力が表面に現われなかったりすることがあっても，その本質においては変化しないところの状況というものが存在します。私共はこのような私共の現存在の状況を限界状況と呼んでいるのであります。即ちそれは私共が越え出ることもできないし，変化さすこともできない状況が存在するということであって，これらの限界状況はかの驚きや懐疑に次いで哲学の一層深い根源なのであります。

| | A | B | C |
|---|---|---|---|
| **1** | キルケゴール | ハイデッガー | ヤスパース |
| **2** | キルケゴール | ニーチェ | パスカル |
| **3** | キルケゴール | ニーチェ | ヤスパース |

4　ライプニッツ　　ハイデッガー　　ヤスパース
5　ライプニッツ　　ハイデッガー　　パスカル

## No.2* フランスの思想家に関する記述として最も妥当なのはどれか。

【国税専門官・平成21年度】

1　モンテーニュは，著書『エセー（随想録）』を通じて，人間は自分自身の立場や考え方に執着するあまり，偏見にとらわれたり独断に陥ったりすることがあり，これらを避けるためには自分自身の考え方や態度を謙虚に問い直すことが必要であることを，「私は何を知るか（ク・セ・ジュ）？」という言葉で表現した。

2　パスカルは，著書『パンセ（瞑想録）』を通じて，人間は自然の中では無限大と虚無の深淵の間を漂う無力で惨めな存在であるが，そのことを思考によって自覚できる唯一の存在であり，こうした無力さゆえに人間は社会から離れて存在することはできないということを，人間は「ポリス的動物」であると表現した。

3　デカルトは，著書『方法序説』を通じて，経験によって得られる個々の事例を集め，そこから一般的な法則を発見するという帰納法を用いて，「我思う，ゆえに我あり（コギト・エルゴ・スム）」という原理を導いた。また，人間の精神と身体は一体化しているものであり，相互に関係して存在しているとする，心身一元論の考えを示した。

4　ルソーは，著書『社会契約論』を通じて，人間は自己保存に最適な行動を選択する自由である自然権をもった存在であるとし，こうした人間によって争いや混乱が起こるような「万人の万人による闘争」の自然状態を防ぐために，人間は自然権の一部を放棄し，第三者である国家に譲り渡す必要があると考えた。

5　サルトルは，著書『実存主義とは何か』を通じて，人間が一定の具体的な状況の中で，今ここに存在するという在り方を「実存が本質に先立つ」という言葉で表現した。そして，人間が自分の行為を自由に選択していくことが，社会に責任をもって積極的にかかわることである「ルサンチマン」につながると考えた。

# 実戦問題の解説

## No.1 の解説 実存主義の思想家

→問題はP.391 正答3

**STEP❶ 極端な発言は際立つ手がかり**

著作の引用には必ずキーワードが含まれる。本問で一番はっきりしているのはBの「**神は死んだ**」という言葉で，Bは**ニーチェ**の『悦ばしき知識』からの抜粋。したがってBに**ハイデッガー**を入れている**1**，**4**，**5**は誤り。

**STEP❷ 哲学者が生きた時代背景も重要**

キルケゴールが19世紀の人だったのに対し，ライプニッツは17～18世紀の人。**ヤスパース**が現代人といってもいいのに対し，**パスカル**は17世紀の人。AとCは生きた時代が大きく異なる2人を組み合わせている。神への信仰が強かった時代のパスカルが「**限界状況**」のような，神の出てこない状況を論述するとは考えにくく，Cはヤスパースとみるのが妥当。彼の『**哲学**』からの抜粋である。よって**2**も誤り。

**STEP❸ 実存主義では「自己」が出発点であり帰結**

Aのような「**絶望**」を**普遍的調和**を求めた**ライプニッツ**が主張したとは考えられず，Aは近代人としての苦悩を認めた**キルケゴール**の『**死に至る病**』からの抜粋。

以上から**3**が正しい。

## No.2 の解説 18～20世紀のフランス哲学

→問題はP.392 正答1

**1◎ 「ク・セ・ジュ」はモンテーニュの名文句。**

正しい。モンテーニュは知性により絶対的な真理へ達することができないこと，感覚的な知覚が頼りないことなどを説いた。

**2× 人間は「ポリス的動物」と言ったのはアリストテレス。**

パスカルは人間が無限大と無限小の中間で不安を感じながら，人間と世界に意味を与えてくれる隠れた神を探していると考え，「考える葦」として人間を定義づけた。「**ポリス的動物**」は**アリストテレス**の言葉である。

**3× 帰納法はイギリス経験主義の得意ワザ。**

デカルトは「確実に知られた事柄から必然的に帰結する全事柄を理解する思惟の運動」である**演繹**により，法則を発見しようとした。また，精神と身体はまったく本性を異にする2つの実体だとする**物心二元論**の立場をとった。

**4× ルソーは自然状態を理想とし，ホッブスはそれを闘いの場と見た。**

自己保存に基づいて「**万人の万人による闘争**」を人間が自然状態でくり広げていると考えたのは**ホッブス**である。

**5× サルトルが唱えたのは「アンガジュマン」。**

サルトルが人間に求めた社会への積極的なかかわりは，「**アンガジュマン**」である。「**ルサンチマン**」は**ニーチェ**が怨恨を意味するフランス語をもとにつくった用語で，弱者が強者に対する憎悪を内向させ，その結果，強者の尊ぶ価値を転換することで復讐を遂げることである。

テーマ **4** 西洋思想

# 西洋現代思想

## 必修問題

**20世紀以降の欧米の思想家等に関する記述として最も妥当なものはどれか。**

【国家総合職・平成30年度】

**1** **サルトル**は，人間の自由と責任とを強調し，道具などの物においては本質が存在に先立つが，人間の場合には自己の選択が自己の在り方を決定すると述べ，このことを「**実存が本質に先立つ**」と表現した。また，人間が自分の生き方の責任を自分で負っていかざるを得ない局面を捉えて，「**人間は自由の刑に処せられている**」と述べた。

**2** **フーコー**は，人間を理性的存在であると捉え，人間（理性）中心主義を唱えた。また，法に基づいて設置された裁判所や監獄などの施設が，狂気や犯罪といった反理性的なものを抑止する役割を果たしたことで，人間の理性を尺度とした社会が発展してきたと論じ，一人の監視者が多くの囚人を監視できる**パノプティコン**を考案した。

**3** **レヴィナス**は，人間の存在を分析し，事物や他人と共に日常性に埋没して生きている人間の在り方を「ひと」**（ダス＝マン）**と呼んだ。また，人間は，「自己」と「他者」を同化した「全体性」の立場から，他者の苦痛や恐怖を自らのものとして認識することによって，倫理的な主体としての自己を回復していくと論じた。

**4** **アーレント**は，**『野生の思考』**の中で，社会の中で生きることによってのみ，人間はその能力を発揮できると述べた。また，人間の生活を，生存のために必要な**「労働」**，他者と言葉を交わしながら他者と共に共同体を営む**「仕事」**の２つに区分し，近代以降では，労働の領域が縮小する一方で仕事の領域が拡大してきたと論じた。

**5** **ロールズ**は，**『不平等の再検討』**の中で，平等な社会の仕組みについて考案した。与えられた**機会が平等**であるかないかにかかわらず，人々の間に不平等が生じることや，不遇な生活を強いられる者が生じることは容認されるべきでないとする**正義の原理**を提唱し，原初状態の下では，これらの原理を選ぶことに人々が合意すると主張した。

難易度　＊＊＊

## 必修問題の解説

フロイトによる無意識の分析で心理学が思想に新しい展開をもたらし，実存主義は構造主義の挑戦を受ける。学問の枠を越えて相互に影響を与えあう現代思想からの出題は，今後増えてくるはずだ。

**1 ◎** 「実存が本質に先立つ」はサルトルの思想の特徴。
**サルトル**は，人間は自由に行動し，自由に自身をつくるものなので生きることに責任を負わなければならないと考えた。**実存**，すなわち，いまここに現実に存在するという主体性を強調した。

**2 ×** フーコーは人間中心主義を批判することで構造主義的な立場に立った。
**フーコー**は制度などの中にあって人々を動かす「知」の様式に注目し，全ての言語や観念を地層の中の「化石」のようなものとみなして多層的含蓄をあばく「**知の考古学**」を主張した。つまり，人間の理性という尺度の奥にあるものを引き出そうとした。パノプティコンは**ベンサム**が考案したもので，フーコーはこれを批判している。

**3 ×** レヴィナスは他者を自己に内在させる内在主義を拒否した。
**レヴィナス**は無限なるもの，**絶対的「他者」**を自我と共に同一の完結的体系に構成することはできないと考え，他者と共にではなく**他者と向き合う倫理学**を提唱した。

**4 ×** アーレントは公共生活の概念を構築した。
**アーレント**は人間の生活を生存のために必要な「**労働**」と道具や作品をつくる「**仕事**」，他者と共に共同生活を営む「**活動**」の3つに分け，**対話的共同体**に必要な「活動」の重要性を強調した。『**野生の思考**』は**レヴィ=ストロース**の著作である。

**5 ×** ロールズは伝統的な社会契約論から正義の概念を導いた。
**ロールズ**が主張した**公正としての正義**は，各人は基本的自由において**平等**であるべきという第一原理と，権限と地位は全ての人が接近できなければならないという第二原理で成り立っている。『**不平等の再検討**』は**セン**の著書。

**正答 1**

## FOCUS

構造主義のレヴィ=ストロース，精神分析のフロイト，ポスト構造主義のデリダのように，それぞれの思想傾向の代名詞となるくらい有名な思想家を道しるべとして利用する。思想家の組合せ問題に登場するのは，その道の権威と呼ばれるような，そういう有名人たちである。20世紀後半の思想家たちは，新しすぎて西洋哲学史の教科書ではフォローしきれないこともあるだろう。ネット検索などを活用し，主な業績とか主張をチェックし，何をやった人，何を言った人かという情報だけでも把握しておこう。

# POINT

## 重要ポイント 1 構造主義

主体（主観）を中心に据えた伝統的な思考に対し，主体を包み込む「構造」との関係を重視する立場が構造主義。

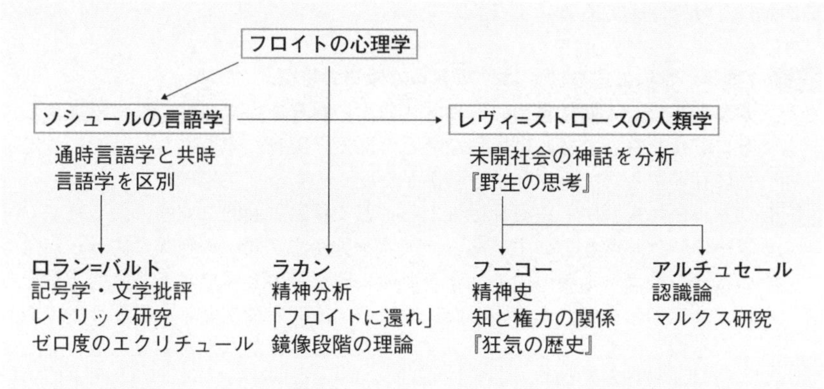


## 重要ポイント 2 ポスト構造主義

レヴィ=ストロースなど構造主義運動を担った世代の後に登場した思想。構造主義を批判的に継承するもの。

アルチュセール，フーコー，バルトの後期の思想もポスト構造主義的である。

**●ポスト構造主義の代表的思想家**

| デリダ | ドゥルーズ |
|---|---|
| 文学，絵画，精神分析，言語理論などを分析。<br>「脱構築」がキーワード。<br>『エクリチュールと差異』 | 精神分析家のガタリとともに「資本主義と精神分裂症」の総題で『アンチ・オイディプス』（第１部），『千のプラトー』（第２部）を刊行。<br>生成変化，リゾーム，戦争機械などの概念をつくった。 |

## 重要ポイント 3 フランクフルト学派と現代

**フランクフルト学派**：20世紀初頭，フランクフルト大学の社会研究所を中心に成立

・第一世代　**ホルクハイマー**と**アドルノ**『**啓蒙の弁証法**』（1947年）

ナチズムの迫害を受け，英米に亡命。アメリカ的市民社会を受け入れるが，**合理主義**による自然の破壊と，市場における**交換価値追求**を批判し，ナチズムに象徴される**野蛮への退行**を警告し続けた。

**啓蒙**＝多様性を認めず，1つの論理を統一的に把握するよう強制する
→神話的世界から人間を抜け出させる
→**合理主義**：異なった事物の間の差異を切り捨て，数量的に比較可能にする
＝等価交換
＝物象化・同一化
↓
**後期資本主義社会**
**文化産業**や**メディア**が「現実」を再現
↓
人々は受動的に「現実」を意識の中に取り入れる
↓
メディアの外にある『現実』との違いを考えなくなる

（1つの論理を統一的に把握するよう強制する）
↓
ちょっとした逸脱も許さない
＝**同一性の理論**―行きすぎたものが全体主義
↓
その危険を回避するため「個」の視点で「批判」を続ける

・第2世代　**ハーバーマス**　『**コミュニケーション的行為の理論**』（1981年）

物象化や疎外を回避しようとするなら，「**市民社会**」を構成する市民たちの持つ**コミュニケーション能力**に注目するべき。

コミュニケーション的行為を4類型に区分
↓
**成果志向的な「目的論的行為」** と **了解志向的なそれ以外**
→事実確認的言語行為，規範に規制された行為，ドラマトゥルギー（劇場）的行為
↓
主体間の「了解」を成立させることが焦点
↓
討議的民主主義⇨**ロールズ**『政治的リベラリズム』（1993年）

・第3世代　**ホーネット**『承認をめぐる闘争』（1992年）

コミュニケーションを成立させるためには主体たちがお互いを主体として認め合い，共同体的関係を築かなければならない。
＝
**相互承認**
↓
**ヘーゲル**が「**人倫**」の発展段階で示した承認様式「愛」「法」「連帯」を現代的に読みかえる

（主体間の「了解」を成立させることが焦点）
↓
**コミュニタリアン**
個々の「共同体」に属する人々にとっての「**共通善**」を重視
↓
**ウォルツァー**
**配分的正義**
**テイラー**
**多文化主義的なコミュニタリズム**

## 実戦問題

＊＊
**No.1** **西洋の近現代思想に関する記述A～Dのうち，妥当なもののみを挙げているのはどれか。** 【国家総合職・平成26年度】

A：ヤスパースは，人間が限界状況にぶつかって挫折し，自らの無力さと有限性を自覚するとき，世界の全ての現象を包み込み，根底で支えている永遠の包括者（超越者）の存在に気付くとした。そして，絶えず移り変わるこの現象の世界が，包括者の永遠の存在に支えられていることに気付くとき，自己の実存もまたその永遠の存在に根ざしていることが確信されるとした。

B：J.S.ミルは，人間が求める快楽のうち，量的に計算できない精神的快楽を質の高いものとして重視し，人類の幸福や社会の向上などに貢献することにより得られる幸福感が質の高い快楽であると考えた。そして，人間の利己的な行為を抑えるものとして，良心による内的制裁を重んじた。

C：ヘーゲルは，自由の実現は理性の働きと深く関わるものであると考え，自由とは自分が立てた道徳法則に自分自身が主体的に従う自律であり，個人の内面において実現されるものであるとした。そして，独立した個人が形成する市民社会において個人は本来の自由を実現できるのに対して，国家は本質的に個人の自由を抑圧するものであると考えた。

D：ハイデッガーは，南米の未開社会における婚姻関係や神話に関する実地調査を通じて，個人の主観的意識は，全ての構造やシステムを生み出し，その中で安住しようとするが，次第に抑圧を感じ始め，強まる抑圧から不安を感じたとき，新たな構造やシステムを生み出すことを繰り返すことを見いだした。

**1**　A，B
**2**　A，D
**3**　B，C
**4**　B，D
**5**　C，D

＊＊
**No.2 西洋の思想家に関する記述として，妥当なのはどれか。**

【地方上級（特別区）・平成27年度】

**1** ホルクハイマーとアドルノには，共著『啓蒙の弁証法』があり，近代化が進む中で与えられた目的を合理的に実現する手段を追求する道具として理性を道具的理性と批判し，批判的理性の復権を唱えた。

**2** レヴィナスは，『自由からの逃走』を著し，現代人は近代が理想とした自由を獲得したが，自由のもたらす孤独感と無力感に耐えられず，かえって自分を導く権威への服従を求めるようになるとした。

**3** ソシュールは，『論理哲学論考』を著し，語り得ないことについては沈黙しなければならないと主張したが，後にこの立場を自己批判し，言語ゲームという概念を導入して，ことばの使用を様々な生活の仕方として捉え返した。

**4** デリダは，『狂気の歴史』を著し，自由で主体的だと考えられてきた個人の思考も，歴史的・社会的に形成されてきた言葉の体系によって無意識のうちに規定されているとして，言語学における構造主義の創始者となった。

**5** ドゥルーズとガタリには，共著『悲しき熱帯』があり，未開社会の調査を通じて，婚姻や神話の中に主観的な意識を超えた構造やシステムが存在することを発見し，人間のふるまいや思考はこの構造によって規定されているとした。

**No.3** (＊＊) **次のA～Cは，西洋の思想家に関する記述であるが，それぞれに該当する思想家名の組合せとして，妥当なのはどれか。**

【地方上級（特別区）・平成25年度】

A：スイスの心理学者であり，人間の夢や妄想の中に，神話や昔話などと共通の基本的なパターンがあることを見つけ，個人的無意識の他に，人類共通の集合的無意識があると考えた。主著に『心理学と錬金術』がある。

B：ドイツの哲学者であり，コミュニケーション的合理性に注目し，相互の了解をめざす対話的な理性の可能性を追求するべきだと考えた。主著に『公共性の構造転換』がある。

C：フランスの文化人類学者であり，未開社会の調査を通じて，婚姻関係や神話などの中に，個人の主観的意識を超えた構造が存在していることを発見した。人々の思考やふるまいはこの構造によって規定されており，そのことはあらゆる人間の文化に共通していると考えた。主著に『野生の思考』がある。

| | A | B | C |
|---|---|---|---|
| **1** | ユング | ハーバーマス | レヴィ=ストロース |
| **2** | ユング | ハーバーマス | フーコー |
| **3** | フロイト | アドルノ | フーコー |
| **4** | フロイト | アドルノ | レヴィ=ストロース |
| **5** | フロイト | ハーバーマス | フーコー |

＊＊
No.4 **近代の西洋思想に関する記述として最も妥当なものはどれか。**

【国家総合職・令和元年度】

**1** J.S.ミルは，功利主義を唱え，快楽の量よりも質を重視し，また，精神的快楽は肉体的快楽よりも質が高いと主張した。満足した愚か者であるより不満足なソクラテスである方がよいと述べ，精神的快楽よりも肉体的快楽を求める人を律するため，肉体的な苦痛を伴う刑罰などの制裁を重視した。

**2** キルケゴールは，大衆社会において人は主体性を喪失していると警告し，真実の自分の在り方を問う実存主義を唱えた。真理とは普遍的なものではなく，自分がそのために生き，死ぬことができるものであると述べ，人は，享楽を求める美的実存，義務に目覚める倫理的実存を経て，神の愛に生きる宗教的実存へと至り，本来の自己を獲得すると説いた。

**3** デューイは，アメリカの開拓者精神の影響を受け，絶対的真理に到達するために，自ら考え，行動することを重視するプラグマティズムを発展させた。為すことによって学ぶと説き，知性や観念は現実の問題を解決するための道具であって行動の結果とは関係なく，知性や観念を駆使して行動すること自体に価値を求める道具主義を打ち出した。

**4** ユングは，人の行動における無意識の働きを重視し，個人的な無意識のほかに，人類に共通する集合的無意識（普遍的無意識）が生得的に存在すると唱えた。集合的無意識とは，神話や物語に記述されたある人の体験や思想が，時代や地域を超えて語られ，それを幼児期に聞いた多くの人の無意識に入り込んだもので，共通体験による個人的無意識の集合体であるとする。

**5** レヴィ=ストロースは，人の思考や行動はその人の理性により意識付けられる部分よりも，法律や通貨制度などの人為的な構造により規定される部分が大きいとする構造主義を唱えた。こうした人為的な構造が整備されていない文化では，それが整備されている文化よりも，理性の果たす役割が相対的に大きいとする文化相対主義を打ち出した。

## 実戦問題の解説

### No.1 の解説　西洋の近現代思想家　→問題はP.398　正答 1

**STEP❶　功利主義から攻めるが勝ち**

正誤の判断をつけやすい思想は，具体的であるか，あるいは極端なほど独特であるものだろう。A～Dをざっと見ると，記述が具体的なBとDが手をつけやすい。とりわけBは**精神的快楽**を重視し，**良心による内的制裁**を主張した**J.S.ミル**の記述として妥当と見分けがつく。つまり妥当な記述のBを挙げていない**2**と**5**は誤りとなる。

**STEP❷　難解な思想家は評伝から得た情報を活用**

Dは**南米の未開社会**で実地調査を行った思想家の記述である。**ハイデッガー**は**実存主義・現象学**の哲学者という基本情報を得ていれば，そのような実地調査に赴くはずはないとわかる，Dは**文化人類学者**である**レヴィ=ストロース**の記述なので誤りとなり，Dを挙げた**4**も誤りである。

**STEP❸　その人らしいキーワード抜きで思想は語れない**

Cは**ヘーゲル**の名を出しておきながら，弁証法などのヘーゲルらしさを示すキーワードが1つもないうえに，国家は個人の自由を抑圧するという消極的なことを述べている。**『法の哲学』**という著作のあるヘーゲル像と相容れないと気づけばCの記述も誤りとわかり，**3**も排除されて**1**が正しいと決まる。Cの記述は**カント**に関するものであり，Aの**ヤスパース**に関する記述も正しい。

以上から**1**が正しい。

## No.2 の解説 西洋の現代思想

→問題はP.399 正答 1

**1 ◎ ホルクハイマーとアドルノは「社会の批判的理論」という立場。**
正しい。彼らは亡命先のアメリカで大衆化した個人が，その敵対者である全体的な資本の力に操作されているのを見て，個人としての人間の自律性が衰え，理性が形骸化していくのを感じた。そこで**アドルノ**は「全体は不真実」であり，みなと同じになるのではなく同一的なものを疑う「**批判的理性**」の重要性を訴えた。

**2 × 『自由からの逃走』はフロムの代表作。**
**レヴィナス**はユダヤ人としての存在について哲学的に考察を深め，悪は存在への固執に由来し，善が主体を常に既に選択しているという独創的な哲学としての倫理学を主張した。記述は**フロム**に関するものである。

**3 × 「語り得ないことについては沈黙……」はウィトゲンシュタインの言葉。**
**ソシュール**の理論は**構造主義言語学**の原点とみなされ，言葉をモデルとして文化一般の記号性とその物象化現象を解明したといわれている。記述は**ウィトゲンシュタイン**に関するもので，「**語り得ないものについては沈黙しなければならない**」は「言語批判」の活動をしていた初期の言葉である。

**4 × 『狂気の時代』の著者フーコーは『知の考古学』も著した。**
**デリダ**は伝統的な形而上学的思考をその内部の諸概念を用いて「外部の視座」から見直してみる「**脱構築**」を主張した**ポスト構造主義**の思想家である。記述は**フーコー**に関するものだが，彼は言説体系をテクストと見なして，**言説形成体**の自律的構造と運動を分析したので，言語学というより歴史学者とみるべき存在である。

**5 × 『悲しき熱帯』はレヴィ=ストロースの著作。**
**ドゥルーズ**と**ガダリ**は**『資本主義と精神分裂症』**の総題のもとで第一部『アンチ・オイディプス』，第２部『千のプラトー』を刊行し，デリダとともにポスト構造主義を代表する思想家とされている。記述は**レヴィ=ストロース**に関するものである。

## **No.3 の解説** 著作でみる西洋現代思想

→問題はP.400 **正答 1**

### STEP❶ 出身国も正答への一歩となる

Bはドイツ出身者，Cはフランス出身者の組合せだが，Aの**ユング**は**スイス**，**フロイト**は**オーストリア**の出身。「**集合的無意識**」もユングの用語であり，Aはユングが正しい。Aにフロイトを挙げた**3**，**4**，**5**は誤り。

### STEP❷ 文化人類学と構造主義はつながっている

主体である人間を取り巻く「**構造**」に目を向けた**構造主義**は，**文化人類学**や**精神分析**，あるいは**マルクス**による社会構造の分析の**影響を受け**，科学の方法であり思想の１タイプとして生成された。Cに当てはまるのは，「**未開社会**」で「**婚姻関係や神話**など」を研究した**レヴィ=ストロース**。**フーコー**は**狂気**の分析を通して「**知の考古学**」を示してみせた。よって**2**も誤り。

### STEP❸ 知らない思想家にはできるだけ手をださない

本問で一番わかりにくいのはB。Bの記述で**ハーバーマス**とわかった人はかなり専門的に勉強した人といえる。ここはハーバーマスと**アドルノ**という選択肢から攻めるか，A，Cで正答に近づくのが妥当な解答法かもしれない。Bは**フランクフルト学派**の２人の思想家を挙げている。アドルノは**ホルクハイマー**とペアで言及されることが多く，単独の学者の話ならハーバーマスと見当をつけよう。

以上から**1**が正しい。

## No.4 の解説　近代の西洋思想

→問題はP.401　正答2

**1 ×** 質的快楽を重視したミルは内部的制裁を主張した。

**功利主義**の立場で快楽の**質**を重視し，「**満足した愚か者であるより不満足なソクラテス**」が良いと**J.S.ミル**が唱えた記述は正しいが，その彼が道徳的であるために必要としたのは刑罰のような外部的制裁ではなく，「**良心**」や「**同胞感情**」などの**内部的制裁**である。

**2 ◎** キルケゴールは人間が大衆社会で自分自身を失うことを憂えた。

**ヘーゲル**の弁証法を批判した**キルケゴール**は，**神の前の単独者**としてキリスト教の信仰に生きる道を選び，世俗化した母国デンマークの教会にも鋭い非難を浴びせた。彼の著作の多くは偽名で刊行されている。

**3 ×** デューイのプラグマティズムは「概念道具主義」。

**デューイ**は真善美などの実践的な概念も事象を解明するために**操作できる手段・道具**とみなし，解明に不必要なら他の概念と代替できると主張した。彼は認識と行為を連続させ，事実と価値や意志などの基本概念を相関的で離れがたいものととらえ実践的な場面で応用するというアメリカ的な**プラグマティズム**を誕生させた。

**4 ×** ユングの集合的無意識は人類に共通なもの。

体験を通じて形成されるのは個人的無意識であり，**ユング**が**集合的無意識**と呼んだものは過去の動物としての痕跡などを含め，本人の経験とは別に遺伝されたものである。

**5 ×** 構造主義は人間的主体も構造の中の１要素としてとらえる。

**構造主義**の「構造」は人為的な文化や制度のことではなく，意識や意志の外（もしくは下）にあるものであり，**レヴィ=ストロース**は出来事の断片を組合わせて作られた構造を分析した。

# 中国の思想家

## 必修問題

**中国の思想家に関する記述として最も妥当なものはどれか。**

【国家一般職・令和元年度】

**1** **孔子**は，儒教の開祖であり，人を愛する心である**仁**の徳が，態度や行動となって表れたものを**礼**と呼び，礼によって社会の秩序を維持する**礼治主義**を理想とした。そして，現世で仁の徳を積み，礼をよく実践することで，死後の世界で君子になることができると説いた。

**2** **墨子**は，道徳によって民衆を治めることを理想とする儒教を批判し，法律や刑罰によって民衆を厳しく取り締まる法治主義を主張した。また，統治者は無欲で感情に左右されずに統治を行うべきであると説き，そのような理想的な統治の在り方を**無為自然**と呼んだ。

**3** **孟子**は，**性善説**の立場で儒教を受け継ぎ，生まれつき人に備わっている四つの善い心の芽生えを育てることによって，仁・義・礼・智の四徳を実現できると説いた。また，力によって民衆を支配する覇道を否定し，仁義の徳によって民衆の幸福を図る**王道政治**を主張した。

**4** **荘子**は，儒教が重んじる家族に対する親愛の情を身内だけに偏った別愛であると批判し，全ての人が分け隔てなく愛し合う**兼愛**を説いた。さらに，水のようにどんな状況にも柔軟に対応し，常に控えめで人と争わない**柔弱謙下**の態度を持つことが，社会の平和につながると主張した。

**5** **朱子**は，人が本来持っている善悪を判断する能力である**良知**を働かせれば，誰でも善い生き方ができるとして，支配階層の学問であった儒学を一般庶民にまで普及させた。また，道徳を学ぶことは，それを日々の生活で実践することと一体となっているという**知行合一**を主張した。

難易度　＊＊

## 必修問題の解説

性善説の孟子と性悪説の荀子というように，出題されそうな思想家の組合せをあらかじめ予想することが比較的容易である。過去にだいたい出題され尽くしているといっても過言ではない。基本的な思想内容を問いたいのなら孔子，老子，荘子，キーワード重視なら韓非子，墨子という出題パターンを探ってみよう。



**1×** 孔子が求める君子とは日常生活の場で人格優れた人物。

**孔子**にとって最高の徳は**仁**であり，**礼**は人の正しい行為の形式を規定する道徳的規範と考えられていた。徳による感化と礼を中心とする道徳教育で君子が民を指導する**徳治主義**の政治を現世で実現するため，修養に励むことを主張した。

**2×** 墨子は弱者支持の立場で相互扶助の生活を保障する政治を求めた。

**墨子**の主張の特質は**兼愛・非攻**にあり，国の生産力低下を招く侵略は正義に反するとみなした。また貧富貴賤にかかわらず徳の優れた者が政治を行う**尚賢論**を主張し，寛容な態度で全ての人間に利益交換を奨める**交利**という考えを重視した。**法治主義**は**韓非子**に代表される法家の主張である。

**3◎** 孟子は礼を尊重しながらも原理として義を強調。

**性善説**に立つ**孟子**は天が有徳者を君子とするという天命観を受け継ぎ，民意に背き仁義に反する王はもはや有徳者といえないため**易姓革命**が肯定されるとした。

**4×** 荘子は自己を棄てて自然に従う生き方を選んだ。

兼愛は墨子の主張。**荘子**は「**万物斉同**」の観念を中心に思考を重ね，天は自然のままにあるもので，人は天を侵し損うべきでないという立場にいた。**柔弱謙下**に関する記述は正しいが，これは**老子**の主張である。

**5×** 朱子の主張は客観的規範を尊重する格物致知。

記述は朱子と逆の立場にあった**王陽明**に関するもの。**朱子**はあらゆる物事の道理を窮めて知を尽くすことを主張し，理を知ることとそれを行うことを2段階に分け，**先知後行**でいくとしている。

**正答 3**

## FOCUS

中国の思想家については，キーワードである漢字のイメージでとらえやすい。しかし，思い違いが生じないよう注意しなければならない。問題練習の効果を最大限発揮できる分野だ。珍問という不意打ちの対策を講じるより，顔なじみの「常連」に焦点を合わせたほうがよい。

## POINT

### 重要ポイント 1 中国の思想家たち

**東周**

BC770

**春秋時代**

**儒家**

**孔子**：伝統文化の現れである「**礼**」を尊重。人の最高の徳は「**仁**」。身分秩序を確立。**徳治主義**の政治。教えをまとめた『**論語**』。

**道家**

**老子**：人間をはじめ万物の存立する根源としての「**道**」を提唱。理想は自己の生き方に徹する自己満足。**無為自然**。非文化的なものを尊重。

**戦国時代**

100年後

**孟子**：**性善説**。仁義礼智の**四徳**を強調。人生における対人関係を５種に整理＝**五倫**。理想は**王道**。仁義に反する王には**易姓革命**。

**墨子**（墨家）：**兼愛**交利。弱者を支持し相互扶助を主張。実利主義。**非攻**論＝生産力を損なう侵略反対。

**荘子**：**万物斉同**が中核。「道」は認知困難で，体得できるのは真人。人間は己の中に「天」をもつ。

100年後

**荀子**：天を神格化する観念を否定。**性悪説**。欲望のまま動く人間がもたらす社会を礼によって治める。**礼治主義**。社会生活は人間に不可欠。法制重視で民を愛するのが君主。

**韓非子**（法家）：荀子に学ぶ。性悪説を論拠に**法治主義**を主張。政治の目標は**富国強兵・君主権力の確立**による社会の安定。**賞罰**重視。法治主義の政治。

**秦**

秦による中国統一　［諸子百家］の時代はこのころまで

**漢**

BC 206 ～ 220

**董仲舒**（とうちゅうじょ）：儒教による思想の統一を主張。

陰陽五行説を取り入れる→**陽尊陰卑**（陽が尊く陰は卑しい）観。

三綱五常説

五常―仁義礼智信

君臣・父子・夫婦の義が王道の三綱（さんこう）

（君・父・夫）―陽

**南宋**

1127 ～ 1279

宋学の発達―存在と主体の根拠として太極の理が立てられた。

↓

**朱子**

事物の理を窮めて知識を推しきわめる＝理と気を分割。太極の理を無と有の弁証で論証。
**格物致知**，**居敬窮理**。

**明**

1368 ～ 1644

**王陽明**：形式的で瑣末なことにこだわる学となった朱子学を批判。
**致良知**説。是非善悪の判断能力である「良知」は人間の心の本来の姿。
実践を通してのみ知が成立し，実践の中にのみ理があらわれる。**知行合一**。

## 実戦問題

**No.1** ＊＊ **中国の思想家に関する記述として，妥当なのはどれか。**

【地方上級（特別区）・令和５年度】

**1** 荀子は，性悪説を唱え，基本的な人間関係のあり方として，父子の親，君臣の義，夫婦の別，長幼の序，朋友（ほうゆう）の信という五倫の道を示した。

**2** 墨子は，孔子が唱えた他者を区別なく愛する仁礼のもとに，人々が互いに利益をもたらし合う社会をめざし，戦争に反対して非攻論を展開した。

**3** 朱子は，理気二元論を説き，欲を抑えて言動を慎み，万物に宿る理を窮めるという居敬窮理によって，聖人をめざすべきだと主張した。

**4** 老子は，人間の本来の生き方として，すべてを無為自然に委ね，他者と争わない態度が大事であり，大きな国家こそが理想社会であるとした。

**5** 荘子は，ありのままの世界では，万物は平等で斉（ひと）しく，我を忘れて天地自然と一体となる境地に遊ぶ人を，大丈夫と呼び，人間の理想とした。

**No.2** ＊ **諸子百家に関する記述として最も妥当なのはどれか。**

【国税専門官・平成20年度】

**1** 荀子は，孔子の教えを否定して，人間の本性は悪であるという性悪説を唱えた。人間が本能のまま行動すれば他人と争ったり，他人を憎しみ害することになるので，刑罰を用いて人々の行動を規制する必要があると説いた。

**2** 老子は，道徳や文化を絶対的で価値のあるものととらえ，そうしたものに自らを合わせて生きることを理想とした。また，このように絶対的で価値あるものを尊重し，素直に身を任せることが無為自然の生き方であると説いた。

**3** 韓非子は，利他心の欠如が社会の混乱の原因であるとして，人々が自他を区別せず，互いに利益をもたらす社会を理想とした。また，功績や名声など自己への執着から自由になり，虚心になって天地自然と一体となる生き方を理想とした。

**4** 墨子は，親子・兄弟の間に自然に発する親愛の情をさまざまな人間関係に広めていくことが仁の実践であると考えた。また，心のあり方としての仁が表にあらわれたのが礼であり，人が従うべき普遍的な決まりであると説いた。

**5** 孟子は，孔子の教えを発展させて，人間の本性は善であるという性善説を唱えた。また，仁義に基づいて真に民衆の幸福をはかる王道の政治を主張し，民意に背く暴君は治者の地位から追放されるという易姓革命の思想を説いた。

＊＊
**No.3 中国の思想家に関する記述として最も妥当なのはどれか。**

【国家一般職・平成27年度】

**1** 孟子は，人間は生まれつき我欲を満たそうとする自己中心的な悪い性質をもっているが，それを矯正することによって四つの善い心の表れである四徳が実現され，誰でも道徳的な善い人格を完成させることができると説いた。

**2** 荘子は，天地万物に内在する宇宙の原理（理）と万物の元素である運動物質（気）によって世界の構造をとらえた。そして，理と一体化した理想の人格のことを君子と呼び，君子が彼の理想の生き方であった。

**3** 荀子は，人間は生まれながらにして善い性質をもっているが，人間の性質を更に善いものへと変えていくためには，教育・礼儀・習慣などの人為的な努力が必要であるとした。そして，このような人為的な努力を大丈夫と呼んだ。

**4** 朱子は，法律や刑罰によって民衆を治める法治主義の方が，仁と礼を備えた理想的な人間である真人が為政者となって道徳により民衆を治める徳治主義よりも優れたものと考え，政治の理想とした。

**5** 王陽明は，人間の心がそのまま理であるとし，その心の奥底に生まれながらに備わる良知のままに生きることを目指した。また，「知は行のはじめであり，行は知の完成である」と主張し，知と実践の一致を説く考えである，知行合一の立場をとった。

＊
**No.4 中国の思想家に関する記述として，妥当なのはどれか。**

【地方上級（特別区）・平成24年度】

**1** 荘子は，万物斉同の境地に立ってものごとにとらわれず，自由に生きる人を真人とよび，人間の理想とした。

**2** 荀子は，力によって民衆を支配する政治に反対して，仁義にもとづいて民衆の幸福をはかる王道政治を説き，さらに易姓革命の思想を展開した。

**3** 孟子は，争乱を防ぎ世を治めるには，内面的な仁よりも人びとの行為を規制する社会規範としての礼が必要であるとし，礼治主義を唱えた。

**4** 老子は，儒家の家族愛的な仁に対して，自分の家族や国に限定されない無差別・平等の博愛を説き，非攻説を唱えた。

**5** 孔子は，「大道廃れて仁義有り」として，人間は，無為自然の道に従って生きるべきだと説き，柔弱謙下の生き方を理想とした。

## 実戦問題の解説

### No.1 の解説 中国の思想家 →問題はP.409 正答3

**1 ×** 五倫の道は孟子の主張。
人生における5種類の人間関係で行われるべき徳目が**五倫**だと**孟子**は主張し，これらは互いに他を排除するものではなく，共通しているとした。夫婦の「別」は生活上の任務や責任に区別があること，長幼の「序」は序列があることである。

**2 ×** 墨子の非攻論は生活力低下に対する抵抗から導き出された。
**墨子**の思想は社会の下層民の生活感情を思想化したもので，**兼愛**には孔子と連なるところがあるが，**非攻**論は蓄積された財が消耗され生産力も低下する戦争に反対するというものである。

**3 ◎** 朱子は自然と人間の両方を成立させる根拠として太極の理を主張。
正しい。**朱子**は物事の理を極めて知識を深める「**格物致知**」を主張し，是非悪徳の区別をはっきりさせる「**窮理**」を求めた。

**4 ×** 老子の思想は小国寡民。
**老子**は人類の文化や歴史も作為的で派生的な現象とみなし，非文化的なものの価値を本質としたので，大国ではなく小国のほうが理想に近いと考えた。

**5 ×** 荘子は自然と人間の合一を求めた。
万物の根源である「道」を認知できる人を**荘子**は「**真人**」と呼び，通俗の人と区別した。真人は肉体や感覚，感情と理知を排除もしくは統一して「道」を体得している。「**大丈夫**」は**孟子**が修養の目標として掲げた人物像で，思考によって道理を会得できた人，すなわち**君子**に等しいものである。

### No.2 の解説 諸子百家 →問題はP.409 正答5

**1 ×** 荀子は聖人の作為である礼儀を絶対視した点で孔子を継承。
荀子は「礼」を人道の標準とすることで孔子の主張を継承しており，理想の人間関係を現出させるのに必要なのは刑罰ではなく「**礼**」による**教化指導**であると主張した。

**2 ×** 老子は自然本来のままの自己であることで満足する。
老子が万物の根源と考えた「**道**」は**無定形で永遠不変なもの**で，その働きは「自然」で，行動しないという意味の「無為」を重視した。社会生活での人と人の調和は大事だと説いたが，「**徳**」は「**道**」**より下位**に置いている。

**3 ×** 利他心の欠如を非難したのは墨子。
功績や名声などの相対的な価値から離れて無為自然となることを主張したのは老子や荘子である。韓非子は**法律を明確**にし，**賞罰を厳格**にして法律の実行を重視する法家の思想家である。

**4 ×** 墨子の兼愛は双務的な愛に基づく弱者支援の主張。
墨子の**兼愛説**で重視された愛は，単なる情愛ではなく，**実質的な利益を与え**

**合う**ことであり，墨子は儒家が礼にこだわることを批判している。

**5◎** **孟子は力による支配を覇道として批判した。**

正しい。孟子は**仁義王道論**を展開した。

## No.3 の解説 中国の思想家

→問題はP.410 **正答5**

**1×** **理想主義者孟子は性善説。**

**孟子**は「性」の中の善なるもの，徳性だけを本性として承認する立場だった。人情の自然に基づく「**惻隠(そくいん)の心**」が**仁**の本(もと)であり，仁と同等の価値がある**義**の本は「**羞悪(しゅうお)の心**」，義にかなう**礼**の本は「**辞譲の心**」，そして**智**の本が「**是非の心**」という四徳の仁議論を展開した。

**2×** **荘子は作為の象徴である「人」を捨てて自然と１つになることを希望。**

陰と陽の気の働きで自然を理解する**陰陽五行説**は諸子百家だけでなく後代の思想家たちにも多大な影響を及ぼし，**理**と**気**によって儒家の論理を精緻なものにしたのが**朱子**である。**荘子**は「**万物斉同**」の考えを中心に，「道」を知ることができるのは「**真人**」だけとする道家の思想を唱えた。

**3×** **荀子にとっての「礼」は人間生活全般にかかわる規範。**

戦国時代に生きた**荀子**にとって，人間に欲望があり，利益を追求することは否定しがたく，**性悪説**を唱えるしかなかった。荀子が修養によって到達する目標としたのは「**至人**」(仁者，聖人と同義）であり，「**大丈夫**」となることを学問の目標としたのは**孟子**である。

**4×** **朱子は「格物致知」で儒学の本質を窮めようとした。**

**朱子**が生きた時代，人倫のなかで絶対的なものを獲得する方法を論じた**宋学**が盛んで，「**性即理**」の立場から朱子はあらゆる物事の道理を推し極める「**格物致知**」を目指し，法治主義より**徳治主義**を重んじた。

**5◎** **王陽明は心即理の立場で知と行は２つに分けられないと主張。**

正しい。**陽明**は「理」は人間の心情に基づく行為によって実現されると主張した。

## No.4 の解説　中国の思想家

→問題はP.410　**正答 1**

**1** ◎ 荘子の思想の中核は万物斉同（万物斉一）という観念。

正しい。**荘子**は自己というものにこだわらず，ありのままの世界では万物に差はなく，その価値は等しいと考えた。荘子は理想的な人間の存在を，陰陽の気の働きで変化する自然に近づけて考えた。

**2** × 荀子は力による覇道にも存在価値を認めた。

**王道政治**や**易姓革命**は**孟子**の主張。人の本性が善と考えた孟子ならではの主張であり，**性悪説**をとる**荀子**とは正反対の立場である。

**3** × 荀子は「礼」の機能・形式を強調し，権威化した。

荀子は，礼的秩序は聖人が作った天下の基礎であり，生まれながら人が体得しているのではないから，**教化指導**する必要があるとした。

**4** × 墨子の兼愛・非攻は君主またはその可能性のある諸侯むけの主張。

礼的秩序に則り宗族を中心とした人間関係を重視した儒家の主張を否定し，利己的な侵略を非難する**非攻説**を唱えたのは**墨子**である。彼の博愛は攻利的な相互扶助である**兼愛**のことにほかならない。

**5** × 老子は無知・無欲・無為の論を展開。

「大道廃れて仁義あり」は『老子』に出てくる言葉。老子にとっての「**道**」は天下の始でありかつ母であるような存在で，その「母」としての作用が「**柔弱**」であり，自分の権威を保ちながら共存共栄していくような生き方が「**謙下**」である。

# 日本の思想家

## 必修問題

**江戸時代の儒学者に関する記述として，妥当なのはどれか。**

【地方上級（特別区）・令和４年度】

**1** 林羅山は，徳川家に仕え，私利私欲を抑え理にしたがう主体的な心を保持すべきという**垂加神道**を説いた。

**2** 貝原益軒は，朱子学者として薬学など実証的な研究を行い，「**大和本草**」や「**養生訓**」を著した。

**3** 中江藤樹は，陽明学が形式を重んじる点を批判し，自分の心に備わる善悪の判断力を発揮し，**知識と行動を一致**させることを説いた。

**4** 伊藤仁斎は，「論語」や「孟子」を原典の言葉に忠実に読む**古義学**を唱え，儒教の立場から，武士のあり方として**士道**を体系化した。

**5** 荻生徂徠は，古典を古代の中国語の意味を通じて理解する古文辞学を唱え，**個人が達成すべき道徳**を重視した。

難易度　＊

## 必修問題の解説

江戸時代の思想家の問題は，登場人物の数が少なく，組合せの変化で難易度調整が行われる傾向がある。だれについて質問され，どんな組合せが頻出かを理解するためにも過去の問題の練習が不可欠。問題練習の効果を期待できるテーマである。



**1 ×** 林羅山は朱子学者で幕藩体制を理論的に正統化した。

**林羅山**は朱子学の**理気説**や**階級的身分秩序**を天命とする思想を信奉し，愛民仁政を説く一方で，仏教など朱子学に合致していないものを徹底的に排除しようとした。その私塾が後の昌平坂学問所となる。**垂加神道**は**山崎闇斎**が主張したもので，神道を儒教化し，神の道と天皇の徳が一体であるとした。

**2 ◎** 貝原益軒は「物」に即した知の普及に努めた。

正しい。朱子学者でもある**貝原益軒**は「**民生日用**」に有益な「物理の学」こそ学問という立場で，「**益軒十訓**」といわれる教訓書を出版した。その代表例が『**養生訓**』である。

**3 ×** 中江藤樹は日本の陽明学の祖といわれている。

**中江藤樹**は最初朱子学を学んだが**陽明学**を知り，王陽明こそが孔子の真の弟子と思い陽明学に転じた。彼は**孝**を原理的に徹底させようとし，知は行動に現れて真の知となるという**知行合一**を主張した。

**4 ×** 伊藤仁斎は日常の実践を尊重し，儒学の中心にある仁を愛ととらえた。

朱子学に疑問を抱いた**伊藤仁斎**は孔子や孟子の真意を知ろうと**古義学**を始めた。彼は日常の実践を尊重し，儒学の中心にある「**仁**」を「**愛**」という感情で把握し，「**誠**」を基礎にして愛を実践しようとした。**士道**を体系化したのは**山鹿素行**であり，仁斎と同じく古学を主張している。

**5 ×** 荻生徂徠は治国平天下のための学問を求めた。

**荻生徂徠**は中国古代の聖人によって作られた「**先王の道**」こそ模範であると考え，それに則った政治を理想とした。思想と言語は一体という立場で**古文辞学**を主張している。

**正答 2**

## FOCUS

問題構成の基本は，儒学者を中心に置き，国学者や独特の思想を展開した人物を適宜配するというスタイル。「独特の思想」家としては，これまで安藤昌益と石田梅岩の登場回数が多かったが，二宮尊徳の出題頻度も上昇している。明治時代に欧化への反動として武士道が主張されたことの再評価も近年増えている。

# POINT

## 重要ポイント 1　江戸時代の思想家

| 思想 | 思想家 | キーワード | 主張の特徴 |
|---|---|---|---|
| 儒学 | 林羅山<br>中江藤樹<br>伊藤仁斎<br>荻生徂徠（おぎゅうそらい） | 理気説（朱子学）<br>知行合一（陽明学）<br>誠は道の全体なり<br>先王の道 | 幕藩体制の理論的基礎（官学）<br>実践を重視する学風<br>古義学（孔子・孟子を尊重）<br>古文辞学（古典研究） |
| 国学 | 賀茂真淵<br>本居宣長 | 古への道<br>古道に還る | 万葉集研究。儒学を排斥<br>源氏物語研究。もののあはれ |
| 心学 | 石田梅岩 | 人の人たる道 | 神道，儒学，仏教を独自に解釈<br>商業活動の正当性を擁護 |
| 蘭学 | 佐久間象山 | 東洋の道徳<br>西洋の芸術 | 技術・物質面で西洋文明を導入 |
| | 安藤昌益 | 直耕・自然世 | 万人が農耕に従事する平等社会 |

## 重要ポイント 2　日本近代思想

| 思想家 | 主な著書 | 主張の特徴 |
|---|---|---|
| 福沢諭吉 | 『学問のすゝめ』 | 天賦人権説，民族の独立<br>イギリスの功利主義をわが国に紹介 |
| 中江兆民 | 『三酔人経綸問答（さんすいじんけいりんもんどう）』 | 唯物論，自由民権の指導的理論家 |
| 内村鑑三 | 『余は如何にして<br>基督信徒となりし乎』 | ２つのＪ（JesusとJapan）に生命をかける<br>日露戦争と第一次世界大戦で非戦論を主張 |
| 西田幾多郎 | 『善の研究』 | 主観と客観の対立がない**純粋経験**を主張 |
| 和辻哲郎 | 『倫理学』 | 人と社会の対立の克服をめざす |

## 実戦問題❶ 基本レベル



＊＊＊
**No.1 次のA，B，Cはわが国の仏教思想家に関する記述であるが，該当する思想家の組合せとして最も妥当なのはどれか。** 【国家専門職・令和３年度】

A：信心の有無を問うことなく，全ての人が救われるという念仏の教えを説き，「南無阿弥陀仏，決定往生六十万人」と記した念仏札を配りながら，諸国を遊行して念仏を勧め，遊行上人と呼ばれた。

B：修行とは，ひたすら坐禅に打ち込むことであり，それによって身も心も一切の執着から解き放たれて自在の境地に至ることができると説き，その教えは主に地方の土豪や農民の間に広まった。主な著作として『正法眼蔵』がある。

C：身密・口密・意密の三密の修行を積むことによって，宇宙の真理である大日如来と修行者とが一体化する即身成仏を実現しようとした。また，加持祈禱（とう）によって災いを避け，幸福を追求するという現世利益の面から貴族たちの支持を集めた。

| | A | B | C |
|---|---|---|---|
| **1** | 日蓮 | 栄西 | 行基 |
| **2** | 日蓮 | 栄西 | 空海 |
| **3** | 日蓮 | 道元 | 行基 |
| **4** | 一遍 | 栄西 | 行基 |
| **5** | 一遍 | 道元 | 空海 |

＊＊
**No.2 江戸時代の思想家に関する記述として，妥当なのはどれか。**
【地方上級（特別区）・平成21年度】

**1** 林羅山は，孝を単なる父母への孝行にとどまらず，すべての人間関係の普遍的真理としてとらえ，陽明学の考え方を取り入れ，すべての人間に生まれつき備わっている道徳能力としての「良知」を発揮させることが大切だと説いた。

**2** 石田梅岩は，「報徳思想」に基づき，自己の経済力に応じて一定限度内で生活する「分度」と，分度によって生じた余裕を将来のために備えたり，窮乏に苦しむ他者に譲ったりする「推譲」をすすめた。

**3** 安藤昌益は，武士など自分で農耕に従事せず，耕作する農民に寄食しているものを不耕貪食の徒として非難し，すべての人がみな直接田を耕して生活するという平等な「自然世」への復帰を主張した。

**4** 賀茂真淵は，古今集などに見られる女性的で優美な歌風である「たをやめぶり」を重んじ，「もののあはれ」を知り，「漢意（からごころ）」を捨てて，人間が生まれつき持っている自然の情けである「真心」に立ち戻ることを説いた。

**5** 中江藤樹は，儒学本来の教えをくみ取るには中国古代の言葉から理解すべきだと主張して「古文辞学」を大成し，儒学における道とは道徳の道ではなく，いかに安定した社会秩序を実現するかという「安天下の道」であると説いた。

＊＊
**No.3** **次は，わが国の近代思想に関する記述であるが，A～Dに当てはまるものの組合せとして最も妥当なのはどれか。** 【国家一般職・平成28年度】

○ 明治期の思想家である［A］は，ルソーの『社会契約論』を翻訳し，『民約訳解』として出版した。そこに示された主権在民の原理や抵抗権の思想は，自由民権運動に新たな理論的基礎を与える役割を果たした。

○ 夏目漱石は，「日本の現代の開化は外発的である」と述べ，西洋のまねを捨て自力で自己の文学を確立しようと決意した。晩年には，自我の確立とエゴイズムの克服という矛盾に苦闘し，［B］の境地に到達したといわれている。

○ 西田幾多郎は，［C］において，主観（認識主体）と客観（認識対象）との二元的対立から始まる西洋近代哲学を批判し，主観と客観とが分かれていない主客未分の経験を純粋経験と呼んだ。

○ 大正期には大正デモクラシーと呼ばれる自由主義・民主主義的運動が展開された。［D］は，民本主義を主張し，主権が天皇にあるのか国民にあるのかを問わず，主権者は主権を運用するに際し，国民の意向を尊重し，国民の利益と幸福を目的としなければならないとした。

| | A | B | C | D |
|---|---|---|---|---|
| **1** | 中江兆民 | 則天去私 | 『善の研究』 | 吉野作造 |
| **2** | 中江兆民 | 諦念 | 『善の研究』 | 美濃部達吉 |
| **3** | 中江兆民 | 諦念 | 『倫理学』 | 吉野作造 |
| **4** | 内村鑑三 | 則天去私 | 『倫理学』 | 美濃部達吉 |
| **5** | 内村鑑三 | 諦念 | 『善の研究』 | 吉野作造 |

# 実戦問題 1 の解説

## No.1 の解説　日本の仏教思想

→問題はP.417　正答5

**STEP❶　組み合わされた思想家の共通点・相違点に着目する。**

本問でまず目を付けるべきはBの禅宗の２人，**栄西**と**道元**だ。**臨済宗**を日本に紹介し，**公案**を考えることで悟りを目指した栄西の教えは執権北条氏の帰依を得て国家と結びついていく。一方の道元はひたすら坐禅に打ち込む**只管打坐**で悟りに達しようとし，有力者の招請を拒み地方で厳格な規律のもと弟子を育て，その教えを弟子がまとめた著作が『**正法眼蔵**』であり，その教団が**曹洞宗**と呼ばれた。従ってBは道元が正しく，**1**，**2**，**4**は誤り。

**STEP❷　思想家が活躍した時代背景を考える。**

異なる時代の思想家を組み合わせているのはC。**行基**は仏教による**鎮護国家思想**が推進された奈良時代の僧で，民衆への布教や社会事業に熱心であった。**空海**は平安時代に唐から**密教**をもたらした僧で，**真言**を唱えて秘儀を実践するやり方は加持祈禱に頼る貴族たちに支持された。よってCは空海に関する記述となり**3**も誤り。

**STEP❸　踊念仏で民衆に支持された一遍と迫害を恐れなかった日蓮。**

Aは同じ鎌倉仏教の担い手だった**一遍**と**日蓮**の組み合わせ。**念仏**を重視し**他力信心**を訴えた一遍に関する記述はAにあるとおり。一方の日蓮は**法華経**を中心とする国づくりを訴えて他宗を攻撃したため幕府によって流罪に処されているし，唱えるべきは念仏ではなく**題目**とした。

以上から正しいのは**5**である。

## No.2 の解説　江戸時代の思想家

→問題はP.417　正答3

**1 ×　林羅山は朱子学，陽明学を受け入れたのは中江藤樹。**

記述は**中江藤樹**に関するもの。朱子学を学んで私塾を開いた彼は37歳で**陽明学**に転じた。**林羅山**は朱子学者として幕府に仕え，朱子学を官学にした。

**2 ×　「報徳思想」で「分度」や「推譲」を主張したのは二宮尊徳。**

記述は**二宮尊徳**に関するもの。彼によると**推譲**は譲渡であると同時に蓄積である。**石田梅岩**は**心学**を開いた。

**3 ◎　農耕を基本とする「自然世」は安藤昌益の主張。**

正しい。**安藤昌益**は階級支配を肯定するものとして**儒教や仏教を批判**した。

**4 ×　「もののあはれ」を重視したのは本居宣長。**

記述は**本居宣長**に関するもの。**賀茂真淵**も宣長と同じ国学者であるが，彼は『万葉集』にみられる「**ますらをぶり**」を重んじていた。

**5 ×　古文辞学と「安天下の道」は荻生徂徠のキーワード。**

記述は**荻生徂徠**に関するもの。彼の主張する「道」は中国古代の聖人によって作られた「**先王の道**」で，治国平天下のために作られた規範である。**中江藤樹**は善行徳化に努力する「**知行合一**」の人であった。

## No.3 の解説 日本の近代思想

→問題はP.418 正答 1

**STEP❶ 「東洋のルソー」といわれた兆民**

**ルソー**の翻訳がヒントとなって，Aに**中江兆民**が入る。キリスト教の立場を鮮明にした**内村鑑三**をAに入れている**4**と**5**は誤り。兆民は人権に基礎を置く**法治主義**の確立を目指した政治理論家で，「**恩賜的の民権**」であっても，それを「善く護持し，善く珍重し，道徳の元気と学術の滋液をもって」育てれば「**回復的の民権**」に匹敵するようになると主張し，天皇制のもとで**議会主義**を拡充しようとした。ルソーが**直接民主主義・共和主義**を主張したのに対し，兆民は「**君民共治**」の立場であった。

**STEP❷ 近代日本社会で個人主義にこだわった漱石と鷗外**

明治後期の日本文学界では**自然主義**が隆盛であったが，**夏目漱石**と**森鷗外**はそれに反対していた。ドイツ留学を経て陸軍の高級官僚となり，作家活動も並行していた鷗外が「**諦念**」といわれる生き方を選んだ一方，イギリス留学で苦悩し神経症にまで追い詰められた漱石は**自己本位**の**個人主義**にこだわり，教職を辞して作家に専念する。漱石が晩年に「**則天去私**」を希求したことはよく知られており，Bには「則天去私」が入るので**2**と**3**も誤り。

**STEP❸ 西洋思想を日本の文化・社会に融合させようとする理論家**

前のSTEPですでに正答は**1**と決まった。『**倫理学**』という著作は幾人もの思想家が著しているが，文脈上，本問では**和辻哲郎**の著作を指す。『**善の研究**』は**西田幾多郎**の主著であり，主客未分の**純粋経験**は直観と**禅**の影響で導き出されたとされている。西洋の民主主義の研究を通して，主権がどこにあるかを明らかにする必要のあった憲法学者の**美濃部達吉**が**天皇機関説**を唱えたのに対し，**吉野作造**は君主主権の下でも**民本主義**は成立するとして，主権がどこのだれにあるかは問題にしなかった。彼の民本主義は**政策運用**，**政治の手段についての原則**であり，「政策の決定」が「一般民衆の意向に拠る」なら民本主義が成立すると主張した。

以上から**1**が正答となる。

## 実戦問題2　応用レベル

＊＊
**No.4　江戸時代の思想家に関する記述として，妥当なのはどれか。**

【地方上級（特別区）・平成28年度】

**1**　伊藤仁斎は，古文辞学を唱え，「六経」に中国古代の聖王が定めた「先王の道」を見いだし，道とは朱子学が説くように天地自然に備わっていたものではなく，天下を安んじるために人為的につくった「安天下の道」であると説いた。

**2**　荻生徂徠は，朱子学を批判して，「論語」こそ「宇宙第一の書」であると確信し，後世の解釈を退けて，「論語」や「孟子」のもともとの意味を究明しようとする古義学を提唱した。

**3**　本居宣長は，儒教道徳を批判し，「万葉集」の歌風を男性的でおおらかな「ますらをぶり」ととらえ，そこに，素朴で力強い「高く直き心」という理想的精神を見いだした。

**4**　石田梅岩は，「商人の買利は士の禄(ろく)に同じ」と述べ，商いによる利益の追求を正当な行為として肯定し，町人が守るべき道徳として「正直」と「倹約」を説いた。

**5**　安藤昌益は，「農は万業の大本」と唱え，疲弊した農村の復興につとめ，農業は自然の営みである「天道」とそれに働きかける「人道」とがあいまって成り立つと説いた。

**No.5**＊ **わが国の思想家等に関する記述として最も妥当なのはどれか。**

【国家専門職・令和２年度】

**1** 新渡戸稲造は，キリスト教に基づく人格主義的な教育を実践する中で，イエスと日本という「二つのＪ」のために生涯を捧げると誓った。また，『武士道』において，個人の内的信仰を重視し，教会の制度や形式的な儀礼にとらわれない無教会主義を説いた。

**2** 幸徳秋水は，社会主義思想の理論的支柱としての役割を果たし，「東洋のルソー」と呼ばれた。また，森有礼らとともに明六社を創設し，欧米視察の経験などから西洋の知識を広く紹介するとともに，封建意識の打破とわが国の近代化を目指した。

**3** 与謝野晶子は，雑誌『青鞜』において，「元始，女性は実に太陽であった。」と述べ，女性の人間としての解放を宣言した。また，平塚らいてうとの間で繰り広げられた母性保護論争においては，女性は母になることによって社会的存在になると主張した。

**4** 西田幾多郎は，独自の国文学研究に基づき，沖縄の習俗調査を行った。それにより，わが国には海の彼方の常世から神が訪れるとする来訪神信仰が息づいていることを発見し，神の原像を村落の外部からやってくる存在，すなわち「まれびと」であると考え，『遠野物語』にまとめた。

**5** 和辻哲郎は，人間とは，人と人との関係において存在する「間柄的存在」であると考え，倫理学とはそうした「人間」についての学であると主張した。また，自然環境と人間との関係を考察し，それを『風土』にまとめた。

## 実戦問題2の解説

### No.4 の解説　中世日本の文化と思想

→問題はP.421　正答4

**1 ×　社会制度の原型は「先王の道」にあると主張したのは荻生徂徠。**
中国語を学び，古代の文章に習熟することで道に接近しようとした**徂徠**は，伝統的な人間関係が解体した時代の状況に対し，歴史に学び**礼楽**の制度を立てることを求めた。それが「**安天下の道**」という主張である。

**2 ×　古義学を提唱して孔子や孟子の原典へ回帰せよといったのは伊藤仁斎。**
「**愛の理**」を唱えた**朱子**に対し，**仁斎**は「**愛**」そのものが尊いと考え，父子や兄弟であっても個別の人間で「**人**」**と**「**我**」**の関係**にあり，両者をつなぐのが「**四端**」だと主張した。

**3 ×　本居宣長は「もののあはれ」，賀茂真淵は「ますらをぶり」を評価。**
記述は**賀茂真淵**に関するもので，日本を「**言霊の幸わう国**」と考えた。同じ国学の立場にある**宣長**は，**『源氏物語』**を「**もののあはれ**」を表現した傑作と評価した。

**4 ◎　石田梅岩は神道，儒教，仏教をひとまとめにした心学を主張。**
正しい。言葉は**『都鄙問答』**からの引用で，「**心学**」というのは孟子の言葉から作られたものである。

**5 ×　尊徳は現実的な農業推進策，昌益は「自然世」という理想を主張。**
記述は**二宮尊徳**についてであり，「**勤労**，**分度**，**推譲**」の**報徳思想**を説いた。**安藤昌益**は**『自然真営道』**を著し，万人が「**直耕**」する「**自然世**」こそが理想と考えた。

## No.5 の解説　日本の近代の思想家

→問題はP.422　**正答5**

**1 ×　新渡戸稲造は『武士道』を通じて日本人の道徳観を西洋に紹介。**

「**二つのJ**」や**無教会主義**の記述は**内村鑑三**に関するもの。クエーカー教徒であった**新渡戸稲造**はキリスト教信仰が「東西の区別な」く人間に受け入れられるという信念で行動し，「**太平洋の橋**」になろうとした。

**2 ×　幸徳秋水は「東洋のルソー」と呼ばれた中江兆民に感化された。**

**中江兆民**の書生であった**幸徳秋水**は**社会主義**の影響を受けて**足尾銅山鉱毒事件**の直訴状を執筆したり**平民社**の創設に動き，やがては大逆事件の首謀者として死刑に処された。**明六社**を創設し西洋の知識の普及に努めたのは**福沢諭吉**である。

**3 ×　『青鞜』で女性解放を宣言したのは平塚らいてう。**

**与謝野晶子**は**平塚らいてう**と**母性保護論争**を繰り広げたが，晶子は女性が真に経済的独立を果たすためには国家の保護を受けるべきでないと主張した。これに対しらいてうは国家の進歩発展にとって母性の保護は必要であり，妊娠・分娩期の貧困女性を国家は保護すべきと主張した。

**4 ×　沖縄の習俗調査で来訪神信仰を確認したのは折口信夫。**

**西田幾多郎**は**『善の研究』**を著した哲学者。国文学研究に基づき日本の南方諸島の習俗の中に日本古代の信仰の原型を発見したのは**折口信夫**で，遠方から来訪する異形の存在を「**まれびと**」と呼んだ。なお**『遠野物語』**は**柳田國男**の著作である。

**5 ◎　和辻哲郎は人間を個人であると同時に社会的存在としてとらえた。**

正しい。「**間柄的存在**」である人間という考え方は仏教の**縁起の思想**に通じるものであり，**和辻哲郎**は個人と社会とを総合した「**人間の学**」としての論理学を目指した。

# 文学・芸術

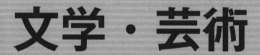

# 試験別出題傾向と対策

| 試験名 | | 国家総合職 | | | | | 国家一般職 | | | | | 国家専門職（国税専門官） | | | | |
|---|---|---|---|---|---|---|---|---|---|---|---|---|---|---|---|---|
| 年度 | | 21-23 | 24-26 | 27-29 | 30-2 | 3-5 | 21-23 | 24-26 | 27-29 | 30-2 | 3-5 | 21-23 | 24-26 | 27-29 | 30-2 | 3-5 |
| 頻出度 | テーマ　出題数 | 3 | 0 | 0 | 0 | 0 | 6 | 1 | 0 | 0 | 0 | 9 | 0 | 0 | 0 | 0 |
| C | 1 日本古典文学 | 1 | | | | | 2 | | | | | | | | | |
| C | 2 日本近現代文学 | | | | | | 1 | | | | | 2 | | | | |
| C | 3 世界の文学 | 1 | | | | | | | | | | 1 | | | | |
| C | 4 西洋美術 | | | | | | 2 | | | | | 2 | | | | |
| C | 5 西洋音楽・映画 | 1 | | | | | 1 | | | | | 1 | | | | |
| C | 6 日本の芸術・芸能 | | | | | | | 1 | | | | 3 | | | | |

国家試験での出題がなくなり，受験対策の必要性が薄れているように見える。科学技術や社会科学への偏向を口にする人も多い。それで本当に良いのだろうか。AI（人工知能）ではできないことに対するニーズはこれまで以上に高まっている。ちょっと視点を変えてみれば，ジャパン・アニメに対する世界各地からの熱い視線もある。知的財産権，世界遺産などの核になっているのは文学・芸術でもあるので，受験科目という枠組みから離れ，もっと広い脈絡の中で文学・芸術を考えてみるチャンスかも知れない。

**●国家総合職・国家一般職・国家専門職**

平成24年度以降の出題はないので，過去問を形式的に見直しても役立たないだろう。しかし，アートは私たちに必要なものだ。心の栄養であるとともに有用な社会的価値がある。新型コロナウィルス感染症による緊急事態宣言で芸術活動も大きなダメージを受けた。その対策を考える時，芸術そのものに対する理解が不足していていいのだろうか。誰でも簡単にコピーが作れる時，オリジナルの権利をどう保護するのか。もっと身近な例で考えても，文化の素養があるとないとでは，その人物のコミュニケーション能力に差が生じるかも知れない。教養としての文学・芸術の知識を増やす努力は決して無駄ではない。平成30年に国家総合職教養試験で世界の都市の問題が出された。エルサレムやストックホルム，京都などに関する選択肢の記述には文化的背景（都市の歴史，文化人との関係など）も含まれていた。文学・芸術の出題はないと手を抜いていると，そういう問題に答えられなくなるということを肝に銘じておこう。そのためにも日々のニュースの中から文化面の話題をチェックすることが必要だ。

| | 地方上級（全国型） | | | | | 地方上級（東京都） | | | | | 地方上級（特別区） | | | | | 市役所（C日程） | | | | | |
|---|---|---|---|---|---|---|---|---|---|---|---|---|---|---|---|---|---|---|---|---|---|
| | 21-23 | 24-26 | 27-29 | 30-2 | 3-4 | 21-23 | 24-26 | 27-29 | 30-2 | 3-5 | 21-23 | 24-26 | 27-29 | 30-2 | 3-5 | 21-23 | 24-26 | 27-29 | 30-2 | 3-4 | |
| | 0 | 0 | 2 | 1 | 0 | 1 | 1 | 3 | 2 | 3 | 3 | 2 | 0 | 0 | 0 | 2 | 2 | 0 | 0 | 0 | |
| | | | | | | | 1 | 1 | | 1 | | | | | | | 1 | | | | テーマ1 |
| | | | | | | 1 | | | 2 | | | | | | | | | | | | テーマ2 |
| | | | 1 | | | | | | | | | | | | | | | | | | テーマ3 |
| | | | | | | | | 1 | | 1 | | 1 | | | | | | | | | テーマ4 |
| | | | | 1 | | | | | | | | | | | | 1 | 1 | | | | テーマ5 |
| | | | 1 | | | | | 1 | | 1 | 3 | 1 | | | | 1 | | | | | テーマ6 |

## ●地方上級

出題は極めて少なく，単独の科目として勉強する意欲はわかないだろう。ならば歴史の勉強の一環として文化史を学んでみよう。美術様式の変遷は当時の権力者と結びつけると記憶に残りやすい。権力者は文化のパトロンでもある。古典文学は当時の世相を知る史料でもある。古典と限らず，大正・昭和の文学を知ると当時の社会事情も理解が深まるはず。日本だけではなく世界についても同じだ。

## ●東京都・特別区

東京都は毎年１題，文学・芸術関連で出題している。常識問題としての扱いになっているので，話題性を意識すべきだ。過去問を見て出題傾向を探る時は着眼点の見極めが大切。出題された理由を考える。生誕200年などの記念年や，大きな賞を受賞した等，話題性とはそういうものである。なぜ自分の耳に作家や画家，音楽家の名前が入ってきたのか，注意を怠らないようにしよう。出題数がほとんどない特別区についても，余力のある限り同じように対処しよう。

## ●市役所

直近では日本文学の問題が数年おきで見られるだけだ。要は作者と作品の正しい組み合わせを発見すれば良い。つまるところはクイズをやっているようなもの。仲間や友人と解答を競い合うのも面白いだろう。

# 日本古典文学

## 必修問題

**日本の古典文学における文芸理念に関する記述として最も妥当なのはどれか。**

【国家一般職・平成19年度】

**1** 上代の歌集では『万葉集』に代表されるような，優しく可憐な歌風である「**たをやめぶり**」が表現されている。対照的に，中古では『古今和歌集』に代表されるような，素朴で雄大な歌風である「**ますらをぶり**」が特徴とされている。

**2** 中古の日記・**随筆**文学では，明るい知的感覚に基づいた情趣である「**をかし**」が表現されるようになった。この「をかし」という言葉は，紀貫之の『土佐日記』の文章「よのなかにをかしきこと」に由来している。

**3** 中古の**物語**文学では，紫式部の『源氏物語』に代表される，対象への共感や賞賛に基づいた深い感動に根ざす情趣が描かれている。これを，近世の国文学者である**本居宣長**は「**もののあはれ**」と表現した。

**4** 中世では，和歌や能楽をはじめとするさまざまな分野で，奥深く深遠で，複合的な品位のある余情美である「**幽玄**」が表現されるようになった。たとえば，**藤原定家**の『風姿花伝』は能楽論を通じて「幽玄」の理念が表現された代表的な作品である。

**5** 近世では，松尾芭蕉やその弟子による**蕉風俳諧**において，数々の美的理念が生まれた。たとえば，閑寂で枯淡な味わいのある趣きである「**粋**」は，松尾芭蕉の紀行文『**野ざらし紀行**』で表現されている。

難易度 ＊＊

## 必修問題の解説

上代～中古の和歌集，中古の物語と日記，中世の説話と戦記，近世の俳句のように，各時代を代表する文学ジャンルの特徴は必修事項である。

**1 ×** **『万葉集』は「ますらをぶり」。**
『万葉集』と『古今和歌集』は必ずといっていいほど対比される。平安時代の貴族文化を思い出せば，「**たをやめぶり**」と表現されるのは『古今和歌集』のほうであるとわかる。歌風以外にも，最初の勅撰和歌集はどちらかという点も出題されやすい。

**2 ×** **「をかし」は『枕草子』。**
中古の日記文学で言及されるのは『土佐日記』と『蜻蛉（かげろう）日記』，そして作者の名前を冠した『紫式部日記』や『和泉式部日記』などである。この時代は，「**最初の**」といわれる作品が要注意。「**をかし**」を基調とするのは最初の随筆である『枕草子』だ。

**3 ◎** **『源氏物語』は「もののあはれ」。**
『枕草子』の「をかし」と対比されるのが『源氏物語』の「**もののあはれ**」といえよう。『源氏物語』はその量の多さだけでなく，歌物語と写実的な作り物語を融合させているところも高く評価されている。

**4 ×** **能楽者が書いた『風姿花伝』。**
能楽といえば父親観阿弥の志を継いだ世阿弥の名は欠かせない。『風姿花伝』は世阿弥の著した理論書である。「**幽玄**」は鎌倉時代を代表する『新古今和歌集』の基調であるが，主張したのは定家の父である**藤原俊成**で，定家は同じ情調を「有心（うしん）」という言葉で説明した。

**5 ×** **「さび」「しをり」「軽み」をめざす蕉風。**
江戸時代にもてはやされた情調である「粋（いき）」は，心がさっぱりとして察しがよいというもので，浮世草子でよくみられた。松尾芭蕉の閑寂高雅な趣きが蕉風であり，「さび」「しをり」と言われる段階を経て「軽み」の境地に達している。俳句（諧）詠みであった芭蕉の作風の例として挙げるのなら，紀行文より『虚栗（みなしぐり）』『猿蓑（さるみの）』などの句集に言及するほうが適切であり，**『野ざらし紀行』**をもってきたあたりを疑ってみるべきであろう。

**正答 3**

## FOCUS

文芸理念というむずかしい用語にふりまわされず，「ますらをぶり」や「もののあはれ」など実質的な内容の理解に集中すること。日記文学ならこれ，理論書ならあれ，と出題ポイントは定式化されているので問題練習が効果的である。

# POINT

## 重要ポイント 1　日記・随筆

| 作品名 | 作者 | 内容 | 特徴 |
|---|---|---|---|
| 土佐日記 | 紀貫之 | 旅日記 | 最初の日記文学。船旅の様子を記述。亡児への哀惜。 |
| 蜻蛉（かげろう）日記 | 右大将道綱母 | 家庭生活 | 最初の女流日記文学。不幸な結婚。わが子への愛情。 |
| 和泉式部日記 | 和泉式部 | 恋愛 | 歌物語的な性格。約150首の贈答歌。式部を三人称で叙述。 |
| 紫式部日記 | 紫式部 | 宮廷生活 | 後半の消息文（しょうそこぶみ）（手紙文）の人物批評が有名。 |
| 更級（さらしな）日記 | 菅原孝標女 | 回顧録 | 13歳で父の任地から上京するところから始まる。 |
| 枕草子 | 清少納言 | 自然<br>人生 | 「をかし」が基調。客観的な態度。簡潔で気品ある文体。 |

## 重要ポイント 2　物語・説話

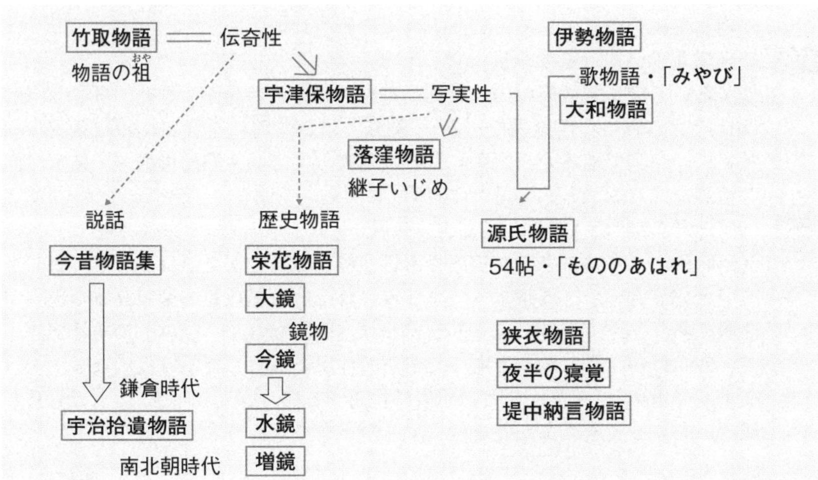

## 実戦問題

◆ **No.1** ＊＊＊ **次の文は，平安時代のある女流歌人についての記述であるが，和歌Ａ～Ｅのうち，この歌人が詠んだとされるものとして妥当なもののみをすべて挙げているのはどれか。** 【国家一般職・平成21年度】

橘道貞と結婚し，その後，弾正宮為尊親王・帥宮敦道親王の寵愛を受けた。両親王の没後，中宮彰子に仕え，藤原保昌と再婚した。彼女の作品とされる日記は，敦道親王との恋愛を物語風に綴った日記であり，140余首の贈答歌を中心に，二人の恋愛を，身分の差を超えた純粋な恋として描いている。

Ａ　あらざらんこの世のほかの思ひ出に　いまひとたびの逢ふこともがな

Ｂ　春過ぎて夏来たるらし白たへの　衣干したり天の香具山

Ｃ　その子二十櫛にながるる黒髪の　おごりの春のうつくしきかな

Ｄ　黒髪の乱れも知らずうち伏せば　まづ掻きやりし人ぞ恋しき

Ｅ　花の色はうつりにけりないたづらに　わが身世にふるながめせしまに

**1**　Ａ，Ｃ
**2**　Ａ，Ｄ
**3**　Ｂ，Ｄ
**4**　Ｂ，Ｅ
**5**　Ｃ，Ｅ

**No.2** 次のA，B，Cは近世の俳人に関する記述であるが，ア～クの作品との組合せとして妥当なのはどれか。 【国家一般職・平成14年度】

A：彼の作風は，地方語や俗語を駆使した平明素朴にして力強いもので，強者に対する反抗と弱者への暖かいまなざしを基調に，農民独特の野人的泥臭さを発散させた個性的なものであった。

B：彼の俳諧の特質は，洗練された美意識と教養に裏打ちされた浪漫的・幻想的・抒情的な俳風にあり，中世的幽玄の世界とは対照的な明るく唯美的な世界を構築した。また，彼は日本の文人画を大成させた画家でもあり，以後の文人画家に与えた影響は大きい。

C：彼は貞門・談林風の作風から出発し，「虚栗(みなしぐり)調」と呼ばれる漢詩文調の作風を経て，独自の作風を確立した。俳諧理念として知られる「不易流行」は，時代とともに変化する流動性を備えながらも，そこには永遠に変わらない詩の生命がなくてはならないという意味である。晩年は「かるみ」という枯淡の境地に達している。

ア　是がまあつひの栖(すみ)か雪五尺
イ　秋深き隣は何をする人ぞ
ウ　目出度さもちう位也おらが春
エ　初しぐれ猿も小蓑(こみの)をほしげなり
オ　菜の花や月は東に日は西に
カ　梅一輪一輪ほどのあたたかさ
キ　目に青葉山ほととぎす初鰹
ク　鳥羽殿へ五六騎いそぐ野分(のわき)かな

| | A | B | C |
|---|---|---|---|
| **1** | ア，ウ | オ，ク | イ，エ |
| **2** | ア，オ | カ，ク | エ，キ |
| **3** | ウ，エ | オ，キ | ア，カ |
| **4** | ウ，キ | ア，オ | イ，カ |
| **5** | キ，ク | エ，カ | イ，ウ |

**No.3** ＊＊ **次はわが国の近世小説に関する記述であるが，ア～エに入る語句の組合せとして最も妥当なのはどれか。** 【国税専門官・平成15年度】

［ア］は，井原西鶴の「好色一代男」刊行以後，約100年近く上方を中心に出版された小説類である。西鶴の［ア］には好色物の他に，「日本永代蔵」などの町人を中心とした当時の経済生活をリアルに描いた町人物や「西鶴諸国はなし」などの雑話物がある。

西鶴没後は，彼の雑話物に代表されるような伝奇性を備えた小説の系統に属する［イ］が成立した。これは成立の時代によって前期と後期に分けられるが，前期の代表作として上田秋成の「雨月物語」があり，後期の代表作に滝沢馬琴の「南総里見八犬伝」がある。

一方，［ア］の写実的な面を引き継いだのが，［ウ］である。これは中国の花街小説の影響の下に成立したもので，第一人者に山東京伝がいるが，寛政の改革で描写が風俗を乱すとして処罰されることになり，以後急速に衰えることになった。末期には，遊里における男女の真情を描くことが流行し，［エ］が成立するきっかけとなった。［エ］の代表的な作品に為永春水の「春色梅児誉美（うめごよみ）」がある。これも天保の改革で弾圧を受け中絶することになった。その後，再興したもののふるわなかったが，明治時代の恋愛小説に与えた影響は大きいものであった。

| | ア | イ | ウ | エ |
|---|---|---|---|---|
| **1** | 浮世草子 | 読　本 | 人情本 | 黄表紙 |
| **2** | 浮世草子 | 読　本 | 洒落本 | 人情本 |
| **3** | 浮世草子 | 黄表紙 | 滑稽本 | 洒落本 |
| **4** | 仮名草子 | 読　本 | 洒落本 | 黄表紙 |
| **5** | 仮名草子 | 黄表紙 | 滑稽本 | 人情本 |

## 実戦問題1の解説

### No.1 の解説　平安時代の文学

→問題はP.431　正答2

**STEP❶　記述のキーワードで歌人を特定**

最もわかりやすいキーワードは「**敦道親王**」と「**贈答歌**」中心の日記の2つ。これだけで該当の歌人が**和泉式部**とわかる。和泉式部は歌人として天性の資質をもっていたと『**紫式部日記**』にも記され，その作品は『**後拾遺和歌集**』に67首，『**千載和歌集**』に21首収められている。

**STEP❷　知っている和歌で選択肢を絞る。知名度の基準は小倉百人一首**

5つの歌の中で知名度が高いのはBとEで，どちらも**小倉百人一首**に入っている。Bは**持統天皇**の歌で『新古今和歌集』第三の夏歌巻頭には「題知らず」としてある。歌の意味は「いつのまにか春が過ぎて夏が来たらしい。白妙の衣を干すという天の香具山に，白い夏衣が干してある」。Eは**小野小町**の歌で『古今和歌集』第二に収められ，歌の意味は「桜の花の色は春の長雨が降っている間に，空しく色あせてしまった。私自身もこの世に暮らしていくことで物思いにふけっているうちに，容色が衰えてしまった」である。これでBとEを含む**3**，**4**，**5**が誤りとわかる。

**STEP❸　言葉のリズムの違いを詠みとる。異質の調子は時代の違い**

声に出して読むとわかるが，Cだけ他の歌と語のリズムが別。Cは**与謝野晶子**の歌で『**みだれ髪**』に収められ，他の歌より600年以上後に作られた。時代の違いは言葉遣いや全体の調子に現れる。歌の意味は「その娘は20歳で櫛で梳かした黒髪は，青春の盛りでとても美しい」。よってCを含む**1**も誤りで，AとDを挙げた**2**が正答である。和泉式部のAの歌は『後拾遺集』第十三に収められ，小倉百人一首にも入り，歌の意味は「私はまもなくあの世へいくかもしれない。せめてこの世のほかのあの世への思い出に，もう一度あなたにお逢いしたい」。Dは『和泉式部集』に収められ，歌の意味は「何かの悲しみに暮れて黒髪の乱れも知らずにうち臥している私の髪をかきあげてくれた人が恋しい」。

和泉式部が橘道貞との間でもうけた娘の小式部内侍も女流歌人として活躍した。

以上から，AとDを挙げた**2**が正しい。

### No.2 の解説　近世の俳人

→問題はP.432　正答1

**STEP❶　近世の俳人といえば一茶・芭蕉・蕪村の3人**

3人の俳人の作風と代表作の組み合わせ問題。問題文のA～Cの記述は作風の解説として参考にできる。キーワードで3人を区別するなら，Aの「**俗語**」「弱者への暖かいまなざし」「農民」は**小林一茶**を，Bの「**浪漫的**」「文人画」は**与謝蕪村**を，Cの「**虚栗調**（みなしぐり）」「不易流行」「**かるみ**」は**松尾芭蕉**をそれぞれ示している。

**STEP❷ 知っている俳句を最大活用・部分を覚えているだけでも有効**

俳句全体はわからずとも，一茶の「**おらが春**」，芭蕉の「隣は何をする人ぞ」はよく耳にする。これだけで**ウ**が一茶のA，**イ**が芭蕉のCに入らなければならないとわかる。よってAに**ウ**を入れていない**2**と**5**，Cに**イ**を入れていない**2**と**3**が誤りとなって**2・3・5**を外すことができる。ただし注意しなければならないのは**キ**の句。これは**山口素堂**の句であるが有名であるため，知名度の高い３人と結びつけやすい。

**STEP❸ 絵画的な蕪村の句は情景を想像しやすい**

南画の開拓者蕪村の句は目の前の風景がそのまま詠まれる例が多い。そういう視点で俳句を見ると，**オ**と**カ**が蕪村らしいと気づく。**カ**を芭蕉のCに入れた**4**も誤り。残った**1**が正答となる。**ア**は一茶の句として有名であるし，芭蕉に『**猿蓑**』という句集があることも忘れてはいけない情報で，**ウ**は句集の由来となった**発句**である。

以上から**1**が正しい。

## No.3 の解説　近世の小説

→問題はP.433　**正答2**

**STEP❶ 井原西鶴と浮世草子は切っても切れない必修の組み合わせ**

江戸時代の文学を語るとき，出発点として考えたいのが**井原西鶴**による**浮世草子**の隆盛といえよう。このポイントだけで**4**と**5**が誤りとわかる。**好色物・町人物・雑話物**という西鶴の作品分類も覚えておかなければならない。

**STEP❷ 読本といえば上田秋成・滝沢馬琴**

前期・後期の区分は忘れても，**上田秋成**と『**雨月物語**』，**滝沢馬琴**と『**南総里見八犬伝**』の組み合わせを忘れてはいけない。近代の小説へとつながっていく流れの重要なポイントであり，**イ**に読本を入れない**3**も誤りとなる。

**STEP❸ 黄表紙は娯楽小説，洒落本・人情本は風俗取り締まりの対象**

**洒落本**と**人情本**は類似した特色をもつので混同しやすいので，**黄表紙**をしっかり把握しておくとわかりやすくなる，絵を主とする**草双紙**の一種である黄表紙は大人の娯楽的読み物として人気となり，風俗を漫画化したり諷刺の効いた作品もあった。寛政・天保の改革の矛先は洒落本・人情本に向けられたので，黄表紙は**合巻**となり，婦女子向けの読み物となっていった。よって**エ**に入ることはなく**1**も誤りで**2**が正しい。

テーマ 文学

# 2 日本近現代文学

## 必修問題

**日本の作家に関する記述として，妥当なのはどれか。**

【地方上級（東京都）・令和元年度】

**1** **武者小路実篤**は，**耽美派**の作家の一人であり，彼の代表的な作品には，『その妹』や**『和解』**がある。

**2** **谷崎潤一郎**は，**耽美派**の作家の一人であり，彼の代表的な作品には，**『刺青』**や**『痴人の愛』**がある。

**3** **芥川龍之介**は，**白樺派**の作家の一人であり，彼の代表的な作品には，**『山月記』**や**『李陵』**がある。

**4** **志賀直哉**は，**新思潮派**の作家の一人であり，彼の代表的な作品には，**『人間万歳』**や**『暗夜行路』**がある。

**5** **川端康成**は，**新感覚派**の作家の一人であり，彼の代表的な作品には，**『日輪』**や**『旅愁』**がある。

難易度 ＊

## 必修問題の解説

**作家と作品の組合せで正誤を判断する基本問題。知名度の高い作家・作品は思い違いや暗記違いを起こしやすい。もっともらしい作品解説は，作家あるいは作品のどちらか一方のみに当てはまることが多い。迷いやすい人は，説明部分を飛ばし，作家と作品のシンプルな形にして考えたほうがよい。**

**1 ×** **武者小路実篤は白樺派のリーダー。**
**武者小路実篤**の特徴は明るく伸び伸びとした楽天主義であり，**トルストイ**に心酔していた。彼を中心にした同人雑誌『**白樺**』がグループの呼称となった。『**その妹**』は彼が書いた作品であるが，『**和解**』は同じ白樺派の**志賀直哉**の作品である。

**2 ◎** **日本の耽美主義を代表する作家が谷崎潤一郎。**
感覚や創作性を重んじ，道徳規範を逸脱しても美を追求するのが耽美主義で，日本では**自然主義**に対抗する形でおこり，**永井荷風**と**谷崎潤一郎**が代表作家。谷崎潤一郎は『**刺青**』や『**痴人の愛**』などの作品で退廃的な美を好んで描いた。関東大震災被災後に関西に移住してからの谷崎は純日本的なものに関心を移し『**細雪**』や『**春琴抄**』などの作品を発表した。

**3 ×** **芥川龍之介は新思潮派を代表する作家。**
雑誌『白樺』は学習院出身者が中心であり，雑誌『**新思潮**』は東大系の人が中心で短期間の創刊・廃刊を繰り返した。芥川龍之介は**第３次・第４次**の『新思潮』に参加し，この時のメンバーが新思潮派と呼ばれている。『**山月記**』と『**李陵**』は**中島敦**の作品である。

**4 ×** **志賀直哉は武者小路実篤とともに白樺派を引っ張った。**
**志賀直哉**の特徴は強靭な自我であり，それを簡潔なリアリズムで短編小説にまとめた。唯一の長編は『**暗夜行路**』である。『**人間万歳**』は武者小路実篤の作品である。

**5 ×** **川端康成は新感覚派・新興芸術派と色々呼ばれる。**
日本的な美を描いて**ノーベル文学賞**を授与された**川端康成**は，他の作家たちと色々な活動に参加した。『**日輪**』と『**旅愁**』は同じ**新感覚派**の**横光利一**の作品である。

**正答 2**

## FOCUS

同じ文学傾向・流派の作家同士を組みかえたり，同時代の別のグループの作家をまぎれこますことができるのは，日本近現代文学の特徴である。活躍した作家の数・同一作家の代表作の数の多さがあればこそ，出題できるワザなのである。

## POINT

### 重要ポイント 1 写実主義

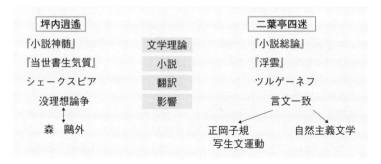

| 坪内逍遙 | | 二葉亭四迷 |
|---|---|---|
| 『小説神髄』 | 文学理論 | 『小説総論』 |
| 『当世書生気質』 | 小説 | 『浮雲』 |
| シェークスピア | 翻訳 | ツルゲーネフ |
| 没理想論争 ↕ 森　鷗外 | 影響 | 言文一致 → 正岡子規 写生文運動 / 自然主義文学 |

### 重要ポイント 2 浪漫主義の作家・詩人

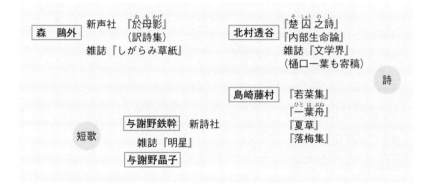

**森　鷗外**
新声社　『於母影（おもかげ）』（訳詩集）
雑誌『しがらみ草紙』

**詩**

**北村透谷**
『楚囚之詩（そしゅうのし）』
『内部生命論』
雑誌『文学界』
（樋口一葉も寄稿）

**島崎藤村**
『若菜集』
『一葉舟（ひとはぶね）』
『夏草』
『落梅集』

**短歌**

**与謝野鉄幹**　新詩社
雑誌『明星』
**与謝野晶子**

### 重要ポイント 3 自然主義

| | |
|---|---|
| 紹介者 | 小杉天外―『はつ姿』『はやり唄』<br>永井荷風―『地獄の花』 |
| 代表作家 | 島崎藤村―『破戒』（自然主義の記念碑的作品）<br>田山花袋―『蒲団（ふとん）』（平面描写を主張）<br>徳田秋声―『新世帯（あらじょたい）』（尾崎紅葉の弟子）<br>正宗白鳥（まさむねはくちょう）―『何処へ』（内村鑑三の影響を受ける） |
| 理論家 | 島村抱月（しまむらほうげつ）……新劇運動を展開<br>岩野泡鳴（いわのほうめい）……文学即実行を唱え，一元描写論を主張 |

## 重要ポイント 4 反自然主義

### ●鷗外と漱石

| | 森鷗外 | 夏目漱石 |
|---|---|---|
| 留学先 | ドイツ | イギリス |
| 三部作 | 『舞姫』<br>『うたかたの記』<br>『文づかひ』 | （初期）『三四郎』『それから』<br>『門』<br>（後期）『彼岸過迄（ひがんすぎまで）』『行人（こうじん）』<br>『こころ』 |
| 作風の変化 | 浪漫主義から<br>歴史小説へ | 俳諧的な態度から<br>「則天去私」の希求へ |

⇩
〔弟子たち〕
木曜会：阿部次郎，和辻哲郎，
寺田寅彦，芥川龍之介，
久米正雄など

### ●白樺派

学習院の関係者を中心とした作家グループ。1910（明治43）年４月創刊の雑誌『白樺』が活動の主な舞台。現実に立脚した理想主義を主張したことから，新理想主義とも呼ばれる。同人たちは個性尊重を特長としていたので，グループとしての色彩に染まらず，それぞれの作風を自由に示した。

| 作　家 | 代表作 | 特徴・活動 |
|---|---|---|
| 武者小路実篤（さねあつ） | 『お目出たき人』『友情』 | 「新しき村」を創設 |
| 志賀直哉 | 『城（き）の崎にて』『和解』 | 短編作品が多い |
| 有島武郎（ありしまたけお） | 『或る女』『カインの末裔（まつえい）』 | 初めは熱心なキリスト教徒 |
| 里見　弴（とん） | 『多情仏心（たじょうぶっしん）』『妻を買ふ経験』 | 有島武郎の実弟 |
| 長与善郎（ながよよしろう） | 『竹沢先生と云ふ人』 | 実篤の後をうけた白樺派の中心作家 |

## 重要ポイント5 新現実主義

| 作　家 | 代表作 |
| --- | --- |
| 芥川龍之介 | 『鼻』『羅生門』（王朝物），『枯野抄』（江戸物）<br>『きりしとほろ上人伝』（切支丹物），『舞踏会』（開化期物） |
| 菊池寛 | 『恩讐の彼方に』『藤十郎の恋』『父帰る』（戯曲） |
| 久米正雄 | 『蛍草』『破船』 |
| 山本有三 | 『女の一生』『路傍の石』『生きとし生けるもの』 |

## 重要ポイント6 戦前の文学

**プロレタリア文学**

革命の文学
雑誌『種蒔く人』
葉山嘉樹『海に生くる人々』
小林多喜二『蟹工船』
徳永直『太陽のない街』

**芸術派**

私小説，心境小説を中心とする
雑誌『文芸時代』
・新感覚派　横光利一『日輪』『機械』
　　　　　　川端康成『伊豆の踊子』『雪国』『千羽鶴』
・新興芸術派　井伏鱒二『山椒魚』
　　　　　　梶井基次郎『檸檬』
・新心理主義　伊藤整『鳴海仙吉』
　　　　　　堀辰雄『風立ちぬ』

## 重要ポイント7 戦後の文学

| 分　類 | 作　家 |
| --- | --- |
| 戦後派 | 武田泰淳『蝮のすゑ』，三島由紀夫『仮面の告白』<br>野間宏『暗い絵』，中村真一郎『死の影の下に』 |
| 無頼派 | 太宰治『人間失格』，坂口安吾『白痴』 |
| 通俗小説 | 直木三十五『南国太平記』，吉川英治，江戸川乱歩 |
| 第2の新人 | 安部公房『壁』，堀田善衛『広場の孤独』 |
| 第3の新人 | 安岡章太郎，吉行淳之介，三浦朱門，遠藤周作 |
| 内向の世代 | 古井由吉『杳子』，後藤明生『挟み撃ち』 |

## 実戦問題

＊＊＊
**No.1 近代の日本の小説家とその作風に関する記述として最も妥当なのはどれか。**　【国税専門官・平成19年度】

**1**　夏目漱石は，初期では『彼岸過迄』や『こころ』といった人間のエゴイズムを追求した暗く重い作風であった。それが後期では，ユーモアあふれる『吾輩は猫である』や反俗精神にみちた『坊つちやん』など明るい作風に変化していった。

**2**　森鷗外は，初期に『山椒大夫』や『高瀬舟』などの歴史を題材にした小説を多く発表したが，後期には『夜明け前』など反自然主義の作品を発表するようになった。また，晩年には，『舞姫』といった異国情緒あふれる浪漫的な作品を発表した。

**3**　武者小路実篤は，リアリズムに徹した目で簡潔かつ正確に描いた作風で知られている。電車事故の体験に基づいて書いた『城の崎にて』，高校時代の友人との出来事に着想を得た『友情』，自分と父の不和を題材にした『暗夜行路』など実体験を描いた作品を多く発表した。

**4**　芥川龍之介は，すぐれた心理描写や理知的な視点で構成された数多くの短編小説を発表した。その作品の種類は幅広く，『鼻』や『六の宮の姫君』といった王朝物，『杜子春』や『蜘蛛の糸』といった童話のほか，切支丹物や江戸物などといわれる作品を発表した。

**5**　菊池寛は，初期は『痴人の愛』や『恩讐の彼方に』にみられる，女性の美しさと官能性を描いた耽美的で華麗な作風であった。また，後期には，日本の伝統や文化を取り込んだ作風が加わり，『父帰る』や『細雪』といった作品を発表した。

＊＊
**No.2 第二次世界大戦後に活躍したわが国の作家に関する記述として最も妥当なのはどれか。**　【国家一般職・平成20年度】

**1**　三島由紀夫は，青年時代から壮年時代にかけて，豊かな教養と鋭い感性によって『金閣寺』，『斜陽』などの日本古来の古典文学を題材にした多数の作品を著した。しかし，晩年には作風が自嘲的で退廃的な傾向を帯びていったため，無頼派と呼ばれるようになった。

**2**　井上靖は，学生時代に小林秀雄や中原中也と交流するとともにスタンダールなどのフランス文学を研究した。第二次世界大戦後は，自らの戦争体験を基に『俘虜記』，『レイテ戦記』などを著した。

**3**　安部公房は，現実を冷徹に見つめ世界や自己を深く問う作風によって，代表作である『赤い繭』，『砂の器』などを著した。また，第二次世界大戦後に流行したシュルレアリスムなどの前衛的な手法を否定するとともに，社会的な事件や事実を重視する立場からの作品も数多く著した。

**4**　司馬遼太郎は，歴史を一つの物語として見て，そこに現代的な解釈を加えて考察する手法によって歴史小説を多く著した。代表作品としては，坂本竜馬の生涯を描いた『竜馬がゆく』や明治時代の日本の姿を描いた『坂の上の雲』などがある。

**5** 大江健三郎は，社会や政治などの現実的な世界とは距離を置き，人間の魂の救済と信仰との関係についての考察を生涯のテーマとした。代表作である『海と毒薬』は日本人の罪の意識の欠如をテーマとした問題作である。また，日本人として二人目のノーベル文学賞を受賞した。

＊＊＊

**No.3 次のA，B，Cは，近代以降に活躍した日本の作家についての記述であるが，人名の組合せとして最も妥当なのはどれか。** 【国税専門官・平成21年度】

A：明治後期の日本において主流であった自然主義に対抗し，豊かな想像力によって女性の官能美を描き出すなど，耽美的な傾向をもつ作品を発表し，悪魔主義ともいわれた。関東大震災の後，関西に移り住んで，日本の伝統文化に接するなかで日本的古典美に傾倒するようになり，『春琴抄』など古典的情緒のある作品を残した。

B：白樺派の志賀直哉に傾倒したが，次第に社会主義に進み，プロレタリア文学の作家としての地位を確立した。代表作には，オホーツク海で操業する蟹工船の中で過酷な労働を強いられる労働者たちが，階級的自覚をもち，団結して雇い主との闘争に立ち上がっていく過程を描いたものがある。

C：プロレタリア文学に同調することを好まず，個性的な芸術表現を重んじる，いわゆる「新興芸術派」の一員に連なった。渓流の岩屋から出られなくなった山椒魚の狼狽ぶりや悲哀をユーモアあふれる文体で語った『山椒魚』など，「生きていく」ことを様々な題材によって表現しようとし，戦後には，戦争への怒りと悲しみを込めた作品を発表した。

| | A | B | C |
|---|---|---|---|
| **1** | 川端康成 | 小林多喜二 | 永井荷風 |
| **2** | 川端康成 | 徳永直 | 井伏鱒二 |
| **3** | 谷崎潤一郎 | 小林多喜二 | 井伏鱒二 |
| **4** | 谷崎潤一郎 | 小林多喜二 | 永井荷風 |
| **5** | 谷崎潤一郎 | 徳永直 | 永井荷風 |

**No.4** ＊＊＊ **次は近代の日本の詩に関する記述であるが，A～Dに当てはまるものの組合せとして最も妥当なのはどれか。** 【国税専門官・平成23年度】

明治後期には，言葉では表現しつくせない微妙な感覚を抽象的に暗示する象徴詩が生まれた。この象徴詩に新しい境地をひらいたとされる一人が［ A ］であり，異国情緒が漂う作品が多く収められた『邪宗門』を発表した。また，その後刊行した『思ひ出』で，故郷と幼少年時代を回顧し，耽美派詩人としての確固たる地位を得た。

従来の詩が文語詩であったのに対し，明治後期には，自然主義の影響下に，口語自由詩の実作が始まった。大正期に入り，口語自由詩完成の一翼を担ったとされるのが［ B ］である。彼の代表作である詩集『道程』は，自己の理想主義を平明な言葉遣いの中にも緊張感あふれるリズムで表現していると評される。

また，大正から昭和にかけて活躍した詩人として，『抒情小曲集』や『愛の詩集』を著した［ C ］が挙げられる。自己の感情に忠実な詩風であるといわれ，［ D ］は彼の代表作として有名な詩の一部である。

ア：ふるさとは遠きにありて思ふもの
そして悲しくうたふもの
よしや
うらぶれて異土の乞食（かたゐ）となるとても
帰るところにあるまじや

イ：僕の前に道はない
僕の後ろに道は出来る
ああ，自然よ
父よ
僕を一人立ちにさせた広大な父よ

| | A | B | C | D |
|---|---|---|---|---|
| **1** | 北原白秋 | 高村光太郎 | 室生犀星 | ア |
| **2** | 北原白秋 | 萩原朔太郎 | 三木露風 | ア |
| **3** | 北原白秋 | 萩原朔太郎 | 室生犀星 | イ |
| **4** | 島崎藤村 | 高村光太郎 | 三木露風 | イ |
| **5** | 島崎藤村 | 萩原朔太郎 | 室生犀星 | ア |

## 実戦問題の解説

### No.1 の解説　反自然主義の近代文学

→問題はP.441　正答4

**1 ×　後期の漱石はエゴイズムから則天去私へと思想を深化。**
『**吾輩は猫である**』や『**坊っちやん**』などのユーモアあふれる作品が**夏目漱石の初期の作品**。**後期3部作**の『**彼岸過迄**』『**行人**』『**こころ**』では近代人の不安や苦悩が描かれている。

**2 ×　鷗外は浪漫主義を離れて歴史小説へ。**
『**舞姫**』は**森鷗外**の**初期**の**浪漫主義**的な作品。『**夜明け前**』は**自然主義**作家としての**島崎藤村**の作品。『**山椒大夫**』『**高瀬舟**』などは**歴史小説**で，歴史的事実に忠実だった鷗外が「**歴史離れ**」（主観的な歴史）を試みた作品である。

**3 ×　実篤は懐疑を知らぬ明るい理想主義・人道主義が特徴。**
**武者小路実篤**は**人道主義・理想主義**の作家であり，『**友情**』は彼の作品であるが，『**城の崎にて**』と『**暗夜行路**』は**志賀直哉**の作品である。志賀直哉が**父との不和**を題材として書いた作品は『**和解**』である。

**4 ◎　龍之介は技巧が冴える理知主義・現実主義の作家。**
正しい。**芥川龍之介**の小説はすべて短編である。

**5 ×　耽美的作風が伝統や文化へと変わったのは谷崎潤一郎。**
『**痴人の愛**』と『**細雪**』は**耽美派**の作家**谷崎潤一郎**の作品。『**恩讐の彼方に**』と『**父帰る**』は**菊池寛**の作品である。

### No.2 の解説　昭和の作家

→問題はP.441　正答4

**1 ×　織田作之助・太宰治・坂口安吾らが無頼派あるいは新戯作派。**
**三島由紀夫**は唯美的な**浪漫主義**の作家として文壇に登場し，『**仮面の告白**』などで流行作家となった。『**斜陽**』は太宰治の作品。**無頼派**と呼ばれたのは**織田作之助**，**太宰治**，**坂口安吾**などである。

**2 ×　スタンダール研究者の大岡昇平は戦後派の作家。**
記述は**大岡昇平**に関するもの。**井上靖**は中国を舞台とする叙事詩的作品の『楼蘭（ろうらん）』，『蒼（あお）き狼』，『敦煌（とんこう）』，登山事故に着想を得た『**氷壁**』など多くの作品を残した。

**3 ×　安部公房の作風はシュルレアリスム。**
**安部公房**は前衛的でシュルレアリスムの作風が特徴の作家であり，その代表作は『**壁—S・カルマ氏の犯罪**』，『砂の女』など。『赤い繭』は彼の作品であるが，『砂の器』は**松本清張**の作品。

**4 ◎　歴史小説は司馬遼太郎の特徴。**
正しい。**司馬遼太郎**は娯楽的な大衆小説から独自の**歴史小説**へと作風を発展させた。彼は『竜馬がゆく』と『国盗り物語』で菊池寛賞を受賞した。

**5 ×　大江健三郎は民主主義の守り手として活躍。**
『海と毒薬』は**遠藤周作**の作品で，彼は**カトリック**の立場から神や罪，人権などの問題に深い関心を抱いていた。日本人２人目のノーベル文学賞作家となった**大江健三郎**は，安保反対で民主主義のルールを守りながら戦った作家といわれ，その体験は『遅れてきた青年』や『ヒロシマ・ノート』などに反映されている。

## No.3 の解説　大正・昭和の作家

→問題はP.442　正答３

**STEP❶　△△主義で作家をしぼる**

数多い作家たちについて，**作風の類似性**に基づいて分類したのが△△主義などである。長い作家生活の中で傾向が変化する人（たとえば島崎藤村），作風は似ていないのに**同じ雑誌が発表の場**だったからグループにされた例（白樺派や新思潮派など）もある。Aは「日本的古典美に傾倒」という共通性で川端康成と谷崎潤一郎を挙げているが，「耽美的」から谷崎が正しく，**1**と**2**が落とせる。

**STEP❷　作品名は確実な決め手**

Bの「蟹工船」は小林多喜二に同名の作品があることに気づけば，**5**も排除できる。Cも『山椒魚』で井伏鱒二だとわかり，正答は**3**に決まる。

**STEP❸　昭和の作家は戦後に注目**

戦後といってもすでに長い年月が経っている。その中で**三島由紀夫**や**太宰治**など，根強い人気を博している作家たちは要チェックである。**川端康成**や**大江健三郎**などのノーベル賞作家が必修なのはいうまでもない。

以上から**3**が正答である。

## No.4 の解説　近代の日本の詩

→問題はP.443　正答１

**STEP❶　高村光太郎の『道程』で火蓋を切る**

アとイの詩はどちらも有名だが，アの作者が**室生犀星**だということは意外と盲点。イの**高村光太郎**の**『道程』**は詩の出だしで「道」が出てきてわかりやすく，『道程』つながりでBに「高村光太郎」が入ると見当もつく。従ってBに「萩原朔太郎」を挙げている**2**，**3**と**5**が誤り。

**STEP❷　島崎藤村は浪漫派詩人で自然主義の小説家**

Aは「**象徴詩**」と「**耽美派詩人**」であるから，島崎藤村が入ることはないので，**4**も誤りとなり，正答は**1**である。**北原白秋**は童謡の歌詞や童話誌**『赤い鳥』**で知られていて，作品集の『邪宗門』の知名度は低い。

**STEP❸　室生犀星の決め手はアの詩**

Cで挙げられた『抒情小曲集』と『愛の詩集』はよくあるタイプの作品名だが，「自己の感情に忠実な詩風」という説明は**室生犀星**のもの。**三木露風**は明治から昭和にかけて活躍し，象徴派の影響を受けた独自の詩風で知られている。

以上から**1**が正答である。

# 世界の文学

## 必修問題

**近現代のアメリカ文学に関する記述として最も妥当なのはどれか。**

【国税専門官・平成20年度】

**1** **ジョン・スタインベック**は，生まれ育ったアメリカ西部の自然や人間を素材に，人間の生命本能に対する愛情とそれを抑圧するものへの怒りを基調とした『**怒りの葡萄**』を著した。他の作品に『エデンの東』などがある。

**2** **マーク・トウェイン**は，村の一少年の目を通して一人称で書かれた『**トム・ソーヤーの冒険**』で一躍有名作家の仲間入りをした。後期には，『十五少年漂流記』など思春期の少年の抱える孤独や葛藤を描く作品を多く発表した。

**3** **エドガー・アラン・ポー**は，音楽的効果に優れた詩作品である『草の葉』で注目され，詩人としての地位を確立した。その後も『**黄金虫**』や『**黒猫**』など，言葉の響きを重視した多くのすぐれた詩作品を残した。

**4** **J・D・サリンジャー**は，『**ライ麦畑で捕まえて**』において，自らの生まれ育ったアメリカ南部の田園地帯を背景に，7人兄弟からみた大人のずるさや偽善を描き出して人気を得た。他の作品に『あしながおじさん』などがある。

**5** **アーネスト・ヘミングウェイ**は，初期の作品である『**老人と海**』で，ハードボイルドといわれる文体を確立した。『戦争と平和』で作家としての地位を築いた後，晩年の『武器よさらば』でノーベル文学賞を受賞した。

難易度 ＊＊＊

## 必修問題の解説

世界文学で出題されるのは，日本で知名度の高い作家たちで，ヘミングウェイやドストエフスキーのように頻出の作家もいる。

**1 ◎ スタインベックは西部の代表的作家。**
正しい。20世紀のアメリカ文学とくれば**スタインベック**と**ヘミングウェイ**抜きでは語れない。

**2 × 『十五少年漂流記』の作者はヴェルヌ。**
トウェインの名前は忘れても，**トム・ソーヤー**と**ハックルベリ・フィン**のほうはアニメ化の影響もあって記憶に残りやすい。それを逆手にとって，同じような少年ものつながりでまぎれこみやすいのが，**ジュール・ヴェルヌ**の**『十五少年漂流記』**である。

**3 × 『草の葉』はホイットマンの代表作。**
意外と盲点なのが**詩人**としての**エドガー・アラン・ポー**の活躍である。ミステリーや怪奇小説というジャンルで語られることが多いが，詩作品も数多く発表している。そこにひっかけて**ホイットマン**の**『草の葉』**をまぎれこませている。

**4 × 『あしながおじさん』はサリンジャーの作風にあらず。**
サリンジャーの『ライ麦畑でつかまえて』は「アメリカの青春のバイブル」と呼ばれるほどの人気作。かたや**『あしながおじさん』**は**ジーン・ウェブスター**の現代版「シンデレラ・ストーリー」として人気を誇っている。青春小説として知名度が高い割に，作者のほうを忘れることがよくあるパターンなので，誤りの選択肢として使いやすい事項といえる。

**5 × 『戦争と平和』はトルストイの代表作。**
ヘミングウェイは**スペイン内乱**や**第一次世界大戦**への参加という経歴がポイントになりやすく，タイトルに「戦争」が含まれた別人の作品をまぎれこませやすい。本肢では**トルストイ**の**『戦争と平和』**が取り上げられた。『老人と海』もヘミングウェイ晩年の作品で，出題頻度が高い。

**正答 1**

## FOCUS

世界文学では児童文学の注目度が高い。話の筋を追うだけでなく，大人ひいては文明を映す鏡として，文学と向きあうきっかけと考えたい。往年の名作映画・海外ドラマから世界の古典文学に迫る手もある。

# POINT

## 重要ポイント 1 英米文学

### ●18世紀までのイギリス文学

| | |
|---|---|
| シェークスピア（グローブ座） | 四大悲劇：『ハムレット』『オセロ』『リア王』『マクベス』<br>喜劇：『真夏の夜の夢』『ヴェニスの商人』『お気に召すまま』<br>史劇：『リチャード３世』『ジュリアス・シーザー』 |
| ミルトン | 『失楽園』 |
| デフォー | 『ロビンソン・クルーソー』 |
| スウィフト | 『ガリヴァー旅行記』 |

### ●ロマン主義文学

| | イギリス | アメリカ |
|---|---|---|
| 時　期 | 18世紀後半～19世紀前半 | 19世紀 |
| 詩　人 | ワーズワース，コールリッジ<br>バイロン，シェリー，キーツ | ホイットマン『草の葉』 |
| 小説家 | スコット | ホーソーン『緋文字』，ポー『黄金虫』，メルヴィル『白鯨』 |

### ●写実主義文学（19世紀）

| イギリス | アメリカ |
|---|---|
| オースティン『エマ』，『高慢と偏見』<br>ディケンズ『オリバー・ツィスト』『二都物語』『大いなる遺産』<br>シャーロット・ブロンテ『ジェイン・エア』<br>エミリー・ブロンテ『嵐が丘』<br>ハーディ『テス』『緑の木蔭』 | オルコット『若草物語』<br>トウェイン『トム・ソーヤーの冒険』<br>H.ジェームズ『ある婦人の肖像』 |

### ●20世紀文学

| イギリス | アメリカ |
|---|---|
| H.G.ウェルズ『タイムマシン』<br>ジョイス『ユリシーズ』<br>D.H.ロレンス『息子と恋人』<br>T.S.エリオット『荒地』 | ドライサー『シスター・キャリー』<br>ドス・パソス『U.S.A.』<br>スタインベック『怒りの葡萄（ぶどう）』<br>ヘミングウェイ『武器よさらば』<br>フォークナー『サンクチュアリ』 |

## 重要ポイント2 フランス文学

| | |
|---|---|
| ロマン主義 | スタンダール『赤と黒』『パルムの僧院』<br>デュマ（父）『三銃士』『モンテ・クリスト伯』<br>ユゴー　『エルナニ』（戯曲），『レ・ミゼラブル』 |
| 写実主義 | フロベール　『ボヴァリー夫人』『感情教育』<br>バルザック　『ウジェニー・グランデ』『谷間の百合』<br>『従妹ベット』（『人間喜劇』と呼ばれる小説群の一部） |
| 自然主義 | モーパッサン『脂肪の塊』『女の一生』『ベラミ』<br>ゾラ　『居酒屋』『ナナ』 |
| 20世紀文学 | アナトール・フランス『ペンギンの島』，ロマン・ロラン『ジャン・クリストフ』，プルースト『失われた時を求めて』<br>デュ・ガール『チボー家の人々』，サン=テグジュペリ『星の王子さま』<br>サルトル『嘔吐』『自由への道』，カミュ『異邦人』 |
| 詩　人 | ボードレール『悪の華』，マラルメ『半獣神の午後』<br>ヴェルレーヌ『言葉なき恋歌』，ランボー『酔いどれ船』<br>ヴァレリー『海辺の墓』，コクトー『恐るべき子どもたち』 |

## 重要ポイント3 ロシア文学（19～20世紀）

| | |
|---|---|
| プーシキン | 『エヴゲニー・オネーギン』（物語詩），『大尉の娘』 |
| ゴーゴリ | 『検察官』（戯曲），『外套（がいとう）』『鼻』 |
| ツルゲーネフ | 『あいびき』『猟人日記』『処女地』 |
| ドストエフスキー | 『死の家の記録』『罪と罰』『カラマーゾフの兄弟』『白痴』 |
| トルストイ | 『アンナ・カレーニナ』『戦争と平和』『復活』 |
| チェーホフ | 『かもめ』『伯父ワーニャ』『桜の園』『三人姉妹』（戯曲） |
| ショーロホフ | 『静かなるドン』 |
| ソルジェニーツィン | 『ガン病棟』『煉獄（れんごく）にて』 |

## 重要ポイント4 ドイツ文学

| | |
|---|---|
| ロマン主義（18世紀） | 疾風怒涛（シュトルム・ウント・ドランク）<br>ゲーテ『若きヴェルテルの悩み』『ファウスト』『エグモント』<br>シラー『ヴァレンシュタイン』『オルレアンの処女』，ハイネ『歌の本』 |
| 20世紀文学 | リルケ『マルテの手記』，マン『ブッデンブローク家の人々』『魔の山』<br>ヘッセ『車輪の下』『デミアン』，グラス『ブリキの太鼓』<br>カフカ『変身』（オーストリア帝国領チェコの出身） |

## 実戦問題

＊
**No.1** 次の文中の下線部ア～オのうち，正しいものの組合せはどれか。

【地方上級（全国型）・平成20年度】

漢詩は<u>ア唐の時代に最盛期を迎え，科挙試験でも必須科目とされていた</u>。「国破れて山河あり」という詩句で有名な<u>イ『春望』は李白の作品</u>であり，安禄山の乱が原因で幽閉されていたときに作られた。李白と並ぶ二大詩人として「詩聖」と称された<u>ウ杜甫は感傷詩に優れ，『長恨歌』を作った</u>。<u>エ日本でも奈良時代から平安時代にかけて漢詩が流行し，『凌雲集』などの勅撰漢詩集も作られた</u>。漢詩は女性たちの間でも人気を博し，<u>オ室町時代に雪舟が女流作家の作品を『本朝文粋』にまとめた</u>。

**1**　ア，ウ　　**2**　ア，エ　　**3**　イ，エ
**4**　イ，オ　　**5**　ウ，オ

＊＊＊
**No.2** 19～20世紀の小説を要約した次のA，B，Cの文章と，その作者との組合せとして最も妥当なのはどれか。

【国家総合職・平成20年度】

A：経済恐慌の時代に大学に通えなくなったラスコーリニコフは，大学を卒業して外国へ行くために，強欲な高利貸しの老婆を殺すことを計画する。人類を，善悪を超越する「ナポレオン」と生きる価値のない「虱（しらみ）」に分類し，自分がどちらに当てはまるかを試すために老婆を殺す。しかし，老婆の妹まで殺してしまい，良心の呵責にさいなまれ，極度の神経衰弱に陥る。

B：ある朝グレゴールが目覚めると，巨大な毒虫になっていた。今まで家族のために身を粉にして働いてきたが，グレゴールの変わり果てた姿を見た家族は愕然とし，彼に冷たくする。父親の投げたリンゴによって重傷を負ったグレゴールは，疎外感の中で孤独に死んでいく。

C：平凡なサラリーマンであるムルソーは，ちょっとしたいざこざのせいでアラビア人をピストルで射殺してしまう。なぜ殺したのかという裁判官の問いに「太陽のせい」と答え，死刑を宣告される。処刑される日まで，すべてのものに人生の不条理を感じ，孤独な人間として生きていく。

| | A | B | C |
|---|---|---|---|
| **1** | チェーホフ | カフカ | ユーゴー |
| **2** | チェーホフ | ヘッセ | カミュ |
| **3** | ドストエフスキー | カフカ | カミュ |
| **4** | ドストエフスキー | カフカ | ユーゴー |
| **5** | ドストエフスキー | ヘッセ | ユーゴー |

**＊＊**
## No.3 児童文学に関する記述として最も妥当なのはどれか。

【国家一般職・平成18年度】

**1** 『星の王子さま』はサン=テグジュペリによって書かれ，著者自身の挿絵を不可欠なものとして刊行された。町の中心部に高くそびえ立つ金箔の王子像がツバメと共にさまざまな苦労や悲しみの中にある人々のために自分の体を覆っている金箔を分け与えていく。最後は，ツバメと王子の魂が神様によって天に召され，星になっていつまでも人々を見守っていくという，無償の愛をテーマにした童話である。

**2** 『ごんぎつね』は新美南吉によって書かれ，童話雑誌『赤い鳥』に掲載された物語である。寒い冬の日，母狐は子狐ごんの片手を子供の手に変え，間違って狐の手を出してしまうとひどい目に遭うからと教えて町に手袋を買いに行かせる。ごんは町の帽子屋で間違って狐の方の手を出してしまったが，帽子屋は狐だと気づきつつ黙って手袋を売ってやり，ごんは喜んで母狐のところに帰って行くという暖かい物語である。

**3** 『オズの魔法使い』はライマン=フランク=ボームによって書かれ，舞台化もなされて大成功をおさめている。竜巻によって家ごと飛ばされたドロシーと愛犬トトが，脳みそが欲しいカカシ，心臓が欲しいブリキのきこり，勇気が欲しい臆病ライオンと出会い，３人の仲間と協力していくつもの難関を切り抜け，カンザスに帰るという目的を達成するまでの冒険を描くファンタジーである。

**4** 『銀河鉄道の夜』は宮沢賢治によって何度か推敲されながら書かれ，未発表のまま残された小説である。家の窓から通り過ぎる蒸気機関車を見ては，いつかあの鉄道に乗って遠くに行きたいと思いをはせていた貧乏な少年鉄郎は，周囲との不幸な行き違いが続き，悲嘆にくれたある夜，川に身を投げてしまう。しかし，彼の魂だけは銀河鉄道に乗り，どこまでも旅を続けていくという悲しい物語である。

**5** 『トム・ソーヤーの冒険』はマーク=トウェインによって書かれ，アメリカの少年たちにフロンティア精神を奮い立たせた。いたずら者のトムと15人の少年たちが忍び込んだ帆船スルーギ号が突然の嵐に襲われ，無人のハノーバー島に漂着する。悲しみに暮れた少年たちだったが，海岸近くの洞窟をすみかと定め，役割分担を決めて協力して逆境に立ち向かい，全員が無事に島を脱出するというチャレンジと協調の精神を描いた冒険物語である。

**No.4** ＊＊ **諸外国の文学者とその作品に関する記述として最も妥当なのはどれか。**

【国税専門官・平成22年度】

**1** シェイクスピアは，ヴィクトリア朝時代に活躍した劇作家であり，その卓越した人間観察眼により，産業社会において疎外された人間の深い心理描写を特徴とする多くの作品を残した。『夏の夜の夢』では，中世封建社会への郷愁を描いた。

**2** カミュは，フランスの自然主義文学を代表する作家であり，『女の一生』『居酒屋』など，日常生活を通した人間の愚かさや惨めさを描いた多くの作品を残した。彼の作品は，日本の作家にも影響を与え，明治後期における自然主義文学の興隆をもたらした。

**3** ドストエフスキーは，農奴解放をはじめとする近代化のための改革が行われていた過渡期のロシアで，人間の内面における心理的相克をリアリズムの手法で描いた。『罪と罰』では，老婆殺しの青年を通して人間存在の根本問題を提起した。

**4** ゲーテは，ドイツの古典主義を代表する作家であるとともに，ヒューマニズムの立場から，当時のドイツを支配していたファシズムに抵抗する活動を行った。『ベニスに死す』では，独自のリアリズムの手法によって自己の精神世界を模索した。

**5** 魯迅は，農業に従事する傍ら，貧しい民衆とその生活に深い理解を示す多くの作品を残した。『大地』では，太平天国の乱後の新しく生まれ変わろうとする中国を舞台に，苦労の末に大地主となった農民の生き様を描いた。

＊＊＊
**No.5 ノーベル賞に関する記述として，妥当なのはどれか。**

【地方上級（東京都）・平成30年度】

**1** ノーベル賞の受賞者を選考する組織は部門ごとに決まっており，文学賞はノルウェーのノーベル賞委員会が，平和賞はスウェーデン・アカデミーが，それぞれ選考を行っている。

**2** ノーベル賞は，文学賞，平和賞など７部門から構成されているが，全ての部門において，受賞者は個人のみが対象となっており，団体又は組織は対象となっていない。

**3** 2017年のノーベル文学賞はカズオ・イシグロ氏が受賞したが，これで日本出身の作家としては，川端康成氏に次いで２人目の受賞となった。

**4** 2017年のノーベル文学賞の授賞理由は，「私たちの時代の人々の困難や勇気を，聞き書きを通じて多層的に描き出した」であった。

**5** 2017年のノーベル文学賞を受賞したカズオ・イシグロ氏の代表作には，英国の王立文学協会賞を受賞した「遠い山なみの光」や英国のブッカー賞を受賞した「日の名残り」がある。

## 実戦問題の解説

### No.1 の解説　中国文学
→問題はP.450　**正答2**

**STEP❶　歴史からわかる事項で的をしぼる**

**ア**で説明されているように，詩は**科挙**の重要な科目であったから，この記述は正しい。よって**ア**を挙げていない**3**，**4**，**5**は誤りとわかる。唐の時代の科挙は，郷試（地方予備試験），省試（本試験），吏部試（官吏採用試験）の３段階があった。省試には明経（古典などの記憶力のテスト）と**進士**（詩や賦など文学の創作を求められるテスト）の２科目があり，進士のほうが重んじられた。**イ**に挙げられた**『春望』**は**杜甫**の作品。**李白**は仙人になりたかったことから「**詩仙**」と称され，天衣無縫な奔放さを特色とする通俗的な詩で人気を博した。李白は商人の子であったため，科挙の受験資格がなく，科挙を受けなかった。玄宗の時代，高官の推薦があったり，推薦によらずとも自らの名声があれば朝廷に招聘されて任官することができ，李白も皇帝の召し出しで官職を得たが長続きしなかった。**オ**の**『本朝文粋』**は11世紀中頃に**藤原明衡**（あきひら）が編纂したもので，**嵯峨天皇**から後一条天皇までの約200年間の漢文が集められている。

**STEP❷　杜甫の『春望』，白居易の『長恨歌』は必須事項**

**ウ**の杜甫は「**詩聖**」と称された。祖父が有名な詩人で杜甫の家は官僚の家柄だったが，杜甫は科挙に合格できなかった。試験勉強で学んだ**『文選』**の世界にのめり込み，やがて社会派の詩人となった。ツテを頼って推薦による任官を果たしたが，**安禄山**の反乱に巻き込まれて職を失い，その頃に作ったのが**『春望』**である。**『長恨歌』**は自らを「**詩魔**」と称した**白居易**（字は**楽天**）の作品で，**玄宗**と楊貴妃の恋を題材としている。白居易は科挙に合格して出世したが，宰相暗殺事件に巻き込まれて左遷された。よって**ウ**は誤りで**1**も誤りとなる。

**STEP❸　日本の漢詩の流行は平安時代までがピーク**

**エ**に挙げられた**『凌雲集』**の他に**『文華秀麗集』**と**『経国集』**の３つが勅撰漢詩集で，嵯峨天皇や小野篁（たかむら），**菅原道真**，紀長谷雄（きのはせお）らが活躍した。詩文では白居易の作品を集めた『白氏文集』などの人気が高かった。したがって**エ**の記述も正しい。

以上から，**ア**と**エ**を挙げた**2**が正答である。

## No.2 の解説　19～20世紀の小説

→問題はP.450　**正答3**

### STEP❶　場面設定の意外性は重要なヒント

目を引くのは人間が毒虫に変わってしまうB。『**変身**』というタイトルはすぐ思いつくだろう。その作者は**カフカ**か**ヘッセ**かで迷うかもしれない。ヘッセの代表作『**車輪の下**』が神学校の教育に耐えられなかった体験に基づいている点を思い出せば，人間以外のものへの「変身」という場面設定になじまないと判断でき，Bはカフカの『変身』の要約となるから**2**と**5**は誤り。

カフカはオーストリア＝ハンガリー帝国時代のプラハ生まれなので，ヘッセのようなドイツ人作家とは作風が異なる。

### STEP❷　選択肢の作家の代表作を思い出す

Cに挙げられた**ユーゴー**は**ロマン主義**の作家で代表作は『**レ・ミゼラブル**』。共和制の擁護者であったためにナポレオン３世によってパリを追放された体験があり，その作品は人間愛と不正への怒りに満ちている。とすれば，「アラビア人」を殺して「太陽のせい」と答えるような**不条理**さはユーゴーとは相容れないと判断できる。Cにユーゴーを挙げた**1**と**4**も誤り。Cはアルジェリア生まれの**カミュ**の代表作『**異邦人**』の要約で，ムルソーは不条理な人間の典型である。

### STEP❸　要約の中に作品名や作者と結びつくキーワードあり

Aは殺人と「良心の呵責」の対比から『**罪と罰**』を類推できる。人間から毒虫への変化を示すBも『変身』と結びつきやすい。**ドストエフスキー**の作品の中で最も知られている『罪と罰』は超人思想にとりつかれたラスコーリニコフに対するソーニャの勝利でキリスト教的な愛と忍従の思想を表現している**ヒューマニズムの書**である。

以上を正しく組み合わせているのは**3**である。

## No.3 の解説　児童文学

→問題はP.451　正答3

**1 ×** 『星の王子さま』は砂漠が舞台。

作者自身の挿絵で知られる**サン=テグジュペリ**の**『星の王子さま』**は，砂漠に不時着した**飛行士が出会った男の子との対話**を内容とし，人間社会の不条理さに対する素朴な疑問などを呈している。**ツバメと王子像**の無償の愛を描いた作品は**オスカー=ワイルド**の**『幸福な王子』**である。

**2 ×** 『ごんぎつね』は悲劇的な結末。

**新美南吉**の**『ごんぎつね』**は，贖罪の気持ちから兵十に山の食べ物を運んでいた**狐のごん**が，**兵十に誤解されて銃で殺される話**。子狐が手袋を買いに行く話は同じ作者の**『手袋を買ひに』**という作品である。

**3 ◎** 『オズの魔法使い』は最もアメリカ的な作品。

正しい。**『オズの魔法使い』**でかかし，きこり，ライオンが欲しがった脳みそ・心臓・勇気は19世紀末の**アメリカ人が理想としていた３つの価値（知恵・愛・勇気）**を表している。

**4 ×** 『銀河鉄道の夜』の人物は洋風の名前。

**宮沢賢治**の**『銀河鉄道の夜』**は，**ジョバンニとカンパネルラ**の２人の少年が**銀河鉄道で幻想的な旅**をする話で，現実の世界に戻ったジョバンニは，カンパネルラが溺れかけた友人を救おうとして亡くなったことを知らされる。

**5 ×** 「15人の少年」がキーワード。

**マーク=トウェイン**の**『トム・ソーヤーの冒険』**は，伯母に育てられている**いたずらっ子のトムの生活**を通して，大人に対する子供の優越性を描いた作品。**15人の少年が無人島に漂着**する話は，**ジュール=ヴェルヌ**の**『十五少年漂流記』**である。

## No.4 の解説　外国の文学者と作品

→問題はP.452　正答3

**1 ×** シェイクスピアの時代こそ中世封建社会。

**シェイクスピア**は1564年生まれで，当時はテューダー朝最後の女王**エリザベス１世**（在位1558～1603年）の時代だった。シェイクスピアの時代はイギリス絶対主義の確立期にあたり，毛織物業が最盛期を迎え，市民階級が台頭してきた頃で，当時の風潮は彼の作品にも反映されている。

**2 ×** カミュは第二次世界大戦で抵抗運動に参加した作家。

**『女の一生』**は**モーパッサン**，**『居酒屋』**は**ゾラ**の作品で，ゾラの**自然主義**が日本の文学界に大きな影響を及ぼした。**カミュ**は20世紀の作家で，代表作**『異邦人』**の発表は1942年だった。

**3 ◎** ドストエフスキーは人間の自我意識を鋭く探求。

正しい。**ドストエフスキー**は革命思想家グループと接触したことからシベリアで獄中生活を体験した。**『罪と罰』**は人間性回復への願望を強く訴える作品である。

**4 ×** ゲーテは統一前のドイツの人，ファシズムは20世紀の産物。

**ゲーテ**（1749～1832年）の時代，ドイツはまだ統一されておらず，ナポレオンの侵略を受ける中で，**フィヒテ**が「**ドイツ国民に告ぐ**」という講演を行って民族意識を高めようとしていた。当時は「**疾風怒濤**」の文学運動が生じていた。『**ベニスに死す**』は**トーマス=マン**の作品である。

**5 ×** 魯迅の時代の中国は半植民地状態で革命運動の真っ最中。

**魯迅**（1881～1936年）は清朝末期から中華民国の時代の人で，民族主義運動に身を投じ，大学で教えたり研究活動に従事するかたわら，『**狂人日記**』や『**阿Q正伝**』などの作品を発表した。『**大地**』は**パール=バック**の作品である。

## No.5 の解説 ノーベル賞

→問題はP.453 正答5

**1 ×** 平和賞の選出はノルウェーの委員会。

**ノーベル賞**はアルフレッド・ノーベルの遺言で創設され，物理学賞と化学賞は**スウェーデン科学アカデミー**，**生理学賞**と**医学賞**は**カロリンスカ研究所**，**文学賞**は**スウェーデン・アカデミー**，**平和賞**は**ノルウェーのノーベル委員会**が選出して授与される。**経済学賞**は**スウェーデン銀行の創立300周年を記念して創設**されたもので，他のノーベル賞とは別のものである。

**2 ×** 平和賞は団体や組織にも贈られる。

**平和賞**はノルウェー国会が選出する５名の委員会が選んでおり，個人よりも組織・団体の受賞のほうが多い。**赤十字国際委員会**や**国連難民高等弁務官事務所**などは繰り返し授与されている。なぜノルウェーなのかというと，ノーベルの時代，ノルウェーとスウェーデンは同君連合（同じ君主が治める）であったから。

**3 ×** カズオ・イシグロ氏は日系英国人。

日本人作家で**ノーベル文学賞**を受賞したのは**川端康成**と**大江健三郎**の２人。イシグロ氏は長崎生まれで両親も日本人だが５歳の時両親と渡英し英国籍を取得し，作品は英語で書かれている。

**4 ×** 授賞理由は世界とつながる偽りの感覚の指摘。

イシグロ氏は「心を揺さぶる力を持った小説を通じ，私達が世界とつながっているという偽りの感覚の下に深淵があることを明らかにした」という理由で受賞している。

**5 ◎** ブッカー賞は英国最高の文学賞。

正しい。1982年発表の『遠い山なみの光』が長編デビュー作。『日の名残り』で1989年に**ブッカー賞**を受賞した。

# 西洋美術

## 必修問題

**次の文はある画家の集団に関する記述であり，図Ⅰ，Ⅱ，Ⅲはそれぞれ A，B，Cの画家の代表的な作品を示したものである。A，B，Cに当てはまる画家の組合せとして最も妥当なのはどれか。** 【国家一般職・平成17年度】

19世紀後半［ A ］や［ B ］などを始めとする新たな様式を標榜する画家たちのグループが現れた。彼らはルネサンス以来の西洋絵画の伝統から離れて視覚の純粋性に基づく新しい絵画を指向し，数回にわたってこのグループの画家たちによる展覧会を開催した。

彼らの技法に大きく影響を受けた［ C ］は，**色彩理論**，光学理論に関する彼独自の研究を加え，**光の効果**を色彩に置き換え，それを厳密な計算の下に画面に反映させた新たな技法を完成させた。そこから生まれたのは，不思議な夢幻的印象を与える詩情あふれる作品であった。

［ C ］の作品は世紀末のヨーロッパ各国の美術に大きな影響を与えた。

図Ⅰ

図Ⅱ

図Ⅲ

| | A | B | C |
|---|---|---|---|
| **1** | モネ | ルノワール | スーラ |
| **2** | モネ | ドラクロア | ゴッホ |
| **3** | フェルメール | ドラクロア | スーラ |
| **4** | フェルメール | ルノワール | ゴッホ |
| **5** | シャガール | ルノワール | マチス |

難易度 ＊＊＊

## 必修問題の解説

**絵画・彫刻・建築はビジュアル・チェックも必要である。しかし，絵は覚えていても，画家名を思い出せないことも多い。題名よりは作者名のほうが大事と割りきって，有名画家の画集をチェックすることが必要である。**

### STEP❶ どの美術傾向かをまずチェック

説明文でも図版でもよいから，どの画家集団なのかを特定する。本問の場合，「19世紀後半」「グループの画家たちによる展覧会」「光の効果」の３つのキーワードから，**印象派**についての問題とわかる。印象派に気づかずとも，**ロマン派**の**ドラクロア**が時代区分に合致しない点に気づけば，**2**と**3**を排除できる。最近話題となることが多くなった**フェルメール**が**バロックの画家**であると知っていれば，**4**も誤りとわかる。

### STEP❷ 絵画で選択肢にしぼり込みをかける

３枚の図のうち，知名度が高いのは図Ⅰと図Ⅱ。特にⅠは**モネ**の数多い**連作**シリーズの中でも有名な「**睡蓮**」であるから，この段階で正答は**1**と決めることが可能。Ⅱは**ルノワール**の「イレーヌ=カーン=ダンヴェール嬢の肖像」という作品で，作品名はわからなくともルノワールの代表作としての認知度は高い。

### STEP❸ 強烈な個性の画家に注目

たとえば**ゴッホ**のような強烈な個性は，見る人の印象に残りやすい。その印象に当てはまる図版がなければ，ゴッホは誤りの選択肢と考えることができる。**ピカソ**や**ダリ**も，ゴッホと並ぶ強烈な個性の画家とみなしてよい。図Ⅲは**スーラ**の「グランド・ジャット島の日曜日の午後」という作品で，**点描主義**を代表するものであるが，点描がわかるほど鮮明な図版が提示されるとは限らない。正答へ近づくためには，５肢択一方式の特徴―少しでもあやしい選択肢を排除していって，残ったものが正答―を最大限に利用しなければならない。

以上から，Aのモネ，Bのルノワール，Cのスーラを挙げた**1**が正答である。

**正答 1**

## FOCUS

難易度を調整するため，時代区分を越えて画家・彫刻家を組み合わせることが多い。有名芸術家のチェックは，19世紀後半から20世紀前半の1世紀に集中。

## POINT

### 重要ポイント1 印象主義

**印象主義**は世界を色彩の輝きだけでとらえようとしたが，その結果，合理的な空間構成や形態把握を失うという限界を迎えた。セザンヌは画面構成を，ルノワールは色彩を見直すことでその限界を超克しようとした。印象主義以後，ゴッホやゴーギャンなど独自の活動を行う画家が登場し，彼らを「**ポスト印象派**」と便宜的に呼ぶこともあるが，グループとしての共通性はない。

写実主義の風景画家・コロー：自然の光を描写

↓

マネ：「草上の昼食」，「オランピア」

↓

**1874年，印象派第1回グループ展覧会開催**

光を表現するため，色彩分割（筆触分割）と呼ばれる技法を採用

モネ：「印象・日の出」，連作「ルーアン大聖堂」「睡蓮」

シスレー：「ルーヴシエンヌの雪」

ルノワール：「ムーラン・ド・ラ・ギャレット」

セザンヌ：連作「サント・ヴィクトワール山」

ドガ：踊子や競馬など人間や動物の身体の機能を的確にとらえようとした。

### 重要ポイント2 フォーヴィスムとキュビスム

ゴッホなどに見られた強烈な色彩表現

↓

**フォーヴィスム**

マティス，ルオー，ヴラマンク

対象を解体し，画面上で再構成する

↓

**キュビスム**

ブラック，ピカソ，レジェ

### 重要ポイント3 人間の内面を表現する

**世紀末絵画**：ルドン，モロー，ムンク，クリムト

↓

**ドイツ表現主義**：ノルデ，ベックマン，カンディンスキー

**素朴派**：ルソー，シャガール

↓

フロイトの心理学，ダダイズムの影響

↓

**シュルレアリスム**（超現実主義）：ダリ，エルンスト，ホアン・ミロ，マグリット

## 実戦問題

**No.1** ＊＊ **ヨーロッパにおけるルネサンスの時期の作品と作者の組合せとして，妥当なのはどれか。**

【地方上級（東京都）・平成29年度】

| | 作品 | 作者 |
|---|---|---|
| 1 | 考える人 | オーギュスト・ロダン |
| 2 | 最後の晩餐（さん） | レオナルド・ダ・ヴィンチ |
| 3 | 真珠の耳飾りの少女 | ヨハネス・フェルメール |
| 4 | ダヴィデ像 | ピーテル・パウル・ルーベンス |
| 5 | タンギー爺じいさん | フィンセント・ファン・ゴッホ |

**No.2** ＊ **ヨーロッパの芸術に関する記述として，妥当なのはどれか。**

【地方上級（東京都）・令和４年度】

**1** 耽美（たんび）主義とは，美を唯一最高の理想とし，美の実現を至上目的とする芸術上の立場をいい，代表的作品にワイルドの戯曲「サロメ」がある。

**2** 古典主義とは，バロック式の芸術が持つ形式美や理知を尊重した芸術上の立場をいい，代表的作品にモネの絵画「積みわら」がある。

**3** 写実主義とは，現実をありのままに模写・再現しようとする芸術上の立場をいい，代表的作品にゴッホの絵画「ひまわり」がある。

**4** 印象主義とは，事物から受けた客観的印象を作品に表現しようとする芸術上の立場をいい，代表的作品にミレーの絵画「落穂（おちぼ）拾い」がある。

**5** ロマン主義とは，秩序と論理を重視しつつ感性の解放を目指す芸術上の立場をいい，代表的作品にフローベールの小説「ボヴァリー夫人」がある。

**No.3** ＊＊＊ **次のA，B，Cは，19世紀から20世紀にかけて活躍したフランスの画家に関する記述であるが，それぞれの画家の作品に該当するものを右のア～オから選んだものとして最も妥当なのはどれか。** 【国税専門官・平成22年度】

A：ゴーギャンは，鮮やかな色彩を単純化された輪郭の中に平塗りする技法を確立し，原始的で文明に毒されない人々の生活の単純さを描いた。

B：ロートレックは，19世紀末のパリにおいて歓楽の世界に生きた人々を巧みな線描によって描き出し，優れた版画家，ポスター作家として名を残した。

C：ドガは，競馬場，劇場，カフェ等に集うさまざまな階層の人々を観察し，人物の瞬間の動きを鋭くとらえて描写した。

| | A | B | C |
|---|---|---|---|
| **1** | ア | ウ | オ |
| **2** | ア | エ | ウ |
| **3** | ア | エ | オ |
| **4** | イ | ウ | オ |
| **5** | イ | エ | ウ |

ア

イ

ウ

Divan Japonais
Ed Fournier

エ

BERNHARDT
THEATRE
RENAISSANCE

オ

## 実戦問題の解説

### No.1 の解説　ルネサンス期の美術作品と作者の組合わせ　→問題はP.461　正答2

**1 ×　ロダンは19世紀の彫刻家。**
**ロダン**は17世紀最大の彫刻家だった**ベルニーニ**以来の天才と言われ，19世紀に活躍した。「**考える人**」は彼の最もよく知られた作品で，未完成に終わった「**地獄の門**」の一部として作られた。

**2 ◎　「最後の晩餐」はダ・ヴィンチの代表作。**
正しい。「**最後の晩餐**」は盛期ルネサンスの巨匠**レオナルド・ダ・ヴィンチ**の代表作の１つで，ミラノの聖マリア・ディレ・グラーツィエ修道院食堂の壁に描かれた。

**3 ×　フェルメールはレンブラントと同時代人。**
**フェルメール**は17世紀の**オランダ絵画**黄金時代に活躍した画家で，市民たちが好んだ風俗画に秀で，「真珠の耳飾りの少女」はその代表作。フェルメールは若くして亡くなったため，現存する作品は少ない。

**4 ×　ルーベンスはバロックを代表する画家。**
フランドル出身の**ルーベンス**は支配者だったスペインの宮廷画家として外交官の任務も担った。そのため，多くの助手を採用する**工房形式**で宗教画や貴族の肖像画などを描いた。**ダヴィデ像**はルネサンス期に**ミケランジェロ**が作ったものやバロック期に**ベルニーニ**が作ったものが有名。

**5 ×　ゴッホはポスト印象派の画家。**
**ゴッホ**が活躍したのは19世紀末であり，印象主義に続いて個性的な活躍を見せた画家の１人である。「**タンギー爺さん**」は彼の作品であり，背景に描きこまれた浮世絵の数々が彼の**日本趣味**を示している。

### No.2 の解説　ヨーロッパの芸術　→問題はP.461　正答1

**1 ◎　耽美主義は科学からの刺激を受けて内面性へ傾く思想。**
19世紀から20世紀にかけて，科学の発達は社会の矛盾を容赦なく暴き出すようになり，そういうものから目を背けて**精神の内面を重視**する思潮が強まった。それが**耽美主義**，あるいは**審美主義**であり，ワイルドは退廃的なまでに自らの美意識に忠実であろうとしたので正しい。

**2 ×　古典主義は過去への憧憬や郷愁を伴う。**
社会が混乱して不安定になると，かつてあった秩序や安定感へ戻ろうとする動きが生まれる。ポンペイの発掘が古代ギリシャ・ローマ文化の再評価を巻き起こし，**古典主義**が勢いづく。一方**バロック様式は変則的で歪められたもの**であり，ルネサンスの形成を大胆かつ進歩的に乗り越えようとするものだった。**モネ**は古典主義以降の写実的傾向に対し，**印象主義**的な自然の色彩をとらえようとした画家である。

**3 ×　写実主義を代表するのはクールベ。**

自分の**直接経験に基づいた芸術をつくろうとするのが写実主義**で，**クールベ**は実際に自分の眼で見たものだけを描くと主張した。しかしそれではカメラの写実性・記録としての正確さにはかなわなくなる。その行き詰まりを打破する試みが印象主義やその後に続く**ゴッホ**らの独自の表現の追求だったので，ゴッホの画風は写実主義とは別のものである。

**4 ×** 印象主義は画家の感覚がとらえた自然の印象を表現するもの。

**印象主義は自分の感覚に反映した自然を表現**しようとするので，物事から受けた客観的印象とはかけ離れた**主観的なもの**である。これに対して**ミレーは写実主義的**であり，働く農民たちの観察に基づいた作品を描いた。

**5 ×** ロマン主義は既成の現実に背を向けるもの。

**ロマン主義**は平凡な日常という**現実からの逃避**によって成り立つものであり，秩序や論理は打ち破り乗り越える対象でしかない。社会の約束事に縛られず自由な感性を追求しようとする。**フローベール**は現実生活を写実的に描いたり，ロマン主義的に描く作品もあり，『**ボヴァリー夫人**』はロマン主義的小説である。



## No.3 の解説　19～20世紀のフランスの画家

→問題はP.462　**正答 1**

### STEP❶ 作品を油絵とそれ以外に区分，ポスターを検討

A～Cの記述のうち，Bの**ロートレック**に関する「版画家，**ポスター**作家」という点からスタートする。当てはまりそうなのは**ウ**と**エ**だけである点は選択肢からも明らか。ロートレックの画風を知っていれば，**ウ**が彼の『ル・ディヴァン・ジャポネ』（1893年）と判断でき，**エ**を挙げている**2**，**3**，**5**は誤り。画風がわからなければ，「歓楽の世界に生きた人々」というモデルが複数いる点を考えよう。**エ**は同じくポスター作家として名声を得た**ミュシャ**の作品『ジスモンダ』（1895年）で，スラヴやオリエントの装飾的要素が加えられている点が特徴である。

### STEP❷ ゴーギャンとタヒチは切っても切れない

Aの「文明に毒されない人々」つながりで裸体の人物画の**ア**と**イ**が挙げられている。**ゴーギャン**がヨーロッパ文明を嫌って**タヒチ**へ移住したエピソードは有名で，**ア**は彼の『かぐわしき大地』（1892年）である。よって**イ**を挙げた**4**も誤りで**1**が正答とわかる。**イ**は**マティス**の『ダンス』（1910年）であり，同じモチーフの大装飾壁画が1930～33年にかけてアメリカのバーンズ財団のために描かれている。

### STEP❸ ドガの踊り子は有名

**オ**は**ドガ**の代表作の１つである『踊りの花形』（1878年頃）で，彼は**バレエの踊り子**たちの絵を何枚も描いただけでなく，ブロンズ像も作った。その点を隠し，Cでは「劇場」という表現を用いたようだ。

以上から**1**が正答である。

# 西洋音楽・映画

## 必修問題

**西洋音楽の作曲家に関する記述として最も妥当なのはどれか。**

【国家総合職・平成16年度】

**1** ヘンデルは，J.S.バッハと並ぶ**バロック時代**のドイツ生まれの作曲家として知られている。J.S.**バッハ**がイタリアで音楽を学びイギリスで活躍したのとは対照的に，生涯ドイツで音楽活動を行った。オルガンを用いた**宗教的音楽**を数多く作曲しており，代表的な作品として，「マタイ受難曲」，「G線上のアリア」などが挙げられる。

**2** **ベートーヴェン**は，**古典派**を代表するドイツの作曲家として知られている。生涯に40曲以上の交響曲を作曲する中で，第１楽章に**ソナタ形式**を用いるという交響曲の典型的なスタイルを確立し，後の作曲家に多大なる影響を及ぼした。特に有名なのは，交響曲第５番「運命」，第６番「悲愴」，第９番「未完成」などであり，世界各国で演奏されている。

**3** シューマンは，ポーランドで生まれた**ロマン派**の作曲家である。少年時代からピアノの即興演奏に才能を現し，作曲した作品の大半にピアノを用いている。中でも**「子犬のワルツ」**，「幻想即興曲」，**「別れの曲」**などは，親しみやすい曲であることからアマチュア演奏家の間でも広く演奏されている。

**4** **ドヴォルザーク**は，**スメタナ**と並ぶ**チェコ国民楽派**の作曲家として知られている。1890年代にニューヨークの音楽院の院長として招かれ，**アメリカに滞在**する中で，アメリカの古い民謡や黒人霊歌に深い関心を持ち，それらと故郷ボヘミアの民謡とを融合した音楽を生み出した。その中で有名なのが，交響曲第9番「新世界から」，チェロ協奏曲ロ短調などである。

**5** **プロコフィエフ**は，20世紀に活躍したロシア生まれの作曲家であり，法律家から転身して作曲家となったことで知られている。叙情的なメロディと華麗なオーケストレーションが特徴であり，**バレエ音楽**の芸術的価値を高めた点でも評価されている。代表作品として，バレエ音楽**「くるみ割り人形」**，**「眠りの森の美女」**などが挙げられる。

難易度 ＊＊＊

## 必修問題の解説

言葉による解説が最も やりにくい芸術領域が音楽である。その分，出題された場合は正誤の判断に異論が入らないよう，客観的な部分で決着がつく。



**1 ×** 「マタイ受難曲」と「G線上のアリア」はバッハの作品。
**バッハ**と**ヘンデル**という，バロックを代表する２大音楽家は同時代人として比較しやすい。**宗教音楽**が主流の時代，ドイツをほとんど離れなかったバッハに対し，**イギリス宮廷**で華やかな生活を送っていたのはヘンデルのほうだが，後世に残った名曲の数とその知名度はバッハのほうが大きい。

**2 ×** ベートーヴェンの交響曲は９つ。
**ベートーヴェン**と比較されやすいのは，同じ**古典派**の**モーツァルト**や，**ロマン派**の**シューベルト**。いずれも数多くの名曲の作者なので，数の少なめなジャンルである交響曲やオペラを手がかりとする。**題名付きの交響曲**の数は他の音楽家でも少ない。「悲愴」は**チャイコフスキー**，「未完成」はシューベルトの作品である。

**3 ×** 「子犬のワルツ」と「別れの曲」はショパンの作品。
数多いロマン派の音楽家は，**ドイツ**生まれの**シューマン**，**ポーランド**の**ショパン**，**ハンガリー**の**リスト**というように出身地で区別したり，ピアノの名手（ショパンとリスト），**楽劇**の**ワーグナー**というように得意ジャンルで区別しよう。

**4 ◎** 「新世界から」はドヴォルザークのアメリカみやげ。
正しい。**国民楽派**については，チェコが重要ポイント。**ロシアの５人組**や**フィンランドのシベリウス**，**ノルウェーのグリーグ**などと混同させやすい。

**5 ×** 「くるみ割り人形」と「眠りの森の美女」はチャイコフスキーの作品。
ロシア音楽ではバレエ音楽が重要ポイント。**西欧的**な作風で知られる**チャイコフスキー**の３大バレエ（くるみ割り人形，眠りの森の美女，**白鳥の湖**）が特に有名であるが，**ストラヴィンスキー**の「**火の鳥**」やプロコフィエフの「ロミオとジュリエット」の知名度も高い。

**正答 4**

## FOCUS

古典派やバロックの音楽家から現代のミュージカルまで，幅広く出題されているため，的を絞りにくい。芸能情報などをきっかけに，ちょっと古い音楽もチェックするなど，少しずつでも音楽ネタに関心を持つことが大事。問題練習も注意喚起という意味で効果がある。まったく同じ問題にぶつかる確率は低いが，周辺情報に助けられるかもしれない。

## POINT

### 重要ポイント 1 バロックからロマン主義まで

| 分　類 | 音楽家 | 覚えておきたい作品 |
|---|---|---|
| バロック | バッハ | マタイ受難曲，ブランデンブルク協奏曲 |
| | ヘンデル | 水上の音楽，〔オラトリオ〕メサイア |
| 古典主義 | ハイドン[1] | 〔オラトリオ〕天地創造，交響曲第45番「告別」 |
| | モーツァルト[2] | フィガロの結婚，交響曲第41番「ジュピター」 |
| | ベートーヴェン | レオノーレ，〔ピアノ・ソナタ〕悲愴，月光，熱情 |
| ロマン主義 | ウェーバー | 魔弾の射手 |
| | シューベルト[3] | 交響曲第８番「未完成」，連作：美しい水車小屋の娘 |
| | シューマン | 歌曲集：詩人の恋，ピアノ曲集：子供の情景 |
| | メンデルスゾーン | 無言歌（全８巻），アンティゴネ |
| | ショパン | 軍隊ポロネーズ，小犬のワルツ |
| | ブラームス | 勝利の歌，ドイツ民謡集（49曲） |
| | ベルリオーズ[4] | 幻想交響曲 |
| | リスト | ハンガリー狂詩曲 |
| | ワーグナー[5] | ニーベルンゲンの指輪，タンホイザー |
| | マーラー | 1000人の交響曲，大地の歌 |
| | サン=サーンス | サムソンとデリラ，動物の謝肉祭 |
| | シュトラウス[6] | 〔ワルツ〕ウィーンの森の物語，アンネン・ポルカ |
| | チャイコフスキー | 白鳥の湖，〔オペラ〕スペードの女王 |

1）**ハイドン**：100曲を超える交響曲を作り，「**交響曲の父**」と呼ばれる。

2）**モーツァルト**：ザルツブルク大司教の宮廷音楽家を務めていたことがあるので，宗教音楽も多く作っている。

3）**シューベルト**：ドイツ・リート（歌曲）の完成に寄与した。

4）**ベルリオーズ**：「**標題音楽**」の普及に熱心だった。

5）**ワーグナー**：人間全体の表現として音楽を全体芸術ととらえることを主張し，オペラの劇的要素を発展させた「**楽劇**」を作った。

6）**シュトラウス**（子）：「美しく青きドナウ」や「アンネン・ポルカ」などを作った。同名の父と区別するため，息子が「ワルツ王」，父が「ワルツの父」と称されている。

## 重要ポイント 2 国民楽派

19世紀前半からスラブ民族の間で始まり，東欧や北欧へ広がった民族主義的な音楽家グループをさす。

| 音楽家 | 国 | 代表作 |
|---|---|---|
| **グリンカ** | ロシア | リスランとリュドミーラ |
| **ボロディン** | ロシア | 中央アジアの草原で |
| **ムソルグスキー** | ロシア | はげ山の一夜 |
| **リムスキー=コルサコフ** | ロシア | 交響詩「サトコ」 |
| **スメタナ** | チェコ | 売られた花嫁 |
| **ドヴォルザーク** | チェコ | 交響曲「新世界から」 |
| **グリーグ** | ノルウェー | ペール・ギュント |
| **シベリウス** | フィンランド | フィンランディア |

**ロシア５人組**：バラキレフ，リムスキー=コルサコフ，キュイ，ムソルグスキー，ボロディンの５人の音楽家の呼称。

## 重要ポイント 3 ポピュラー音楽用語

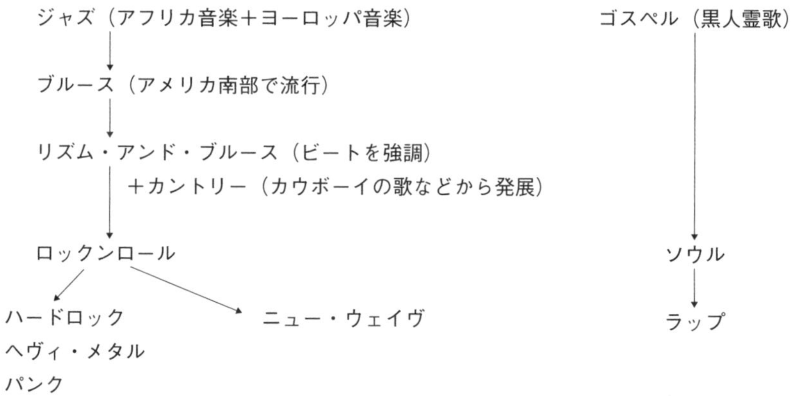


## 重要ポイント 4 ワールド・ミュージック

| ダンス音楽 | 歌　謡 |
|---|---|
| **タンゴ**（アルゼンチン） | **ファド**（ポルトガル） |
| **サンバ**（ブラジル） | **フォルクローレ**（アンデス） |
| **ルンバ**（キューバ） | **シャンソン**（フランス） |
| **マンボ**（キューバ） | **カンツォーネ**（イタリア） |
| **サルサ**（キューバ） | |

## 実戦問題

*
**No.1 次は，作曲家メンデルスゾーンに関する記述であるが，A，B，Cに当てはまるものの組合せとして最も妥当なのはどれか。** 【国家総合職・平成21年度】

1809年に裕福な家庭に生まれ，17歳の時に『真夏の夜の夢』の序曲を作曲した。1829年には，それまで忘れられていたJ.S.バッハの［ A ］を復活上演して，これを再認識させたり，ヴェーバーの小協奏曲を紹介したりして，広い意味での啓蒙的な役割を果たしている。また，この時期にはヨーロッパ各地へ演奏旅行を行っており，旅行の間に受けた印象や感銘を通しての標題的な音楽作品を作っている。スコットランドへの旅からは交響曲『スコットランド』と［ B ］を，イタリアへの旅で交響曲『イタリア』をそれぞれ書いている。1842年には，『真夏の夜の夢』の付随音楽を完成し，1846年にはオラトリオ［ C ］を作曲した。

| | A | B | C |
|---|---|---|---|
| **1** | 『マタイ受難曲』 | 『ペール・ギュント』 | 『天地創造』 |
| **2** | 『マタイ受難曲』 | 『フィンガルの洞窟』 | 『エリア』 |
| **3** | 歌劇『魔笛』 | 『ペール・ギュント』 | 『エリア』 |
| **4** | 歌劇『魔笛』 | 『フィンガルの洞窟』 | 『天地創造』 |
| **5** | 歌劇『魔笛』 | 『フィンガルの洞窟』 | 『エリア』 |

**
**No.2 次のA～Dは，合唱を伴う大規模な管弦楽曲の記述で，作曲者名および曲名は，ベートーヴェン『交響曲第九番』，モーツァルト『レクイエム』，バッハ『マタイ受難曲』，ヘンデル『メサイア』のいずれかであるが，曲名との組合せとして最も妥当なのはどれか。** 【国家総合職・平成19年度】

A：ロマン派の詩人，シラーの詩をもとに作曲されたもので，第四楽章の後半に合唱が入る。「すべての人びとが兄弟となる」と，人類の兄弟愛が高らかに歌いあげられる。

B：イエス・キリストの処刑の物語を題材にしたもので，ルターによるドイツ語訳聖書を中心として作曲されたものである。テノールの朗唱する福音書の言葉を中心に，独唱や合唱が配置され，劇的に展開されていく。

C：英語に翻訳された聖書を題材に作曲されたもので，イエス・キリストの生涯を叙事的に描いている。ロンドン初演の際，第二部終曲の「ハレルヤ・コーラス」で，イギリス国王ジョージ２世が感動のあまり起立した，というエピソードがある。

D：正式名を『死者のためのミサ曲』といい，ラテン語の典礼文をもとに作曲されたもので，死者の「永遠の安息」を願ったものである。作曲家の死により未完のまま残されたが，弟子のジュースマイアーにより，補筆されたものが演奏されることが多い。

| | A | B | C | D |
|---|---|---|---|---|
| 1 | 交響曲第九番 | レクイエム | マタイ受難曲 | メサイア |
| 2 | 交響曲第九番 | マタイ受難曲 | メサイア | レクイエム |
| 3 | メサイア | レクイエム | 交響曲第九番 | マタイ受難曲 |
| 4 | メサイア | マタイ受難曲 | 交響曲第九番 | レクイエム |
| 5 | マタイ受難曲 | メサイア | レクイエム | 交響曲第九番 |

**No.3** ＊＊ **ミュージカル映画に関する次の記述のうち，作品名と作品の概要の組合せとして妥当なものはどれか。** 【地方上級（関東型）・平成30年度】

**1** 「ウェスト・サイド物語」――「ロミオとジュリエット」を下敷きにして，1950年代のニューヨークの下町を舞台に，敵対する若者グループの抗争と，それに翻弄される恋人たちの生きざまを描いた作品である。

**2** 「サウンド・オブ・ミュージック」――20世紀初頭のロンドンを舞台に，貴族階級の言語学者が，貧しい花売り娘の発音を矯正することで彼女を淑女に仕立て上げるストーリーで，言語学者の女性に対する認識の変化と女性の自立について描いている。

**3** 「マイ・フェア・レディ」――第二次世界大戦直前のオーストリアを舞台に，妻に先立たれた大佐の家に派遣された家庭教師が，その家の子どもたちと交流を深め，大佐と結婚し，ナチスの弾圧を逃れてスイスに亡命する物語である。

**4** 「コーラス・ライン」――19世紀のフランスを舞台に，貧しさからわずかなパンを盗んで長い間投獄された男が，脱獄後名前を変え，工場経営者，市長と上りつめ，彼の正体を知る警部に執拗に追いかけられながらも人間らしく生きていこうとする物語である。

**5** 「レ・ミゼラブル」――ニューヨークのブロードウェイを舞台に，オーディションに挑戦しミュージカルに青春をかける若者たちの希望や不安，生活環境や苦悩を描き出している。

# 実戦問題の解説

## No.1 の解説　ロマン派の音楽

→問題はP.470　正答2

**STEP❶　宗教音楽ならバッハの作品**

作品名で「受難曲」がついていれば宗教音楽。時代を考えるとバッハなら宗教音楽であり，Aには**『マタイ受難曲』**が入るから**3**，**4**，**5**は誤り。この曲はバッハが教会音楽に情熱を燃やしていた1729年に作られた。歌劇**『魔笛』**は**モーツァルト**の作品で，ロマン派のオペラに影響を与えた。

**STEP❷　オラトリオで覚えておきたいのは『天地創造』**

オラトリオとは宗教的な題材の大規模な叙事的楽曲で，**ハイドン**の**『天地創造』**と**ヘンデル**の**『メサイヤ**（救世主)』の２つを覚えれば十分。Cにはメンデルスゾーンのオラトリオ『エリア』が入る。この曲と同じく彼の作品である『聖パウロ』が19世紀最高のオラトリオと言われている。よって**1**は誤りで正答は**2**となる。

**STEP❸　『ペール・ギュント』はグリーグの作品**

Bに入る『フィンガルの洞窟』はメンデルスゾーンの代表作の１つであるが，一般的な知名度は低い。日本では国民楽派の１人であるノルウェーのグリーグが作った**『ペール・ギュント』**の方が知られている。この曲はもともと劇場音楽（付随音楽）として作曲され，**イプセン**の戯曲に基づいており，オーケストラのために編曲されたほうが人気を博している。

## No.2 の解説　バロック・古典派の音楽

→問題はP.470　正答2

**STEP❶　ベートーヴェンの『交響曲第九番』といえば合唱つき**

年末に原語で歌われることが恒例行事となった**ベートーヴェン**の**『交響曲第九番』**である。「**シラーの詩**」と「すべての人びとが兄弟となる」という歌詞が決め手となり，Aの記述がこの曲のものとわかり，**3**，**4**，**5**は誤り。

**STEP❷　レクイエムは死者の冥福を祈るもの**

Dの正式名が**『死者のためのミサ曲』**とあるので，**モーツァルト**の**『レクイエム』**に関する記述とわかり，**1**も誤りとなる。

**STEP❸　バロック音楽の２人の巨匠は活躍した場所の違いで区別**

**バッハ**と**ヘンデル**の２人はほぼ同時代に活躍し，多くの宗教音楽を残している。ヘンデルがイギリスの宮廷社会で人気を博していたことが区別の基準となり，Cがヘンデルの**『メサイア』**の記述とわかり，これによりイギリスの**オラトリオ**伝統が築かれた。Bは「**イエス・キリストの処刑**」「**福音書の言葉**」がヒントとなってバッハの**『マタイ受難曲』**と判断できる。

以上を正しく組み合わせているのは**2**である。

## No.3 の解説　ミュージカル

→問題はP.471　正答 1

**1 ◎ ウェスト・サイド物語は現代版ロミオとジュリエット。**

正しい。プエルト・リコ系のシャーク団と白人系のジェット団の２つの不良グループの対立を背景に現代版の「**ロミオとジュリエット**」の悲劇が展開する。作曲は**レナード・バーンスタイン**，作詞はスティーヴン・ソンドハイム。映画版ではバレエ界で活躍したジェローム・ロビンスが群舞を振り付け，**ロバート・ワイズ**と共同で監督し，アカデミー賞を10部門で獲得した。

**2 × マイ・フェア・レディは言語学者の恋の話。**

記述は「**マイ・フェア・レディ**」に関するもの。**ジョージ・バーナード・ショウ**の戯曲「ピグマリオ」が下敷きとなり，花売り娘のコックニー（ロンドン訛り）を矯正できるかどうかの実験が進行する。舞台版のイライザ役はジュリー・アンドルーズが演じたが映画版では**オードリー・ヘップバーン**に代わり，アカデミー賞を８部門で獲得した。

**3 × サウンド・オブ・ミュージックは家族合唱団の実話。**

記述は「**サウンド・オブ・ミュージック**」に関するもの。マリア・フォン・トラップの自伝「**トラップ家合唱団物語**」の舞台版を1965年に忠実に映画化したのが「ウエスト・サイド物語」のロバート・ワイズ監督。ロジャースとハマースタイン２世のコンビが作曲した音楽の評判も良かった。

**4 × レ・ミゼラブルは苦悩に満ちた人生がテーマ。**

記述は「**レ・ミゼラブル**」に関するもの。**ユゴー**の同名小説が1980年にフランスで舞台化された。英語版は1985年に上演され，それが映画化されてオペラのように歌で話が進む構成となっている。原題は「悲惨な人々」で，登場人物たちは不幸な生涯をおくっている。

**5 × コーラ・スラインはダンサーたちの実話に基づく。**

記述は「**コーラス・ライン**」に関するもの。舞台版の振付・演出を担当した**マイケル・ベネット**の原題に基づいて，実際のブロードウェイのダンサーたちの体験談をまとめあげた作品である。マーヴィン・ハムリッシュの音楽も評判となり「**ワン（One）**」というヒット曲に乗って踊る「コーラス・ライン・キック」が人気を博した。

# 日本の美術・芸能

## 必修問題

**次のア～ウは，江戸時代の芸術家に関する記述であるが，文中の空所A～Cに該当する芸術家の組合せとして，妥当なのはどれか。**

【地方上級（特別区）・平成24年度】

ア：［ A ］は，肥前有田の陶工で，上絵付けの技法による赤絵の技法を完成させた。作品に「**色絵花鳥文深鉢**」がある。

イ：［ B ］は，浮世絵において，錦絵と呼ばれる多色刷の木版画をはじめた。作品に「**弾琴美人**」がある。

ウ：狩野派に学んだ［ C ］は，洋画の遠近法を用いて立体感のある写生画を描いた。作品に「**保津川図屏風**（びょうぶ）」や「**雪松図屏風**」がある。

| | A | B | C |
|---|---|---|---|
| **1** | 酒井田柿右衛門 | 鈴木春信 | 円山応挙 |
| **2** | 酒井田柿右衛門 | 喜多川歌麿 | 伊藤若冲 |
| **3** | 酒井田柿右衛門 | 喜多川歌麿 | 円山応挙 |
| **4** | 野々村仁清 | 喜多川歌麿 | 円山応挙 |
| **5** | 野々村仁清 | 鈴木春信 | 伊藤若冲 |

難易度　*

## 必修問題の解説

江戸時代の浮世絵や陶磁器はヨーロッパ文化に多大な影響を及ぼした。作品名と有名な作者たちの記述で，日本史の教科書に載っているものは必修事項である。



**STEP❶ 浮世絵画家のチェックから始める**

陶磁器のほうが得意な人は**ア**から始めてもよいが，画家に関する**イ**と**ウ**，その中でも浮世絵画家の**イ**から検討。Bに挙げられているのは**美人画**で知られる**鈴木春信**と**喜多川歌麿**の２人。浮世絵は数も多いし，作品名での判断はむずかしい。ここでは**錦絵**の創始者ということで春信が正しい。歌麿の場合，版元の**蔦屋重三郎**（つた），**大首絵**（おおくびえ）という形式，「**雲母摺**（きらずり）」「黄つぶし」という表現法の記述が入ってくる。**2**，**3**，**4**は誤りとなる。

**STEP❷ 知名度の高いほう，自分が興味あるほうを優先**

柿右衛門の**赤絵**と応挙の写生画を比較すると，前者のほうがよく知られているだろう。「**酒井田柿右衛門**」の名は代々受け継がれ，藩主の代替りのときは謁見が許され，作品を献上してきた実績があり，Aには柿右衛門が入り，この時点で正答は**1**と決まる。同じく**色絵**の磁器で有名な**野々村仁清**は「きれいさび」を特徴とする**京焼**の名工である。

**STEP❸ 江戸時代の画家は狩野派の手ほどきを受けている人が多い**

御用絵師の名門狩野派の流れをくむ画家は多く，**円山応挙**もその一派である鶴沢派の石田幽汀に入門した。しかし江戸時代も後期になると中国や西洋の**写生画**の影響も大きくなる。応挙は生計をたてるため「**眼鏡絵**（めがねえ）」の制作をしていたこともあり，独自の「**付立て**（つけたて）」筆法を完成し，弟子の育成にも力を入れ円山派を興した。**伊藤若冲**（じゃくちゅう）は独特の**花鳥画**で有名である。

以上から**1**が正答である。

**正答 1**

## FOCUS

浮世絵なら美人画で春信と歌麿，風景画の連作で広重と北斎，大首絵なら歌麿と写楽というように関連づけて画家を整理してみよう。古い時代の仏像，現代でも関心の高い能や歌舞伎などの出題も軽視できない。日本文化を紹介するときに避けて通れぬ要素であるから，ひととおりの基本情報は把握しておこう。

# POINT

## 重要ポイント 1 日本の美術

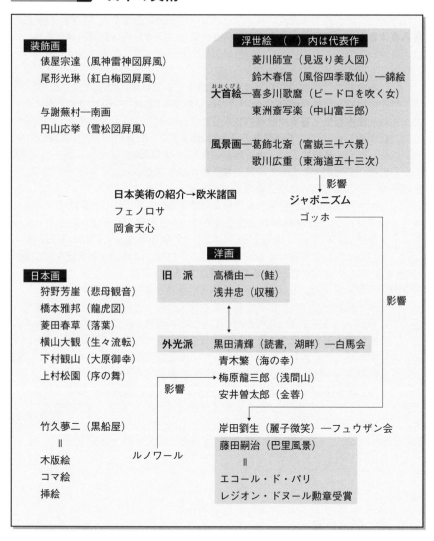

**装飾画**

俵屋宗達（風神雷神図屛風）
尾形光琳（紅白梅図屛風）

与謝蕪村―南画
円山応挙（雪松図屛風）

**浮世絵**　（　）内は代表作

菱川師宣（見返り美人図）
鈴木春信（風俗四季歌仙）―錦絵
**大首絵**（おおくびえ）―喜多川歌麿（ビードロを吹く女）
東洲斎写楽（中山富三郎）

**風景画**―葛飾北斎（富嶽三十六景）
歌川広重（東海道五十三次）

↓ 影響

**ジャポニズム**
ゴッホ

**日本美術の紹介→欧米諸国**
フェノロサ
岡倉天心

**日本画**

狩野芳崖（悲母観音）
橋本雅邦（龍虎図）
菱田春草（落葉）
横山大観（生々流転）
下村観山（大原御幸）
上村松園（序の舞）

竹久夢二（黒船屋）
‖
木版絵
コマ絵
挿絵

**洋画**

**旧　派**　高橋由一（鮭）
浅井忠（収穫）

↕

**外光派**　黒田清輝（読書，湖畔）―白馬会
青木繁（海の幸）
梅原龍三郎（浅間山）
安井曽太郎（金蓉）

ルノワール →（影響）→ 梅原龍三郎

ゴッホ →（影響）→ 岸田劉生

岸田劉生（麗子微笑）―フュウザン会
藤田嗣治（巴里風景）
‖
エコール・ド・パリ
レジオン・ドヌール勲章受賞

## 重要ポイント2 日本の芸能

**中国から伝来**

**雅楽**
舞楽：舞と野外演奏が目的
↓
宮中や寺社での儀式などで演じられる音楽

**日本固有**

**猿楽**：宮中の酒宴での余興など／田楽とともに神社の祭礼 } で演じられた

**能**
シテを中心
謡(うたい)・囃子(はやし)が伴奏の歌舞劇

**狂言**
滑稽卑俗を表現する風刺劇
能楽に付随して演じられる

**室町時代**
能楽5流：観世・宝生・金春・金剛・喜多（江戸時代から）
狂言3流：鷺（観世）・大蔵（金春）・和泉
五番立：脇能・修羅能・かつら（女）能・雑能・鬼畜能

**江戸時代**
浄瑠璃‥‥琵琶，三味線で伴奏
あやつり人形
**人形浄瑠璃**（→ **文楽**）
竹本義太夫
近松門左衛門
時代物・世話物
＝「出世景清」　＝「曾根崎心中」
竹田出雲「菅原伝授手習鑑」「仮名手本忠臣蔵」
歌舞伎の主要演目として定着
↓
上方歌舞伎 ←→ 江戸歌舞伎
和事：坂田藤十郎　　荒事：市川団十郎

阿国歌舞伎
↓
遊女歌舞伎 → 若衆歌舞伎
↓
野郎歌舞伎

四世鶴屋南北「東海道四谷怪談」
二世河竹黙阿弥「三人吉三郭初買(さんにんきちざくるわのはつがい)」

歌舞伎十八番：不破(ふわ)，鳴神(なるかみ)／暫(しばらく)，不動／象引(ぞうひき)，嫐(うわなり)／勧進帳，助六／押戻，外郎売(ういろううり)／矢の根，関羽(かんう)／景清，七つ面／毛抜，解脱／蛇柳(じゃやなぎ)，鎌髭(かまひげ)

**明治時代**
新派：発生期には壮士芝居と呼ばれた
新劇：西欧近代演劇の影響‥‥自由劇場，築地小劇場

## 実戦問題

**＊＊**
**No.1 日本の作曲家に関する次の記述と，それぞれに該当する人物名との組合せとして最も妥当なのはどれか。** 【地方上級（東京都）・令和２年度】

A：明治12年に東京で生まれ，西洋音楽の様式を日本で最も早い時期に取り入れた作曲家である。「花」，「荒城の月」，「箱根八里」などの代表曲があり，22歳でドイツの音楽院への入学を果たすも，病気のためわずか23歳で生涯を閉じた。

B：明治11年に鳥取で生まれ，キリスト教系の学校で音楽の基礎を学び，文部省唱歌の作曲委員を務めた。「春の小川」，「朧月夜（おぼろ）」，「ふるさと」など，作詞家高野辰之との作品を多く残したとされている。

C：大正13年に東京で生まれ，戦後の日本で，オペラから童謡にいたるまで様々なジャンルの音楽を作曲した。オペラ「夕鶴」や，ラジオ歌謡「花の街」，童謡「ぞうさん」など幅広い世代に親しまれる楽曲を残した。

| | A | B | C |
|---|---|---|---|
| **1** | 瀧（たき）廉太郎 | 成田為三 | 團（だん）伊玖磨 |
| **2** | 瀧廉太郎 | 成田為三 | 中田喜直 |
| **3** | 瀧廉太郎 | 岡野貞一 | 團伊玖磨 |
| **4** | 山田耕筰（さく） | 成田為三 | 中田喜直 |
| **5** | 山田耕筰 | 岡野貞一 | 團伊玖磨 |

**＊**
**No.2 次のA～Cは，江戸時代の元禄文化における美術作品であるが，それぞれに該当する作者名の組合せとして，妥当なのはどれか。**

【地方上級（特別区）・平成21年度】

A：燕子花（かきつばた）図屏風（びょうぶ）

B：見返り美人図

C：色絵藤花文茶壺（ちゃつぼ）

| | A | B | C |
|---|---|---|---|
| **1** | 俵屋宗達 | 菱川師宣 | 宮崎友禅 |
| **2** | 俵屋宗達 | 喜多川歌麿 | 野々村仁清 |
| **3** | 俵屋宗達 | 菱川師宣 | 酒井田柿右衛門 |
| **4** | 尾形光琳 | 喜多川歌麿 | 宮崎友禅 |
| **5** | 尾形光琳 | 菱川師宣 | 野々村仁清 |

**No.3** ＊ **日本の歴史的建築物に関するA～Cの記述のうち，正しい組合せはどれか。**

【市役所・平成22年度】

A：世界最古の木造建築で，1993年に世界遺産にも登録された。金堂，五重塔があり，エンタシスが見られる。

B：この建物は第二次世界大戦後に放火により焼失した。それを題材に三島由紀夫が小説を著したことでも有名である。

C：茶室の設けられた数寄屋造の建物と回遊式庭園があり，明治時代に世界的な建築家ブルーノ=タウトによって称賛された。

| | A | B | C |
|---|---|---|---|
| 1 | 法隆寺 | 中尊寺金色堂 | 桂離宮 |
| 2 | 東大寺 | 中尊寺金色堂 | 日光東照宮 |
| 3 | 法隆寺 | 鹿苑寺金閣 | 桂離宮 |
| 4 | 平等院鳳凰堂 | 鹿苑寺金閣 | 日光東照宮 |
| 5 | 東大寺 | 中尊寺金色堂 | 桂離宮 |

**No.4** ＊＊＊ **次のア～エは，日本の伝統芸能である能，狂言，文楽，歌舞伎についてそれぞれ説明したものである。その組合せとして妥当なものはどれか。**

【地方上級（全国型）・平成28年度】

ア：長唄が伴奏音楽として重要な役割を果たす。演技では，物語が重要な展開をするときや登場人物の気持ちが高まる場面で，いったん動きを止めて「見得を切る」演技が行われることがある。

イ：大夫による語りと三味線による音楽が一体となって展開する人形劇である。人形の多くは，３人の人形遣いによって操られる。

ウ：主役のシテと相手役のワキが中心となり，謡を担当する地謡と音楽を担当する囃子方によって進行する。その美的規範は幽玄で，神や幽霊が多く登場する。

エ：対話を中心としたせりふ劇である。題材は中世の庶民の生活からとられることが多く，人間の習性や本質が滑稽に描かれる。

| | ア | イ | ウ | エ |
|---|---|---|---|---|
| 1 | 歌舞伎 | 狂言 | 能 | 文楽 |
| 2 | 歌舞伎 | 文楽 | 狂言 | 能 |
| 3 | 歌舞伎 | 文楽 | 能 | 狂言 |
| 4 | 文楽 | 狂言 | 能 | 歌舞伎 |
| 5 | 文楽 | 狂言 | 歌舞伎 | 能 |

**No.5**＊ **次のA～Eのうち，世界遺産条約に基づいて作成される「世界遺産一覧表」に記載されている文化遺産の組合せとして，妥当なのはどれか。**

【地方上級（東京都）・平成27年度】

A：厳島神社

B：古都京都の文化財

C：富岡製糸場と絹産業遺産群

D：彦根城

E：武家の古都・鎌倉

**1** A，B，C

**2** A，B，D

**3** A，D，E

**4** B，C，E

**5** C，D，E

# 実戦問題の解説

## No.1 の解説　日本の作曲家

→問題はP.478　正答3

**STEP❶　知名度の高い瀧廉太郎から攻める**

**「花」**や**「荒城の月」**は必ずといっていいほど学校で習った歌であり，その作曲者瀧廉太郎はすぐわかる。従ってAに彼の名を挙げていない**4**と**5**は誤り。短い生涯でピアニスト並びに作曲家としての才能を示し，幼稚園唱歌の「鳩ぽっぽ」も彼の作品である。**山田耕筰**も瀧と同じくドイツへ留学して作曲を学び，帰国してわが国最初の交響楽団である東京フィルハーモニー管弦楽団を組織して自作を次々と発表した。**小山内薫**や**北原白秋**らと協力して山田は幅広く活動した。

**STEP❷　オペラ作曲家として有名なのは團伊玖磨**

**團伊玖磨**は**オペラ「夕鶴」**とペアで覚えよう。オペラだけでなく童謡から映画音楽まで幅広く手がけ，**芥川也寸志・黛敏郎**と「三人の会」を結成した。よってCに入るのは團である。**中田喜直**は新しい日本の歌の創造に積極的で**「雪の降るまちを」**や**「夏の思い出」**など多くの愛唱歌を作った。

**STEP❸　唱歌や童謡の作者はマニアック情報と割り切る**

本問ではBが一番難しい。歌を知っていても作者は知らないケースが多い。特に**岡野貞一**は知名度が低く，Bの記述が彼についてとわかる人は少ない。彼に比べたら**成田為三**のほうが名を知られていて，**鈴木三重吉**が唱導した童謡運動への参加は必ず触れられる実績だ。童謡への言及がないBは成田に関するものではないから**1**と**2**も誤りで，**3**が正しい。

## No.2 の解説　江戸時代の美術作品

→問題はP.478　正答5

**STEP❶　見返り美人図は菱川師宣**

A～Cの中で知名度が高いのはB。切手の図柄として人気があった。それを見越して美人画で有名な**師宣**と**歌麿**を並べてミスリードしようとしている。歌麿は「婦女人相十品」などの連作が有名な浮世絵師。**「見返り美人図」**は浮世絵の開祖名人といわれた**菱川師宣**の作品なので**2・4**は誤り。

**STEP❷　屏風で花ときたら光琳を思い浮かべよう**

**俵屋宗達**を挙げるなら，必ず代表作の**「風神雷神図屏風」**が出てくるといっても過言ではない。その組合せがないというのは誤りと考えてよい。**尾形光琳**は宗達に傾倒し，**宗達光琳派**と呼ばれる画風を大成した。**「燕子花図屏風」**は金地に紫の燕子花を多数描いた作品で，光琳の代表作の１つなので，宗達を挙げた**1・3**は誤りである。

**STEP❸　骨董の世界で仁清はスーパースター**

柿右衛門と比べると**野々村仁清**の知名度は低いし，**「色絵藤花文茶壺」**といわれてもピンとこないかも知れないが，仁清は京焼の名工で**「きれいさび」**が特徴であるから**5**が正しい。**宮崎友禅**は友禅染の創始者といわれる絵師であり，**酒井田柿右衛門**は**赤絵**の伊万里焼で有名な陶工である。

## **No.3 の解説** 日本の歴史的建築物

→問題はP.479 **正答3**

### STEP❶ 記述で攻めるか選択肢で攻めるかを選ぶ

本問の場合，A～Cの記述が短いので，記述から攻めるのがベスト。Aにある「**世界遺産**」は登録数が少ないときには有効な手がかりだが，本問のように該当物件が多いと役立たない。登録年まで覚えている人は少ないだろう。使えるワードとそうでないものを区別してから解答が始まる。

### STEP❷ 時代を示す表現をチェック

Aの「**世界最古の木造建築**」から，創建が最も古い**法隆寺**であると判明。**2**と**4**，**5**が誤りとなる。Cの「**明治時代**」と「**ブルーノ=タウト**」も有名なエピソードで**桂離宮**とわかる。

### STEP❸ 事件が最後の決め手

Bの「**三島由紀夫**」の小説化で**鹿苑寺**(ろくおんじ)**金閣**とわかり，**3**が正答である。

**法隆寺**の**エンタシス**は中門の胴張り円柱が有名。**東大寺**の金堂には大仏が安置されているので**大仏殿**として有名であり，**南大門**には日本最大の木彫**仁王像**がある。**平等院**の阿弥陀堂は建物の形から江戸時代初期以降**鳳凰堂**と呼ばれている。**中尊寺金色堂**は**藤原清衡**が自分の葬堂として建立，光堂(ひかりどう)ともいう。**日光東照宮**には**徳川家康**が国家鎮護の神として奉斎され，現在の壮麗な社殿は**徳川家光**の命で造営された。

## **No.4 の解説** 日本の伝統芸能

→問題はP.479 **正答3**

### STEP❶ 人形浄瑠璃と文楽は現代では同義語

**イ**で説明される「人形劇」は**文楽**のことである。17世紀末に**浄瑠璃**作家の**近松門左衛門**と**義太夫節**の**竹本義太夫**が組んだことで発展した**人形浄瑠璃**は，初めは1人で人形を操っていたが3人遣いとなって完成した。人形浄瑠璃の専門劇場で唯一残ったのが大阪の文楽座であったことから，現在は文楽と呼ばれることが多い。よって**イ**に文楽を入れていない**1**，**4**，**5**は誤り。

### STEP❷ 「見得を切る」のは歌舞伎

**2**と**3**はどちらも**ア**に**歌舞伎**を入れていて正しい。歌舞伎の伴奏音楽を担当するのが「**下座**(げざ)」で，唄(うた)や三味線は「**長唄**」の人が担当し，鼓(つづみ)や大太鼓，笛などの**鳴物**(なりもの)はそれぞれ専門が担当する。「**見得**」は観客に印象深くさせるためのもので，「絵面(えめん)の見得」「不動(ふどう)の見得」「石投(いしな)げの見得」などがある。

### STEP❸ 能の幽玄，狂言の滑稽

**能**を脇能・修羅物・鬘(かずら)物・雑能(ざつのう)・鬼畜(きちく)物の**五番立**(ごばんだて)**分類**とするのは明治以降の便宜的な分類で，亡霊や化身などを主人公とする「**夢幻能**」と，シテ・ワキなどの登場人物がすべて現実の人物である「**現在能**」に分ける場合もあ

る。**ウ**の説明が能についてであり，室町時代に**観阿弥・世阿弥**父子によって大成された。**エ**の**狂言**は能とともに行われて発展し，主役が**シテ**，その相手役は**アド**という。その内容や演出は**大蔵**流，**和泉**流などの流派で異なる。**ウ**に狂言，**エ**に能を入れた**2**も誤り。

以上から**3**が正しい。



## No.5 の解説　世界遺産

→問題はP.480　**正答 1**

世界遺産は，**国連教育科学文化機関**（**UNESCO**）総会が1972年に採択した**世界遺産条約**で保護されるべきものとして「世界遺産一覧表」に載せられているものをいう。**文化遺産**，**自然遺産**，**複合遺産**の３種類がある。

**A**◎ **厳島神社**は原爆ドームとともに1996年に文化遺産として登録された。

**B**◎ **古都京都の文化財**は1994年に文化遺産として登録された。

**C**◎ **富岡製糸場と絹産業遺産群**は2014年に文化遺産として登録された。

**D**× 彦根城
**E**× 武家の古都・鎌倉
}は「日本の候補リスト（暫定リスト）」に掲載されたが世界遺産委員会の認可を得られず，日本は推薦を取り下げた。「**明治日本の産業革命遺産**」と「**国立西洋美術館**（**本館**）」（**ル・コルビュジエの建築作品**）が先に登録された。

以上からA，B，Cを挙げた**1**が正答である。

# 索　引

## 日本史

## 世界史

【た行】



【な行】



【は行】



【ま行】



【や行】



【ら行】

【わ行】



**地理**

【あ行】



【か行】



【さ行】



【た行】



【な行】



【は行】

## 文学・芸術

【な行】


【は行】


【ま行】


【や行】


【ら行】


【わ行】

## ●本書の内容に関するお問合せについて

『新スーパー過去問ゼミ』シリーズに関するお知らせ，また追補・訂正情報がある場合は，小社ブックスサイト（books.jitsumu.co.jp）に掲載します。サイト中の本書ページに正誤表・訂正表がない場合や訂正表に該当箇所が掲載されていない場合は，書名，発行年月日，お客様の名前・連絡先，該当箇所のページ番号と具体的な誤りの内容・理由等をご記入のうえ，郵便，FAX，メールにてお問合せください。

〒163-8671　東京都新宿区新宿 1-1-12　実務教育出版　第二編集部問合せ窓口
FAX：03-5369-2237　　E-mail：jitsumu_2hen@jitsumu.co.jp

【ご注意】

※電話でのお問合せは，一切受け付けておりません。

※内容の正誤以外のお問合せ（詳しい解説・受験指導のご要望等）には対応できません。

公務員試験
新スーパー過去問ゼミ 7　**人文科学**［増補版］

2023年 9 月10日　初版第 1 刷発行　　〈検印省略〉
2024年 9 月10日　増補初版第 1 刷発行

**編　者**　資格試験研究会
**発行者**　淺井　亨

**発行所**　株式会社 実務教育出版
〒163-8671　東京都新宿区新宿1-1-12
☎編集　03-3355-1812　　販売　03-3355-1951
振替　00160-0-78270

**印　刷**　TOPPANクロレ
**製　本**　ブックアート


ISBN 978-4-7889-3764-2 C0030　Printed in Japan
乱丁，落丁本は小社にておとりかえいたします。